Lutz Philipp Roth

Wettbewerbsverzerrungen durch Strafrecht

Schriftenreihe des Max-Planck-Instituts für ausländisches und internationales Strafrecht

Strafrechtliche Forschungsberichte

Herausgegeben von Ulrich Sieber

in Fortführung der Reihe
„Beiträge und Materialien aus dem Max-Planck-Institut für ausländisches und internationales Strafrecht Freiburg“
begründet von Albin Eser

Band S 120

Max-Planck-Institut für ausländisches und internationales Strafrecht

Wettbewerbsverzerrungen durch Strafrecht

Strafrechtliche Harmonisierungskompetenz der EG auf Grundlage der Binnenmarktkompetenz des Art. 95 EGV?

Lutz Philipp Roth

Duncker & Humblot · Berlin

Bibliografische Information der Deutschen Nationalbibliothek

Die Deutsche Nationalbibliothek verzeichnet diese Publikation in der Deutschen Nationalbibliografie; detaillierte bibliografische Daten sind im Internet über <http://dnb.ddb.de> abrufbar.

c/o Max-Planck-Institut für ausländisches und internationales Strafrecht
Günterstalstraße 73, 79100 Freiburg i.Br.
http://www.mpicc.de
Vertrieb in Gemeinschaft mit Duncker & Humblot GmbH, Berlin
http://www.duncker-humblot.de

Umschlagbild: Frank Schmidt, Köln
Foto des Autors: Nandor Knust
Druck: Stückle Druck und Verlag, Stückle-Straße 1, 77955 Ettenheim
Printed in Germany

ISSN 1860-0093
ISBN 978-3-86113-846-4 (Max-Planck-Institut)
ISBN 978-3-428-13406-9 (Duncker & Humblot)
Gedruckt auf alterungsbeständigem (säurefreiem) Papier
entsprechend ISO 9706 ♾

Vorwort

Die Arbeit wurde im Sommersemester 2009 an der juristischen Fakultät der Albert-Ludwigs-Universität Freiburg i.Br. als Dissertation angenommen. Rechtsprechung und Literatur konnten bis Juni 2009 berücksichtigt werden.

Mein herzlicher Dank gilt all denen, die zum Entstehen der Arbeit beigetragen und mich unterstützt haben. An erster Stelle möchte ich meinem Doktorvater Professor Dr. *Roland Hefendehl* für die Betreuung des Promotionsvorhabens, seine Anregungen und die wissenschaftlichen Freiräume danken, die er mir gewährt hat. Professor Dr. Dr. h.c. *Hans-Jörg Albrecht* danke ich für die zügige Erstellung des Zweitgutachtens. Die Max-Planck-Gesellschaft hat durch ihre großzügige Förderung die Entstehung der Arbeit wesentlich erleichtert. Der Direktor im Max-Planck-Institut für ausländisches und internationales Strafrecht, Professor Dr. Dr. h.c. *Ulrich Sieber*, ermöglichte die Aufnahme in die Schriftenreihe „Strafrechtliche Forschungsberichte".

Für ihren Rat, ihre steten Aufmunterungen und die Mühen des Korrekturlesens danke ich Dr. *Marianne Wade*, Dr. *Christoph Kuhn*, Dr. *Thomas Daniel Würtenberger*, Dipl. Volkswirt Ass. iur. *Fritz Johannes Roth*, Dr. *Jens Puschke*, MA *Birgit Heidtke* sowie nicht zuletzt auch MA *Katharina Söchtig*. Die Anregungen *Petra Lehsers* vom Lektorat des Max-Planck-Instituts für ausländisches und internationales Strafrecht waren bei der Drucklegung eine große Hilfe.

Gewidmet ist diese Arbeit meiner Familie.

Dresden, im Juli 2010 *Lutz Philipp Roth*

Inhaltsverzeichnis

Zweiter Teil: Strafrechtliche Harmonisierung mittels Art. 95 EGV?

Abkürzungsverzeichnis

ABl.	Amtsblatt der Europäischen Gemeinschaften
AEUV	Vertrag über die Arbeitsweise der Europäischen Union
AJDA	Actualité juridique – droit administratif
BCS	British Crime Survey
BGH	Bundesgerichtshof
BGHSt	Offizielle Entscheidungssammlung des Bundesgerichtshofs in Strafsachen
BtM	Betäubungsmittel
BtMG	Betäubungsmittelgesetz
BVerfG	Bundesverfassungsgericht
BVerfGE	Offizielle Entscheidungssammlung der Urteile des Bundesverfassungsgerichts
ca.	circa
CEBR	Centre for Economics and Business Research
CMLRev	Common Market Law Review
comm	Commentaire
DC	Contrôle de constitutionnalité des lois et conventions
DVBl	Deutsches Verwaltungsblatt
DStR	Deutsches Steuerrecht
EAGV	Vertrag zur Gründung der Europäischen Atomgemeinschaft
EEA	Einheitliche Europäische Akte
EG	Europäische Gemeinschaft
EGKS	Europäische Gemeinschaft für Kohle und Stahl
EGV	Vertrag zur Gründung der Europäischen Gemeinschaft
Einl.	Einleitung
E.L.Rev	European Law Review
ELR	European Law Reporter

EMCDDA	European Monitoring Centre for Drugs and Drug Addiction
EP	Europäisches Parlament
EU	Europäische Union
EuConst	European Constitutional Law Review
eucrim	The European Criminal Law Associations' Forum – successor to AGON
EuGH	Europäischer Gerichtshof
EuGRZ	Europäische Grundrechte-Zeitschrift
EulnsVO	Europäische Insolvenzverordnung
EuR	Europarecht
EuRhÜbk	Europäisches Übereinkommen über die Rechtshilfe in Strafsachen
Europe	Europe – Recueil Dalloz
EUV	Vertrag über die Europäische Union
EuVerf	Entwurf eines Verfassungsvertrags für Europa
EuZW	Europäische Zeitschrift für Wirtschaftsrecht
EWG	Vertrag zur Gründung der Europäischen Wirtschafts-gemeinschaften
EWS	Europäisches Wirtschafts- & Steuerrecht
FAZ	Frankfurter Allgemeine Zeitung
FDI	Foreign Direct Investment
FoR	Forum Recht
FS	Festschrift
FT	Financial Times
GA	Generalanwalt/Goltdammer's Archiv für Strafrecht
Gazz. Uff.	Gazzetta Ufficiale de la Repubblica Italiana
GMBl.	Gemeinsames Ministerialblatt
GRUR	Gewerblicher Rechtsschutz und Urheberrecht
GRUR-Int	Gewerblicher Rechtsschutz und Urheberrecht Internationaler Teil
GS	Gedächtnisschrift
h.L.	herrschende Lehre
h.M.	herrschende Meinung
Hrsg.	Herausgeber

i.H.v.	in Höhe von
i.S.d./i.S.v.	im Sinne des/im Sinne von
IStR	Internationales Steuerrecht – Zeitschrift für europäische und internationale Steuer- und Wirtschaftsberatung
Jura	Juristische Ausbildung
JUS	Juristische Schulung
JZ	Juristenzeitung
KJ	Kritische Justiz
km	Kilometer
KOM(endg.)	Dokumente der Kommission (endgültig)
krit.	kritisch
KritV	Kritische Vierteljahresschrift
Ltd.	Private Limited Company
max.	maximal
m.E.	meines Erachtens
Mio.	Million
MschrKrim	Monatsschrift für Kriminologie und Strafrechtsreform
MMR	Multimedia und Recht
MünchKommStGB	Münchner Kommentar zum Strafgesetzbuch
NJW	Neue Juristische Wochenschrift
Nr., n°	Nummer, numéro
NStZ	Neue Zeitschrift für Strafrecht
NZG	Neue Zeitschrift für Gesellschaftsrecht
PJZS	Polizeiliche und justizielle Zusammenarbeit in Strafsachen
RL	Richtlinie
RNotZ	Rheinische Notarzeitung
Rs.	Rechtssache
Rspr.	Rechtsprechung
RTD eur.	Revue trimestrielle de droit européen

SEC	US Securities and Exchange Commission
Slg.	Offizielle Entscheidungssammlung der Entscheidungen des EuGH
st. Rspr.	ständige Rechtsprechung
StGB	Strafgesetzbuch
SZ	Süddeutsche Zeitung
t	Tonne
THC	Tetrahydrocannabinol
verb.	verbundene
vgl.	vergleiche
VO	Verordnung
wistra	Zeitschrift für Wirtschafts- und Steuerstrafrecht
WuW	Wirtschaft und Wettbewerb
ZEuS	Zeitschrift für europarechtliche Studien
ZfRV	Zeitschrift für Rechtsvergleichung
ZfWG	Zeitschrift für Wett- und Glücksspielrecht
ZIS	Zeitschrift für Internationale Strafrechtsdogmatik
ZRP	Zeitschrift für Rechtspolitik
ZStW	Zeitschrift für die gesamte Strafrechtswissenschaft
ZUM	Zeitschrift für Urheber- und Medienrecht
ZUR	Zeitschrift für Umwelt und Recht
zust.	zustimmend

Vgl. im Übrigen *Kirchner, Hildebert/Pannier, Dietrich*, Abkürzungsverzeichnis der Rechtssprache. 6. Aufl. Berlin 2008.

§ 1 Einleitung

Die Europäische Union nahm ihren Ausgang in einer reinen Wirtschaftsunion und wandelte sich mehr und mehr zu einer supranationalen Gemeinschaft, die nahezu alle Lebens- und Politikbereiche erfasst. Für die ursprüngliche Konzeption dieser Wirtschaftsgemeinschaft war der Politikbereich des Strafrechts ohne Relevanz. Dennoch hat es nicht lange gedauert, bis Überlegungen über ein europäisches Strafrecht zum Inhalt wissenschaftlicher Diskussion wurden.[1] Die Diskussion verstärkte sich, je mehr sich die EG von einer reinen Wirtschaftsunion entfernte.[2]

Seit dem Vertrag von Maastricht sind einige strafrechtliche Zuständigkeiten der EU im Rahmen des völkerrechtlichen Regeln folgenden EU-Vertrags (3. Säule) normiert. Ob bzw. welche strafrechtlichen Regelungszuständigkeiten der EU daneben im Rahmen des supranationalen Verbundes der EG (1. Säule) zustehen, ist bislang streitig geblieben und konnte nicht abschließend geklärt werden. Der EuGH äußerte sich hierzu lange nur in Andeutungen. Erst in einer Entscheidung aus dem Jahr 2005 (Rs. *C-176/03*) sprach er der EG auf dem Gebiet des Umweltstrafrechts eine Kompetenz zu.[3] In diesem vielbeachteten Urteil eröffnete der EuGH der EU den Weg, auch mittels der 1. Säule strafrechtliche Vorschriften der Mitgliedstaaten zu harmonisieren. In einem zweiten Urteil vom Oktober 2007 (Rs. *C-440/05*) festigte der EuGH diese Rechtsprechung, änderte sie aber auch in Teilen ab.[4]

Offen geblieben ist, ob sich diese Kompetenz auch auf andere Politikbereiche des EG-Vertrags übertragen lässt. Die Kommission forderte nach dem ersten Urteil im Jahr 2005 vehement, dass diese Rechtsprechung auch dazu herangezogen werden soll, Regelungen in anderen Politikbereichen der EG zu harmonisieren, insbesondere unter Verwendung der generalklauselartigen Kompetenz des Art. 95 EGV.[5] Ob Art. 95 EGV aber tatsächlich so weit geht, auch strafrechtliche Vorschriften der Mitgliedstaaten zu harmonisieren, ist im Moment noch weitgehend ungeklärt; ein ins Gesetzgebungsverfahren eingebrachter Richtlinienvorschlag

---

[1] Vgl. *Johannes*, EuR 1968, 63; *Sieber*, ZStW 103 (1991), 957; *Tiedemann*, NJW 1993, 23; *Hefendehl*, ZIS 2006, 229.

[2] Vgl. „Corpus iuris 2000" sowie den Alternativentwurf Europäische Strafverfolgung, *Schünemann* (Hrsg.), 2004.

[3] EuGH vom 13.9.2005, Rs. C-176/03 „*Kommission / Rat*", Slg. 2005, I-7879.

[4] EuGH vom 23.10.2007, Rs. C-440/05 „*Kommission / Rat*" Slg. 2007, I-9097.

[5] Stellungnahme der Kommission KOM(2005) 583 endg. S. 7 f.

[KOM(2006) 168 endg.] liegt im europäischen Gesetzgebungsverfahren aus diesem Grund auf Eis.[6]

Die Untersuchung knüpft hier an. Sie hat zwei Forschungsziele, die sich aus diesen Fragestellungen ergeben. Erstens wird überprüft, ob es überzeugend ist, der EG derzeit eine supranationale strafrechtliche (Teil-)Kompetenz infolge der beiden EuGH-Urteile zuzuerkennen. Insbesondere zu seinem ersten Urteil (*C-176/03*) sind zahlreiche Stellungnahmen abgegeben worden, die das Urteil kontrovers diskutieren.[7] In seiner zweiten Entscheidung (*C-440/05*) hat der EuGH seine Position näher erläutert. Die Untersuchung legt in dieser Frage ihren Schwerpunkt auf die Analyse der wissenschaftlichen Diskussion und der politischen Entwicklung seit Ergehen des ersten Urteils. Ziel ist es, zu bewerten, ob eine umweltstrafrechtliche Kompetenz der EG sich mit der Geltung des EG-Vertrags begründen lässt. Die Arbeit berücksichtigt dabei insbesondere auch die englisch- und französischsprachige Literatur, die bislang fast gar nicht vom deutschsprachigen Diskurs rezipiert worden ist.

Zweitens wird speziell im Hinblick auf die Kompetenzgrundlage des Art. 95 EGV analysiert, ob diese die EG ermächtigt, strafrechtliche Vorschriften der mitgliedstaatlichen Rechtsordnungen zu harmonisieren. Im Rahmen von Art. 95 EGV wird diese Frage bereits seit langer Zeit diskutiert und am vehementesten gefordert, die tragenden Gründe der Entscheidungen *C-176/03* und *C-440/05* auf diese Vorschrift zu übertragen. Durch eine Angleichung der strafrechtlichen Vorschriften der Mitgliedstaaten würden Wettbewerbsverzerrungen im Binnenmarkt beseitigt oder deren Entstehen vorgebeugt, sodass die Tatbestandsvoraussetzungen des Art. 95 EGV erfüllt seien.[8] Dies begründet die h.L. damit, dass ein dem *Delaware-Effekt* vergleichbarer (wettbewerbsverzerrender) Effekt im Binnenmarkt eintrete, wenn die nationalen Strafrechtsordnungen nicht harmonisiert seien, da sich die Menschen im Binnenmarkt nach dem Modell des *homo oeconomicus* verhielten und ihren Aufenthaltsort dorthin verlagerten, wo die für sie günstigsten (strafrechtlichen) Vorschriften gelten. Hierdurch würden die Mitgliedstaaten in einen Wettbewerb der Strafrechtsordnungen gezwungen, der zu einem *race to the bottom* der strafrechtlichen Schutzstandards führe. Es erscheint notwendig, diesen diffusen Begründungszusammenhang im Rahmen des Art. 95 EGV näher aufzuklären und dahingehend auszuleuchten, ob hierdurch wirklich treffend Phänomene beschrieben werden, die sich als Folge nicht harmonisierten Strafrechts im Binnenmarkt der EU zeigen.

Allgemeine Vorfragen einer strafrechtlichen Harmonisierungskompetenz der EG und das erste Forschungsziel werden in Teil 1 untersucht. Es gilt zu klären, ob der

---

6 RL-Vorschlag KOM(2006)168 endg.; Verfahrensstand Dokument Nr. 2005/0127 (COD) einsehbar unter: http://ec.europa.eu/prelex/detail_dossier_print.cfm?CL=de&DosID=193131 [letzter Zugriff: 26.10.2009].

7 Vgl. *Hefendehl*, ZIS 2006, 161.

8 Vgl. *Sevenster*, CMLRev 1992, 29 (53 ff.); *Tiedemann*, NJW 1993, 23 (24).

EG eine Kompetenz zukommt, die mitgliedstaatlichen Strafrechtsordnungen einander anzugleichen. Die Arbeit analysiert, ob sich eine solche aus dem Primärrecht ableiten lässt oder ob sie in rechtmäßiger Weise durch Rechtsfortbildung des EuGH begründet wurde. Es wird dargestellt, nach welchen Prinzipien der EG Kompetenzen zugeteilt wurden und ob und nach welchen Grundsätzen der EuGH berechtigt ist, die Kompetenzen der EG weiterzuentwickeln. Ferner wird herausgearbeitet, für welche Arten von Rechtsetzungsakten – d.h. für welche Art der Einflussnahme auf die nationalen Strafrechtsordnungen – die EG überhaupt einer Strafrechtskompetenz bedarf. Anschließend wird untersucht, ob und wie sich nach dem derzeitigen Stand des EG-Primärrechts und der Rspr. des EuGH eine strafrechtliche Harmonisierungskompetenz der EG begründen ließe. Hierfür wird die Rechtsprechung des EuGH unter besonderer Beachtung der Urteile Rs. *C-176/03* und *C-440/05* dargestellt. Hieran schließt sich eine ausführliche Stellungnahme an, welche anhand der wichtigsten Argumente der wissenschaftlichen Diskussion zu einer eigenen Auffassung gelangt.

In Teil 2 widmet sich die Arbeit dem zweiten Forschungsziel. In ihm wird untersucht, ob Art. 95 EGV eine Kompetenz enthält, strafrechtliche Regelungen der Mitgliedstaaten zu harmonisieren. Die h.L. vertritt, dass es der EG aufgrund des funktionalen Charakters des Art. 95 EGV nicht verwehrt sei, auch strafrechtliche Vorschriften anzugleichen.[9] Ob der EuGH diese Auffassung teilt, ist bislang offen geblieben. Die Entscheidungen des EuGH, die sich mit dieser Frage auseinandersetzen, klären sie bislang nur in Randbereichen. Die Rechtsprechung lässt überdies ein einheitliches Konzept vermissen. So hat der EuGH in der Entscheidung *Fluggastdaten* aus dem Jahr 2006 untersagt, eine Regelung, die ausschließlich strafrechtliche Zwecke verfolgt, auf Art. 95 EGV zu stützen.[10] In der Rs. *Vorratsdatenspeicherung* hat GA *Bot* im Oktober 2008 hingegen befürwortet, dass eine bloße „strafrechtliche Konnotation" es nicht unzulässig mache, die wirtschaftliche Kompetenzgrundlage des Art. 95 EGV in Anspruch zu nehmen.[11]

Die Arbeit legt im Rahmen dieser Forschungsfrage ihren Schwerpunkt darauf, die von der h.L. behaupteten Begründungszusammenhänge kritisch zu überprüfen. In einem ersten Schritt werden die verschiedenen Effekte, die durch den pauschalen Verweis auf den US-amerikanischen *Delaware-Effekt* in Bezug genommen werden, kategorisiert, ihre jeweiligen methodischen Grundlagen herausgearbeitet, um sie anschließend anhand alternativer wissenschaftlicher Untersuchungen und empirischer Erkenntnisse kritisch zu überprüfen. Die h.M. stützt ihre Ansicht dar-

---

[9] Vgl. *Sevenster*, CMLRev 1992, 29 (53 ff.); *Tiedemann*, NJW 1993, 23 (24); *Sieber*, ZStW 103 (1991), 957.

[10] EuGH vom 30.5.2006, verb. Rs. C-317/04 und 318/04, „*Fluggastdaten*", Slg. 2006, I-4722.

[11] GA *Bot* Schlussanträge vom 13.10.2008, Rs. C-301/06 „*Vorratsdatenspeicherung*" (Rn. 101); zust. EuGH vom 10.2.2009, Rs. C-301/06, veröffentlicht im ABl. C 82/2 vom 4.4.2009.

auf, dass Unterschiede in den nationalen Strafrechtsordnungen „spürbare Wettbewerbsverzerrungen im Binnenmarkt" verursachten. Die Arbeit ermittelt in einem ersten Schritt den relevanten Auslegungsmaßstab des Art. 95 EGV. Anschließend wird herausgearbeitet, dass die h.L. im Wesentlichen drei Phänomene bezeichnet, die durch eine Rechtsharmonisierung verhindert werden könnten. Es wird gezeigt, dass die h.L. durch ihren Verweis auf die Zusammenhänge des *Delaware-Effekts* ein kriminologisches (die örtliche Verlagerung von Kriminalität) und ein strafrechtliches Phänomen (einen Systemwettbewerb zwischen den Mitgliedstaaten der EU auf dem Rechtsgebiet des Strafrechts) beschreibt; ferner wird noch der kriminologische Effekt der Sog- und Spiralwirkung kriminellen Verhaltens angeführt.

Hierfür werden zu Beginn die Zusammenhänge des *Delaware-Effekts* kurz dargestellt, bevor überprüft wird, ob sich diese auf strafrechtliche und kriminologische Zusammenhänge übertragen lassen. Zunächst werden die Phänomene kategorisiert und den entsprechenden wissenschaftlichen Gebieten und Theorien zugeordnet, auf die sich die h.L. hierbei (implizit) bezieht. Sie werden anschließend anderen theoretischen Ansätzen gegenübergestellt, welche die Defizite der h.L. bei der Theorienbildung erkennbar machen. Hierauf aufbauend wird anhand von Sekundäranalysen untersucht, ob die theoretischen Annahmen der h.L. sich empirisch verifizieren lassen.

Im letzten Abschnitt der Arbeit wird eingangs erörtert, wie die Fallkonstellation, die den Entscheidungen *Fluggastdaten* und *Vorratsdatenspeicherung* zugrunde liegt, in die Systematik des Art. 95 EGV eingepasst werden kann. Es folgt eine eigene Stellungnahme, die das kompetenzrechtliche Verhältnis des Art. 95 EGV zu einer Harmonisierung strafrechtlicher Vorschriften der Mitgliedstaaten abschließend bewertet.

Teil 1

Grundlagen einer EG-Strafrechtskompetenz

In Teil 1 werden die Grundlagen und Grundsätze des EG-Rechts dargestellt, welche für die weitere Untersuchung von Relevanz sind. Einleitend sollen die Strukturen der Kompetenzordnung des EG-Vertrags erläutert werden, um beurteilen zu können, wie und nach welchen Maßgaben der EG-Vertrag auszulegen ist (§ 2). Es folgt eine kurze Analyse des Begriffs des europäischen Strafrechts, sodass geklärt werden kann, welche Kompetenzen von dem Begriff einer europäischen Strafrechtskompetenz erfasst sind (§ 3). Hierauf aufbauend wird die Frage analysiert, ob im EG-Vertrag eine (strafrechtliche) Kompetenz enthalten ist, welche es der EG gestattet, die Strafrechtsnormen der Mitgliedstaaten zu harmonisieren (§ 4).

§ 2 Die Kompetenzordnung des EG-Vertrags

In einem ersten Schritt wird die Kompetenzordnung der Europäischen Gemeinschaft kurz umrissen, soweit dies für ein Verständnis der Untersuchung notwendig ist (I.). Die Kompetenzen sind der EG nach dem Prinzip der begrenzten Einzelermächtigung verliehen. Ihre Auslegung wird in der Praxis maßgeblich von den Urteilen des EuGH geprägt. Dessen Rolle im Rahmen des EG-Vertrags und seine Kompetenzen, das EG-Recht auszugestalten, sollen hier deshalb im Anschluss untersucht werden (II.), um beurteilen zu können, in welchem Maße der EuGH berechtigt ist, das EG-Recht auszulegen und fortzubilden.

I. Die Zuteilung der Kompetenzen an die Organe der EG

Die Zuteilung der Kompetenzen an die EG und die EU ist vom Prinzip der begrenzten Einzelermächtigung bestimmt (1.). Ihre Ausübung wird durch das Subsidiaritäts- und das Verhältnismäßigkeitsprinzip beschränkt (2., 3.).

1. Prinzip der begrenzten Einzelermächtigung (Art. 5 Abs. 1 EGV)

Die Kompetenzzuschreibung an die EU und EG folgt dem Prinzip der begrenzten Einzelermächtigung. Dies wird für die EU – und mithin für sämtliche von ihr umfassten Gemeinschaften – in Art. 5 EUV[1] festgelegt. Für die EG ist dies zudem in Art. 5 Abs. 1 EGV festgeschrieben.[2] Die Kompetenzzuweisungen der EU und der EG beschränken sich deshalb grundsätzlich auf punktuelle Bereiche,[3] deren Ausmaß durch Auslegung aus den Kompetenznormen abgeleitet werden kann.[4] Ob das Prinzip der begrenzten Einzelermächtigung lückenlos durchgehalten wurde, ist nicht unstreitig.[5] Weitgehender Konsens besteht darüber, dass der EG und EU jedenfalls keine Kompetenz-Kompetenz verliehen wurde.[6] Dies wird aus einer systematischen Analyse des EU- und EG-Vertrags abgeleitet, die sich insbesondere auf Art. 6 Abs. 4 EUV und Art. 308 EGV stützt.

Interpretierte man Art. 6 Abs. 4 EUV als originäre Kompetenzfindungskompetenz der EU, würde die Bindung des Art. 5 an das Subsidiaritätsprinzip (Art. 2 Abs. 2 EUV) wieder ausgehebelt.[7] Denn nahezu jede Überschreitung dieses Grundsatzes wäre hierdurch gerechtfertigt, das Subsidiaritätsprinzip zum gründungsvertraglichen Lippenbekenntnis degradiert. Art. 6 Abs. 4 EUV wird deshalb allgemein nicht als Ermächtigung der EU gesehen, sich – im Stil einer Kompetenz-Kompetenz – eigenmächtig Finanz- oder sonstige Handlungsmittel zu verschaffen, die sie für die Erfüllung ihrer Aufgaben für erforderlich erachtet.[8] Er wird vielmehr als „politisch-programmatische" Absichtsbekundung gedeutet, die jedoch keine Kompetenz-Kompetenz der EU statuiert.[9] Auch die Flexibilitätsklausel (Art. 308 EGV) folgt diesem Grundsatz.[10]

Das statisch ausgerichtete Prinzip der begrenzten Einzelermächtigung wird durch die funktionale Ausrichtung der EG und die Anpassungen, die sich aus dem intensivierenden Organisationsgrad der Rechtsgemeinschaft ergeben, in gewissem Um-

---

1 Zitate des EG-Vertrags (EGV) und des EU-Vertrags (EUV) ohne spezielle Kennzeichnung sind solche, die der konsolidierten Fassung des Vertrags über die Europäische Union und des Vertrags zur Gründung der Europäischen Gemeinschaft entsprechen, veröffentlicht im ABl. C 321 E/1 vom 29.12.2006.

2 EuGH vom 28.3.1996 Gutachten 2/94 *„Beitritt EMRK"*, Slg. 1996, I-1759 (Rn. 25); *Calliess*, in: Calliess/Ruffert (Hrsg.), EUV/EGV, Art. 5 EGV Rn. 8 ff.; *Lienbacher*, in: Schwarze (Hrsg.), EU-Kommentar, Art. 5 EGV Rn. 7.

3 Vgl. *Satzger*, Europäisierung, S. 33 f.; *Cesoni*, Journal des tribunaux 2006, 365 (368).

4 Hierzu unten § 2 II.1.

5 Hierzu sogleich § 2 I.1., 2.a).

6 Vgl. Mitteilung der Kommission (KOM)247 endg. vom 22.5.2002, S. 21; a.A. *Schachtschneider/Emmerich-Fritsche/Beyer*, JZ 1993, 751 (753); *Scholz*, NVwZ 1993, 817 f.

7 Zu diesem und weiteren Argumenten gegen eine Interpretation des Art. 6 Abs. 4 EUV als Kompetenz-Kompetenz-Norm der EU, vgl. *Puttler*, in: Calliess/Ruffert (Hrsg.), Art. 6 EUV Rn. 222 ff.

8 Ganz h.M. BVerfGE vom 12.10.1993, 2 BvR 2134, 2159/92, BVerfGE 89, 155 (194); *Stumpf*, in: Schwarze (Hrsg.), EU-Kommentar, Art. 6 EUV Rn. 45; *Satzger*, Europäisierung, S. 34; *Streinz*, Europarecht, Rn. 132; *Puttler*, in: Calliess/Ruffert (Hrsg.), EUV/EGV, Art. 6 EUV Rn. 222 ff.; a.A: *Schachtschneider/Emmerich-Fritsche/Beyer*, JZ 1993, 751 (753); *Scholz*, NVwZ 1993, 817 f.

9 BVerfG *„Maastricht"* BVerfGE 89, 155 (194).

10 Vgl. hierzu unten § 2 I.2.c).

fang ergänzt.[11] Die Grenze zieht wiederum die Maßgabe, dass weder EG noch EU die für Staaten typische Allzuständigkeit im Sinne einer „Kompetenz-Kompetenz“ zukommt.[12] Neue Kompetenzen können ausschließlich über Änderungen des Primärrechts verliehen werden,[13] da die Mitgliedstaaten „Herren der Verträge“ geblieben sind.[14] Eine eng begrenzte Ausnahme bildet Art. 308 EGV. Er erlaubt es der EG, unvollständige Ermächtigungen des EG-Vertrags eigenständig zu ergänzen, wenn dies zur Erfüllung eines der vertraglichen Ziele, die in Art. 2 und 3 EGV festgelegt sind, für notwendig gehalten wird.[15]

2. Ausprägungen des Prinzips der begrenzten Einzelermächtigung

Das Prinzip der begrenzten Einzelermächtigung ist mit verschiedenen Arten von Kompetenzzuweisungen vereinbar. So enthält der EG-Vertrag sehr detaillierte Ermächtigungen neben solchen in generalklauselartiger Weite,[16] aber auch ungeschriebene Kompetenzen.[17] Das Prinzip der begrenzten Einzelermächtigung fordert keine schriftliche Niederlegung aller Befugnisse der EG. Ausdruck und zugleich Durchbrechung des Prinzips ist Art. 308 EGV. Die genaue Abgrenzung der Anwendungsbereiche der Kompetenzvorschriften bereitet häufig Schwierigkeiten,[18] sodass vereinzelt bereits der Ruf nach einem Kompetenzgericht erhoben wurde, das verbindlich über auftretende Streitigkeiten entscheiden solle.[19]

Wie das Prinzip der begrenzten Einzelermächtigung die Auslegung der unterschiedlichen Kompetenztypen beeinflusst, soll nunmehr vertieft untersucht werden. Problematisch ist dies insbesondere bei generalklauselartigen Ermächtigungen (a), den ungeschriebenen Kompetenzen der *implied powers* und dem Rechtsprinzip des *effet utile* des Gemeinschaftsrechts (b) sowie Art. 308 EGV (c).[20]

---

[11] *Kamann*, ZEuS 2001, 23 ff.; in diese Richtung ebenfalls *v. Bogdandy*, in: GS-Grabitz, S. 17 (23 f.).

[12] *Calliess*, in: Calliess/Ruffert (Hrsg.), EUV/EGV, Art. 5 EGV Rn. 12; *Pradel/Corstens*, Droit pénal européen, S. 469.

[13] Mitteilung der Kommission vom 22.5.2002, KOM(2002) 247 endg., S. 21.

[14] BVerfG „*Maastricht*“ BVerfGE 89, 155 (190, 198 f.).

[15] Hierzu sogleich § 2 I.2.c).

[16] *Lienbacher*, in: Schwarze (Hrsg.), EU-Kommentar, Art. 5 EGV Rn. 8.

[17] Dies stellte der EuGH bereits zu Anfang für den Bereich der EGKS fest, EuGH vom 29.11.1956, Rs. 8/55 „*Fédéchar*“, Slg. 1956, 297 (311 f.).

[18] *Everling*, EuZW 2002, 357; *Nettesheim*, EuR 2004, 511 (523 ff.); zu den Bemühungen, die hierzu im Rahmen der Aushandlung der EuVerf unternommen wurden, *Puttler*, EuR 2004, 669.

[19] *Goll/Kenntner*, EuZW 2002, 101; krit. *Everling*, EuZW 2002, 357; zust. *Roman Herzog/Lüder Gerken* „Stoppt den Europäischen Gerichtshof“, FAZ vom 8.9.2008, online abrufbar unter: http://euobserver.com/7/26714 [letzter Zugriff: 26.10.2009]; die ehemalige Bundesministerin für Justiz *Brigitte Zypries* in der FAZ vom 22.9.2008, S. 6 f.

[20] Vgl. *ter Steeg*, EuZW 2003, 325.

a) Generalklauselartige Ermächtigungsnormen, insbesondere Art. 95 EGV

General- oder Auffangklauseln stehen in einem immanenten Spannungsverhältnis zum Prinzip der begrenzten Einzelermächtigung.[21] Prominentestes Beispiel hierfür ist Art. 95 EGV,[22] aber auch auf Art. 94 und Art. 175 EGV können diese Erwägungen übertragen werden. Es ist nie ganz unbestritten gewesen, ob Art. 95 EGV noch Ausfluss des Prinzips der begrenzten Einzelermächtigung ist oder nicht doch eine bereichsweise Kompetenz-Kompetenz der EG darstellt.[23] Art. 95 EGV steht zumindest in einem Spannungsverhältnis zum Prinzip der begrenzten Einzelermächtigung.[24] Dies beruht auf seiner tatbestandlichen Weite, die maßgeblich auf seine funktionelle/finale Ausgestaltung zurückgeht.[25] Die finale Ausgestaltung der Kompetenz ermächtigt die EG nicht nur zum Erlass von Regelungen in einem bestimmten Sachbereich, sondern immer dann, wenn ein Bezug zu seiner Zielsetzung (z.B. im Rahmen von Art. 95 EGV der Binnenmarkt) vorliegt.[26] Die EG kann hierauf auch Regelungen stützen, die Politikfeldern angehören, die ihr nicht explizit anderweitig zugewiesen sind.[27] Eine inhaltliche Beschränkung dieser Vorschriften lässt sich z.B. nicht alleine aufgrund ihres supranationalen Charakters annehmen.[28] Trotz des erheblichen Interpretationsspielraums werden diese Generalklauseln zu Recht dennoch als Ausfluss des Prinzips der begrenzten Einzelermächtigung gesehen.[29] Hierfür gibt es zwei überzeugende Begründungsansätze. Die einen versuchen, der tatbestandlichen Weite dadurch Rechnung zu tragen, dass sie die Anfor-

---

21 Vgl. zur Kompetenzdebatte anlässlich der Aushandlung der EuVerf *Nettesheim*, EuR 2004, 511 (514 ff.).

22 Vgl. unten § 5.

23 In diese Richtung *Tietje*, in: Grabitz/Hilf (Hrsg.), EUV/EGV, Art. 95 EGV Rn. 5; *Grabitz*, in: Grabitz/Hilf (Hrsg.), EUV/EGV, Art. 189 EGV a.F. Rn. 4; *v. Danwitz*, Verwaltungsrechtliches System und Europäische Integration, S. 97 f.; a.A. *Schwarze*, Europäisches Wirtschaftsrecht, Rn. 695.

24 Krit. *Lienbacher*, in: Schwarze (Hrsg.), EU-Kommentar, Art 5 EGV Rn. 8.

25 Vgl. EuGH vom 2.5.2006, Rs. C-217/04 „*ENISA*“, Slg. 2006, I-3771 (Rn. 43); EuGH vom 6.12.2005, Rs. C-66/04 „*Raucharomen*“, Slg. 2005, I-10553 (Rn. 45); EuGH vom 2.5.2006, Rs. 436/03 „*European Cooperative Society*“, Slg. 2006, I- 3733 (Rn. 44); zur funktionalen Ausrichtung *Hugger*, Strafrechtliche Anweisungen, S. 61; *Randazzo*, CMLRev 2007, 155 (162 ff.); hierzu unten § 5 III.

26 *Möstl*, EuR 2002, 318 (327); vgl. hinsichtlich der Reformbestrebungen anlässlich der Beratung der EuVerf *Wuermeling*, EuR 2004, 216 (218 ff.).

27 EuGH vom 3.7.1974, Rs. 9/74 „*Casagrande / Landeshauptstadt München*“, Slg. 1974, 773 (Rn. 6).

28 GA *Fenelly* Schlussanträge vom 15.6.2000, Rs. C-376/98 „*Tabakwerberichtlinie I*“, Slg. 2000, 8419 (Rn. 81).

29 *Calliess*, in: Calliess/Ruffert (Hrsg.), EUV/EGV, Art. 5 EGV Rn. 10; krit. *Tietje*, in: Grabitz/Hilf (Hrsg.), EUV/EGV, Art. 95 EGV Rn. 5; vielfach findet sich hierzu überhaupt keine Stellungnahme in der Kommentarliteratur. Setzt man ihr Schweigen an dieser Stelle mit den Erwägungen im Rahmen des Art. 5 und 308 EGV gegenüber, ergibt sich hieraus, dass die Auffassung vorherrscht, dass Art. 94 f. EGV Ausfluss des Prinzips der begrenzten Einzelermächtigung sind.

derungen an das Prinzip herunterschrauben. Sie sprechen nur noch vom Prinzip der begrenzten Ermächtigung im EGV.[30] Die anderen behelfen sich damit, eine Generalklausel als Bündelung einer Vielzahl möglicher individueller Einzelermächtigungen „unter einem Dach" zu sehen.[31]

Der EuGH hat für Art. 95 EGV durch seine Entscheidung *Tabakwerberichtlinie I* eine Auslegungsgrundlage geschaffen, die Art. 95 EGV in ein kompetenzrechtliches Korsett zwingt, das mit dem Prinzip der begrenzten Einzelermächtigung vereinbar ist.[32] Er unterwirft Art. 95 EGV nicht nur dem Erfordernis, dass die Wahl der Kompetenzgrundlage objektiv nachvollziehbaren Maßstäben folgen müsse,[33] sondern hat auch der tatbestandlichen Weite von Art. 95 EGV Grenzen gesetzt:[34] Er sieht „[k]eine allgemeine Kompetenz zur Regelung des Binnenmarktes".[35] In späteren Entscheidungen hat er einzelne Erfordernisse zeitweise wieder gelockert.[36] Abgerückt ist er von diesen Grundsätzen jedoch bislang nicht.[37]

b) Implied powers und das Prinzip des effet utile des Gemeinschaftsrechts

Das Prinzip der begrenzten Einzelermächtigung steht ungeschriebenen Kompetenzen und nicht abschließend geregelten Rechtsprinzipien des Gemeinschaftsrechts nicht grundsätzlich entgegen.[38] Sie ergänzen die explizit der EG zugewiesenen Kompetenzen;[39] sie sind allgemeine Prinzipien des Gemeinschaftsrechts.[40] Der EuGH erkennt zwei z.T. ungeschriebene Rechtssätze im Gemeinschaftsrecht an,

---

[30] So *Lienbacher*, in: Schwarze (Hrsg.), EU-Kommentar, Art. 5 EGV, Rn. 7; *Grabitz*, in: Grabitz/Hilf (Hrsg.), EUV/EGV, Art. 189 EGV a.F. Rn. 4 [Stand 5/1999]; *v. Danwitz*, Verwaltungsrechtliches System und Europäische Integration, S. 96 ff.

[31] *Satzger*, Europäisierung, S. 34 (Fn. 188).

[32] EuGH „*Tabakwerberichtlinie I*" (Rn. 83, 107).

[33] EuGH vom 11.6.1991, Rs. C-300/89 „*Titandioxid*", Slg. 1991, I-2867 (Rn. 10); EuGH „*European Cooperative Society*" (Rn. 35); siehe hierzu § 5 II.

[34] Zust. *Ruffert*, EuR 2004, 165 (187 f.); vgl. § 5 II.2.

[35] EuGH „*Tabakwerberichtlinie I*" (Rn. 83, 107).

[36] EuGH vom 20.5.2003, verb. Rs. C-465/00, C-138/01 und C-139/01 „*Österreichischer Rundfunk u.a.*", Slg. 2003, I-4989 (Rn. 41 f.); EuGH vom 6.11.2003, Rs. C-101/01 „*Lindquist*", Slg. 2003, I-12971 (Rn. 40 f.).

[37] Vgl. hierzu unten § 5 II.3.

[38] Dies betrifft neben ungeschriebenen Kompetenzen auch allgemeine Rechtsgrundsätze, vgl. *Schwarze*, in: ders. (Hrsg.), EU-Kommentar, Art. 220 EGV Rn. 14; hinsichtlich der ungeschriebenen Kompetenzen vgl. EuGH „*Fédéchar*" (311 f.); ferner *Schreiber*, in: Schwarze (Hrsg.), EU-Kommentar, Art. 308 EGV Rn. 19.

[39] *Schreiber*, in: Schwarze (Hrsg.), EU-Kommentar, Art. 308 EGV Rn. 19; so auch das BVerfG „*Maastricht*" BVerfGE 89, 155 (210).

[40] *Calliess*, in: Calliess/Ruffert (Hrsg.), EUV/EGV, Art. 5 EGV Rn. 15.

zum einen das völkerrechtliche Prinzip der *implied powers*[41] und zum anderen das Prinzip des *effet utile* des Gemeinschaftsrechts.[42]

Die *implied powers*-Kompetenzen betreffen solche Handlungsbefugnisse der Gemeinschaft, die zwar nicht explizit vom Anwendungsbereich einer Kompetenznorm erfasst werden, aber in einem so engen Zusammenhang zu ihr stehen, dass sie in keinem anderen Sachzusammenhang geregelt werden könnten.[43] Der *effet utile* des Gemeinschaftsrechts beschreibt allgemein die Pflichten der Mitgliedstaaten gegenüber der EG.[44] Er war früher ein ungeschriebenes Prinzip des Gemeinschaftsrechts, das auf einer in vielfältiger Weise ausdifferenzierten Kasuistik des EuGH beruhte. Später hat man versucht, diese in Art. 10 EGV zusammenzufassen und primärrechtlich zu verankern.[45]

Der exakte Umfang, in dem eine Regelung auf eine ungeschriebene Kompetenz der EG gestützt werden kann, ist umstritten geblieben. Äußerungen in diesem Zusammenhang bleiben gerne vage, sodass im Ergebnis eine große Meinungsvielfalt dazu herrscht, was noch als zulässige Maßnahme einer ungeschriebenen Kompetenz angesehen werden kann.[46] Es soll hier versucht werden, die Befugnisse exakt voneinander abzugrenzen.

aa) Annex- oder *implied powers*-Kompetenzen der EG

Die *implied powers* wirken kompetenz*absichernd*. Sie erschließen Kompetenzen, welche der EG nicht zugewiesen sind, ohne die sie aber ihre Tätigkeit nicht ausführen kann. Sie wirken mithin extensiv, da sie die Kompetenzen der EG in der Sache erweitern.

Die Außenkompetenzen beruhen zur Gänze auf diesem Institut, aber auch Bereiche der Binnenzuständigkeit hat die EG unter Berufung auf diese Rechtsfigur geregelt. Der EuGH leitet maßgeblich die Außenkompetenzen der EG aus der Rechtsfigur der *implied powers* ab.[47] Anfangs forderte er hierfür lediglich, dass eine

---

41 Bereits 1956 erkannte der EuGH die Anwendbarkeit dieses völkerrechtlichen Prinzips auf das Recht der europäischen Gemeinschaften an, grundlegend EuGH „*Fédéchar*" (311 f.); hierzu allgemein *Emiliou* ELRev 1993, 138; *Nicolaysen*, EuR 1966, 129; hinsichtlich der Ursprünge der Klausel in der U.S.-amerikanischen Verfassung, vgl. *Boeck*, Rechtssetzungskompetenzen, S. 46 (Fn. 107).

42 *Lienbacher*, in: Schwarze (Hrsg.), EU-Kommentar, Art. 5 EGV Rn. 10.

43 *Lienbacher*, in: Schwarze (Hrsg.), EU-Kommentar, Art. 5 EGV Rn. 10.

44 *Hatje*, in: Schwarze (Hrsg.), EU-Kommentar, Art. 10 EGV Rn. 13 ff.

45 *Hatje*, in: Schwarze (Hrsg.), EU-Kommentar, Art. 10 EGV Rn. 4.

46 Vgl. unten § 4 III.11., 12.

47 Grundlegend EuGH vom 31.3.1971, Rs. 22/70 „*AETR*", Slg. 1971, 263 Rn. 15/19: „Um im Einzelfall zu ermitteln, ob die Gemeinschaft zum Abschluss internationaler Abkommen zuständig ist, muss auf das System und auf die materiellen Vorschriften des Vertrags zurückgegriffen werden. Eine solche Zuständigkeit ergibt sich nicht nur aus einer ausdrücklichen Erteilung durch den Vertrag wie in […], sondern sie kann auch aus anderen Vertragsbestimmungen und aus in ihrem Rahmen ergangenen Rechtsakten der Gemeinschaftsorgane fließen. Insbesondere in den Bereichen, *in denen die Gemeinschaft zur Ver-*

entsprechende Binnenkompetenz der EG existierte.[48] Später verengte er die Voraussetzungen und verlangte, dass die Kompetenz bereits ausgeübt worden sein muss, d.h. ein EG-Sekundärrechtsakt existiert, an den die Außenkompetenz anknüpfen kann.[49] Die *implied powers*-Kompetenzen für die Binnenzuständigkeiten der EG gestaltete der EuGH umgekehrt aus; er bemaß sie zuerst restriktiv und weitete ihren Anwendungsbereich in einer neuen Entscheidung aus.

Bei den Binnenzuständigkeiten, die unter Berufung auf die *implied powers* geregelt werden, kann m.E. danach differenziert werden, ob hierdurch eine administrative oder legislative Tätigkeit der EG geregelt wird.[50] Die Befugnisse, die bei einer administrativen Tätigkeit der EG auf *implied powers* gestützt wurden, hat der EuGH großzügig bemessen.[51] Er sprach der Kommission alle „Befugnisse zu, die zur Erfüllung der Aufgabe *erforderlich*" sind.[52] Einen engeren Maßstab legte der EuGH anfangs bei legislativen Kompetenzen der EG an.[53] In seiner Entscheidung „*Kommission / Rat*" postulierte er, dass die Durchführung der zugewiesenen Politik

---

wirklichung einer vom Vertrag vorgesehenen gemeinsamen Politik Vorschriften erlassen hat, die in irgendeiner Form gemeinsame Rechtsnormen vorsehen, sind die Mitgliedstaaten weder einzeln noch selbst gemeinsam handelnd berechtigt, mit dritten Staaten Verpflichtungen einzugehen, die diese Norm beeinträchtigen." [Hervorhebungen durch den Verfasser]

48 EuGH vom 26.4.1977, Gutachten 1/76 „*Stilllegefonds*", Slg. 1977, 741 (Rn. 4); bestätigt durch EuGH vom 10.4.92, Gutachten 2/91 „*EFTA*", Slg. 1992, I-2821 (Rn. 40).

49 EuGH vom 15.11.1994, Gutachten 1/94 „*TRIPs Kompetenz*", Slg. 1994, I-5267 (Rn. 59, 101 ff., 105), bestätigt durch EuGH vom 5.11.2002, Rs. C-467/98 „*Kommission / Dänemark*" Slg. 2002, I-9519 (Rn. 81).

50 In diese Richtung auch *Ohler*, EuZW 2006, 372 (373); a.A. *Hugger*, Strafrechtliche Anweisungen, S. 56 f.; i.d.S. wohl auch GA *Kokott* Schlussanträge vom 22.9.2005, Rs. C-217/04 „*ENISA*" Slg. 2006, I-3771 (Rn. 46, Fn. 30).

51 Es ging um die Frage, ob die Kommission als Koordinationsstelle eines Abstimmungsverfahrens die Mitgliedstaaten verpflichten kann, bestimmte Informationen zu geben und unterstützend Hilfe zu leisten, EuGH vom 9.7.1987, Rs. C-281, 283–285 und 287/85, „*Deutschland u.a. / Kommission*", Slg. 1987, 3203, (Rn. 2, 28); hierzu *Constantinesco / Simon*, Journal du droit international 1988, 493; *Simmonds*, CMLRev 1988, 177; vgl. ferner *Hugger*, Strafrechtliche Anweisungen, S. 57 (Fn. 279).

52 EuGH „*Deutschland u.a. / Kommission*" (Rn. 28): „Weist eine Bestimmung des EWG-Vertrags, im vorliegenden Fall Artikel 118, *der Kommission eine bestimmte Aufgabe zu*, so ist davon auszugehen, dass sie ihr dadurch notwendigerweise auch die zur Erfüllung dieser Aufgabe unerlässlichen Befugnisse verleiht. Andernfalls würde der Bestimmung jede praktische Wirksamkeit genommen. In diesem Sinne ist Art. 118 Abs. 2 dahingehend zu verstehen, *dass er der Kommission alle zur Organisation der Konsultationen erforderlichen Befugnisse verleiht.* Zur Erfüllung dieser Aufgabe muss die Kommission die Mitgliedstaaten *zwangsläufig auch zur Mitteilung der unerlässlichen Informationen verpflichten können, zunächst um die Probleme zu ermitteln und sodann um die möglichen Leitlinien eines eventuellen zukünftigen gemeinsamen Vorgehens der Mitgliedstaaten zu erarbeiten*; ebenso muss sie die Mitgliedstaaten zur Teilnahme an einem Konsultationsverfahren verpflichten können." [Hervorhebungen durch den Verfasser].

53 Vgl. hinsichtlich der EGKS EuGH vom 11.5.1983, Rs. C-136/82 „*Klöckner AG*", Slg. 1983, 1599 (Rn. 38) hinsichtlich einer [nicht bestehenden] *implied powers*-Befugnis der Kommission aufgrund von Art. 58 EGKS.

ohne die implizierte Bereichsregelung tatsächlich unmöglich sein müsse,[54] d.h. nicht nur besser oder effizienter vonstatten geht. In einer späteren Entscheidung lockerte er den Maßstab.[55] In der Entscheidung Rs. *ENISA* ging es um die Gründung einer Gemeinschaftsagentur[56] für eine der Zielsetzungen des EG-Vertrags.[57] Folgte man dieser Entscheidung,[58] würde der Anwendungsbereich der *implied powers* im legislativen Tätigkeitsbereich der EG deutlich ausgeweitet.[59] Die Konturen des ursprünglichen Erfordernisses, dass die ungeschriebene Kompetenz unmöglich sein muss, da sie untrennbar mit der Kompetenz verbunden ist, ginge vollständig verloren. Der Anwendungsbereich der *implied powers* würde stark ausgedehnt. Er würde zu einem Instrument der politischen Willkür umfunktioniert, das entsprechend der politischen Opportunität für die Ziele der EG eingesetzt werden könnte. Es genügt deshalb nicht den Anforderungen, die das Prinzip der begrenzten Einzelermächtigung an die Ausgestaltung der EG-Kompetenzordnung stellt.[60] Würde

---

54 Vgl. hierzu EuGH vom 27.9.1988, Rs. C-165/87 „*Kommission / Rat*", Slg. 1988, 5545 (Rn. 5–8). Hinsichtlich der gesetzlich zugewiesenen Kompetenz führt der EuGH aus: (Rn. 5) „[…] das […] Übereinkommen im wesentlichen bezweckt, ein harmonisiertes System zur Bezeichnung und Codierung der Waren einzuführen, das von den Vertragsparteien für ihre Zolltarif- und Statistiknomenklaturen verwendet werden soll. […] (Rn. 7) Was den erstgenannten Aspekt betrifft, so ergibt sich aus […] Artikel 28 EWG-Vertrag, […] und Artikel 113 EWG-Vertrag, […], dass keine dieser beiden Vorschriften dem Rat ausdrücklich die Befugnis verleiht, eine Zolltarifnomenklatur festzulegen. (Rn. 8) […] die *Festlegung einer Zolltarifnomenklatur* [ist] *für die Erhebung von Zöllen unerlässlich.* Denn ohne ein System zur Tarifierung von Waren wäre es *unmöglich*, die Waren bestimmten Tarifpositionen zuzuordnen. Daraus folgt, dass die dem Rat übertragene Zuständigkeit für die Änderung von Zollsätzen mangels einer ausdrücklichen Vertragsbestimmung *zwangsläufig* auch die Zuständigkeit einschließt, die Nomenklatur für die Anwendung des gemeinsamen Zolltarifs festzulegen und zu ändern." [Hervorhebungen durch den Verfasser].

55 EuGH vom 2.5.2006, Rs. C-217/04 „*ENISA*", Slg. 2006, I-3771.

56 Zum Institut der Gemeinschaftsagenturen vgl. *Remmert*, EuR 2003, 134; *Koch*, EuZW 2005, 455; str. ist, ob ausschließlich Art. 308 EGV richtige Kompetenzgrundlage ist, so zutreffend *Ohler*, EuZW 2006, 372 (373); a.A. *Hansmann*, DVBl 2006, 838 (840).

57 Vgl. hierzu ferner die Entscheidungen EuGH „*Raucharomen*" (Rn. 45 ff.); EuGH „*European Cooperative Society*" (Rn. 38 ff.).

58 EuGH „*ENISA*" (Leitsatz 1, Unterabsatz 2 f.): „Der Gemeinschaftsgesetzgeber kann nämlich aufgrund seiner Sachwürdigung die Schaffung einer Gemeinschaftseinrichtung für notwendig erachten, deren Aufgabe es ist, in Situationen, in denen der Erlass *von nicht zwingenden Begleit- und Rahmenmaßnahmen zur Erleichterung der einheitlichen Durchführung und Anwendung von auf Artikel 95 EG gestützten Rechtsakten* geeignet erscheint, zur Verwirklichung des Harmonisierungsprozesses beizutragen. [Unterabsatz 3] *Die einer solchen Einrichtung übertragenen Aufgaben müssen jedoch in engem Zusammenhang mit den Bereichen stehen, auf die sich die Rechtsakte zur Angleichung der Rechts- und Verwaltungsvorschriften der Mitgliedstaaten beziehen.* Dies ist insbesondere dann der Fall, wenn die Gemeinschaftseinrichtung den nationalen Behörden und/oder Wirtschaftsteilnehmern Dienstleistungen erbringt, die sich auf die einheitliche Durchführung der Harmonisierungsmaßnahmen auswirken und deren Anwendung erleichtern können." [Hervorhebungen durch den Verfasser].

59 Zust. *Randazzo*, CMLRev 2007, 155 (168 f.).

60 Krit. GA *Kokott* Schlussanträge vom 22.9.2005, Rs. C-217/04 „*ENISA*", Slg. 2006, I-3771 (Rn. 43).

man der EG einen derart großen politischen Ermessensspielraum zugestehen, würde das Prinzip der begrenzten Einzelermächtigung in unzulässigem Ausmaß unterminiert.[61]

Für einen eng begrenzten Anwendungsbereich der *implied powers* spricht ferner das Verhältnis zur Flexibilitätsklausel des Art. 308 EGV. Die ungeschriebenen Kompetenzen der EG wurden durch die Einführung von Art. 308 (ex-Art. 235 EGV) nicht obsolet, er trat vielmehr neben sie.[62] Die ungeschriebenen Befugnisse gehen seiner Auffangkompetenz vor.[63] Art. 308 EGV limitiert dafür ihren Umfang, d.h. er begrenzt implizit den möglichen Anwendungsbereich der ungeschriebenen Kompetenzen.[64] Sie betreffen deshalb nur solche Zuständigkeiten, die noch nicht von der Flexibilitätsklausel erfasst sind. *A maiore ad minus* geschlossen heißt dies, dass die ungeschriebenen Kompetenzen nicht „vertragserweiternd" wirken können, d.h. die EG mit ihrer Hilfe keine neuen Kompetenzen an sich ziehen kann. Ihre Funktion ist somit lediglich kompetenz*absichernd*.

Als Zwischenergebnis kann festgehalten werden, dass die impliziten Kompetenzen des EG-Vertrags die explizit der EG zugewiesenen Kompetenzen in engen Grenzen „extensiv" ergänzen, ohne aber substantiell eigenständige Kompetenzen zu verleihen. Sie sind, im Bereich legislativer Tätigkeit der EG, nur zulässig, soweit die betreffende Regelung für das (legislative) Vorhaben der EG „unerlässlich" zur Durchführung eines Vorhabens ist, d.h. das Vorhaben ohne die beanspruchte Regelung „tatsächlich unmöglich sein muss".

bb) Befugnisse kraft *effet utile* des Gemeinschaftsrechts

Der *effet utile* ist zwischenzeitlich ein im Wesentlichen in Art. 10 EGV normiertes Prinzip.[65] Er fasst die Rechtsprechung des EuGH zusammen, die dieser über Jahre hinweg unter Berufung auf dieses Prinzip entwickelt hat.[66] Das Prinzip des

---

[61] In diese Richtung *Ludwigs*, EuZW 2006, 417; *Ohler*, EuZW 2006, 372 (373); *Bouveresse* Europe 2006, comm n° 203, S. 9 f.; a.A. *Randazzo*, CMLRev 2007, 155 (163 ff.), *Hansmann*, DVBl 2006, 838 (839 f.).

[62] So hinsichtlich *implied powers* GA *Kokott* in ihren Schlussanträgen vom 22.9.2005, Rs. C-217/04 *„ENISA"* Slg. 2006, I-3771 (Rn. 46); zweifelnd *Merten*, Subsidiarität als Verfassungsprinzip, S. 77 (80).

[63] GA *Kokott* Schlussanträge *„ENISA"* (Rn. 46); *Nicolaysen*, EuR 1966, 129 (135).

[64] Vgl. hierzu sogleich § 2 I.1.c).

[65] Es stellt seit längerer Zeit einen allgemeinen Konsens dar, dass Art. 10 EGV eine Norm mit rechtlich verbindlichen Zielsetzungen ist, vgl. hierzu nur *Lenz*, in: Lenz/Borchardt (Hrsg.), EGV/EUV, Art. 10 EGV Rn. 1; *v. Bogdandy*, in: Grabitz/Hilf (Hrsg.), EUV/EGV, Art. 5 EGV Rn. 3; *Hatje*, in: Schwarze (Hrsg.), EU-Kommentar, Art. 10 EGV Rn. 1.

[66] Hierzu zählen u.a. der Vorrang des Gemeinschaftsrechts: EuGH *„Costa / E.N.E.L"* (S. 1269), EuGH vom 17.12.1970, Rs. C- 11/70 *„Internationale Handelsgesellschaft"*, Slg. 1970, 1125 (Rn. 3); die unmittelbare Wirksamkeit von Richtlinien zugunsten Einzel-

effet utile ist Ausfluss der Pflicht der Mitgliedstaaten zur loyalen Zusammenarbeit mit der Gemeinschaft.[67] Systematisch lassen sich hierbei zum einen Handlungs-, Unterlassungs- und sonstige Förderpflichten unterscheiden.[68] Diese wurden durch die Rechtsprechung des EuGH in einer vielschichtigen Kasuistik ausdifferenziert.[69] Zum anderen kann auch nach den Institutionen differenziert werden, an die sich die Pflichten richten: die legislative, administrative und judikative Zusammenarbeit und Durchsetzung von Gemeinschaftsrecht.[70] Die Fragestellung der strafrechtlichen Anweisungskompetenz betrifft primär die legislativen Handlungspflichten der Mitgliedstaaten.[71]

Die EG ist zur Erfüllung ihrer Aufgaben auf die Mitwirkung des mitgliedstaatlichen Staatsapparats angewiesen.[72] Bei der Um- und Durchsetzung von EG-Recht sind die Eigenständigkeitsinteressen der Mitgliedstaaten und das Durchsetzungsinteresse des EG-Rechts anhand des Maßstabs des EG-Vertrags auszubalancieren. Auf Seiten der EG ist zu beachten, dass die einheitliche und wirksame Geltung des EG-Rechts durch eine unterschiedliche (legislative) Umsetzung seiner Vorgaben gefährdet sein kann.[73] Auf der Seite der Mitgliedstaaten ist zu berücksichtigen, dass die Umsetzung nach Maßgabe des nationalen Rechts und durch nationale Behörden erfolgt, auch wenn unmittelbar geltendes Gemeinschaftsrecht umgesetzt wird. Sieht das Gemeinschaftsrecht keine Durchführungsvorschriften vor, haben die Mitgliedstaaten nationales Verfahrens- und Prozessrecht anzuwenden.[74]

Der *effet utile* erschließt keine neuen (Sach-)Kompetenzen. Er wirkt nicht extensiv,[75] sondern *intensiv*, d.h. in die Tiefe. Er verhilft dem Gemeinschaftsrecht zur

---

ner: EuGH vom 5.4.1979, Rs. C-148/78 „*Ratti*“, Slg. 1979, 1629 (Rn. 20 ff.); die Staatshaftung der Mitgliedstaaten bei Verletzung von Europarecht: EuGH vom 19.11.1991, verb. Rs. C-6/90 und C-9/90 „*Frankovich*“, Slg. 1991, I-5357 (Rn. 36).

67 *Kahl*, in: Calliess/Ruffert (Hrsg.), EUV/EGV, Art. 10 EGV, Rn. 11; *Hatje*, in: Schwarze (Hrsg.), EU-Kommentar, Art. 10 EGV, Rn. 13 f.

68 Vgl. Art. 10 Abs. 1 Satz 1 EGV (Handlungspflichten), sonstige Förderpflichten (Art. 10 Abs. 1 Satz 2 EGV), Unterlassungspflichten (Art. 10 Abs. 2 EGV); vgl. *Lenz*, in: Lenz/Borchardt (Hrsg.), EUV/EGV, Art. 10 EGV Rn. 1, 4, 6, 10; *Streinz*, in: ders. (Hrsg.), EUV/EGV, Art. 10 EGV Rn. 13, 14 ff., 36 ff., 39 ff.

69 Hierzu *Hatje*, in: Schwarze (Hrsg.), EU-Kommentar, Art. 10 EGV Rn. 15 ff.

70 *Kahl*, in: Calliess/Ruffert (Hrsg.), EUV/EGV, Art. 10 EGV Rn. 24 ff.; *Hatje*, in: Schwarze (Hrsg.), EU-Kommentar, Art. 10 EGV Rn. 32 ff.

71 Hinsichtlich der Unterlassungs- und sonstigen Förderpflichten vgl. *Kahl*, in: Calliess/Ruffert (Hrsg.), EUV/EGV, Art. 10 EGV Rn. 62 ff.

72 *Hatje*, in: Schwarze (Hrsg.), EU-Kommentar, Art. 10 EGV Rn. 5, 32 ff.

73 *Kahl*, in: Calliess/Ruffert (Hrsg.), EUV/EGV, Art. 10 EGV Rn. 11.

74 EuGH vom 21.9.1983, verb. Rs. C-205-215/82 „*Milchkontor*“, Slg. 1983, 2633 (Leitsatz 4; Rn. 17).

75 Zust. *Lenz, in: Lenz*/Borchard (Hrsg.), EUV/EGV, Art. 10 EGV Rn. 7.

wirksamen Geltung und berechtigt hierfür z.T. zu empfindlichen Eingriffen in das innerstaatliche Recht.[76]

Der EuGH hatte bislang nur in wenigen Fällen Gelegenheit, auf das Verhältnis des *effet utile* zu den nationalen Strafrechtsregelungen einzugehen. Prominentestes Beispiel ist die Leitentscheidung *Griechischer Mais*.[77] Der EuGH präzisierte hierin die Befugnisse der Gemeinschaft, Forderungen an die Mitgliedstaaten zu stellen, im Hinblick auf die Durchsetzung von Rechtsakten, welche die EG auf Grundlage ihr verliehener Kompetenzen erlassen durfte.[78]

Ein maßgebliches Kriterium ist dabei die Gleichstellung des Gemeinschaftsrechts mit nationalem Recht. Der EuGH verpflichtet die Mitgliedstaaten, die Art und das Maß der Sanktionierung an vergleichbaren Fällen des nationalen Rechts zu orientieren.[79]

Als Zwischenergebnis kann festgehalten werden, dass das Prinzip des *effet utile* die Kompetenzordnung der Gemeinschaft nicht „extensiv", sondern „intensiv" erweitert. Es verleiht keine zusätzlichen (Sach-)Kompetenzen. Es ergänzt die bestehenden Kompetenzen dadurch, dass es gewährleisten hilft, dass EG-Regelungen in den Mitgliedstaaten auch effektiv um- und durchgesetzt werden.

c) „Flexibilitätsklausel"[80] des Art. 308 EGV

Art. 308 EGV wurde in den EG-Vertrag eingeführt, um die begrenzten Ermächtigungen der EG in gewissen Bereichen ergänzen zu können.[81] Auch hierdurch wollten die Mitgliedstaaten keine Kompetenz-Kompetenz schaffen, sondern der EG lediglich die Möglichkeit geben, in bestimmten Fällen eine Regelung erlassen zu können, für die sie keine Kompetenz, sondern lediglich eine Aufgabe besitzt.[82] Art. 308 EGV ist generalklauselartig ausgestaltet.[83] Er unterscheidet sich von den anderen funktionalen Ermächtigungen des EG-Vertrags (wie z.B. Art. 95 oder Art. 175) dadurch, dass sein Anwendungsbereich nicht auf ein bestimmtes Politikfeld beschränkt ist. Art. 308 EGV ergänzt das Prinzip der begrenzten Einzel-

---

[76] So z.B. die unmittelbare Wirkung von Richtlinien, vgl. EuGH vom 5.4.1979, Rs. 148/78 „*Ratti*", Slg. 1979, 1629 (Rn. 20 ff.); hierzu *Hatje*, in: Schwarze (Hrsg.), EU-Kommentar, Art. 10 EGV Rn. 19.

[77] Vgl. § 4 II.1.b).

[78] Zust. *Hatje*, in: Schwarze (Hrsg.), EU-Kommentar, Art. 10 EGV Rn. 3 f.; vgl. unten § 4 I.1.b)aa).

[79] EuGH „*Griechischer Mais*" (Rn. 23 f.).

[80] So die Bezeichnung in der EuVerf (Art. I-18 = Art. 308 AEUV); sein Anwendungsbereich wird durch den Vertrag von Lissabon beschränkt, vgl. *Weber*, EuZW 2008, 7 (12).

[81] *Rossi*, in: Calliess/Ruffert (Hrsg.), EUV/EGV, Art. 308 EGV Rn. 1.

[82] *Schreiber*, in: Schwarze (Hrsg.), EU-Kommentar, Art. 308 EGV Rn. 1.

[83] *Rossi*, in: Calliess/Ruffert (Hrsg.), EUV/EGV, Art. 308 EGV Rn. 6.

ermächtigung, ist aber zugleich Ausdruck von ihm.[84] Er befähigt nicht dazu, Kompetenzen neu zu schaffen, sondern lediglich auftretende Unzulänglichkeiten der Ermächtigungsgrundlagen im Hinblick auf vertragliche Ziele des EG-Vertrags zu überwinden.[85]

Dass die Mitgliedstaaten – trotz Art. 308 EGV – weiterhin davon ausgehen, dass der EG-Vertrag keine Kompetenz-Kompetenz enthält, lässt sich aus den Verhandlungen des Verfassungskonvents von Laeken ablesen. Der Europäische Rat hatte den Verfassungskonvent u.a. beauftragt, sicherzustellen, dass „einer schleichenden Ausuferung der Zuständigkeiten der Union oder zu einem Vordringen in die Bereiche der ausschließlichen Zuständigkeit der Mitgliedstaaten [...]“ vorgebeugt wird.[86] Hätten die Mitgliedstaaten die EG mit einer Kompetenz-Kompetenz ausgestattet, hätte er den Verhandlungsauftrag anders formuliert.

Sein Einsatz ist auf politische Zielsetzungen der EG beschränkt, für die der EG-Vertrag entweder keine oder nur eine unzulängliche Kompetenzermächtigung bereithält.[87] Sein Anwendungsbereich wird überdies zweifach begrenzt: erstens, infolge expliziter Verbote, sowie zweitens, infolge der Subsidiarität des Art. 308 EGV gegenüber der Kompetenzordnung der EG.[88]

Einschränkungen, die sich aus ausdrücklichen Kompetenzbeschränkungen der EG ergeben, sind selten. Beispiele finden sich im Rahmen der Kulturpolitik (Art. 149 f. EGV) oder im Rahmen des Binnenmarktes (Art. 95 Abs. 2 EGV).[89] Eine größere Bedeutung kommt der Subsidiarität des Art. 308 EGV zu. Sie mindert den Anwendungsbereich beträchtlich. Der Anwendungsbereich von Art. 308 EGV ist erst eröffnet, wenn keine geschriebene oder ungeschriebene Kompetenz des EG-Vertrags Anwendung findet. Der Regelungsbereich ist aufgrund der weiteren Beschränkung auf Zielsetzungen, die bereits im EG-Vertrag enthalten sind, eher klein.[90] Trotz seines offenen Anwendungsbereichs kann Art. 308 EGV deshalb nicht für beliebige politische Zielsetzungen instrumentalisiert werden.[91]

---

[84] *Boeck*, Rechtssetzungskompetenzen S. 50; *Borchardt*, Europäische Union, Rn. 419 f. [*passim*]; *Häde/Puttler*, EuZW 1997, 13; *Grabitz*, in: Grabitz/Hilf (Hrsg.), EUV/EGV, Art. 235 EGV a.F. Rn. 1; *Rossi*, in: Calliess/Ruffert (Hrsg.), EUV/EGV, Art. 308 EGV Rn. 4, 6; *Satzger*, Europäisierung, S. 34; a.A. *Schweitzer/Hummer*, Europarecht Rn. 339.

[85] *Boeck*, Rechtssetzungskompetenzen, S. 50; *Schreiber*, in: Schwarze (Hrsg.), EU-Kommentar, Art. 308 EGV Rn. 3; *Schwartz*, in: von der Groeben/Schwarze (Hrsg.), EUV/EGV, Art. 308 Rn. 13.

[86] Schlussfolgerungen des Vorsitzes, Europäischer Rat (Laeken), 14. und 15. Dezember 2001, SN 300/1/01 REV 1, S. 22.

[87] EuGH vom 7.7.1992, Rs. C-295/90 „*Parlament / Rat*“ Slg. 1992, 4193 (Rn. 11); *Boeck*, Rechtssetzungskompetenzen, S. 52 f.; *Rossi*, in: Calliess/Ruffert (Hrsg.), EUV/EGV, Art. 308 EGV Rn. 3 f.; man kann hier zwischen formeller und materieller Unzulänglichkeit der Einzelermächtigung unterscheiden, vgl. *Schreiber*, in: Schwarze (Hrsg.), EU-Kommentar, Art. 308 EGV Rn. 20, 22 f.

[88] EuGH vom 26.3.1987 Rs. 45/86 „*Kommission / Rat*“, Slg. 1987, 1493 (Rn. 13); EuGH vom 13.7.1995, Rs. C-350/92 „*Spanien / Rat*“, Slg. 1995, I-1985 (Rn. 26).

[89] *Schreiber*, in: Schwarze (Hrsg.), EU-Kommentar, Art. 308 EGV Rn. 24.

[90] Zust. *Rossi*, in: Calliess/Ruffert (Hrsg.), EUV/EGV, Art. 308 EGV Rn. 4.

[91] *Boeck*, Rechtssetzungskompetenzen, S. 51.

In der Praxis fand Art. 308 EGV bislang primär in zwei Konstellationen Anwendung. Zum einen, um Gemeinschaftsagenturen zu errichten,[92] welche eine Politik der Gemeinschaft koordinieren sollen, und um neue Rechtsinstitute einzuführen, die neben national begrenzte Rechtsinstitute traten,[93] wie z.B. die Gemeinschaftsmarke.[94]

Auch die Einführung eines neuen, einheitlichen Überwachungsinstruments im Rahmen der Wettbewerbspolitik, wie z.B. die präventive Fusionskontrolle, kann auf Art. 308 EGV gestützt werden.[95] Unzulässig ist hingegen z.B., eine Harmonisierung nationaler Regelungen auf Art. 308 EGV zu stützen, wenn die Harmonisierung – wie bei den Rechten des geistigen Eigentums – abschließend durch andere Kompetenzen der EG (Art. 94 f. EGV) erfasst wird.[96]

d) Zwischenergebnis

Das Prinzip der begrenzten Einzelermächtigung prägt die Kompetenzordnung des EG-Vertrags. Hieraus folgt, dass die EG nur tätig werden darf, wenn ihr eine entsprechende Kompetenz durch den Vertrag zugeteilt ist.[97] Zwar enthält der EG-Vertrag – etwa in Art. 95 EGV – auch funktionale Kompetenzen, welche generalklauselartig ausgestaltet sind. Aber auch hierdurch wird das Prinzip der begrenzten Einzelermächtigung nicht durchbrochen und der EG eine Kompetenz-Kompetenz zugeteilt.[98] Der Anwendungsbereich der einzeln zugeteilten Kompetenzen wird durch verschiedene Ergänzungskompetenzen der EG extensiv wie intensiv abgerundet.[99] Die Kompetenzen der *implied powers*, welche dazu ermächtigen, Maßnahmen zu ergreifen, ohne die ein zulässiges Vorhaben nicht durchgeführt werden kann, ergänzen die Kompetenzordnung in extensiver Weise. Der *effet utile* erweitert die Kompetenzen der EG intensiv, indem er die Um- und Durchsetzung des Gemeinschaftsrechts verbessert. Art. 308 EGV rundet dieses Kompetenzgefüge

---

92 A.A. nunmehr EuGH „*ENISA*" (Leitsatz 1, Unterabsatz 2 f.); hierzu oben § 2 I.2.b)aa).

93 Vgl. ferner EuGH vom 15.11.1994, Gutachten 1/94 „*TRIPs Kompetenz*", Slg. 1994, I-5267 (Rn. 59); vgl. ergänzend die ablehnende Entscheidung *Spanien / Rat* (Leitsatz 2, Rn. 23 ff., 27): „mangels Schaffung eines neuen Titels" durch die Verordnung (EWG) Nr. 1768/92 des Rates vom 18. Juni 1992 über die „Schaffung eines ergänzenden Schutzzertifikats für Arzneimittel".

94 Verordnung EG Nr. 40/94 des Rates vom 20.12.1994 über die Gemeinschaftsmarke, veröffentlicht im ABl. 1994 L 11/1.

95 Hierbei ist es, wie bei der am 30.4.2004 außer Kraft getretenen Fusionskontrollverordnung [Verordnung (EWG) Nr. 4064/89 des Rates vom 21. Dezember 1989 über die Kontrolle von Unternehmenszusammenschlüssen, veröffentlicht im ABl. L 395/1 vom 30.12.1989] auch möglich, die Einführung auf eine Mischermächtigung zu stützen. Im Fall der FusionskontrollVO waren dies Art. 87 a.F. EGV [Art. 83 EGV] und Art. 308 EGV.

96 EuGH „*TRIPs Kompetenz*" (Rn. 59).

97 Vgl. § 2 I.1.

98 Vgl. § 2 I.2.a).

99 Vgl. § 2 I.2.b).

ab.[100] Er ist Ausdruck und Durchbrechung des Prinzips der begrenzten Einzelermächtigung zugleich, da er der EG erlaubt, eine Regelung zu erlassen, für die sie zwar keine Kompetenz, aber eine Aufgabe hat.

3. Ausübung der Kompetenzen der EG

Die Ausübung der Kompetenzen des EG-Vertrags wird im Wesentlichen durch zwei Prinzipien geregelt, und zwar durch das Subsidiaritäts- (Art. 5 Abs. 2 EGV) und durch das Verhältnismäßigkeitsprinzip (Art. 5 Abs. 3 EGV).

a) Subsidiaritätsprinzip (Art. 5 Abs. 2 EGV)

Das Subsidiaritätsprinzip entstammt der katholischen Soziallehre.[101] Seine personalistischen und individualistischen Ursprünge wurden in den EU-Verträgen nicht übernommen.[102] Anfangs stellte es ein rein politisches Prinzip dar.[103] Der EG-Vertrag normierte das Prinzip in Art. 5 Abs. 2 EGV. Es dient als Instrument, um eine effiziente Kompetenzaufteilung zu gewährleisten.[104] Mit Inkrafttreten des Vertrags von Maastricht wurde es zu einem allgemeinen Prinzip des Gemeinschaftsrechts,[105] das für alle Organe der EG gleichermaßen beachtlich ist.[106] Das Subsidiaritätsprinzip betrifft nicht die Frage, *ob* der EG eine Kompetenz zugeteilt wurde, sondern *wie* eine zugeteilte Kompetenz ausgeübt werden kann.[107] Ob eine Kompetenzausübung dem Subsidiaritätsprinzip entspricht, wird in drei Schritten geprüft. Die Kompetenz muss zunächst nicht ausschließlicher Natur sein (aa); ferner muss die Maßnahme auf mitgliedstaatlicher Ebene nicht ausreichend verwirklicht werden können und außerdem muss ihre Verwirklichung auf gemeinschaftsrechtlicher Ebene eine bessere Zielumsetzung erwarten lassen.[108] Wie letztere Fragen in der

---

100 Vgl. § 2 I.2.c).

101 *Hilz*, Subsidiaritätsprinzip, S. 31 ff.

102 *Hummer*, ZfRV 1992, 81 f.; *Lienbacher*, in: Schwarze (Hrsg.), EU-Kommentar, Art. 5 EGV Rn. 2.

103 Zur Entwicklung des Subsidiaritätsprinzips, vgl. *Gamper*, in: Lachmayer/Bauer (Hrsg.), Praxiswörterbuch Europarecht, S. 844.

104 *Stein*, Subsidiarität als Rechtsprinzip?, S. 23 (26 f.); *Brunner*, Das Subsidiaritätsprinzip als europäisches Prinzip, S. 9 (13).

105 *Stein*, Subsidiarität als Rechtsprinzip?, S. 23 (27); *Boeck*, Rechtssetzungskompetenzen, S. 39 f.; *Blanke*, Justitiabilität, S. 95 (111 ff.).

106 Hierzu allgemein *Schwarze*, Europäisches Wirtschaftsrecht, Rn. 685 ff.

107 Für diese Auffassung spricht Nr. 3 des Protokolls Nr. 30 des Amsterdamer Vertrags, Protokoll über die Anwendung der Grundsätze der Subsidiarität und der Verhältnismäßigkeit, Bestimmung (Satz 1): „Das Subsidiaritätsprinzip stellt nicht die Befugnis in Frage, über die die Europäische Gemeinschaft aufgrund des Vertrags entsprechend der Auslegung des Gerichtshofs verfügt"; zust. EuGH *„Nahrungsergänzungsmittel"* (Rn. 103).

108 *Ritzer/Ruttloff*, EuR 2006, 116 (119).

Praxis gehandhabt werden und welche Rückschlüsse dies auf die begrenzende Funktion des Subsidiaritätsprinzips zulässt, soll anschließend untersucht werden (bb).

aa) Anwendungsbereich: Nicht-ausschließliche Kompetenzen der EG

Welche Gemeinschaftskompetenzen der Kontrolle des Prinzips der Subsidiarität unterworfen sind, wird vom EG-Vertrag nicht bestimmt.[109] Nach h.L. muss dies durch Auslegung ermittelt werden.[110] Die Kompetenzen werden durch Auslegung in absolute, konkurrierende bzw. parallele Zuständigkeiten unterteilt.[111] Die Einstufung hat eine unterschiedlich intensive Regulierungsbefugnis des Gemeinschaftsgesetzgebers zur Folge.[112] Ausschließliche Kompetenzen können ohne Beachtung des Subsidiaritätsprinzips in Anspruch genommen werden;[113] sie implizieren eine vollständige Übertragung der Hoheitsgewalt.[114] Konkurrierende bzw. parallele Kompetenzen[115] müssen konform mit dem Prinzip ausgeübt werden.[116]

Es werden verschiedene Wege diskutiert, wie die Einteilung der Ermächtigungsgrundlagen zu erfolgen habe.[117] Der EuGH hat sich bislang zu einer dogmatischen Einteilung der Kompetenzen ausgeschwiegen.[118] Die Abgrenzung zwischen konkurrierenden/parallelen und ausschließlichen Kompetenzzuweisungen wird durch

---

[109] Vgl. Mitteilung der Kommission an den Rat und das Europäische Parlament vom 27.11.1992. SEK (92) 1990 endg./2, Anhang (Rn. I 1 b), abgedruckt bei *Hrbek* (Hrsg.), Subsidiaritätsprinzip, S. 125.

[110] EuGH vom 12.7.2005, verb. Rs. C-154/04 und C-155/04 „*Nahrungsergänzungsmittel*", Slg. 2005, I-6451 (Rn. 101).

[111] Vgl. *v. Bogdandy/Bast* EuGRZ 2001, 441 ff.; *Lienbacher*, in: Schwarze (Hrsg.), EU-Kommentar, Art. 5 EGV Rn. 11; *Schwarze*, Europäisches Wirtschaftsrecht, Rn. 680 ff.

[112] *Zuleeg*, in: von der Groeben/Schwarze (Hrsg.), EUV/EGV, Art. 5 Rn. 7 ff.; *Lienbacher*, in: Schwarze (Hrsg.), EU-Kommentar, Art. 5 EGV Rn. 11.

[113] *Satzger*, Europäisierung, S. 442 ff.

[114] EuGH vom 15.12.1976, Rs. C-41/76 „*Donckerwolcke*", Slg. 1976, 1921 (Rn. 31/37); EuGH vom 16.3.1977, Rs. C-68/76 „*Kommission / Frankreich*", Slg. 1977, 515 (531); EuGH vom 5.5.1981, Rs. 804/79 „*Kommission / Vereinigtes Königreich*", Slg. 1981, 1045 (Rn. 17 ff., 27 ff.).

[115] Nach h.L. unterscheiden sich konkurrierende Kompetenzen von parallelen dadurch, dass die Ausübung einer konkurrierenden Tätigkeit eine Sperrwirkung gegenüber mitgliedstaatlichen Rechtsetzungsakten entfaltet, bei parallelen Zuständigkeiten hingegen eine abweichende nationale Regelung weiterhin möglich bleibt, vgl. *Dittert*, Die ausschließlichen Kompetenzen der EG, S. 38 f.; jedoch ist die Terminologie des EuGH in diesem Punkt nicht einheitlich, vgl. *Dittert*, a.a.O., S. 39 f.

[116] *Lienbacher*, in: Schwarze (Hrsg.), EU-Kommentar, Art. 5 EGV Rn. 13.

[117] *Boeck*, Rechtssetzungskompetenzen S. 36 f.; *Satzger*, Europäisierung, S. 443 f.

[118] Vgl. zur Rechtslage vor Inkrafttreten des Vertrags von Maastricht, EuG Rs. T-29/92, „*SPO / Kommission*", Slg. 1995, II-289 (Rn. 330); auch der EuGH vermeidet eine Einteilung, vgl. Urteil vom 15.12.1995, Rs. C-415/93 „*Bosmann*", Slg. 1995, I-4921 (Rn. 9, 81, 127).

Auslegung ermittelt. Die Kommission vertritt eine extensive Sichtweise, nach der ganze Politikbereiche ausschließliche Kompetenzen seien.[119] Eine solch extensive Sichtweise ließe jedoch den Anwendungsbereich des Subsidiaritätsprinzips weitgehend leer laufen.[120] Auch der EuGH zieht den Anwendungsbereich des Prinzips weit.[121] Er hat es in seinem Urteil *Bosmann* abgelehnt, den gesamten Kompetenz- bzw. Politikbereich der Grundfreiheiten als ausschließliche Kompetenz einzustufen.[122] Auch den Binnenmarkt (Art. 95 EGV) unterwirft er nunmehr in ständiger Rechtsprechung der Kontrolle des Subsidiaritätsprinzips.[123]

Die h.M. nimmt eine Einstufung vor, die sich an Indizien orientiert. Ausschließliche Kompetenzen besitzt hiernach die EG nur in Politikfeldern, in denen die Wirksamkeit einer (späteren) gemeinschaftsrechtlichen Tätigkeit durch nationale Maßnahmen nachhaltig beeinträchtigt würde.[124] Dies ist in der Regel nur in Sachgebieten der Fall, in denen der EG die Pflicht obliegt, eine abschließende Regelung zu treffen und den Mitgliedstaaten kein Raum für eigene Regelungen verbleibt oder nach dem Sekundärrecht der Gemeinschaft nicht verbleiben soll.[125]

Der EuGH hat als ausschließliche Kompetenzen bislang eingestuft: die Agrarmarktpolitik,[126] die gemeinsame (Außen-)Handelspolitik, die Festlegung des gemeinsamen Zolltarifs (= materielles Zollrecht), die gemeinsame Fischereipolitik sowie das interne Organisations- und Verfahrensrecht einschließlich des Bereichs der Währungsunion.[127]

Keine ausschließlichen Kompetenzen bilden deshalb die funktionalen/finalen Zuständigkeiten (wie z.B. Art. 95 EGV), da der EG durch sie kein bestimmtes

---

[119] Vgl. Mitteilung der Kommission an den Rat und das Europäische Parlament vom 27.11.1992. SEK (92) 1990 endg./2, Anhang (Rn. II 2 a), abgedruckt bei *Hrbek* (Hrsg.), Subsidiaritätsprinzip, S. 128 f.

[120] Dies widerspräche der Funktion des Subsidiaritätsprinzips, die seit Verabschiedung des Subsidiaritätsprotokolls durch den Vertrag von Amsterdam darin besteht, die Kompetenzausübung der EG zu begrenzen, hierzu ausführlich *Kenntner*, NJW 1998, 2871; *Ritzer/Ruttloff*, EuR 2006, 116 (119).

[121] EuGH vom 15.12.1995, Rs. C-415/93 „*Bosmann*" Slg. 1995, I-4921 (Rn. 81).

[122] EuGH vom 15.12.1995, Rs. C-415/93 „*Bosmann*" Slg. 1995, I-4921 (Rn. 9, 127).

[123] EuGH „*Tabakwerberichtlinie I*" (Rn. 94); „*British American Tabacco*" (Rn. 179); EuGH „*Nahrungsergänzungsmittel*" (Rn. 103); vgl. *Kahl*, in: Calliess/Ruffert (Hrsg.), EUV/EGV, Art. 95 EGV Rn. 8; krit. *Brunner*, Das Subsidiaritätsprinzip als europäisches Prinzip, S. 9 (19).

[124] EuGH vom 31.3.1971 Rs. 22/70 „*AETR*", Slg. 1971 263 (Rn. 15/19, 20/22); EuGH vom 19.3.1993, Gutachten 2/91 „*ILO-Übereinkommen*", Slg. 1993 I-1064 (Rn. 25 f.); *v. Bogdandy/Nettesheim*, in: Grabitz/Hilf (Hrsg), Art. 3b EGV Rn. 16; zust. *Lienbacher*, in: Schwarze (Hrsg.), EUV/EGV, Art. 5 Rn. 11; *Kenntner*, NJW 1998, 2871 (2875); *Satzger*, Europäisierung, S. 443 f.

[125] *Tomuschat*, in: von der Groeben/Schwarze (Hrsg.), EUV/EGV, Art. 300 EGV Rn. 7; *Zuleeg*, in: Grabitz/Hilf (Hrsg.), EUV/EGV, Art. 5 EGV Rn. 7, 10.

[126] *Zuleeg*, in: Grabitz/Hilf (Hrsg.), EUV/EGV, Art. 5 EGV Rn. 8.

[127] *Lienbacher*, in: Schwarze (Hrsg.), EU-Kommentar, Art. 5 EGV Rn. 14.

Sachgebiet zur Regelung zugewiesen ist.[128] Auch wenn sich aus der Kompetenzvorschrift oder den erlassenen Regelungen der EG ergibt, dass hierdurch nur eine Mindestharmonisierung vorgenommen werden sollte, fehlt es am ausschließlichen Charakter der Kompetenz.[129] An dem ausschließlichen oder konkurrierenden Charakter einer Kompetenz haben die jeweiligen Annexkompetenzen teil.[130] Hierzu hat der EuGH insbesondere im Rahmen der EG-Außenkompetenzen (Art. 300 EGV) mehrfach Stellung bezogen.[131] Im Umkehrschluss heißt dies, in den Gebieten, in denen die Zuständigkeit ausschließlicher Natur ist, weisen auch die Annexkompetenzen dieses Charakteristikum auf. Wurden von der EG in einem Bereich z.B. nur Teilregelungen erlassen, kann die EG sich nicht darauf berufen, über eine ausschließliche Außenkompetenz in diesem Politikbereich zu verfügen.[132]

bb) Handhabung des Prinzips durch die Kommission/EuGH

Nr. 5 des Protokolls Nr. 30 (Subsidiaritätsprotokoll des Vertrags von Amsterdam)[133] legt ein zweistufiges Prüfverfahren fest.[134] Das Verfahren besteht aus einer Erforderlichkeits- und einer Effizienzprüfung.[135] Einen festen Prüfkanon für sekundärrechtliche Gemeinschaftsakte folgert der EuGH hieraus aber bislang nicht.[136] Dies hat dazu geführt, dass sich in der Praxis bislang keine einheitliche Handhabe des Subsidiaritätsprinzips herausgebildet hat.[137] Die Justitiabilität des Prinzips wird

---

[128] *Zuleeg*, in: Grabitz/Hilf (Hrsg.), EUV/EGV, Art. 5 EGV Rn. 7.

[129] *Bischoff*, EuZW 2006, 295 (300, 301).

[130] Zu den *implied powers*-/Annexkompetenzen siehe oben § 2 I.1.b)aa).

[131] EuGH vom 31.3.1971, Rs. 22/70 „*AETR*", Slg. 1971, 263 (Rn. 15/19, 20/22); EuGH vom 7.2.2006, Gutachten 1/03 „*Lugano Übereinkommen*", Slg. 2006, I-1145.

[132] EuGH „*TRIPs Kompetenz*" (Rn. 79 ff., 102); EuGH vom 24.3.1995, Gutachten 2/92 „*TRIPs-Übereinkommen*" Slg. 1995, I-521 (Rn. 31 f.).

[133] Abgedruckt bei *Schwarze* (Hrsg.), EU-Kommentar, S. 2463 ff.

[134] Vorgänger dieses Prüfverfahrens war erst ein einfacher, später ein doppelter Effizienztest, vgl. zu diesem „komparativen Effizienztest" und „Mehrwert-Test" *Blanke*, Justitiabilität, S. 95 (102 ff.) m.w.N.

[135] Zum Erforderlichkeitstest *Lienbacher*, in: Schwarze (Hrsg.), EU-Kommentar, Art. 5 EGV Rn. 18 ff.; *Satzger*, Europäisierung, S. 446; hinsichtlich des Effizienztests *Lienbacher*, a.a.O., Art. 5 EGV Rn. 23; *Satzger*, Europäisierung, S. 447 f.

[136] Durch den EuGH ist bislang noch keine Entscheidung ergangen, in der das Subsidiaritätsprinzip zur Unwirksamkeit eines Rechtsaktes geführt hat, da dieser weder formell noch materiell hohe Begründungsanforderungen an das Subsidiaritätsprinzip stellt. So muss das Subsidiaritätsprinzip in einem Vorhaben nicht explizit erwähnt werden, vgl. EuGH vom 13.5.1997, Rs. C-233/94 „*Einlagensicherungssysteme*", Slg. 1997, I-2405 (Rn. 9, 22 ff.) bzw. reicht die Feststellung des Rates aus, dass ein gemeinschaftsweites Vorgehen notwendig sei, EuGH vom 12.11.1996, Rs. C-84/94 „*Großbritannien und Irland / Rat*", Slg. 1996, I-5755 (Rn. 47 ff.).

[137] Vgl. *Albin* NVwZ 2006, 629 (632 ff.).

seit dem Vertrag von Maastricht in der Literatur überwiegend bejaht.[138] Auch der EuGH hat anerkannt, dass das Subsidiaritätsprinzip einer gerichtlichen Überprüfung unterzogen werden kann.[139] Die Intensität des von ihm angewendeten Prüfungsmaßstabs variiert jedoch erheblich. Vielfach hat er mit einer floskelhaften und eher pauschalen Behauptung die Einhaltung des Subsidiaritätsprinzips festgestellt.[140] Er hat auch oberflächliche Handhabungen des Gemeinschaftsgesetzgebers vielfach unbeanstandet gelassen.[141] In diesen Fällen neigt er zu formelhaften Floskeln,[142] die der zweistufigen kritischen Prüfung des Prinzips in Nr. 5 des Protokolls Nr. 30 nicht genügen.[143] Andererseits hat er aus dem Subsidiaritätsprinzip z.T. konkrete Kompetenzbeschränkungen abgeleitet.[144] So hat er die Unzulässigkeit

---

138 Ausführlich *Blanke*, Justitiabilität, S. 95 (111 ff.); *Boeck*, Rechtssetzungskompetenzen, S. 39 f.; *Lienbacher*, in: Schwarze (Hrsg.), EU-Kommentar, Art. 5 EGV Rn. 4; *Satzger*, Europäisierung, S. 439 f.; *Stein*, Subsidiarität als Rechtsprinzip?, S. 23 (27); a.A. *Hummer*, ZfRV 1992, 81 (84).

139 Nach einer Reihe ausweichender Entscheidungen, vgl. nur EuGH vom 22.10.1998, verb. Rs. C-36 und 37/97 „*Kellinghusen / Amt für Land- und Wasserwirtschaft Kiel*", Slg. 1997, I-6337 (Rn. 35) hat er sich in dem Urteil „*Nahrungsergänzungsmittel*" (Rn. 101 ff.) hierzu bekannt.

140 Zust. *Albin* NVwZ 2006, 629 (630, 635); *Ritzer/Ruttloff*, EuR 2006, 116 (121); ebenso *Wasilew*, Subsidiarität, in: Wissenschaftliche Dienste des Deutschen Bundestages, Europa-Thema Nr. 13/07 vom 13.3.2007, S. 1; krit. *Brunner*, Das Subsidiaritätsprinzip als europäisches Prinzip, S. 9 (13 f., 19).

141 Vgl. EuGH vom 12.7.2005, verb. Rs. C-154/04 und C-155/04 „*Nahrungsergänzungsmittel*", Slg. 2005, I-6451 (Leitsatz 4).

142 Die eher pauschalen Anforderungen zeigen sich exemplarisch an der Entscheidung des EuGH „*Nahrungsergänzungsmittel*" (Rn. 28 ff., 32, 36 f.; 104 ff., 106). In Rn. 106 führt er als Folge unterschiedlicher Regelungen – in nicht klar festgestelltem Ausmaß – aus: „Bliebe es den Mitgliedstaaten überlassen, den Handel mit Nahrungsergänzungsmitteln zu regeln, die nicht der Richtlinie 2002/46 entsprechen, so würden die ungleichartige Entwicklung der nationalen Regelungen und damit die Hemmnisse für den Handel zwischen den Mitgliedstaaten und die Wettbewerbsverfälschungen in Bezug auf diese Erzeugnisse fortbestehen." Diese Begründung läuft den Anforderungen zuwider, die er auf der anderen Seite, u.a. in seiner Entscheidung vom 18.12.2007 Rs. C-64/05 „*Schweden / Kommission*", Slg. 2007, I-11389 (Rn. 74) an die Darlegungslast klagender Mitgliedstaaten stellt, die sich auf eine Verletzung des Subsidiaritätsprinzips berufen.

143 I.d.S. Sinne auch *Faßbender*, EuZW 2005, 682 (685); als Bsp. hierfür kann ferner eine Passage des Urteils „*Tabakwerberichtlinie II*" herangezogen werden. In ihm mutiert das Subsidiaritätsprinzip geradezu zu einer Farce (Rn. 58 f.): „[Rn. 58] Außerdem schafft der Erlass voneinander abweichender Rechtsvorschriften über die Werbung für Tabakerzeugnisse, *auch wenn bestimmte Veröffentlichungen tatsächlich nicht in anderen Mitgliedstaaten vermarktet werden*, mit Sicherheit rechtliche Hindernisse für den Handel mit Presseerzeugnissen und anderen gedruckten Veröffentlichungen oder ist geeignet, dies zu tun [...]. Solche Hindernisse *bestehen daher auch für die im Wesentlichen auf einem lokalen, regionalen oder nationalen Markt vertriebenen Veröffentlichungen*, die, und sei es auch nur ausnahmsweise oder in kleinen Mengen, in den anderen Mitgliedstaaten verkauft würden. [Rn. 59] Im Übrigen steht fest, dass bestimmte *Mitgliedstaaten, die ein Verbot der Werbung für Tabakerzeugnisse erlassen haben, ausländische Presseerzeugnisse von diesem Verbot ausnehmen* [...]." [Hervorhebungen durch den Verfasser].

144 Vgl. GA *Mazák* Schlussanträge „*C-440/05*" (Rn. 103 f., 108), denen der EuGH sich in der Entscheidung „*C-440/05*" (Rn. 70 f.) anschließt; siehe ferner GA *Colomer* Schluss-

der Harmonisierung der Art und des Maßes der Strafe im Bereich der Umweltstrafrechtsharmonisierung auf das Subsidiaritätsprinzip gestützt.[145] M.E. ist diese Entscheidung jedoch eher ein Beleg dafür, dass das Subsidiaritätsprinzip lediglich evidente Kompetenzüberschreitungen zu verhindern vermag.[146]

Der Kommission verbleibt infolgedessen ein großer Ermessensspielraum. Dies führt dazu, dass dem Subsidiaritätsprinzip lediglich die Funktion beigemessen werden kann, eine Evidenzkontrolle durchzuführen.[147] Konkrete Beschränkungen der Gemeinschaftsbefugnisse werden aus ihm i.d.R. nur abgeleitet, wenn hieraus folgt, dass die Ausführung der Rechtsakte den Mitgliedstaaten zu überlassen ist.[148] Ansonsten ist es üblich, dass der Gemeinschaftsgesetzgeber das Subsidiaritätsprinzip nur am Rande, in einem eher pauschalen Hinweis erwähnt.[149]

b) Verhältnismäßigkeitsprinzip (Art. 5 Abs. 3 EGV)

Das Verhältnismäßigkeitsprinzip (Art. 5 Abs. 3 EGV) fungiert als Kriterium, das die Mitgliedstaaten bei der Umsetzung und Durchführung der Gemeinschaftsrechtsakte zu beachten haben.[150] Im EG-Recht kommt ihm darüber hinaus aber auch eine kompetenzbegrenzende Funktion auf zwischenstaatlicher Ebene zu,[151] insbesondere für die Kompetenzausübung der EG.[152] Der Maßstab ist im Verhältnis zum Subsidiaritätsprinzip präziser vorgegeben. Zu beurteilen ist die Geeignetheit, die Erforderlichkeit sowie als drittes Element die Proportionalität der Maßnahme.[153] Der Beurteilungsspielraum, der dem Gemeinschaftsgesetzgeber durch den

---

anträge vom 1.4.2008, verb. Rs. C-152 bis 154/07 „*Arcor*" (Rn. 77), veröffentlicht in EWS 2008, 339.

145 EuGH „*C-440/05*" (Rn. 70 f.).

146 Vgl. § 4 III.

147 *Appel*, Kompetenzen der EG, S. 165 (182); *Bock*, Rechtsangleichung, S. 191 f.; *Boeck*, Rechtssetzungskompetenzen, S. 39 f.; i.S. einer Evidenzkontrolle auch *Lienbacher*, in: Schwarze (Hrsg.), EU-Kommentar, Art. 5 EGV Rn. 28; *Ritzer/Ruttloff*, EuR 2006, 116 (121); a.A. *Satzger*, Europäisierung, S. 448 f.

148 Vgl. nur 98/195/EG: Empfehlung der Kommission vom 8.1.1998 zur Zusammenschaltung in einem liberalisierten Telekommunikationsmarkt (Erwägungsgrund 3); vergleichbar Verordnung (EWG) Nr. 2082/93 des Rates vom 20. Juli 1993 (Erwägungsgrund 6).

149 Vgl. Richtlinie 2003/33/EG des Europäischen Parlaments und des Rates vom 26.5.2003 zur Angleichung der Rechts- und Verwaltungsvorschriften der Mitgliedstaaten über Werbung und Sponsoring zugunsten von Tabakerzeugnissen (Erwägungsgrund 6); zust. *Ritzer/Ruttloff*, EuR 2006, 116 (121).

150 Andeutungsweise EuGH vom 20.2.1978, Rs. C-120/78 „*Cassis de Dijon*", Slg. 1979, 649 (Rn. 8); eindeutiger EuGH vom 12.3.1987, Rs. C-178/84 „*Brasserie du pêcheur*", Slg. 1987, 1227 (Leitsatz 1, 4 Rn. 39, 44 f., 53).

151 Vgl. *Lienbacher*, in: Schwarze (Hrsg.), EU-Kommentar, Art. 5 EGV Rn. 36 ff.

152 *Schwarze*, Europäisches Wirtschaftsrecht, Rn. 691.

153 *Lienbacher*, in: Schwarze (Hrsg.), EU-Kommentar, Art. 5 EGV Rn. 39.

EuGH eingeräumt wird, bleibt dennoch sehr weit.[154] Bei Maßnahmen, die – wie z.B. sozialpolitische Entscheidungen – komplexe Abwägungen erfordern, beschränkt der EuGH sein Prüfprogramm auf das Vorliegen offensichtlicher Irrtümer oder Ermessensmissbräuche bzw. Ermessensüberschreitungen.[155] Allerdings ist seine Prüfung auch darüber hinaus bisweilen ohne feste Vorgaben. So hat der EuGH in letzter Zeit auch Regelungen – entgegen dem Plädoyer des Generalanwalts – für verhältnismäßig erklärt,[156] die Zweifel wecken, ob der EuGH dem Verhältnismäßigkeitsprinzip überhaupt kompetenzbegrenzende Wirkung beimisst.

c) Zwischenergebnis

Der EG-Vertrag hält mit dem Subsidiaritäts- und Verhältnismäßigkeitsprinzip zwar Institute bereit, welche auf die Ausübung der Kompetenzen im Einzelfall mäßigend einwirken sollen. Der Anwendungsbereich des Subsidiaritätsprinzips erfasst eine Vielzahl an Kompetenzen,[157] der Verhältnismäßigkeitsgrundsatz sogar alle.[158] In der Praxis zeigt sich jedoch, dass weder die Kommission noch der EuGH bislang einen Maßstab herausgebildet haben oder anwenden, der über eine Evidenzkontrolle hinausgeht, d.h. durch den überprüft wird, ob die Kompetenzen im Einzelfall berechtigt in Anspruch genommen werden oder nicht.[159] Einzig effektives Kriterium zur Begrenzung der EG-Kompetenzen ist demnach das in Art. 5 Abs. 1 EGV niedergelegte Prinzip der begrenzten Einzelermächtigung.[160]

II. Rolle des EuGH im Kompetenzgefüge der EG (Art. 220 EGV)

Nach Art. 220 EGV obliegt dem EuGH „die Wahrung des Rechts bei der Auslegung und Anwendung des Vertrags". Er geht in ständiger Rechtsprechung von

---

154 EuGH *„Tabakwerberichtlinie II"* (Leitsatz 4, insbesondere Unterabsatz 4 „Drittens …").

155 Vgl. *Calliess*, in: Calliess/Ruffert (Hrsg.), EUV/EGV, Art. 5 EGV Rn. 53 m.w.N.

156 EuGH *„Nahrungsergänzungsmittel"* (Leitsatz 7); unverhältnismäßig gemäß GA *Geelhoed* Schlussanträge vom 5.4.2005, verb. Rs. C-154/04 und C-155/04. *„Nahrungsergänzungsmittel"*, Slg. 2005, I-6451 (Rn. 62 ff., 67 ff.); zust. *Faßbender*, EuZW 2005, 682 (684 f.).

157 Vgl. § 2 I.3.a)aa).

158 Vgl. § 2 I.3.b).

159 Vgl. § 2 I.3.a)bb); b).

160 *Everling*, EuZW 2002, 357; krit. auch *Hefendehl*, ZIS 2006, 161 (164).

einem unbegrenzten Vorrang des Gemeinschaftsrechts vor innerstaatlichem Recht aus.[161] Die Interpretation des EG-Rechts obliege ausschließlich dem EuGH.[162]

Der EuGH leitet dies daraus ab, dass die Gemeinschaft für unbegrenzte Zeit gegründet wurde und die Mitgliedstaaten ihre Souveränitätsrechte entsprechend beschränkt hätten.[163] Die Aufnahme der Bestimmungen des Gemeinschaftsrechts in die Verfassungen der Mitgliedstaaten führe zu einem Unterworfensein unter die Rechtsordnung der Gemeinschaft.[164] Aus Art. 10 und 12 EGV folge, dass die Mitgliedstaaten verpflichtet seien, dem Gemeinschaftsrecht volle Wirksamkeit zuzugestehen. Maßnahmen und Vorschriften der Mitgliedstaaten, die hiermit konfligieren, könnten deshalb keine Wirksamkeit beanspruchen.[165] Dieser Vorrang des Gemeinschaftsrechts werde durch Art. 249 EGV bestätigt.[166] Die volle Wirksamkeit gemeinschaftsrechtlicher Regelungen würde unterlaufen, wenn die Mitgliedstaaten Rechtsakte erlassen könnten, die gemeinschaftsrechtlichen Rechtsakten vorgingen.

Der EuGH hat durch Rechtsfortbildung das Gemeinschaftsrecht – insbesondere in den frühen Jahren – wesentlich geprägt.[167] Sein Rollenverständnis als „Motor der Integration" geriet jedoch zunehmend in die Kritik;[168] seine Auslegungshoheit wird von den obersten Gerichtshöfen der Mitgliedstaaten vermehrt infrage gestellt.[169] Für die Diskussion darüber,[170] ob der EG eine Kompetenz verliehen ist, die strafrechtlichen Vorschriften der Mitgliedstaaten zu harmonisieren, sind mehrere Urteile des EuGH zu analysieren und zu bewerten.[171] Um diese Urteile treffend würdigen zu können, ist es erforderlich, seine Befugnisse zunächst insbesondere im Hinblick auf die Rechtsfortbildung festzustellen. Ferner ist es notwendig, die von ihm angewandten Auslegungsgrundsätze des EG-Rechts einleitend kurz darzustellen.

---

161 So zuerst EuGH vom 15.7.1964, Rs. 6/64 „*Costa / E.N.E.L.*", Slg. 1964, 1251 (1269 f.); EuGH vom 17.12.1970, Rs. 11/70 „*Internationale Handelsgesellschaft*", Slg. 1970, 1125 (Rn. 3); sowie EuGH vom 9.3.1978, Rs. 106/77 „*Simmenthal*", Slg. 1978, 629 (Rn. 17 f.); EuGH vom 19.6.1990, Rs. C-213/89 „*Factortame*", Slg. 1990, I-2433 (Rn. 18), krit. *Maduro*, EuR 2007, 3 (4 ff.).

162 Vgl. *Ehlers/Eggert*, JZ 2008, 585 f.

163 EuGH vom 15.7.1964, Rs. 6/64 „*Costa / E.N.E.L.*", Slg. 1964, 1251 (1269 f.).

164 Zust. *Eibach*, Europäische Gemeinschaften, S. 61 ff.; *Schwan*, Bundesländer im Entscheidungssystem der EG, S. 63 f.; *Zweigert*, EuR 1972, 308 (312 ff.).

165 EuGH vom 15.7.1964 Rs. 6/64 „*Costa / E.N.E.L.*" Slg. 1964, 1251 (1269 f.).

166 Vgl. *Biervert*, in: Schwarze (Hrsg.), EU-Kommentar, Art. 249 Rn. 7 f.

167 Hierzu *Voigt*, in: Holler/Kliemt (Hrsg.), European Governance, S. 77 f.

168 *Goll/Kenntner*, EuZW 2002, 101 (104 f.).

169 Hierzu sogleich § 2 II.3.

170 Vgl. § 4 III.

171 Vgl. § 4 II.

1. Auslegungsprinzipien des EuGH

Das Primärrecht der EG ist eine Ansammlung verschiedener völkerrechtlicher Verträge.[172] Die h.M zieht hieraus jedoch nicht den Schluss, dass auch die Auslegung des Primärrechts völkerrechtlichen Maßstäben zu folgen habe,[173] und gründet diese Auffassung darauf, dass sich das Gemeinschaftsrecht nach dem Abschluss der Gründungsverträge von ihrem völkerrechtlichen Ursprung gelöst und sich zu einer „neuen Rechtsordnung des Völkerrechts" entwickelt hat.[174] Sie legt das Recht der Europäischen Union und der Gemeinschaften vergleichbar innerstaatlichem Recht aus,[175] weicht aber hiervon in bestimmten Situationen ab. Diese Ansicht soll auch der hiesigen Untersuchung zugrunde gelegt werden, da sie der völkerrechtlich neuartigen Konstruktion der Europäischen Gemeinschaften gerecht zu werden vermag. Für sie spricht, dass sich die EU im Vergleich zu Anfang der 1960er Jahre weiter dem Charakter einer föderalen (innerstaatlichen) Rechtsordnung angenähert hat.

Die spezifisch europarechtliche Auslegung geht vom Wortlaut aus und berücksichtigt ferner die systematische Auslegung der Verträge und deren Zielsetzung. Gering wird klassischerweise die Bedeutung der historischen Auslegung eingestuft,[176] aus zwei Gründen. Zum einen waren die meisten (frühen) Verhandlungsprotokolle nicht öffentlich zugänglich; die EU ist jedoch zunehmend um mehr Transparenz bemüht.[177] Zum anderen trete dieser Aspekt hinter den „dynamischen" Charakter der europäischen Integration zurück.[178] Der Interpretation des Wortlauts komme im Vergleich zum nationalen Recht aufgrund der Existenz und der prinzipiellen Gleichrangigkeit der unterschiedlichen sprachlichen Fassungen nur eine abgeschwächte Bedeutung zu.[179] Dies ist zumindest dann zustimmungswürdig, wenn hierdurch Ungenauigkeiten entstehen, die allein sprachlichen Gegebenheiten geschuldet sind. M.E. kann dies aber nicht gelten, wenn die sprachlichen Fassungen der verschiedenen Sprachen einen eindeutigen Sinngehalt ergeben. Klassischerwei-

---

172 Vgl. hierzu nur *Stumpf*, in: Schwarze (Hrsg.), EU-Kommentar, Art. 1 EUV Rn. 6; *Schwarze*, a.a.O., Art. 1 EGV Rn. 6.

173 A.A. *Bleckmann*, NJW 1982, 1177.

174 EuGH vom 5.2.1963, Rs. 26/62 „*van Gend & Loos*", Slg. 1963, 3 (25); EuGH vom 15.7.1964, Rs. C-6/64 „*Costa / E.N.E.L.*", Slg. 1964, 1251 (1269).

175 *Schwarze*, in: ders. (Hrsg.), EU-Kommentar, Art. 220 EGV Rn. 27; *Satzger*, Europäisierung, S. 137; *Wegener*, in: Calliess/Ruffert (Hrsg.), EUV/EGV, Art. 220 EGV Rn. 11.

176 Krit. *Leisner*, EuR 2007, 689 (695 ff.).

177 *Wegener*, in: Calliess/Ruffert (Hrsg.), EUV/EGV, Art. 220 EGV Rn. 12 differenziert. Die Protokollerklärungen des Rates, der Kommission und der Vertreter der Mitgliedstaaten seien zumeist nicht öffentlich; und seien sie öffentlich, sei ihr Aussagegehalt aufgrund der Umstände der Entstehung meist gering. Anderes gelte bei den (zunehmenden) Stellungnahmen des Europäischen Parlaments.

178 *Wegener*, in: Calliess/Ruffert (Hrsg.), EUV/EGV, Art. 220 EGV Rn. 12.

179 *Wegener*, in: Calliess/Ruffert (Hrsg.), EUV/EGV, Art. 220 EGV Rn. 11.

se dominiert die teleologische Auslegung des Gemeinschaftsrechts.[180] Besondere Bedeutung kommt dabei der Verwirklichung der Vertragsziele der Gemeinschaft zu; durch die Hervorhebung des dynamischen Aspekts der EG soll die Funktionsfähigkeit der Gemeinschaft sichergestellt werden.[181] Allerdings sind m.E. der teleologischen Interpretation Grenzen gesetzt, wenn sich Ziel und Zweck einer Regelung konkret aus dem Wortlaut und der historischen Auslegung ergeben.

2. Maßstabsbildung für den Umfang zulässiger Rechtsfortbildung durch den EuGH

Der EuGH hat insbesondere vor Inkrafttreten des Vertrags von Maastricht maßgeblich das Gemeinschaftsrecht geprägt und wesentliche Rechtsprinzipien geschaffen.[182] Die Mitgliedstaaten haben seine Rechtsprechung anschließend häufig als Primärrecht kodifiziert.[183] Diese Pioniertätigkeit hat der EuGH unter dem Begriff „Motor der Integration" zusammengefasst.[184] Diese Funktionsbeschreibung ist jedoch weit davon entfernt, seine Befugnisse präzise zu fassen, insbesondere seine Berechtigung zu beschreiben, Rechtsfortbildung zu betreiben. M.E. muss, wenn man versucht, die Berechtigung des EuGH allgemein zu umschreiben, diese Beurteilung zwei Komponenten berücksichtigen. Die rechtlichen Befugnisse des EuGH hängen zum einen von seiner (formalen) Position im EG-Vertrag ab, die durch Art. 220 EGV vorgegeben ist (1.). Seine Möglichkeiten hängen aber – aufgrund der Besonderheiten des Europarechts – zugleich auch von Wertungen ab, die durch das materielle Europarecht, die Kompetenzordnung der EG, vorgegeben werden (2.). Aus diesen beiden Komponenten müssen die Kriterien abgeleitet werden, die das zulässige Maß an Rechtsfortbildung des EuGH bestimmen.

---

180 *Schwarze*, in ders. (Hrsg.), EU-Kommentar, Art. 220 EGV Rn. 27.

181 *Schwarze*, in ders. (Hrsg.), EU-Kommentar, Art. 220 EGV Rn. 27 f.; zwar gibt es Hinweise, dass der EuGH die Bedeutung der „dynamischen Interpretation" zunehmend abschwächt und seine Rolle weniger als „Motor der Integration" denn als „Hüter der Verfassung" ansieht, vgl. hierzu die Nachweise bei *Schwarze*, a.a.O., Art. 220 EGV Rn. 28. Die Entscheidung des EuGH *C-176/03* lässt aber den Schluss zu, dass dies zumindest im Bereich der Rechtsetzungskompetenz der Gemeinschaft wohl eher nicht der Fall ist.

182 Die Liste möglicher Entscheidungen ist lang, beginnend von EuGH „*Fédéchar*" über „*van Gend & Loos*" bis EuGH vom 19.11.1991, Rs. C-6/90 „*Frankovich*" Slg. 1991, 5357 (Rn. 35); vgl. hierzu *Schwarze*, in: ders. (Hrsg.), EU-Kommentar, Art. 220 EGV Rn. 4.

183 So gehen fast die gesamten Prinzipien, die Art. 10 EGV zugrunde liegen, auf Richterrecht zurück, vgl. nur *Hatje*, in: Schwarze (Hrsg.), EU-Kommentar, Art. 10 EGV Rn. 4.

184 Krit. *Hirsch*, NJW 2000, 1817 (1820).

a) Konzeption der Rolle des EuGH im EG-Vertrag

Dem EuGH ist durch Art. 220 EGV *a priori* kein Rollenverständnis vorgegeben.[185] Er wurzelt sowohl im angelsächsischen *common law*-Rechtskreis als auch im kontinentaleuropäischen *civil law*-Rechtskreis. Grundsätzlich verfügen die Gerichte im *common law*-Rechtskreis über eine stärkere Rechtsfortbildungskompetenz als Gerichte des *civil law*-Rechtskreises.[186] In Letzterem hat sich kein einheitlicher Maßstab durchgesetzt, trotz der gemeinsamen römisch-rechtlichen Tradition. So haben z.B. das französische und das deutsche Recht unterschiedliche Rollen der Gerichte herausgebildet, mit entsprechend unterschiedlichen Spielräumen zur Rechtsfortbildung.[187] Die Rolle des EuGH ist nicht auf die reine Auslegung des Primär- und Sekundärrechts beschränkt.[188] Der Auftrag „Wahrung des Rechts" (Art. 220 EGV) beinhaltet jedenfalls Kompetenzen, die auch die Lückenschließung und Fortbildung des Rechts umfassen. Analysiert man die Tätigkeit des EuGH, kann man feststellen, dass er das EG-Recht nicht im Sinne der *stare decisis*-Doktrin des Commonwealth-Rechts entwickelt.[189] Er erlegt sich in vielen Bereichen jedoch eine fakultative, aber faktische Bindung auf, indem er ständige Rechtsprechungen entwickelt und weiterentwickelt.[190]

Der EuGH unterliegt bei der Interpretation des gemeinschaftlichen Rechts den Begrenzungen, die die Herren der Verträge in ihnen angelegt haben.[191] Die Regelungsintensität des Primärrechts hat zwar noch keinen Stand erreicht, der eine trennscharfe Abgrenzung zwischen zulässiger Interpretation/Rechtsfortbildung und unzulässiger legislativer Tätigkeit des EuGH möglich macht.[192] Dennoch ist er daran gehindert, die getroffenen Festlegungen in wesentlichen Punkten zu verändern.[193] Aus der Funktionszuweisung in Art. 220 EGV kann entnommen werden, dass mit zunehmender primärrechtlicher Kodifizierung des Gemeinschaftsrechts

---

185 *Ibbetson*, Case Law and Doctrine, S. 27 (39 f.).

186 *Schulze/Seif*, Einführung, in: dies. (Hrsg.), Richterrecht und Rechtsfortbildung in der EG, S. 1 (3).

187 *Meyer-Pritzl*, Der Urteilsspruch in der europäischen Rechtsgeschichte, S. 41 (56 ff.).

188 *Calliess*, NJW 2005, 929 (930).

189 *Schulze/Seif*, Einführung, in: dies. (Hrsg.), Richterrecht und Rechtsfortbildung in der EG, S. 1 (11).

190 Vgl. EuGH *„Griechischer Mais"* (Rn. 24), hierzu § 4 II.1.b)aa); EuGH *„Titandioxid"* (Rn. 32), hierzu § 5 II.2.a).

191 *Schwarze*, in: ders. (Hrsg.), EU-Kommentar, Art. 220 EGV Rn. 1, 21 ff., 24, 27; a.A. *Hirsch*, NJW 2000, 1817 (1821), der eine trennscharfe Abgrenzung der judikativen von der legislativen Gewalt in der EU nicht als möglich ansieht; krit. *Goll/Kenntner*, EuZW 2002, 101 (102 f.); zur Lage unter Geltung der EuVerf krit. *Puttler*, EuR 2004, 669 (686 f.).

192 *Calliess*, NJW 2005, 929 (933). Dies gelingt nicht einmal in einem nationalen Rechtskreis, vgl. hierzu *Schulze/Seif*, Einführung, in: dies. (Hrsg.), Richterrecht und Rechtsfortbildung in der EG, S. 1 (3).

193 Vgl. die Forderung von *Goll/Kenntner*, EuZW 2002, 101 nach einem vom EuGH unabhängigen Gericht, das sich ausschließlich Kompetenzstreitigkeiten widmet.

seine (freien) Gestaltungsmöglichkeiten abnehmen.[194] Die dynamisch-evolutive Komponente des Gemeinschaftsrechts findet keine Entsprechung in einer wachsenden Gestaltungsbefugnis des EuGH.[195] Dies lässt sich zudem aus der Flexibilitätsklausel des Art. 308 EGV ableiten.[196] Seine Befugnisse werden deshalb nicht durch den dynamisch-evolutiven Integrationsansatz des EG-Vertrags verstärkt.[197]

b) Bestimmung eines Maßstabs anhand materieller Kriterien des EG-Vertrags

Ob sich für die Rechtsfortbildung durch den EuGH ein einheitlicher Rahmen bilden lässt, wird in der Literatur kaum behandelt.[198] Ansätze gehen dahin, verschiedene Arten der Rechtsfortbildung zu unterscheiden, wie z.B. lückenfüllende, gesetzesvertretende oder Rechtsfortbildung *contra legem*.[199] Wie insbesondere letzte Fallgruppe von den Arten der zulässigen Rechtsfortbildung abgegrenzt werden kann, wird jedoch nicht näher ausgeführt. Das Meinungsspektrum bei kontroversen Urteilen des EuGH ist deshalb traditionell sehr groß.[200] An dieser Stelle setzt diese Arbeit an. Es soll versucht werden, eine methodische Grundlage für die Einteilung in zulässige Rechtsfortbildung und in Rechtsfortbildung *contra legem* – insbesondere für den Bereich der vertikalen Kompetenzverteilung – zu erarbeiten.[201]

Ausgangspunkt für die Bestimmung des zulässigen Interpretationsspielraums des EuGH muss seine formelle Position sein.[202] Seine Funktion besteht darin, Kompetenzfragen und normhierarchische Konflikte des EU-Rechts zu lösen, insbesondere wenn es zu Überlappungen von Zuständigkeiten kommt.[203] Im Bereich der vertikalen Kompetenzkonflikte hat der EuGH die Belange der Nationalstaaten und ihrer Rechtsordnung mit den berechtigten Belangen der EG auf Ausbau und Weiterentwicklung der Europäischen Rechtsordnung in Einklang zu bringen.[204] Dies erfor-

---

194 Zust. *Goll/Kenntner*, EuZW 2002, 101 (105); *Hirsch*, NJW 2000, 1817 (1820).

195 Gegen eine politische Rolle des EuGH auch *Everling*, EuZW 2002, 357 (363).

196 *Bungenberg*, EuR 2000, 897 (881 f.); *Goll/Kenntner*, EuZW 2002, 101 (102).

197 Zust. *Bungenberg*, EuR 2000, 879 (885 f.); *Calliess*, NJW 2005, 929 (930); a.A. *Sacco*, Concepts juridiques et création du droit communautaire par le juge, S. 81 (82 f.).

198 Ansätze finden sich bei *Borchardt*, in: GS-Grabitz, S. 29 (31 ff.); *Everling*, JZ 2000, 217 (223 ff.; 226 f.); *ders.*, EuZW 2002, 357; *Hirsch*, NJW 2000, 1817 (1820 f.); *Hummer/Obwexer*, EuZW 1997, 295 (299 f.); *Jahn*, NJW 2008, 1788 (1789); *Pernice*, EuR 1996, 27 (34, 36 f.); *Schwarze*, in: FS-G. Hirsch, S. 165 (169 ff.).

199 In diesem Sinne *Calliess*, NJW 2005, 929 (932).

200 Vgl. zum Urteil „*C-176/03*" unten § 4 II.2.a); zum Urteil „*Tabakwerberichtlinie II*" unten § 5 II.3.a).

201 Zu den Fragen der horizontalen Gewaltenteilung und den Problemen politischer Gestaltung, vgl. *Calliess*, NJW 2005, 929 (931, 932).

202 Zust. *Calliess*, NJW 2005, 929 (930); krit. *Hirsch*, NJW 2000, 1817 (1821).

203 *Nettesheim, EuR* 2006, 737 f.

204 *Calliess*, NJW 2005, 929 (932 f.); *Everling*, EuZW 2002, 357 (363), ohne den EuGH auf diese Rolle festzuschreiben.

dert eine Abwägung der widerstreitenden Interessen. Mit dieser Abwägung kann und soll erreicht werden, dass der EuGH die Zuständigkeit der EG nicht auf Sachmaterien und Zuständigkeiten erstreckt, die der EG nach ex- oder impliziten Wertungen des EG-Vertrags nicht zugeschrieben sind.[205]

Zugleich kann man berücksichtigen, dass die EG sich dynamisch entwickelt,[206] aber nicht alle ihre Zielsetzungen gleichwertig sind.[207] Ergänzend zu den primärrechtlichen Grenzen des EG-Vertrags sind bei der Rechtsfortbildung auch die relevanten allgemeinen (Grund-)Prinzipien des Gemeinschaftsrechts zu berücksichtigen,[208] d.h. die durch Rechtsfortbildung entwickelten Prinzipien und Wertungen, sowie allgemeine Rechtsgrundsätze des EG-Rechts.[209] Sie verleihen dem Gemeinschaftsrecht Konsistenz und Zusammenhalt, beschränken aber dadurch wiederum die Gestaltungsfreiheit des EuGH.[210] Der Stand der bisher entwickelten Dogmatik und Systematik des Gemeinschaftsrechts dient somit als Ausgangspunkt und Maßstab für die Weiterentwicklung des Rechts.[211] Dem EuGH wird unterstellt, für alle Bereiche des EG-Vertrags eine systematische und kohärente Auslegung der Vertragstexte erreichen zu wollen.[212] Ziel ist es, die Weiterentwicklung des EG-Vertrags auf einer Grundlage zu betreiben, welche die Interessenslagen beider Seiten anhand der geschriebenen und ungeschriebenen Vorgaben des EG-Vertrags in ein möglichst ausgewogenes Verhältnis bringen.

c) Die unterschiedlichen Maßstäbe des EG-Vertrags

Im Bereich der vertikalen Kompetenzkonflikte hat eine Rechtsfortbildung zu berücksichtigen, dass die EG in den verschiedenen Sachpolitiken mit unterschiedlichen Kompetenzen ausgestattet wurde. Der EG-Vertrag trennt – im Bereich des Subsidiaritätsprinzips – nach ausschließlichen und konkurrierenden/parallelen Zuständigkeiten.[213] Zwar betrifft diese Unterscheidung in ihrem ursprünglichen Kon-

---

205 In diese Richtung auch *Everling*, EuZW 2002, 357.

206 *Calliess*, NJW 2005, 929 (930).

207 *Bono*, The development of general principles of law at national and community level, S. 97 (122, 133 ff., 137, 138 ff.).

208 *Edward*, Richterrecht in community law, S. 75.

209 Zust. *Everling*, EuZW 2002, 357 (363); hierzu allgemein *Edward*, Richterrecht in community law, S. 75 (76 ff., 78 f.).

210 Vgl. *Bono*, The development of general principles of law at national and community level, S. 97 (105 ff., 119 ff.); zu den allgemeinen Rechtsgrundsätzen des Gemeinschaftsrechts vgl. *Schwarze*, in: ders. (Hrsg.), EU-Kommentar, Art. 220 EGV Rn. 14 ff.

211 *Lundmark*, “Soft” stare decisis: the common law doctrine retooled for Europe, S. 161 (161 f., 166 f.); *Bono*, The development of general principles of law at national and community level, S. 97 (99 f.); krit. *Sacco*, Concepts juridiques et création du droit communautaire par le juge, S. 81 (82 f.).

212 Ebenso *Calliess*, NJW 2005, 929 (933).

213 Vgl. § 2 II.2.a).

text nur die Ausübung der Kompetenzen im Rahmen des Subsidiaritätsprinzips.[214] Eine Übertragung als differenzierender Maßstab für das zulässige Maß an Rechtsfortbildung wäre möglich und zweckmäßig. Er wird nicht aus grundsätzlichen Erwägungen ausgeschlossen, insbesondere nicht durch Art. 220 EGV. Dieser Maßstab bietet den Vorteil, einen Gleichlauf zwischen zulässiger Ausübung der legislativen Tätigkeit der EG und zulässiger Rechtsfortbildung durch den EuGH herstellen zu können.[215] Der Wertungszusammenhang ist in beiden Anwendungsbereichen gleich,[216] denn die Rechtsfortbildung durch den EuGH betrifft die quasilegislative Kompetenz der EG. Gleichzeitig ist der Maßstab ein Spiegel dafür, wie hoch das Interesse der EG ist, einen Regelungsgegenstand nach mehr oder weniger freiem Ermessen ausgestalten zu können. Er widerspricht auch nicht dem Prinzip, dass die Mitgliedstaaten „Herren der Verträge" geblieben sind, da er den Wertungen folgt, welche die Mitgliedstaaten in den EG-Vertrag hineingeschrieben haben.[217] Bei der Frage, ob eine Entscheidung des EuGH das EG-Recht in zulässiger Weise fortbildet, ist deshalb danach zu unterscheiden, ob hiervon ausschließliche oder konkurrierende Kompetenzen bzw. Politikfelder der EG betroffen sind.

Ausschließliche Kompetenzen zeichnen sich durch ein vorrangiges Interesse der EG aus, diesen Bereich zu gestalten.[218] Der Spielraum des EuGH dafür ist groß, da die Regelung des Sachbereichs vollständig auf die EG übertragen wurde.[219] Im Bereich der ausschließlichen Kompetenzen besteht ein abzuwägendes (Souveränitäts-) Interesse der Mitgliedstaaten nur insoweit, als die EG die Ermächtigungen nicht missbrauchen darf, Befugnisse in anderen Politikbereichen an sich zu ziehen.[220] Im Fall konkurrierender Kompetenzen hat der EuGH diesen weiten Ermessensspielraum nicht, da die Mitgliedstaaten in diesem Bereich weiterhin „Herren der Verträge" geblieben sind.[221] Bei diesen Kompetenzen und Politikbereichen hat der EuGH die Wertungen, welche die Mitgliedstaaten in dem jeweiligen Stand des gemeinschaftlichen Primärrechts festgeschrieben haben, maßgeblich zu berücksichtigen. Die Möglichkeit, entgegenstehende (Souveränitäts-)Interessen der Mitgliedstaaten

---

214 Hierzu § 2 II.2.a).

215 Für eine entsprechende Abgrenzung im Bereich der Außenkompetenzen der EG *Bischoff*, EuZW 2006, 295 (297); a.A. *Borchardt*, in: GS-Grabitz, S. 29 (33).

216 Für ein vergleichbares Verhältnis vom Prinzip der begrenzten Einzelermächtigung zur Rechtsfortbildung durch den EuGH auch *Ohler*, EuZW 2006, 372 (374).

217 Vgl. nur EuGH, Gutachten vom 6.12.2001, Zuständigkeit über den Abschluss des Protokolls von Cartagena, abgedruckt in EuZW 2002, 113.

218 Vgl. § 2 I.3.a)aa).

219 Vgl. § 2 I.3.a)aa).

220 Krit. hinsichtlich des Falls „*Tanja Kreil*" [EuGH vom 11.1.2000, Rs. C-285/98, Slg. 2000, I-69] deshalb *Stein*, in: FS-G. Hirsch, S. 185 f.

221 Vgl. *Nettesheim*, EuR 2006, 737 (744 f. m.w.N.); hinsichtlich der EuVerf *Puttler*, EuR 2004, 669.

in einer rechtsfortbildenden Entscheidung zurückzudrängen, besteht nicht.[222] Die nationalen Interessen müssen vom EuGH umso stärker berücksichtigt werden, je mehr hierdurch in Sachbereiche eingegriffen wird, die hoheitsrechtlich sensible Bereiche der mitgliedstaatlichen Rechtsordnungen betreffen.[223]

Werden konkurrierende Kompetenzen weiterentwickelt, ist vom EuGH eine Wertung vorzunehmen. Als Wertungsgesichtspunkte für die Fortbildung des Gemeinschaftsrechts können m.E. berücksichtigt werden:

- Welcher praktische oder dogmatische Nutzen folgt aus dieser Veränderung für das Gemeinschaftsrecht, d.h. welche Defizite des derzeitigen Standes des Europarechts behebt er?[224]
- Wie verhält sich der Nutzen der Weiterentwicklung (für die Zielsetzung des Sachkompetenz- bzw. des EG-Vertrags) im Verhältnis zu dem Verlust an Befugnissen der Mitgliedstaaten?

Bloße politische Praktikabilitätsargumente (z.B. eine Kompetenznorm wie Art. 95 EGV unterliegt dem Mehrheitsprinzip)[225] stellen jedoch keine abwägungsfähigen Interessen der EG dar.

d) Zwischenergebnis

Die Zulässigkeit einer Rechtsfortbildung im vertikalen Kompetenzgefüge der EG kann m.E. nach einem einheitlichen Maßstab bestimmt werden. Dieser Maßstab geht von der formellen Position des EuGH in Art. 220 EGV aus. Diese enthält jedoch keine präzisen Vorgaben, ob der EuGH nach Art eines *common law*-Gerichts oder eines kontinentaleuropäischen *civil law*-Gerichts befugt ist, das EG-Recht weiterzubilden. Seine Rolle wird durch die Vorgaben des Primärrechts und der allgemeinen Rechtsprinzipien des Gemeinschaftsrechts determiniert. Inhaltlich hat sich der EuGH deshalb an die materiell-rechtlichen Vorgaben des EG-Vertrags zu halten. Es ist deshalb möglich, den Wertungsmaßstab des Subsidiaritätsprinzips auf die Rechtsfortbildung durch den EuGH zu übertragen. Hiermit wird ihm ein Maß-

---

[222] Auf Ebene der Mitgliedstaaten kann infolge der unterschiedlichen Verfasstheit der Mitgliedstaaten nicht zwischen ausschließlichen und konkurrierenden Kompetenzen des Nationalstaats unterschieden werden. Dies wäre für die nicht föderalistisch aufgebauten Mitgliedstaaten, wie z.B. Frankreich oder England, bereits im Ansatz problematisch und zudem im Hinblick auf den verwendeten Maßstab, nämlich die (gesamt-)staatliche Souveränität der Mitgliedstaaten, ohne Relevanz.

[223] Vgl. zum parallelen Ansatz *Braums* hinsichtlich der legislativen Kompetenz des EG-Gesetzgebers *ders.*, Europäische Strafgesetzlichkeit, S. 391; vgl. ferner *Bischoff*, EuZW 2006, 295 (297).

[224] In diese Richtung auch *Lundmark*, "Soft" stare decisis: the common law doctrine retooled for Europe, S. 161 (161 f., 166 f.).

[225] Diese Erwägung steht z.B. m.E. hinter der Entscheidung „*ENISA*" des EuGH, welche die Gemeinschaftsagentur nunmehr nicht mehr auf Art. 308 EGV stützt, sondern in den Anwendungsbereich von Art. 95 EGV fallen lässt, vgl. hierzu oben § 2 I.2.c).

stab vorgegeben, den die Mitgliedstaaten im EG-Vertrag festgelegt haben. In ihm sind die mitgliedstaatlichen Interessen abgestuft vertreten, je nachdem, ob sie einer konkurrierenden oder ausschließlichen Kompetenz zugeordnet sind. Dieser Maßstab ermöglicht es, zu beurteilen, ob eine Rechtsfortbildung durch den EuGH zulässig oder eine unzulässige Rechtsfortbildung *contra legem* ist.

3. Vorrang des Gemeinschaftsrechts = Interpretationshoheit des EuGH?

Everling hat die Entwicklung der Rechtsprechung des EuGH dadurch zu charakterisieren versucht, dass sie parallel zur politischen Stimmung innerhalb der EU verlaufe.[226] Sei die politische Stimmung abwartend, sei auch der EuGH in seiner Auslegung zurückhaltend, und umgekehrt.[227] Diese Einschätzung ist jedoch in der gegenwärtigen Lage der EU nicht zutreffend. Nach dem Scheitern der Referenden über die EuVerf in den Niederlanden und Frankreich im Jahr 2005 und dem Scheitern des Referendums der Iren über den Reformvertrag von Lissabon im Juni 2008[228] fährt der EuGH vielmehr einen entgegengesetzten Kurs zur eher skeptischen politischen Stimmung in den Mitgliedstaaten. Es häufen sich Urteile, denen vorgeworfen wird, dass ihre Entscheidungsgründe maßgeblich vom politischen (Integrations-)Kalkül getragen seien.[229] Dieser Kurs stößt verstärkt auf Widerstand, insbesondere bei den obersten Gerichten der Mitgliedstaaten. Zwar wurde bislang die formelle Hoheit des EuGH noch nicht explizit in Frage gestellt.[230] Jedoch bestehen Ansätze, welche dazu führen könnten, dass das EG-Recht nur noch regional divergierende Geltung beanspruchen kann.[231] Auf diese Entwicklung soll nachfolgend kurz eingegangen werden.[232]

Die mitgliedstaatlichen obersten Gerichte gehen verstärkt dazu über, parallele Zuständigkeiten zur Rechtmäßigkeitskontrolle speziell von europäischem Sekundärrecht zu etablieren. Zwar hat der EuGH in den letzten Jahren mehrfach versucht, Urteile der nationalen Gerichtshöfe zu korrigieren;[233] jedoch steht die rechtliche

---

226 *Everling*, EuZW 2002, 357 (363).

227 *Everling*, EuZW 2002, 357 (363); weitergehend *Schwarze*, in: Häberle/Schwarze/Graf Vizthum (Hrsg.), EuR Beiheft 1/1993, 39 (45), der einen bleibenden Wandel des EuGH vom Motor der Integration zum Schiedsrichter ausmacht.

228 Vertrag von Lissabon, veröffentlicht im ABl. C 306/1 vom 17.12.2007.

229 Zust. *Hefendehl*, ZIS 2006, 161 (165); *Stein*, EuZW 2007, 54; *Schwarze*, Europäisches Wirtschaftsrecht, Rn. 704.

230 In diese Richtung auch *Mayer*, European Constitution, S. 36.

231 Die Anwendung oder Umsetzung europäischen Rechts durch nationale Institutionen impliziert stets die Frage, ob dieser Rechtsakt rechtmäßig zustande gekommen ist, vgl. *Hatje*, in: Schwarze (Hrsg.), EU-Kommentar, Art. 10 EGV Rn. 4 f., 8 ff., 20 ff., 27 ff., 32 ff., 40 ff. Hiermit verbunden ist die Frage, wer über damit zusammenhängende Rechtmäßigkeitsfragen verbindlich zu entscheiden hat, vgl. *Hirsch*, NJW 1996, 2459 (2464).

232 Vgl. ferner *Ehlers/Eggert*, JZ 2008, 585 (590 f.); *Kirchhof*, JZ 1998, 965 (972 ff.).

233 Zu den Urteilen des EuGH infolge einer Vorlage des österreichischen Verwaltungsgerichtshofs, EuGH vom 30.9.2003, Rs. C-224/01 „*Köbler*“, Slg. 2003, I-10239 und des

Grundlage dieser Urteile auf „tönernen Füßen".[234] Es kann konstatiert werden, dass einige nationale Gerichte ihre Zurückhaltung gegenüber dem EuGH ablegen und mehr oder weniger offen Anspruch darauf erheben, auf die Gültigkeit europäischen Rechts Einfluss zu nehmen.[235] Dies kann in Zukunft zu Auseinandersetzungen führen, die auch Fragen der Kompetenzen der EG betreffen. Die Position der obersten Gerichtshöfe der Mitgliedstaaten lässt sich grob in zwei Lager einteilen.[236] Viele stellen derzeit die übergeordnete Rolle des EuGH nicht infrage.[237] Ein wachsender Teil beginnt, dies in unterschiedlichem Maße zu tun.

Das BVerfG,[238] das in seinem *Maastricht*-Urteil[239] seine Kontrolltätigkeit gegenüber dem EuGH *de facto* eingestellt hatte,[240] vertrat eine gemäßigte Position. Es akzeptierte die prinzipielle Auslegungshoheit des EuGH, behielt sich jedoch eine „subsidiäre" Zuständigkeit vor, deren Wiederaufleben es vom Überwinden einer sehr hohen prozessrechtlichen Hürde abhängig machte.[241] Erst danach über-

---

italienischen Corte suprema di cassazione, EuGH vom 9.12.2003, Rs. C-129/00 „*Komission / Italien*", Slg. 2003, I-14637, vgl. *Haltern*, VerwArch 2005, 311 (316 ff.).

234 *Haltern* VerwArch 2005, 311 (320).

235 Hierzu *Mayer*, EuR 2002, 239 (252 f.).

236 Vgl. hinsichtlich der Rechtsprechung der obersten Gerichte der neuen EU-Mitgliedsländer *Mayer*, European Constitution, S. 34 ff.

237 Hierzu *Oppenheimer*, The relationship (I) und (II); *Mayer*, European Constitution, S. 31 ff.

238 Der dänische Oberste Gerichtshof *(Højesteret)* orientiert sich in dieser Frage aber stark am Maastricht-Urteil, vgl. die Urteilsbesprechung zum Urteil vom 6.4.1998 von *Ring / Olsen-Ring*, EuZW 1998, 589 (591); vgl. ferner *Mayer*, EuR 2002, 239 (253 ff., 254 f.).

239 Die Rechtsprechung des BVerfG bezieht sich primär auf den Bereich des Grundrechtsschutzes. Die Übertragbarkeit dieser Argumentation auf den Bereich der Kompetenzabgrenzung zwischen der EU und Deutschland könnte angezweifelt werden, auch wenn dies im Ergebnis nicht überzeugend erscheint; vgl. hierzu BVerfG vom 12.10.1993, 2 BvR 2134, 2159/92, BVerfGE 89, 155 (188, 210) „*Maastricht*"; vgl. hierzu auch *Scholz*, DÖV 1998, 261 (267); für eine Übertragung der Maßstäbe auf die Kompetenzkontrollebene im Verhältnis EU/BRD auch *Kahl*, in: Calliess/Ruffert (Hrsg.), EUV/EGV, Art. 10 EGV Rn. 49.

240 BVerfG vom 12.10.1993, 2 BvR 2134, 2159/92, BVerfGE 89, 155 ff. „*Maastricht*". Den Anfang dieser Rechtsprechung bilden die sogenannten „*Solange... I- und II*"-Entscheidungen des BVerfG [BVerfG vom 29.5.1974, 2 BvL 52/71, BVerfGE 37, 271 ff.; BVerfG vom 22.10.1986, 2 BvR 197/83, BVerfGE 73, 339 ff.]. Eine kurze Zusammenfassung der wesentlichen Aussagen der „*Solange... I- und II*"-Entscheidungen findet sich bei *Satzger*, Europäisierung, S. 48 f.; *ders.*, a.a.O., S. 51 bezeichnet diese Position als „beschränkten Vorrang des Gemeinschaftsrechts"; zust. *Bleckmann*, Europarecht, Rn. 1084; zur a.A. vgl. die Nachweise bei *Satzger*, Europäisierung, S. 45 ff.

241 Die vorlegenden deutschen Gerichte müssen im Rahmen der abstrakten Normenkontrolle [Art. 100 Abs. 1 GG] darlegen, dass die europäische Rechtsentwicklung einschließlich der Rechtsprechung des EuGH nach Ergehen der „*Solange... II*"-Entscheidung unter den erforderlichen Grundrechtsstandard abgesunken sei. Dies habe mittels einer Gegenüberstellung des Grundrechtsschutzes auf nationaler und auf Gemeinschaftsebene zu erfolgen. Es muss nachgewiesen werden, dass der als unabdingbar gebotene Grundrechtsschutz generell nicht gewährleistet ist (sog. prozessualer Aspekt). Wie hoch diese Hürde tatsäch-

prüfte es erneut inhaltlich die Rechtsakte der Gemeinschaft auf ihre Verfassungsmäßigkeit.[242] In seiner *Lissabon*-Entscheidung ist das Bundesverfassungsgericht nunmehr einen Schritt weiter gegangen. Es hat diese *ultra vires*-Kontrollkompetenz bestätigt, seine Befugnisse hierauf aber nicht beschränkt.[243] Nunmehr sieht es sich auch ermächtigt, eine Identitätskontrolle bei EU-Rechtsakten durchzuführen.[244] Sie ist – anders als die *ultra vires*-Prüfung – darauf gerichtet, die Verfassungsidentität eines EU-Rechtsakts festzustellen,[245] d.h. ob ein Rechtsakt den unantastbaren Kerngehalt der Verfassungsidentität des Grundgesetzes nach Art. 23 Abs. 1 Satz 3 i.V.m. Art. 79 Abs. 3 GG wahrt.[246] Wie diese Kontrolle im Einzelnen ausgestaltet sein wird, lässt das Gericht offen.[247]

Damit nähert es seine Position anderen europäischen obersten Gerichten an, die sich bereits seit längerer Zeit weitergehende Rechte zur Überprüfung sekundärrechtlicher Akte der EG zusprechen. Sie begründen diese Befugnisse unterschiedlich. So haben sich etwa der spanische Tribunal Constitucional sowie die italienische Corte Costituzionale[248] kurzerhand nicht zu zuständigen Vorlagegerichten i.S.v. Art. 234 EGV erklärt.[249] Sie sehen sich deshalb in der Lage, auch die Umsetzung sekundären Gemeinschaftsrechts einer Überprüfung am Maßstab ihrer natio-

---

lich ist, hat das BVerfG in seinem Urteil vom 7.6.2000, 2 BvL 1/97 „*Bananenmarktordnung*", BVerfGE 102, 147 (164) gezeigt.

242 Sollte eine Vorlage diese Zulässigkeitshürde nehmen, prüft das BVerfG nur die generelle Gewährleistung der unabdingbaren Grundrechtsstandards durch den EuGH (sog. materiell-rechtlicher Aspekt); oder BVerfG vom 12.10.1993, 2 BvR 2134, 2159/92, BVerfGE 89, 155 (174). Einige Lockerungen zeigen sich jedoch auch in der Rspr. des BVerfG. In seinem Urteil zum bayrischen Glücksspielmonopol [BVerfG vom 28.3.2006, - 1 BvR 1054/01 -, BVerfGE 115, 276 (318 f.)] hat das BVerfG es für zulässig erklärt, gemeinschaftsrechtswidriges nationales Recht vorübergehend weiter anzuwenden; hierzu *Ehlers/Eggert*, JZ 2008, 585 (586 f.).

243 BVerfG „*Lissabon*" (Rn. 240 f.).

244 BVerfG „*Lissabon*" (Rn. 241).

245 BVerfG „*Lissabon*" (Rn. 241).

246 BVerfG „*Lissabon*" (Rn. 240).

247 Dies lässt das Bundesverfassungsgericht in seiner Entscheidung offen, BVerfG „*Lissabon*" (Rn. 241).

248 Die Corte Costituzionale sieht sich nicht als Gericht i.S.v. Art. 234 EGV an, Entscheidung vom 3.1.1996, Case No. 536/95, „*Messagero Servizi*" Gazz. Uff. 1996, 1 I. Sie genügt ihrer Vorlagepflicht, indem sie unterinstanzliche Gerichte zur Vorlage nach Art. 234 EGV anweist.

249 Tribunal Constitucional bei *Castillo de la Torre*, CMLRev 2005, 1169 (1179, Fn. 93). Weitergehend spielt der Tribunal Constitucional offen mit dem Gedanken eines Austritts Spaniens aus der EU, wenn sich die EU in eine Richtung entwickele, die der spanischen Verfassung widerspreche, ohne dass die Organe der EU dem Einhalt gebieten. Hierbei verweist es auf die Möglichkeiten der Mitgliedstaaten, unter Geltung des Vertrags von Lissabon aus der EU auszuscheiden (Art. I-60 EV, im Zusammenhang mit Art. I-6 EV). Eine vergleichbare Diskussion wurde im April 2008 offen in Dänemark geführt, vgl. http://www.earthtimes.org/articles/show/200625,danish-premier-talks-due-on-opt-outs-from-european-union.html [letzter Zugriff 26.10.2009].

nalen Verfassung zu unterziehen.[250] Gleiches Recht nimmt sich die belgische Cour d'arbitrage heraus[251] sowie seit dem Jahr 2004 auch der französische Conseil Constitutionnel.[252] Er erklärt sich aufgrund Art. 88-1 der Verfassung für kompetent,[253] die Umsetzung von EG-Richtlinien durch den französischen Gesetzgeber auf ihre Verfassungsmäßigkeit zu überprüfen.[254]

So ist z.B. nicht geklärt, ob der Conseil Constitutionnel von der Überprüfung der Verfassungsmäßigkeit auch die Ermächtigungsgrundlage des indirekten Rechtsaktes umfasst sieht oder ob nur die Auswirkungen auf die französische Verfassung überprüft werden. Auch die Rechtsprechung des Tribunal Constitucional ist hier nicht eindeutig auf die spanische Verfassung begrenzt.[255]

Als Zwischenergebnis kann festgehalten werden, dass die Auslegungshoheit des EuGH hinsichtlich des europäischen (Sekundär- und Primär-)Rechts derzeit noch nicht in erheblichem Maße in Frage gestellt wird. Allerdings beginnen die obersten Gerichtshöfe der Mitgliedstaaten zunehmend, dies zumindest in Teilbereichen in Zweifel zu ziehen. Diese Entwicklung gilt es im Auge zu behalten. Derzeit kann jedoch davon ausgegangen werden, dass allein der Rechtsprechung des EuGH maßgebliche Bedeutung für die Auslegung des europäischen Rechts zukommt.

---

250 Corte Costituzionale vom 27.12.1973, Case No. 183/73 „*Frottini*", wiedergegeben, in: *Oppenheimer*, The relationship (I), S. 629 (631); Corte Costituzionale vom 21.4.1989, Case No. 232/89 „*Fragd*", wiedergegeben bei *Oppenheimer*, a.a.O., S. 653 (655); Tribunal Constitucional, Gutachten 1/2004 vom 13.12.2004 hinsichtlich der EuVerf; wiedergegeben bei *Castillo de la Torre*, CMLRev 2005, 1169 (1171).

251 Hierzu *Maduro*, EuR 2007, 3 (11).

252 Vgl. *Mayer*, European Constitution, S. 6.

253 Bis dahin wurde Art. 88-1 als bloße Absichtserklärung verstanden, der kein spezifischer Regelungsgehalt zukomme; vgl. *Oberdorff*, Revue du droit public 2004, 869 (871 f.).

254 Conseil Constitutionnel, Entscheidung vom 10.6.2004, No. 2004-496 DC (Erwägungsgrund 7); Conseil Constitutionnel, Entscheidung vom 9.6.2004, No. 2004-497 DC (Erwägungsgrund 19); Conseil Constitutionnel, Entscheidung vom 29.7.2004, No. 2004-498 DC (Erwägungsgrund 7); Conseil Consitutionnel, Entscheidung vom 29.7.2004, No. 2004-499 DC (Erwägungsgrund 8). Er argumentiert hierbei aus dem Wortlaut von Art. 88-1, der veranschauliche, dass das Recht der Europäischen Union anderen Regeln folge als sonstiges Völkerrecht. Art. 88-1 habe als Überprüfungsmaßstab die französische Verfassung. Zuvor hatte sich der Conseil Constitutionnel stets auf Art. 55 gestützt, der jegliche Überprüfung von Rechtsakten der EG durch ein nationales französisches Gericht ausschloss. Art. 55 der Verfassung vom 4. Oktober 1958 hat folgenden Wortlaut: „Bei ordnungsgemäßer Ratifizierung oder Zustimmung gehen Verträge oder Abkommen mit ihrer Veröffentlichung den Gesetzen vor, vorbehaltlich der jeweiligen Anwendung des Abkommens oder des Vertrags durch die andere Partei." Hierin sah der Conseil Constitutionnel bis zur Änderung seiner Rechtsprechung im Jahr 2004 die Grundlage für den [absoluten] Vorrang der Rechtsakte der Europäischen Gemeinschaft und seine fehlende Überprüfungskompetenz begründet, vgl. Conseil Constitutionnel, Entscheidung vom 19.11.2004, No. 2004-505 DC (Erwägungsgrund 11).

255 *Maduro*, EuR 2007, 3 (11) hält dies nur im Fall einer Berührung von Grundprinzipien der Verfassung für möglich, nicht aber bei Überschreitung „jeder sonstigen Verfassungsbestimmung".

§ 3 Europäisches Strafrecht und die nationalen Rechtsordnungen

Untersucht man, ob und in welchem Umfang die EG berechtigt ist, strafrechtliche Vorschriften der Mitgliedstaaten zu harmonisieren, müssen zwei Regelungsebenen unterschieden werden. Auf der ersten Ebene, der des europäischen Rechts, ist zu klären, welche Art von Regelungen einer gesonderten „strafrechtlichen" Kompetenz bedürfen, da sie dem Bereich des Europäischen Strafrechts zuzuordnen sind. Auf der zweiten Ebene, der des mitgliedstaatlichen Rechts, gilt es zu differenzieren, in welcher Art die EG Einfluss auf die nationalen Strafrechtsordnungen nimmt. Abschließend soll hieraus die Frage beantwortet werden können, ob es für jede Art des Einflusses einer expliziten (strafrechtlichen) Kompetenznorm der EG bedarf.[256]

Einer strafrechtlichen Kompetenz bedürfen grundsätzlich Regelungen des Kriminalstrafrechts. Der gemeinschaftsrechtliche Strafrechtsbegriff kann jedoch nicht dadurch bestimmt werden, dass die Wertungen aus einem Mitgliedstaat auf das EG-Recht projiziert werden, da das Gemeinschaftsrecht stets eine genuine Bestimmung seiner Begrifflichkeiten erfordert. Im Fall des „Strafrechts" steht das Europarecht vor der Schwierigkeit, dass Anhaltspunkte für eine Definition des Begriffs weder im Gemeinschaftsrecht noch im EU-Vertrag zu finden sind.[257] Weder der Begriff des Kriminalstrafrechts noch die Abgrenzung von Strafrecht im weiteren Sinn und dem Kriminalstrafrecht wird durch das gemeinschaftliche Primärrecht normiert.[258] Hinzu kommt, dass die strafrechtlichen (Sanktions-)Systematiken der Mitgliedstaaten über die Jahrhunderte derart unterschiedlich ausdifferenziert wurden, dass eine Begrifflichkeit nicht aus einer einzelnen Rechtsordnung abgeleitet werden kann.[259]

I. Abgrenzung des Kriminalstrafrechts von sonstigen punitiven Sanktionen

Das Strafrecht ist Teil des staatlichen Sanktionsrechts. Der Gattungsbegriff der Sanktion lässt sich unterteilen in punitive und sonstige Sanktionen.[260] Der Begriff

---

256 Vgl. hierzu § 4 III.1.a).

257 *Hecker*, Europäisches Strafrecht, § 4 Rn. 74; der Begriff „Strafrecht" findet in der deutschen Fassung der Verträge zwar vereinzelt Erwähnung, so z.B. in Art. 135 oder Art. 280 Abs. 4 Satz 2 EGV sowie Art. 31 Abs. 1 lit. e) EUV. Hieraus lassen sich jedoch keine unmittelbaren Rückschlüsse auf den Umfang des Begriffs im Gemeinschaftsrecht ziehen.

258 *Tiedemann*, in: FS-Jescheck, S. 1411 (1415 ff.).

259 *Hecker*, Europäisches Strafrecht, § 4 Rn. 75; *Satzger*, Europäisierung, S. 59, 74.

260 Zu den sonstigen Sanktionsarten ausführlich *Heitzer*, Punitive Sanktionen, S. 18 ff.; *Böse*, Strafen und Sanktionen, S. 48 f.

der punitiven Sanktion kann wiederum in die Bereiche des Strafrechts „im weiteren Sinn“[261] und des Kriminalstrafrechts (Strafrecht „im engeren Sinn“) untergliedert werden.[262]

Eine formelle Abgrenzung von Kriminalstrafrecht und Strafrecht i.w.S. kommt im europäischen Recht – zumindest derzeit – nicht in Betracht.[263] Denn hierfür bedürfte es – vergleichbar dem deutschen Recht – eines einheitlichen europäischen Systems (i.S.e. *numerus clausus*), das beide Bereiche voneinander abtrennt.[264] Es wäre zwar möglich, dass die EG ein solches formales System der Abgrenzung einführt.[265] Derzeit lässt sich jedoch durch Auslegung kein solcher Maßstab ermitteln, da nicht alle mitgliedstaatlichen Rechtsordnungen eine formale Abgrenzung von Kriminalstrafrecht und Strafrecht i.w.S. kennen.[266]

Eine Abgrenzung muss deshalb anhand materieller Kriterien erfolgen.[267] Als taugliche Kriterien werden von der h.M. insbesondere die Natur der Sanktion und der durch sie verfolgte Zweck angesehen.[268] Eine Maßnahme ist dem Strafrecht zuzuordnen, wenn mit ihr ein repressiver, auf Sanktionierung eines missbilligten Verhaltens gerichteter Zweck verfolgt wird. Gegenbegriff ist die finanzielle Sanktion, die primär präventive oder restitutive Zwecke verfolgt.[269] Maßgeblich für den Zweck ist nach Auffassung der h.L. nicht der vom Gesetzgeber kundgegebene Wille; der Zweck sei aus der Sanktion selbst zu ermitteln. So könne sich der strafrechtliche Charakter einer Norm daraus ergeben, dass die verhängte Rechtsfolge durch

---

261 Auch im Recht der EG existiert die Kategorie des Strafrechts i.w.S. So wurde z.B. durch die Sanktion in Art. 15 Abs. 2 der VO Nr. 17 eine Sanktion eingeführt, die repressiv wirkt, ohne dass sie dem Bereich des Strafrechts i.e.S. angehört, vgl. EuGH vom 15.7.1970, Rs. C-41/69 *„ACF-Chemiefabrik“*, Slg. 1970, 661 (Rn. 172/176) hinsichtlich der in Art. 15 der VO Nr. 17 vorgesehenen Geldbuße, die nicht nur noch fortdauernde Zuwiderhandlungen unterbinden soll, sondern auch repressive Funktionen habe; i.d.S. auch EuGH vom 7.6.1983, Rs. C-100/80 *„Pioneer“*, Slg. 1983, 1825 (Rn. 105 f.); hierzu ausführlich *Böse*, Strafen und Sanktionen, S. 46 ff.; *Heitzer*, Punitive Sanktionen, S. 9 ff.

262 Vgl. *Braum*, Europäische Strafgesetzlichkeit, S. 273 ff.

263 *Hecker*, Europäisches Strafrecht, § 4 Rn. 75; *Satzger*, Europäisierung, S. 64 ff. (67); *Tiedemann*, NJW 1993, 49.

264 Vgl. hierzu *Heitzer*, Punitive Sanktionen, S. 13 f.; *Satzger*, Europäisierung, S. 64 ff. m.w.N.

265 Hierzu *Satzger*, Europäisierung, S. 65 f.

266 Dies ist in Deutschland, Italien, Spanien, Portugal, den Niederlanden, Griechenland, Schweden, Ungarn, Rumänien und teilweise auch in Österreich der Fall; nicht hingegen in Dänemark, Finnland, Großbritannien und Irland; hierzu *Göhler/König/Seitz*, OWiG, Einl. (Rn. 16 m.w.N.); vgl. ferner *Satzger*, Europäisierung, S: 65.

267 *Böse*, Strafe und Sanktionen, S. 35 f.; *Hecker*, Europäisches Strafrecht § 4 Rn. 76 m.w.N.

268 *Böse*, Strafe und Sanktionen, S. 35 f.; *Hecker*, Europäisches Strafrecht § 4 Rn. 76; *Satzger*, Europäisierung, S. 69 jeweils m.w.N.

269 *Böse*, Strafe und Sanktionen, S. 47 f.

ihre Art und Schwere faktisch repressiv wirke,[270] obwohl ihr nach dem Willen des Gesetzgebers kein repressiver Zweck innewohne.[271] Die Verwendung bestimmter Rechtsbegriffe auf nationaler und europäischer Ebene führt nicht dazu, dass beiden Begriffen identische Bedeutung zukommt.[272] Der europäische Begriff ist vielmehr stets eigenständig in wertender Rechtsvergleichung auszulegen.

Prominentestes Beispiel ist die Sanktion der „Geldbuße" in Art. 83 Abs. 2 lit. a) EGV.[273] Hieran wird ersichtlich, dass nicht die Formulierung der Sanktion in der jeweiligen Rechtssprache – und der damit einhergehenden Einordnung in das Gefüge des Rechtssystems eines Mitgliedstaates – für die Beurteilung des Charakters einer auf europäischer Ebene geschaffenen Sanktion maßgeblich sein kann.

II. Das europäische Kriminalstrafrecht

Die Kategorie des (Kriminal-)Strafrechts existiert in jedem Mitgliedstaat der EU, ist jedoch jeweils unterschiedlich weit gefasst und inhaltlich ausgestaltet. Es lassen sich allerdings bestimmte Eckpfeiler eines gemeinschaftsrechtlichen Strafrechtsbegriffs ableiten.[274] *Heitzer* hat diesbezüglich eine Liste mit Charakteristika erarbeitet,[275] die zwar rudimentär bleibt, es aber ermöglicht, anhand typischer Merkmale einzelne Regelungen als kriminalstrafrechtlich zu qualifizieren.[276]

Merkmale strafrechtlicher Sanktionen sind u.a., dass Kriminalstrafen den Kern punitiver Sanktionen bilden; sie haben deshalb notwendig repressiven Charakter.

---

270 *Satzger*, Europäisierung, S. 71.

271 Vgl. Art. 23 Abs. 5 der Verordnung zur Durchführung der Wettbewerbsregelungen des Art. 81, 82 EGV, VO (EG) 1/2003, ABl. 2003 L 001/1. Er statuiert explizit, dass „(…) [Geldbuße-]Entscheidungen (…) keinen strafrechtlichen Charakter" haben.

272 Vgl. *Böse*, Strafen und Sanktionen, S. 141 f. m.w.N.

273 Die englischsprachige Fassung („fine"), die niederländische („geldboete") und die italienische („ammenda") enthalten Begriffe, die dem innerstaatlichen Kriminalstrafrecht zuzuordnen sind; die französische hingegen benutzt mit „amende" einen sowohl im Straf- als auch im Verwaltungsrecht verwendeten Begriff.

274 *Satzger*, Europäisierung, S. 75. Aus den zahlreichen Bemühungen vgl. nur den 1999 unter dem Vorsitz von *M. Delmas-Marty* ausgearbeiteten Entwurf eines Corpus Juris 2000, der nicht nur die Begriffsbestimmung einer Reihe „europäischer Straftaten" enthält, sondern auch die Normierung eines Allgemeinen Teils des europäischen Strafrechts; vgl. ferner den 2004 unter der Leitung von *Schünemann* ausgearbeiteten Alternativentwurf Europäische Strafverfolgung. Weitere Arbeiten sind u.a. *Brockhaus*, Die strafrechtliche Dogmatik von Vorbereitung, Versuch und Rücktritt im Europäischen Vergleich, 2006; *Miklós*, Towards more harmonised criminal law in the European Union, 2004; oder die Beiträge in den Bänden von *Schünemann/Gonzáles* (Hrsg.), Bausteine des europäischen Wirtschaftsstrafrechts, 1994, oder *Tiedemann* (Hrsg.), Wirtschaftsstrafrecht in der Europäischen Union, 2002.

275 *Heitzer*, Punitive Sanktionen, S. 9 f.; vgl. ferner *P.A. Albrecht*, KritV 2008 39 (40 ff.).

276 *Satzger*, Europäisierung, S. 79; *Hecker,* Europäisches Strafrecht, § 4 Rn. 76.

Die Verhängung einer Kriminalstrafe enthält ein sozialethisches Unwerturteil.[277] Dieses Kriterium wurde bereits mehrfach auch vom EuGH und Verfassungsgerichten der Mitgliedstaaten als Charakteristikum des Strafrechts hervorgehoben.[278] Kennzeichnend ist ferner,[279] dass an ein Verhalten als Sanktion eine Freiheitsstrafe geknüpft ist, oder – als Ersatzfreiheitsstrafe – verhängt wird, wenn eine finanzielle Sanktion uneinbringlich ist. Weitere gewichtige Indizien sind,[280] dass die Verhängung einer Kriminalstrafe regelmäßig in ein Strafregister eingetragen wird, grundsätzlich von einem Gericht in einem eigens vorgesehenen Verfahren verhängt wird und im hierfür geltenden Rechtsbehelfsverfahren der Grundsatz der *reformatio in peius* gilt. Ferner sind strafrechtliche Sanktionen fest an das Gesetzlichkeits- und Schuldprinzip gekoppelt. *Heitzer* führt noch zwei weitere Punkte auf:[281] Typisch für Tatbestände des Kriminalstrafrechts ist ihre Regelung in einer Gesamtkodifikation, die den Namen „Strafgesetzbuch" trägt.[282] Kriminalstrafen werden beim Verstoß gegen Normen verhängt, die dem Schutz derjenigen Güter dienen, die die Identität einer Gesellschaft, eines Staates oder eines Menschen (mit-)definieren.

Obwohl diese Kriterien zu einer Zeit erarbeitet wurden, als die EU noch westeuropäisch geprägt war, hat die sogenannte Ost-Erweiterung der EU nicht dazu geführt, dass diese obsolet wurden. Die zusammengetragenen Charakteristika sind als Ausprägungen des Rechtsstaatsprinzips Teil des *acquis communautaire* (gemeinschaftlicher Besitzstand).[283] Sie haben Eingang in die reformierten Strafgesetzbücher der Staaten des ehemaligen Ostblocks gefunden.[284] Als Ausprägungen jahrhundertealter europäischer Rechtstradition sind sie zum Großteil im Rechtsstaatsprinzip verankert.[285] Trotz der ursprünglich primär wirtschaftlichen Ausrichtung der Europäischen Gemeinschaften kann seit dem Vertrag von Maastricht und dem Übergang zur EU davon ausgegangen werden, dass auch solche

---

277 *Satzger*, Europäisierung, S. 77 f. betont, dass dies nicht gleichzusetzen ist mit einem tatsächlichen Ansehensverlust des Betroffenen in der Öffentlichkeit, wie die deutsche Redewendung des „Kavalierdelikts" veranschaulicht.

278 EuGH vom 27.10.1992, Rs. C-240/90 *„Deutschland / Kommission"*, Slg. I 1992, 5383 (Rn. 17); sowie GA *Jakobs* Schlussanträge, a.a.O., (Rn. 11); *Jescheck/Weigend*, AT § 8 I. 2. b); *Smith & Hogan* S. 22 f. m.w.N.

279 Ihre Erfüllung ist, anders als die beiden zuletzt genannten Charakteristika, nicht unabdingbare Voraussetzung für eine Einordnung als strafrechtliche Sanktion. Ihr Vorliegen ist aber ein gewichtiges Indiz für eine Kriminalstrafe.

280 *Satzger*, Europäisierung, S. 79.

281 *Heitzer*, Punitive Sanktionen, S. 10.

282 Vgl. Ancient und Nouveau Code Pénal (Frankreich), Codice penale (Italien), Código penal (Spanien); Kodeks karny (Polen).

283 *P.A. Albrecht*, KritV 2008, 39; vgl. hierzu das Urteil des polnischen Verfassungsgerichtshofs vom 11.5.2005, AZ.K 18/04, wiedergegeben in EuR 2006, 236 (253); zum *acquis communautaire* allgemein *Hitzel-Cassagnes*, KJ 41 (2008), 134 (139).

284 Vgl. zu den Reformbewegungen der Strafrechtsordnungen der neuen Beitrittsstaaten Eser/Arnold/Trappe (Hrsg.), Strafrechtsentwicklung in Osteuropa; vgl. zu den Reformen des ungarischen Strafverfahrensrechts *Farkas*, ZStW 120 (2008), 642 (643 ff.); zum tschechischen StGB-Reformentwurf *Herczeg*, ZStW 120 (2008), 461; zum bulgarischen StGB *Gruev*, ZStW 120 (2008), 153 f.

285 Hierzu am Bsp. Tschechiens *Herczeg*, ZStW 120 (2008), 461.

grundlegenden Traditionen – soweit sie nicht, wie z.B. das Rechtsstaatsprinzip, das in Art. 6 Abs. 1 EUV explizit in den EU-Vertrag erwähnt wird – vom *acquis communautaire* umfasst sind.[286]

III. Prinzipien der Einflussnahme auf das nationale Strafrecht

In der Frage, ob die EG befugt ist, nationales Strafrecht zu harmonisieren, gilt es ferner, die mitgliedstaatliche (Straf-)Ebene zu untersuchen, welche durch Rechtsakte der EG beeinflusst wird. Es geht um die Frage, wie eine EG-Norm auf die mitgliedstaatliche Strafrechtsordnung einwirkt. Außerdem soll beantwortet werden können, ob jede Auswirkung des EG-Rechts auf das nationale Strafrecht einer Regelung bedarf, die auf eine strafrechtliche Kompetenz der EG gestützt wurde.[287]

Das EG-Recht kann die (Straf-)Rechtsordnungen der Mitgliedstaaten grundsätzlich auf zwei Arten beeinflussen.[288] Klassischerweise wird hier zwischen dem „negativen“ und „positiven“ Einfluss des Gemeinschaftsrechts auf das mitgliedstaatliche (Straf-)Recht unterschieden. Diese Kategorien verlaufen parallel zur negativen und positiven Integration des Gemeinschaftsrechts.[289] Die negative Integration verbietet es den Mitgliedstaaten, neue Hindernisse – insbesondere für die Grundfreiheiten – zu errichten. Es handelt sich um Pflichten, die es ihnen verwehren, neue Regelungen einzuführen, die ein Hindernis für die Grundfreiheiten bedeuten bzw. gebieten, eine Regelung abzuschaffen, die ein solches Hindernis darstellt.[290]

Ein Beispiel für die erste Fallgruppe ist die „Lex VW“, die in Deutschland eingeführt wurde, um die staatliche Mitbestimmung in der VW-AG gesetzlich festzuschreiben.[291] Vergleichbare Urteile auf dem Gebiet des Strafrechts existieren nicht. Hingegen gibt es zahlreiche Beispiele, in denen existente nationale Strafnormen der Verwirklichung von Grundfreiheiten entgegenstanden.[292]

Unter dem „negativen“ Einfluss des Europarechts auf das nationale Strafrecht versteht man die begrenzende, „neutralisierende“[293] Wirkung, die europäische

---

286 Dass Strafrecht derzeit kein vergemeinschafteter Kompetenzbereich der EU ist, steht der Dazugehörigkeit der dem Strafrecht zugrunde liegenden Wertungen zum *acquis communautaire* nicht entgegen; vgl. *Hitzel-Cassagnes*, KJ 41 (2008), 134 (139 f.).

287 Hierzu § 4 III.1.a).

288 Weiter differenzierend *Diehm*, wistra 2006, 366 (367 f.).

289 Vgl. *Vervaele*, in: FS-Tiedemann, S. 1353 (1358); *Weiß*, ZEuS 2006, 381 (391 ff.);

290 Hierzu *Pradel/Corstens*, Droit pénal européen, S. 440 f., 481 ff.

291 EuGH vom 23.10.2007, Rs. C-112/05 „*Kommission / Deutschland*“, Slg. 2007, I-8995 sieht hierin ein Verstoß gegen die Kapitalverkehrs- und Niederlassungsfreiheit; vgl. *Pießkalla*, EuZW 2007, 702.

292 Hierzu § 4 III.1.a).

293 *Pradel/Corstens*, Droit pénal européen, S. 441; *Satzger*, Europäisierung, S. 478 ff.

Normen auf Vorschriften des nationalen Strafrechts ausüben.[294] Dieser „negative" Einfluss kann durch unmittelbar geltendes Recht (Verordnung)[295] oder mittelbares, d.h. umsetzungsbedürftiges Recht (Richtlinie) erfolgen und an zwei Stellen des nationalen Rechts anknüpfen:[296] zum einen an der strafrechtlichen Sanktionsdrohung selbst (sog. Sekundärebene) oder an dem ihm zugrunde liegenden Verhaltens- oder Unterlassensgebot (sog. Primärebene). Wird durch EG-Recht ein bestimmter Begriff definiert oder ein Verhaltens- oder Unterlassensgebot eingeschränkt, das einem (strafrechtlichen) Tatbestand zugrunde liegt,[297] beeinflusst dies auch die Reichweite des strafrechtlichen Tatbestands.[298] Gleiches gilt, wenn der Anwendungsbereich der Strafnorm selbst infolge von europarechtlichen Einflüssen reduziert wird.[299]

Dieser Einfluss des Europarechts ist Gegenstand einer ganzen Serie von Entscheidungen.[300] Die negative Einwirkung des Europarechts auf strafrechtliche Verbote illustriert z.B. das Urteil „*Placanica*",[301] das im Hinblick auf die Niederlassungs- und die Dienstleistungsfreiheit bestimmte Fälle des Anbietens von Glücksspielen von der Strafdrohung ausnahm.

Der „positive" Einfluss umfasst die Fälle, in denen die Mitgliedstaaten (strafrechtliche) Normen verändern müssen, um das nationale Recht den Erfordernissen des europäischen Rechts anzupassen.[302] Ausgehend von der Art der Einwirkung auf das nationale Strafrecht kann auch hier zwischen der Einwirkung auf Primär- und Sekundärebene, d.h. dem Verhaltensgebot, das einer Strafnorm zugrunde liegt, oder der Strafnorm selbst unterschieden werden.[303]

---

294 *Pradel/Corstens*, Droit pénal européen, S. 445, 483 ff.; ausführlich *Satzger*, Europäisierung, S. 478 ff.

295 Vgl. *Diehm*, wistra 2006, 366 (367 f.).

296 Hierzu *Satzger*, Europäisierung, S. 94 f.

297 Als Beispiel kann der Einfluss des Europarechts auf den (verwaltungsrechtlichen) Abfallbegriff angeführt werden, der infolge der Verwaltungsakzessorietät auch dem Strafrecht zugrunde zu legen ist, vgl. BGH vom 26.04.1990, 4 StR 24/90, BGHSt 37, 21 (24).

298 Hierzu § 4 III.1.a).

299 Vgl. EuGH vom 25.2.1988, Rs. C-299/86 „*Drexl*", Slg. 1988, 1213; EuGH vom 2.2.1979 „*Cowan*", Rs. 186/87, Slg. 1989, 195 (Rn. 15); EuGH vom 19.1.1999, Rs. C-348/96 „*Donatella Calfa*", Slg. 1999, I-11 (Rn. 9 f., 12); EuGH vom 14.12.1995, Rs. C-387/93 „*Banchero*", Slg. 1993, I-4663 (Rn. 58).

300 Vgl. EuGH vom 15.12.1976, Rs. C-41/76 „*Donckerwolcke*", Slg. 1976, 1921 (Rn. 31/37); EuGH vom 30.11.1977, Rs. C-52/77 „*Cayrol u. Rivoira*", Slg. 1977, 2261 (Rn. 33/38); EuGH vom 14.12.1995, verb. Rs. C-163/94, C-165/94, C-250/94 „*Sanz de Lera*", Slg. 1995, I-4821 (Rn. 8); EuGH vom 23.2.1995, verb. Rs. C-358/93, C-416/93 „*Bordessa*", Slg. 1995, I-361 (Rn. 5).

301 EuGH vom 6.3.2007, Rs. C-338/04, C-359/04 und C-360/04 „*Placanica*", Slg. 2007, I-1891 (Leitsatz 3).

302 *Pradel/Corstens*, Droit pénal européen, S. 445, 487 ff.; GA *Mazák* Schlussanträge „*C-440/05*" (Rn. 76 f.).

303 Hierzu *Weiß*, ZEuS 2006, 381 (392 ff.).

Ein Beispiel für den positiven Einfluss des Europarechts auf das mitgliedstaatliche Strafrecht ist die Entscheidung „*Griechischer Mais*".[304] Darin wurde die Verpflichtung Griechenlands ausgesprochen, die Durchsetzung einer bestimmten europäischen Norm durch strafrechtliche Schutzvorschriften sicherzustellen.[305] Ein Versuch einer positiven Einflussnahme auf die nationale Sekundärebene ist der Richtlinienvorschlag KOM(2006) 168 endg.[306] Er lässt die mitgliedstaatliche Primärebene weitgehend unberührt, da er in Art. 3 die (zivil-)rechtlichen Handlungspflichten unverändert lässt.[307] In Art. 4 zielt der Richtlinienvorschlag aber darauf ab, eine Verpflichtung der Mitgliedstaaten zu statuieren, ihre Strafgesetze bestimmten Anforderungen in Bezug auf Strafhöhe u.Ä. anzupassen,[308] ebenso Art. 5.[309]

---

304 EuGH vom 21.9.1989, Rs. 68/88 „*Griechischer Mais*", Slg. 1989, 2965 ff.; hierzu unten § 4 II.1.b).

305 Der EuGH folgert dies in seiner Entscheidung „*Griechischer Mais*" (Rn. 23 ff.) aus dem Prinzip der Effektivität des Gemeinschaftsrechts. Dies gebiete, dass Verstöße gegen Gemeinschaftsrecht dann strafrechtlich sanktioniert und verfolgt werden, wenn nationales Recht von vergleichbarer Natur und Wichtigkeit ebenfalls strafrechtlich sanktioniert ist. Diese Rechtsprechung wurde bestätigt durch EuGH vom 28.10.1998, Rs. C-187/98 „*Nunes & de Matos*", Slg. I 1999, 4883 (Rn. 12, 14) sowie durch EuGH vom 11.11.2004, Rs. C-457/02 „*Antonio Nisselli*", Slg. I 2004, 10853.

306 Richtlinienvorschlag KOM(2006) 168 endg. vom 26.4.2006.

307 Art. 3: Dieser Artikel verpflichtet die Mitgliedstaaten, jede vorsätzliche Verletzung eines Rechts des geistigen Eigentums strafrechtlich zu ahnden, sofern die Verletzung in gewerbsmäßigem Umfang begangen wird. Dies gilt auch für den Versuch, die Beihilfe und die Anstiftung zu solchen Rechtsverletzungen.

308 Art. 4: Dieser Artikel betrifft die Art der Sanktionen. Neben Haftstrafen für natürliche Personen ist eine ganze Reihe von Sanktionen vorgesehen, die sowohl gegen natürliche als auch juristische Personen verhängt werden können: Geldstrafen, Einziehung von Gegenständen, die dem Verurteilten gehören u.a. rechtsverletzende Waren sowie Material, Werkzeuge und Vorrichtungen, die überwiegend zur Herstellung oder zum Vertrieb der betreffenden Waren verwendet wurden. In geeigneten Fällen kommen weitere Sanktionen in Betracht wie die Vernichtung der rechtsverletzenden Waren sowie der Gegenstände, die überwiegend zu ihrer Herstellung verwendet wurden, die vorübergehende oder endgültige völlige oder teilweise Schließung des Betriebs oder des Geschäfts, in dem die Rechtsverletzung überwiegend begangen wurde […].

309 Art. 5: Dieser Artikel legt den Strafrahmen der Sanktionen fest: Straftaten – zumindest solche, die im Rahmen einer kriminellen Vereinigung begangen werden – müssen mit einer Freiheitsstrafe im Höchstmaß von mindestens vier Jahren bedroht sein. Gleiches gilt für Straftaten, von denen eine Gefährdung der Gesundheit oder der Sicherheit von Personen ausgeht. […] Die Sanktionen für natürliche oder juristische Personen, die einer Straftat im Sinne des Artikels 3 haftbar gemacht werden, umfassen strafrechtliche und nicht strafrechtliche Geldstrafen mit einem Höchstbetrag von mindestens 100.000 Euro für alle Straftaten bis auf die besonders schweren Straftaten und einem Höchstbetrag von mindestens 300.000 Euro für Straftaten, die im Rahmen einer kriminellen Vereinigung begangen werden oder von denen eine schwere Gefährdung der Gesundheit oder Sicherheit von Personen ausgeht […].

IV. Zwischenergebnis

Für die Frage, ob der EG im Einzelfall eine Kompetenz zusteht, eine bestimmte nationale strafrechtliche Regelung zu beeinflussen, sind zwei Regelungsebenen zu unterscheiden. Zum einen ist zu untersuchen, nach welchen Kriterien eine europäische Regelung oder Teile hiervon als „strafrechtlich" einzustufen sind. Zum anderen ist zu prüfen, ob der Einfluss auf die strafrechtliche Rechtsordnung der Mitgliedstaaten auf einen Rechtsakt der EG zurückgeht, der auf eine strafrechtliche Kompetenz der EG gestützt werden muss. Auf der ersten Ebene ist zu beachten, dass der europarechtliche Begriff des Kriminalstrafrechts eigenständig zu begründen ist. Die Kriterien dieses Begriffs werden nicht durch den EG-Vertrag vorgegeben, sondern sind mittels wertender Rechtsvergleichung aus den mitgliedstaatlichen Strafrechtsordnungen herzuleiten. Hieraus lässt sich ein Katalog mit Kriterien erarbeiten, mittels dessen sich der kriminalstrafrechtliche Charakter einer Vorschrift bestimmen lässt. Hieraus kann abgeleitet werden, ob diese Regelung einer strafrechtlichen Kompetenzgrundlage bedarf. Auf der mitgliedstaatlichen Ebene ist zu unterscheiden, wie das europäische Recht auf das nationale (Straf-) Recht einwirkt. Dies kann auf zwei Weisen geschehen, durch negativen (d.h. beschränkenden) und positiven (aktiv gestaltenden) Einfluss. Ferner kann danach differenziert werden, ob der Einfluss auf der Ebene der zugrunde liegenden Verhaltensgebote (Primärebene) oder der strafrechtlichen Sanktionsebene (Sekundärebene) ansetzt.

§ 4 Strafrechtsangleichungskompetenz der EG

Es kann nunmehr geklärt werden, ob der EU im Rahmen des EG-Vertrags eine Kompetenz zusteht, Regelungen des nationalen Strafrechts anzugleichen. Diese Kompetenz wird von der h.M. als „Anweisungskompetenz" bezeichnet. Der Begriff umschreibt die Kompetenz, die Mitgliedstaaten zum Erlass bestimmter strafrechtlicher Regelungen verpflichten zu können.[310] Sie umfasst die Befugnis, von den Mitgliedstaaten die Umsetzung europäischen Rechts durch Mittel des Strafrechts fordern und notfalls mittels eines Vertragsverletzungsverfahrens (Art. 226 f. EGV) erzwingen zu können.[311] Nicht gesondert eingegangen wird hierbei auf die Frage des Erlasses unmittelbar geltenden Gemeinschaftsstrafrechts (z.B. in Form

---

[310] Vgl. *Hugger*, Strafrechtliche Anweisungen, 2000; *Satzger*, Europäisierung, S. 291 ff.; *Schröder*, Europäische Richtlinien, S. 103 ff.; *Weyembergh*, L'harmonisation des legislations, 2004; mit Ausführungen hinsichtlich des Verfassungsvertrags *dies.*, CMLRev 2005, 1579; *Satzger*, KritV 2008, 17.

[311] Hierzu *Schwarze*, in: ders. (Hrsg.), EU-Kommentar, Art. 226 EGV Rn. 1, 6.

einer VO),[312] da sich die Besonderheiten dieser Fallgestaltung mittels eines Erst-Recht-Schlusses aus der allgemeinen Diskussion ableiten lassen.

Gänzlich außen vor bleibt die Frage, ob die EG selbst strafrechtliche Sanktionen gegenüber Individual- oder juristischen Personen verhängen darf (z.B. die Sanktionskompetenz der EG-Kommission in Kartellsachen):[313, 314] Lebhaft umstritten ist, ob die auf der Grundlage von Art. 87 Abs. 1, 2a EGV a.F. erlassene VO Nr. 17/62 nicht doch Sanktionen beinhaltet, die kriminalstrafrechtlicher Natur sind.[315] Die VO Nr. 17/62 ermächtigt die Kommission, Sanktionen zu erlassen, um das Kartell- und Missbrauchsverbot des Art. 85 f. EGV durchzusetzen. In Art. 15 Abs. 4 der VO wird beteuert, dass „die Entscheidungen auf Grund der Absätze (1) und (2) […] nicht strafrechtlicher Art" sind.[316]

Beginnt man die Betrachtung auf der Ebene der mitgliedstaatlichen Rechtsordnung, lassen sich zwei Arten unterscheiden, auf die eine Verpflichtung entsteht, eine europäische Regelung in nationales Strafrecht umzuwandeln. Die erste beruht auf einer Ermächtigung im EG-Vertrag (originäre Strafrechtskompetenz). Die zweite Möglichkeit (akzessorische Kompetenz) geht auf eine Besonderheit des Vollzugs des Gemeinschaftsrechts zurück. Ein Mitgliedstaat kann hiernach verpflichtet sein, eine EG-Regelung durch nationales Strafrecht umzusetzen, obwohl dies in dem EG-Rechtsakt selbst nicht angeordnet wird.[317]

Der EuGH hat sich in der Entscheidung *C-176/03* zum ersten Mal explizit zur Frage geäußert, ob der EG eine originäre strafrechtliche Kompetenz zukommt und diese Rechtsprechung in der Entscheidung *C-440/05* fortgesetzt.[318] Um die Herleitung dieser Kompetenz beurteilen zu können, wird nunmehr untersucht, aus welchen Rechtsquellen sich eine strafrechtliche Rechtsetzungskompetenz der EG ergeben kann. In einem ersten Schritt wird hierfür das europäische Primärrecht

---

312 Hierzu *Hefendehl*, ZIS 2006, 229 f.; *ders.*, ZIS 2006, 161 (166); *Fromm*, eucrim 2006, 104; zur Entwicklung des Entwurfs eines gemeinschaftsrechtlichen „Corpus Juris" *Huber* (Hrsg.), Das Corpus Juris als Grundlage eines Europäischen Strafrechts, 1999; ferner *Braum*, Europäische Strafgesetzlichkeit, S. 186 ff.; *ders.*, JZ 2000, 493; *Jung*, JuS 2000, 417 (423); zu den Vorarbeiten *Delmas-Marty* (Hrsg.), Quelle politique pénale pour l'Europe, 1992; zu neueren Ansätzen *Flore*, Droit pénal européen, in: ders. (Hrsg.), Actualités de droit pénal européen, S. 5; *Weyembergh* (Hrsg.), Comment évaluer le droit pénal européen, 2006; *Satzger*, KritV 2008, 17; *Cappel*, KritV 2008, 94 (108 ff.).

313 Vgl. *Winkler*, Die Rechtsnatur der Geldbuße, S. 15 ff.; krit. *Soltész/Steinle/Bielesz*, EuZW 2003, 202 (204 ff.).

314 Vgl. zu den Sanktionskompetenzen der EG allgemein *Heitzer*, Punitive Sanktionen; *Braum*, Europäische Strafgesetzlichkeit, S. 199 ff.; *Prieto*, ZStW 120 (2008), 403 ff.; hinsichtlich des Lebensmittelrechts, vgl. *Appel*, Kompetenzen der EG, S. 165 (169 ff.).

315 Die Rechtsnatur der Geldbuße ist bis heute streitig geblieben, vgl. *Winkler*, Die Rechtsnatur der Geldbuße, S. 53 f.; *Heitzer*, Punitive Sanktionen, S. 18 ff.; *Hugger*, Strafrechtliche Anweisungen, S. 21 (m.w.N. Fn. 17); *Schwarze*, EuZW 2003, 261 (269); *Vogel*, Kompetenz zur Einführung supranationaler Sanktionen, S. 170 (173).

316 Krit. hinsichtlich der aktuellen Rechtspraxis der Kommission *Soltész/Steinle/Bielesz*, EuZW 2003, 202 (204 ff.); *Schwarze*, EuZW 2003, 261 (265 ff.).

317 Hierzu § 4 II.1.b).

318 Hierzu § 4 II.2.

analysiert (I.), bevor auf dessen Ausgestaltung durch die Rechtsprechung des EuGH eingegangen wird (II.). Hieran schließt sich eine Analyse der Diskussion in der Literatur an (III.).

I. Originäre Strafrechtskompetenzen des EG-Primärrechts

In der europarechtlichen Literatur wird seit langer Zeit darüber gestritten, ob der EG eine Kompetenz zusteht, strafrechtliche Vorschriften der Mitgliedstaaten zu harmonisieren. Es soll zu Beginn kurz dargestellt werden, auf welche primärrechtliche Verankerung sich eine solche Kompetenz stützen ließe.

1. Die Gründungsverträge

Die Gründungsverträge und die sie ergänzenden Protokolle enthielten keine Kompetenzvorschriften, welche die EWG ermächtigen, nationales Strafrecht der Mitgliedstaaten anzugleichen. In ihnen finden sich z.T. Verweise auf nationale strafrechtliche Vorschriften.

So wurde die Strafbarkeit der Aussagedelikte vor dem EuGH dadurch verwirklicht, dass auf die entsprechenden nationalen Strafrechtsvorschriften verwiesen wird.[319] Die gleiche Regelungstechnik wurde im Fall der Verletzung von Geheimhaltungspflichten von Mitarbeitern der Europäischen Atomgemeinschaft (EAG) verwendet.[320]

Aus dem Schweigen der Römischen Verträge schloss die h.L. lange Zeit, dass der EG keine Kompetenz zum Erlass kriminalstrafrechtlicher Regelungen und Sanktionen zustehe.[321] Denn im Gegensatz zu dem fehlgeschlagenen Projekt der Europäischen Verteidigungsgemeinschaft (EVG) in den 1960er Jahren war im Rahmen der EWG nicht vorgesehen, nationale Strafgewalt auf eine supranationale Organisation zu übertragen.[322] In der EVG wurde dieser Aspekt explizit geregelt.[323] Die h.L. folgert hieraus, dass der Transfer strafrechtlicher Hoheitsgewalt für die Mitgliedstaaten von solcher Bedeutung sei, dass er einer Legitimation durch eine explizite Kompetenzvorschrift bedürfe.[324]

---

319 Hierzu *Johannes*, EuR 1968, 63 (69 ff.); *Böse*, Strafe und Sanktionen, S. 108 ff.

320 Hierzu *Johannes*, EuR 1968, 63 (80 ff.); *Böse*, Strafe und Sanktionen, S. 110 ff.

321 Vgl. *Zuleeg*, JZ 1992, 761 (762); *Jung*, JuS 2000, 417 (419); *Oehler*, in: FS-Jescheck, S. 1399 (1404); hinsichtlich weiterer Nachweise, vgl. *Satzger*, Europäisierung, S. 94 (Fn. 493); a.A. *Böse*, GA 2006, 211 (214 f.); *Johannes*, EuR 1968, 63 (99 ff., 105 ff.); *ders.*, ZStW 83 (1971) 531 (543).

322 *Jescheck*, ZStW 65 (1953), 496 (512).

323 *Satzger*, Europäisierung, S. 136 f.

324 *Braum*, Europäische Strafgesetzlichkeit, S. 385; *Flore*, Droit pénal européen, in: ders. (Hrsg.), Actualités de droit pénal européen, S. 5 (6); *Satzger*, Europäisierung, S. 136 f.; a.A. *Böse*, GA 2006, 211 (212 f.).

Durch die Einheitliche Europäische Akte (EEA) wurde Ende der 1980er Jahre die Generalklausel des Art. 95 EGV [ex-Art. 100a EWG] eingeführt. Der EEA lässt sich jedoch nicht entnehmen, ob Art. 95 EGV für vereinbar gehalten wurde, Regelungen des Strafrechts zu harmonisieren.[325] Sein weiter Wortlaut und seine funktionale Ausrichtung verleitete die h.M. schnell zu dem Schluss, dass hierin auch eine Kompetenz der EG enthalten sei, strafrechtliche Vorschriften der Mitgliedstaaten anzugleichen.[326] Die Mitgliedstaaten blieben in dieser Hinsicht jedoch – bis auf zwei Einzelfälle – anderer Ansicht. Sie wehrten viele Versuche der Kommission ab,[327] Art. 95 EGV zum Erlass strafrechtlicher Harmonisierungsrechtsakte einzusetzen.[328] Der EuGH hat zu dieser Fragestellung bislang keine Stellung beziehen müssen. M.E. lässt sich, trotz des weiten Wortlauts und der funktionalen Ausrichtung des Art. 95 EGV, kein Fall bilden, in dem die EG berechtigt wäre, eine Harmonisierung nationalen Strafrechts auf diese Vorschrift zu stützen.[329]

2. Der Vertrag von Maastricht

Durch den Vertrag von Maastricht wurde dieser Zustand des EG-Vertrags nicht verändert.[330] In den Beratungen zu dem Vertrag wurde dies zwar thematisiert, die Mitgliedstaaten konnten sich jedoch nicht über eine strafrechtliche Kompetenz der EG einigen.[331] Eine strafrechtliche Anweisungskompetenz wurde im EG-Vertrag deshalb nicht eingeführt.[332] Stattdessen einigte man sich darauf, im Rahmen der

---

325 Hierzu unten § 7 III.1.

326 *Kahl*, in: Calliess/Ruffert (Hrsg.), EUV/EGV, Art. 95 EGV Rn. 14; *Satzger*, Europäisierung, S. 144 f., 430 ff.; *Eisele*, JZ 2001, 1157 (1160); *Tiedemann*, in: FS-Roxin, S. 1401 (1412 f.); a.A. *Braum*, KritV 1998, 460 (471 f.); *ders.*, Europäische Strafgesetzlichkeit, S. 419; *Moll*, Blankettstrafgesetzgebung, S. 214 ff.

327 Zwar sahen die ursprünglichen Vorschläge der Geldwäscherichtlinie und der Insiderhandelsrichtlinie verbindliche strafrechtliche Regelungen vor; vgl. nur Art. 2 des RL-Vorschlags ABl. 1990 C 106/6. Verabschiedet wurde die RL und ihre Nachfolgerichtlinie jedoch ohne strafrechtliche Regelungen; vgl. hierzu die RL 91/308/EWG des Rates zur Verhinderung der Nutzung des Finanzsystems zum Zwecke der Geldwäsche vom 10.6.1991 ABl. L 166/77 vom 28.6.1991 „Geldwäsche-RL" sowie die RL 2001/97/EG vom 28.12.2001, ABl. L 344/76 vom 28.12.2001 „Geldwäsche-RL 2"; sowie die RL 89/592/EWG des Rates vom 13.11.1989 zur Koordinierung der Vorschriften betreffend Insider-Geschäfte, ABl. L 334/30 vom 18.11.1989 sowie die RL 2003/6/EG des Rates vom 12.4.2003, ABl. L 96/16 vom 17.4.2003 „Insider-RL 2"

328 *Deutscher*, Strafgesetzgebung, S. 363 f.; *Sieber*, ZStW 103 (1991), 957 (965 f.); *Vervaele*, in: FS-Tiedemann, S. 1353 (1359 f.).

329 Hierzu ausführlich unten § 6 und § 7.

330 *Kaiafa-Gbandi*, KritV 1999, 162 (164 f.); *Flore* (Hrsg.), Actualités de droit pénal européen, S. 5 (11).

331 Vgl. den Bericht der Ad-hoc-Kommission, abgedruckt in: *Vervaele*, Fraud against the Community, S. 313 ff. (320 ff.).

332 Krit. angesichts schleichender Einflüsse auf das nationale Strafrecht *Schünemann*, GA 2002, 501 (502, 508).

Gemeinsamen Außen- und Sicherheitspolitik (GASP) einige strafrechtliche Zuständigkeiten der EG einzuführen.[333]

Art. 209a EGV a.F.[334] enthielt keine Kompetenzgrundlage zum Erlass strafrechtlicher Sekundärrechtsakte.[335] Sein Regelungsgehalt erschöpft sich in der allgemeinen Verpflichtung, effektive Maßnahmen zum Schutz der Finanzinteressen der EG vorzusehen.[336]

3. Der Vertrag von Amsterdam

Der Vertrag von Amsterdam weitete die strafrechtlichen Kompetenzen der EU aus und fasste sie in Titel IV, dem Bereich der Polizeilichen und Justitiellen Zusammenarbeit in Strafsachen (PJZS), zusammen.[337] In den EG-Vertrag wurden Art. 280 Abs. 4 und Art. 135 eingefügt[338] sowie Art. 61–69. Ob man, insbesondere aus einer systematischen Interpretation von Art. 135 Satz 2 und Art. 280 Abs. 4 Satz 2 EGV, eine strafrechtliche Kompetenz der Mitgliedstaaten ableiten kann, ist bis heute nicht abschließend geklärt.[339]

Aus ihrem Wortlaut lässt sich, insbesondere wenn man es mit der Kompetenzvorschrift des Reformvertrags von Lissabon (Art. 83 Abs. 2 AEUV) vergleicht,[340]

---

333 Vgl. *Hugger*, Strafrechtliche Anweisungen, S. 24 m.w.N.

334 Vgl. zu Art. 209a EGV a.F. *Schoo*, in: Schwarze (Hrsg.), EU-Kommentar, Art. 280 EGV Rn. 4 ff.; Art. 209 EGV a.F. entspricht nunmehr Art. 280 Abs. 2 und 3 EGV, vgl. *Fromm*, Der strafrechtliche Schutz, S. 2.

335 Ausführlich *Pache*, Schutz der finanziellen Interessen, S. 225 ff.

336 *Gröblinghoff*, Schutz der Interessen der EG, S. 92; *Hugger*, Strafrechtliche Anweisungen, S. 21; *Schoo*, in: Schwarze (Hrsg.), EU-Kommentar, Art. 280 EGV Rn. 5; a.A. *Spannowsky*, JZ 1994, 326 (333 f.).

337 *Musil*, NStZ 2000, 68 (69); *Vogel*, GA 2003, 314 (315 ff., 318 ff.); *Weyembergh*, L'harmonisation des législations, S. 49 ff.; zu den Änderungen durch den Vertrag von Amsterdam allgemein *Streinz*, EuZW 1998, 137.

338 Art. 280 EGV [Bekämpfung von Betrug zum Nachteil der EG] lautet: „[…] (4) [1]Zur Gewährleistung eines effektiven und gleichwertigen Schutzes in den Mitgliedstaaten beschließt der Rat gemäß dem Verfahren des Artikels 251 nach Anhörung des Rechnungshofs die erforderlichen Maßnahmen zur Verhütung und Bekämpfung von Betrügereien, die sich gegen die finanziellen Interessen der Gemeinschaft richten.[2] Die Anwendung des Strafrechts der Mitgliedstaaten und ihrer Strafrechtspflege bleiben von diesen Maßnahmen unberührt." Art. 135 EGV regelt die Zusammenarbeit im Zollwesen. Art. 135 Satz 2 hat einen mit Art. 280 Abs. 4 Satz 2 EGV übereinstimmenden Wortlaut.

339 Krit. *Schünemann*, GA 2002, 501 (503 f.); a.A. *Stiebig*, EuR 2005, 466 (484 ff.); ausführlich *Fromm*, Der strafrechtliche Schutz, S. 107 ff.; vgl. hinsichtlich Art. 135 EGV *Meesenburg*, in: Schwarze (Hrsg.), EU-Kommentar, Art. 135 EGV Rn. 3.

340 Art. 83 [Straftaten mit grenzüberschreitender Dimension]: […] „(2)[1]Erweist sich die Angleichung der strafrechtlichen Rechtsvorschriften der Mitgliedstaaten als unerlässlich für die wirksame Durchführung der Politik der Union auf einem Gebiet, auf dem Harmonisierungsmaßnahmen erfolgt sind, so können durch Richtlinien Mindestvorschriften für die Festlegung von Straftaten und Strafen auf dem betreffenden Gebiet festgelegt werden. [2]Diese Richtlinien werden unbeschadet des Artikels 76 gemäß dem gleichen ordentlichen

kein hinreichender Anhaltspunkt für eine Kompetenz zur Harmonisierung strafrechtlicher Vorschriften festmachen.[341]

Die h.M. in der Literatur zieht aus Art. 280 Abs. 4 jedoch andere Rückschlüsse: Art. 135 Satz 2 und Art. 280 Abs. 4 Satz 2 EGV hätten nur klarstellende Funktion und Art. 280 Abs. 4 Satz 2 weise außerdem lediglich darauf hin, dass nationales Strafrecht, das weiter gehe (d.h. punitiver ist, als durch Art. 280 Abs. 4 Satz 1 EGV eingeführte strafrechtliche Regelungen) daneben anwendbar bleibe („strafrechtliche Ergänzungskompetenz“).[342] Manche gehen davon aus, dass hierdurch der EG eine Kompetenz zugeschrieben wurde, unmittelbar geltendes Strafrecht zu erlassen (sog. Strafrecht*setzungs*kompetenz). Sie sehen Art. 280 Abs. 4 Satz 1 EGV als bereichsspezifische, aber umfassende Strafrechtsetzungskompetenz der EG an.[343] Andere sehen darin die Ermächtigung der EG, strafrechtliche Vorschriften der Mitgliedstaaten partiell harmonisieren zu dürfen (Strafrechtsangleichungskompetenz). Art. 280 Abs. 4 Satz 1 erlaube zwar keine Strafrechtsetzung, ermögliche aber eine Anweisung der EG an die Mitgliedstaaten, die betreffenden Bereiche des Strafrechts anzugleichen.[344]

Zwar spricht der Aspekt, dass die EG im Bereich ihrer Finanzinteressen ein gesteigertes (Eigen-)Interesse gegenüber den Mitgliedstaaten geltend machen kann, für eine extensive Auslegung des Wortes „Maßnahmen“ in Art. 280 Abs. 4 Satz 1 EGV.[345] Zieht man bei der Interpretation des Art. 280 Abs. 4 EGV jedoch seine Entstehungsgeschichte heran, zeigt sich, dass die Mitgliedstaaten sich bei der Einführung von ex-Art. 209a EGV bewusst zurückgehalten haben.[346] Art. 280 Abs. 4 EGV wurde eingeführt, um die geltend gemachten Vorbehalte Deutschlands im

---

oder besonderen Gesetzgebungsverfahren wie die betreffenden Harmonisierungsmaßnahmen erlassen.“

341 Krit. auch GA *Mazák* Schlussanträge „*C-440/05*“ (Rn. 122); *Hugger*, Strafrechtliche Anweisungen, S. 25 f.; hierzu unten § 4 III.7., 11.b).

342 *Berg/Karpenstein*, EWS 1998, 77 (81); *Böse*, GA 2006, 211 (214 f.); *Schoo*, in: Schwarze (Hrsg.), EU-Kommentar, Art. 280 EGV Rn. 24; *Tiedemann*, GA 1998, 107 (108); *ders.*, in: FS-Lenckner, S. 411 (415); *Wolffgang/Ulrich*, EuR 1998, 616 (644); *Zieschang*, ZStW 113 (2001), 255 (260 ff.); EuGH „*C-176/03*“ (Rn. 52); GA *Colomer* Schlussanträge „*C-176/03*“ (Rn. 78); krit. *Heger*, JZ 2006, 310 (312).

343 *Dannecker*, in: FS-H.J. Hirsch, S. 141 (144); *Hedtmann*, EuR 2002, 122 (133 f.); *Schoo*, in: Schwarze (Hrsg.), EU-Kommentar, Art. 280 EGV Rn. 24; *Stiebig*, EuR 2005, 466 (484 ff.); *Tiedemann*, in: FS-Lenckner, S. 411 (415); *Wolffgang/Ulrich*, EuR 1998, 616 (644).

344 *Fromm*, Der strafrechtliche Schutz, S. 271; *ders.*, ZIS 2007, 26 (28 f.); *Hecker*, Europäisches Strafrecht, § 4 Rn. 99 f.; *Hugger*, Strafrechtliche Anweisungen, S. 25, 62; *Moll*, Blankettstrafgesetzgebung. S. 7, 204 ff. (210); *Rosenau*, ZIS 2008, 9 (15); *Satzger*, Europäisches Strafrecht, § 7 Rn. 28; *Tiedemann*, in: FS-Roxin, S. 1401 (1409); a.A. *Musil*, NStZ 2000, 68.

345 *Fromm*, ZIS 2007, 26 (27) m.w.N. Fn. 15; *Schoo*, in: Schwarze (Hrsg.), EU-Kommentar, Art. 280 EGV Rn. 1 f.; *Wegener/Greenawalt*, ZUR 2005, 585 (587).

346 Hierzu *Gröblinghoff*, Schutz der Interessen der EG, S. 151 f.; *Schoo*, in: Schwarze (Hrsg.), EU-Kommentar, Art. 280 EGV Rn. 5; *Schröder*, Europäische Richtlinien, S. 141 f.

Verfahren Rs. *C-240/90* primärrechtlich zu entkräften.[347] Diese bezogen sich auf Sanktionen verwaltungsstrafrechtlicher Natur. Eine strafrechtliche Kompetenz wurde in dem Verfahren jedoch überhaupt nicht diskutiert.[348] Art. 280 Abs. 4 Satz 2 EGV wurde durch den Vertrag von Amsterdam eingefügt, um den Bedenken der Mitgliedstaaten Rechnung zu tragen, dass aus Art. 280 Abs. 4 Satz 1 eine strafrechtliche Kompetenz der EG gefolgert werden könnte. Sein Ziel bestand darin, dieser Interpretationsmöglichkeit klarstellend vorzubeugen.[349] Eine andere Lesart würde der von Vorsicht geprägten Entstehungsgeschichte von ex-Art. 209a EGV nicht gerecht, an die Art. 280 EGV Abs. 4 anknüpft.[350]

Als weiteres historisches Argument wird die später erfolgte Ablehnung der Vorschrift eines Art. 280a EGV angeführt. Mit dem Vertrag von Nizza sollte eine europäische Staatsanwaltschaft eingeführt werden.[351] Auch dieses Projekt scheiterte am Widerstand der Mitgliedstaaten gegenüber einer strafrechtlichen Zuständigkeit der EG.[352]

Aus einer systematischen Auslegung von Art. 135 und Art. 280 Abs. 4 Satz 2 EGV lässt sich jedoch weder eine Strafrechtsetzungs- noch eine Angleichungskompetenz schlüssig ableiten. Aus dem Vorrangargument der h.L. folgt keine Interpretation von Art. 280 Abs. 4 Satz 2 EGV, die einen überzeugenden Aussagegehalt hat. Denn auch der Vollzug unmittelbar geltenden europäischen Strafrechts würde derzeit stets durch nationale Behörden stattfinden, nach den Regeln des nationalen Strafanwendungsrechts.[353] Es ist kein Fall denkbar, in dem supranationale Strafvorschriften ohne Berührung mit nationalem Strafanwendungsrecht oder der mitgliedstaatlichen Strafrechtspflege um- oder durchgesetzt werden könnten.[354] Zudem bietet Art. 280 Abs. 4 m.E. keine hinreichende textliche Grundlage für eine strafrechtliche Kompetenz.[355] Es genügt nicht, aus der Unschärfe des Begriffs „Maßnahme" zu folgern, dass hiervon auch strafrechtliche (Harmonisierungs-)Maßnahmen umfasst sind oder sogar unmittelbar geltendes europäisches Strafrecht.[356]

---

347 *Schröder*, Europäische Richtlinien, S. 154 f.; vgl. zum Verfahren „*C-240/90*" unten § 4 II.1.a)bb).

348 *Schröder*, Europäische Richtlinien, S. 154 f.; vgl. § 4 II.1.a)bb).

349 *Dannecker*, in: FS-H.J. Hirsch, S. 141 (144); *Deutscher*, Strafgesetzgebung, S. 343 ff.; *Griese*, EuR 1998, 462 (476); *Rosenau*, ZIS 2008, 9 (14 f.).

350 *Gröblinghoff*, Schutz der Interessen der EG, S. 151 f.

351 *Rosenau*, ZIS 2008, 9 (15).

352 Vgl. die Stellungnahme der Kommission KOM(2001) 254 endg. S. 17 (Rn. 4.1).

353 *Pohl*, ZIS 2006, 213 (219); *Kaiafa-Gbandi*, ZIS 2006, 521 (524).

354 *Schröder*, Europäische Richtlinien, S. 147 f. nennt Beispiele des deutschen Strafzumessungsrechts, §§ 40 und 56 ff. StGB. Diese seien auch anwendbar, wenn die Strafbarkeit durch eine EG-Strafnorm ausgesprochen werde, da das Strafverfahren Sache der Mitgliedstaaten sei.

355 Vgl. *Sieber*, ZStW 103 (1991), 957 (969 f.).

356 Zust. *Deutscher*, Strafrechtgesetzgebung, S. 344 f.; *Eisele*, JZ 2001, 1157 (1158); *Gaede/Mühlbauer*, wistra 2005, 9 (15); *Griese*, EuR 1998, 462 (476); *Heger*, JZ 2006,

Als Zwischenergebnis kann festgehalten werden, dass im gemeinschaftlichen Primärrecht (EG-Vertrag) bis heute keine Kompetenzgrundlage normiert wurde,[357] die eine eindeutige textliche Grundlage für eine strafrechtliche (Harmonisierungs-) Kompetenz der EG bildet.[358]

II. Die Rechtsprechung des EuGH im Hinblick auf eine strafrechtliche Harmonisierungskompetenz der EG

Der EuGH vermied lange Zeit eine Stellungnahme zu diesem Themenkomplex vollständig und verschanzte sich hinter der Aussage, dass „das Strafrecht […] ebenso wie das Strafprozessrecht […] nicht in die Zuständigkeit der Gemeinschaft [EG]" falle.[359] Ferner findet sich die Aussage des EuGH, dass es den Mitgliedstaaten obliege, innerhalb des nicht gemeinschaftsrechtlich reglementierten Bereichs eigene Regelungen zu erlassen und Verstöße strafrechtlich zu sanktionieren.[360] Der Fragestellung, ob der EG eine strafrechtliche Anweisungskompetenz zustehe, wich der EuGH ebenfalls lange Zeit aus, bis er – historischer Zufall – zu dieser Frage gleich zweimal in demselben Sachgebiet, dem europäischen Umweltrecht, Stellung nehmen musste. Die Untersuchung beginnt mit einer Darstellung der frühen Entscheidungen des EuGH (1.), die zum Verständnis der späteren beiden Entscheidungen (2.) notwendig sind.

1. Frühe Entscheidungen des EuGH über Strafrechtskompetenzen der EG

Erste Annäherungen an die Frage einer originären strafrechtlichen Kompetenz nahm der EuGH Ende der 1970er Jahre vor; zu Beginn der 1990er Jahre hatte er hierzu ein zweites Mal Gelegenheit (a). Ende der 1980er Jahre äußerte er sich erstmals zu dem Fall einer akzessorischen strafrechtlichen Kompetenz der EG (b).

---

310 (312); *Kaiafa-Gbandi*, KritV 1999, 162 (167); *Musil*, NStZ 2000, 68 (68, 69 f.); *Pohl*, ZIS 2006, 213 (219); *Schünemann*, KritV 2008, 6 (9); *Schröder*, Europäische Richtlinien, S. 141 f.; a.A. *Böse*, GA 2006, 211 (214 f.); *Diehm*, wistra 2006, 366 (369).

357 Hinsichtlich der Harmonisierungskompetenzen der EU aufgrund des EU-Vertrags vgl. *Hugger*, Strafrechtliche Anweisungen, S. 27 ff.; *Weyembergh,* L'harmonisation des législations, S. 49 ff.

358 Zust. *Musil*, NStZ 2000, 68; *Schröder*, Europäische Richtlinien, S. 154 f.

359 EuGH vom 11.11.1981, Rs. 203/80 „*Casati*", Slg. 1981, 2585 (Rn. 11); EuGH „*Lemmens*" (Rn. 19).

360 EuGH vom 14.7.1977, Rs. 8/77 „*Sagulo*", Slg. 1977, 1495 (Rn. 4); EuGH „*Casati*", (Rn. 27).

a) *Erste Entscheidungen über originäre Strafrechtskompetenzen der EG*

Trotz nur spärlicher Andeutungen des EuGH begann Ende der 1970er Jahre in der Literatur die Diskussion, ob nicht das Urteil *Amsterdam Bulb*[361] Hinweise enthalte, dass der EuGH die EG ermächtigt sehe, strafrechtliche Regelungen der Mitgliedstaaten zu harmonisieren (aa). Eine Entscheidung zu Beginn der 1990er Jahre, Rs. *C-240/90*,[362] fachte die Diskussion weiter an (bb).

aa) Entscheidung Rs. *Amsterdam Bulb*

Die Entscheidung *Amsterdam Bulb* war die erste Entscheidung des EuGH, aus der Rückschlüsse auf eine Strafrechtskompetenz der EG gezogen wurden. In der entscheidenden Passage führte der EuGH aus, dass Art. 10 EGV [ex-Art. 5 EWGV] den Mitgliedstaaten bei der Wahl der sachgerechten Sanktion auch die Wahl eröffne, strafrechtliche Sanktionen zu erlassen.[363] Weiter stellte er fest:[364]

> „Enthält das Gemeinschaftsrecht keine Vorschrift, die für den Fall ihrer Verletzung durch den einzelnen bestimmte Sanktionen vorsieht, so sind die Mitgliedstaaten befugt, die Sanktionen zu wählen, die ihnen sachgerecht erscheinen."

(1) Interpretation in den Schlussanträgen GA *Colomers* in der Rs. *C-176/03* und der Literatur

GA *Colomer* folgert hieraus in seinen Schlussanträgen in der Rs. *C-176/03*, dass der EuGH der EG eine originäre strafrechtliche Sanktionskompetenz zuerkannt habe. Dies gehe auf den Leitgedanken zurück, dass durch Gemeinschaftsrecht Strafsanktionen eingeführt werden dürften, die seine Wirksamkeit schützten.[365] GA *Colomer* greift hierfür auf die Schlussanträge GAs *Capotorti* in der Rs. *Amsterdam Bulb* zurück. Dieser statuierte, dass die Verpflichtung der Mitgliedstaaten in ex-Art. 5 EWGV [Art. 10 EGV] es den Mitgliedstaaten freistelle, strafrechtliche Sanktionen einzuführen, um ihrer Verpflichtung nachzukommen, die gemeinschaftsrechtlichen Vorschriften effektiv umzusetzen.[366] Diese (Wahl-)Freiheit ende, wenn die betreffende (EG-)Vorschrift ihrerseits bereits bestimmte Sanktionen vorsehe. Beispielhaft bezog er sich auf Art. 15 Abs. 4 der VO Nr. 17/62.[367]

---

361 EuGH vom 2.2.1977, Rs. 50/76 „*Amsterdam Bulb*", Slg. 1977, 139 ff.

362 EuGH vom 27.10.1992, Rs. C-240/90 „*Deutschland / Kommission*", Slg. 1992, I-5383 ff.

363 EuGH „*Amsterdam Bulb*" (Rn. 32).

364 EuGH „*Amsterdam Bulb*" (Rn. 33).

365 Schlussanträge GA *Colomer* „*C-176/03*" (Rn. 32).

366 Schlussanträge GA *Capotorti* „*Amsterdam Bulb*" (Rn. 4).

367 Verordnung Nr. 17 des Rates von 1962, veröffentlicht in ABl. EG 1962, S. 204; vgl. § 4, einleitend.

Die Literatur rezipierte das Urteil zurückhaltender.[368] Der EuGH wird so interpretiert, dass er der EG nur eine allgemeine Sanktionskompetenz zugesprochen habe. Ihre Reichweite habe er jedoch nicht konkret bestimmt.[369]

(2) Stellungnahme

Die Interpretation des Urteils durch GA *Colomer* vermag aus zwei Gründen nicht zu überzeugen. Zum einen müsste sich aus den Schlussanträgen GA *Capotortis* in der Rs. *Amsterdam Bulb* ergeben, dass *Capotorti* der EG die Kompetenz beimisst, (kriminal-)strafrechtliche Sanktionen zu erlassen. Dies lässt sich jedoch nicht eindeutig feststellen. *Capotorti* äußert dies weder explizit noch lässt sich dies aus dem Sinngehalt von Rn. 4 seiner Schlussanträge entnehmen. Die Aussage, dass auch die EG Sanktionen zum Schutz eigener Regelungen erlassen darf, lässt noch nicht den weiteren Schluss zu, dass der EG die Kompetenz zusteht, Sanktionen einer bestimmten Rechtsnatur (d.h. des Strafrechts o.Ä.) fordern zu können.[370] Auch durch das Beispiel der VO Nr. 17/62 wird diese Aussage nicht eindeutig. Denn der Rechtscharakter der in Art. 15 Abs. 4 VO Nr. 17/62 vorgesehenen „Geldbuße" wird als „nicht strafrechtlich" definiert.[371] Aus den Schlussanträgen geht nicht hervor, ob GA *Capotorti* eine Interpretation vertritt, welche die Geldbuße – entgegen ihrem Wortlaut – als kriminalstrafrechtliche Sanktion einstuft. Eine entsprechende Lesart dieser Schlussanträge steht deshalb auf wackligen Füßen.

Zum anderen vermag auch der Hinweis auf Rn. 4 der Schlussanträge GA *Capotortis* nicht die Aussage zu rechtfertigen, der EuGH habe im Urteil *Amsterdam Bulb* eine kriminalstrafrechtliche Sanktionskompetenz der EG bejaht. Der Wortlaut des Urteils und die Schlussanträge GA *Capotortis* tragen diese Schlussfolgerungen nicht. Der Umkehrschluss GA *Colomers* wäre nur zulässig, wenn folgende zweite Aussage aus der ersten geschlossen werden könnte:

> Die Mitgliedstaaten haben grundsätzlich freie Wahl hinsichtlich der Sanktionsarten bei der Umsetzung von Gemeinschaftsrecht. Die EG besitzt die Kompetenz, die Mitgliedstaaten anzuweisen, wenn die EG es zur wirksamen Durchsetzung ihrer Regelung für erforderlich hält, bestimmte strafrechtliche Sanktionen in diesem Bereich vorzusehen, d.h. entweder existente Vorschriften anzupassen oder entsprechende Vorschriften einzuführen.

Die beiden Sätze stehen jedoch logisch in keinem Stufenverhältnis; sie sind partikulär.[372] Ein logisches Stufenverhältnis zwischen ihnen, im Sinne von Obersatz,

---

368 Vgl. *Satzger*, Europäisierung, S. 95 f.

369 *Böse*, Strafrechtliche Sanktionen, S. 56; *Pache*, Finanzielle Interessen der EG, S. 300.

370 Krit. hinsichtlich dieser Art des Erst-Recht-Schlusses *(argumentum a fortiori)* bei juristischen Geltungssätzen *Schneider/Schnapp*, Logik für Juristen, S. 155 ff. (S. 163 f.).

371 Vgl. oben § 4, einleitend.

372 *Schneider/Schnapp*, Logik für Juristen, S. 111 f. (Regel Nr. 8).

Untersatz und Schlusssatz, lässt sich nicht, zumindest nicht ohne beweisbedürftigen Zwischenschritt, herstellen.[373] Ob dieser Zwischenschritt möglich ist, ist das eigentliche Ziel der Beweisführung. Der Schluss *Colomers* läuft deshalb auf eine *petitio principii*[374] hinaus. Sein Untersatz statuiert in Wirklichkeit die Ausgangsfrage der Diskussion: Steht der EG eine Kompetenz in Strafsachen zu? Seine Argumentation behauptet einen Zusammenhang, erbringt jedoch nicht dessen Nachweis. Im Gegenteil: Aus der Wahlmöglichkeit der Mitgliedstaaten, gemeinschaftsrechtliche Vorgaben durch Regelungen des Strafrechts umzusetzen (oder nicht), folgt gerade nicht die Kompetenz, dass die EG den Mitgliedstaaten Vorgaben machen kann, eine bestimmte Sanktionsart zu verwenden.

Als Zwischenergebnis kann festgehalten werden, dass der EuGH in seiner Entscheidung *Amsterdam Bulb* keine Aussage getroffen hat, ob der EG eine Kompetenz zukommt, strafrechtliche Vorschriften der Mitgliedstaaten zu harmonisieren.

bb) Entscheidung Rs. *C-240/90*

Stärkere Beachtung in der Literatur fand das Urteil *C-240/90.*[375]

In dem Verfahren wandte sich die BRD gegen die Einführung neuer Verwaltungssanktionen auf dem Agrarsektor. Hiernach konnten bestimmte Betrügereien zulasten der EG-Finanzen mit zwei Arten von Sanktionen geahndet werden. Eine drohte einen Leistungsausschluss an, der den Betroffenen ein Jahr lang von den Subventionszahlungen ausschloss. Die andere Sanktion verordnete die Rückzahlung der Beihilfe samt Zinsen und bestimmte einen (Straf-)Zuschlag, der individuell zu bemessen war und – je nach Fall – bis zu 40 Prozent der erhaltenen Leistung betragen konnte.

Doch die „ungeschickte“[376] Klageformulierung ermöglichte es dem EuGH, den Streitgegenstand des Urteils auf die Überprüfung des Leistungsausschlusses zu beschränken.[377] Eine Stellungnahme zur strafrechtlichen Kompetenz vermied er. Er wertete den Leistungsausschluss als verwaltungsrechtliche Sanktion und nahm keine Einordnung des Zuschlags vor. Zu dem (Straf-)Zuschlag äußerte er sich wie folgt:[378] „Das Thema der strafrechtlichen Entscheidungskompetenz ist hier nicht entscheidungsrelevant.“

---

373 Hierzu *Schneider/Schnapp*, Logik für Juristen, S. 4.

374 Hierzu *Schneider/Schnapp*, Logik für Juristen, S. 240.

375 EuGH vom 27.10.1992, Rs. C-240/90, Slg. I 1992, 5383 *„Deutschland / Kommission“*; *Vogel,* Die Kompetenz der EG zur Einführung supranationaler Sanktionen, S. 170; *Tiedemann*, NJW 1993, 49, *Satzger*, Europäisierung, S. 96 f.; *Hecker*, Europäisches Strafrecht, § 4 Rn. 84 ff.

376 *Tiedemann*, NJW 1993, 49.

377 EuGH *„C-240/90“* (Rn. 18 ff., 25, 27).

378 EuGH *„C-240/90“* (Rn. 24).

Manche werteten das Urteil als Bestätigung einer Sanktionskompetenz der EG im Bereich des Agrarsektors.[379] Diese umfasse sowohl verwaltungsrechtliche Sanktionen als auch Maßnahmen des Strafrechts im weiteren Sinn.[380] Andere zogen weitergehende Schlüsse. Aus dem Schweigen des Gerichtshofs zu (kriminal-)strafrechtlichen Kompetenzen der EG folgerten sie, der EuGH habe hierdurch gerade die kriminalstrafrechtliche Sanktionskompetenz der EG grundsätzlich bejahen wollen, zumindest für den Agrarsektor.[381] Sein Schweigen sei ein beredtes Schweigen. GA *Colomer* folgert in seinen Schlussanträgen Rs. *C-176/03*, der EuGH habe hierin festgestellt, dass die EG im Rahmen ihrer Aufgaben jegliche Sanktion anordnen könne, die den nationalen Behörden zur Verfügung stehe.[382] Dies gelte sogar über den Agrarsektor hinaus.[383] Unter folgenden Voraussetzungen könne der Gemeinschaftsgesetzgeber bestimmte strafrechtliche Sanktionen erlassen: Die Gemeinschaft müsse für die Regelung der Rechtsmaterie formell zuständig sein.[384] Sei zudem „die Bestimmung der wirksamen, angemessenen und abschreckenden Strafe offensichtlich“, könne sie auch durch die EG erlassen werden. Dies schließe strafrechtliche Regelungen ein.[385]

Die weit überwiegende Literatur teilt diese weite Auslegung des Urteils nicht.[386] Dies verdient Zustimmung. Hierin wie *Appel*[387] zu sehen, dass „der Gerichtshof die Ermächtigung nicht [explizit] auf inhaltlich festgelegte Sanktionen beschränkt und auch strafrechtliche Sanktionen nicht grundsätzlich davon ausnehme“, ist ein Zirkelschluss.[388] Das gewünschte Ergebnis wird in die Aussage hineingelesen; der Kontext der Aussage (Rn. 24) wird bei dieser Auslegung vernachlässigt.

Dies ergibt, dass auch aus der Entscheidung Rs. *C-240/90* keine Anhaltspunkte abgeleitet werden können, die ergeben, dass der EuGH die EG ermächtigt sieht, strafrechtliche Vorschriften der EG zu harmonisieren bzw. selbst strafrechtliche Sanktionen einzuführen.

---

379 *Pache*, Finanzielle Interessen der EG, S. 323.

380 Vgl. oben § 3 I.

381 *Heitzer*, Punitive Sanktionen, S. 138; *Appel*, in: Dannecker (Hrsg.), Lebensmittelstrafrecht, S. 165 (180); *Pache*, Finanzielle Interessen der EG, S. 323.

382 GA *Colomer* Schlussanträge „*C-176/03*“ (Rn. 49).

383 GA *Colomer* Schlussanträge „*C-176/03*“ (Rn. 49, Fn. 37).

384 GA *Colomer* Schlussanträge „*C-176/03*“ (Rn. 49, Fn. 37).

385 GA *Colomer* Schlussanträge „*C-176/03*“ (Rn. 49).

386 *Hecker*, Europäisches Strafrecht, § 4 Rn. 86; *Vogel*, Die Kompetenz der EG zur Einführung supranationaler Sanktionen, S. 170; *Satzger*, Europäisierung, S. 97; *Dannecker*, in: Eser/Huber (Hrsg.), Strafrechtsentwicklung in Europa 4.3, S. 51.

387 *Appel*, in: Dannecker (Hrsg.), Lebensmittelstrafrecht, S. 165 (180).

388 Zust. *Sugmann-Stubbs/Jager*, KritV 2008, 57 (69 f.).

b) *Akzessorische Strafrechtskompetenz*

Ausgangspunkt der akzessorischen Strafrechtsetzungskompetenz der Gemeinschaft ist die aus dem Prinzip der Effektivität des Gemeinschaftsrechts (Art. 10 EGV) abgeleitete Pflicht der Mitgliedstaaten, einen hinreichenden Sanktionsapparat für Verstöße gegen das Gemeinschaftsrecht bereitzustellen.[389] Da die Gemeinschaft nur in sehr begrenztem Maße über eigene Institutionen verfügt, obliegen die Ausführung der Gesetze und die Kontrolle der Einhaltung grundsätzlich den Einrichtungen der Mitgliedstaaten.[390] Die Leitlinien der EG-Sanktionskompetenz wurden – als Anwendungsfall des *effet utile* – im Wesentlichen durch Rechtsfortbildung des EuGH festgelegt.[391]

Anfänge finden sich u.a. in der Entscheidung *Amsterdam Bulb* und der Entscheidung *Colson u. Kamann*. Der EuGH führte aus, dass die Mitgliedstaaten dazu verpflichtet seien, bei der Umsetzung von Gemeinschaftsrecht die gesamte Bandbreite ihres Sanktionsapparats in ihre Überlegungen einzubeziehen, inklusive der Mittel des Strafrechts.[392] Ferner urteilte er, dass die Mitgliedstaaten zur Durchsetzung des Gemeinschaftsrechts in ihr Ermessen gestellte Sanktions- und Rechtshilfewege vorsehen können, solange diese dem Gemeinschaftsrecht zur Durchsetzung verhelfe.[393]

In der Entscheidung *Griechischer Mais* Ende der 1980er Jahre hatte der EuGH sich erstmals dazu zu äußern,[394] ob aus der allgemeinen Sanktionspflicht der Mitgliedstaaten auch die (konkrete) Pflicht folgen könne, eine bestimmte Sanktionsart vorsehen zu müssen.

aa) Entscheidung *Griechischer Mais*

In dieser Entscheidung präzisierte der EuGH die Vorgaben des EG-Rechts an den mitgliedstaatlichen Sanktionsapparat im Hinblick auf das Erfordernis, dass das Gemeinschaftsrecht zu seiner Wirksamkeit einer effektiven Bewehrung durch die Rechtsordnungen der Mitgliedstaaten bedarf.[395]

In der Rs. „*Griechischer Mais*" ging es um Agrarabschöpfungen, die von einer griechischen Firma für falsch (als „griechisch") deklarierten jugoslawischen Mais bezogen worden waren. Hochrangige griechische Beamte hatten hierzu Beihilfe geleistet.[396] Das von der Kommission eingeleitete Verfahren zur Rückerstattung der zu Unrecht geleisteten

---

389 Hierzu *Hatje*, in: Schwarze (Hrsg.), EU-Kommentar, Art. 10 EGV Rn. 4, 30, 33.

390 EuGH vom 11.2.1971, Rs. 39/70 „*Fleischkontor*", Slg. 1971, 49 (Rn. 4).

391 *v. Bogdandy*, in: GS-Grabitz, S. 17 (19).

392 EuGH „*Amsterdam Bulb*" (Rn. 32).

393 EuGH vom 10.4.1984, Rs. C-14/83 „*Colson u. Kamann*", Slg. 1984, 1891 (Rn. 18).

394 EuGH vom 21.9.1989, Rs. 68/88 „*Kommission / Griechenland*", Slg. 1989, 2965 ff. („*Griechischer Mais*"); hierzu *Tiedemann*, NJW 1993, 2226.

395 EuGH „*Griechischer Mais*" (Rn. 23).

396 EuGH „*Griechischer Mais*" (Rn. 2).

Agrarabschöpfungen ließen die griechischen Behörden ins Leere laufen.[397] Der Aufforderung der Kommission, das Straf- bzw. Disziplinarverfahren einzuleiten, kamen sie nicht nach, sondern verbaten sich eine Einmischung in das nationale (Sanktions-)Verfahren. Es wurden lediglich ein Verwaltungsverfahren und eine Untersuchung durch einen Untersuchungsrichter durchgeführt.[398]

Der EuGH leitet seine Entscheidungsgründe aus dem im Urteil *Amsterdam Bulb* aufgestellten Grundsatz ab, dass die Mitgliedstaaten aus Art. 10 EGV [ex-Art. 5 EWGV] verpflichtet sind, „alle geeigneten Maßnahmen zu treffen, um die Geltung und die Wirksamkeit des Gemeinschaftsrechts zu gewährleisten".[399] Die Entscheidung trifft hierauf aufbauend drei wesentliche Aussagen:[400] Erstens, den Mitgliedstaaten verbleibt die Wahl der Sanktionen.[401] Allerdings ergeben sich Bindungen aus dem Prinzip der Gemeinschaftstreue. Zweitens, dies verpflichte die Mitgliedstaaten, „Verstöße gegen das Gemeinschaftsrecht nach ähnlichen sachlichen und verfahrensrechtlichen Regeln" zu ahnden, „wie nach Art und Schwere gleichartige Verstöße gegen nationales Recht".[402] Die Wahl der [konkreten] Sanktion verbleibe bei den Mitgliedstaaten.[403] Drittens, das Sanktionsniveau müsse „jedenfalls wirksam, verhältnismäßig und abschreckend" sein.[404] Diese Aussage bezieht auch das Verfahren mit ein, da es die Mitgliedstaaten verpflichtet, dass „die nationalen Stellen gegenüber Verstößen gegen das Gemeinschaftsrecht mit derselben Sorgfalt vorgehen, die sie bei der Anwendung der entsprechenden nationalen Rechtsvorschriften walten lassen."[405]

Die Befugnis der EG, Griechenland zu verpflichten, gemeinschaftsrechtliche Regelungen mit Mitteln des Strafrechts umzusetzen, beruht auf einer Besonderheit des Falls. Der griechische Staat hatte ein vergleichbares Vergehen gegenüber dem nationalen (griechischen) Fiskus einem strafrechtlichen Regelungsregime unterstellt, den gemeinschaftsrechtlichen Sachverhalt hingegen nicht.[406] Dies ist die Grundlage, auf der die EG einem Mitgliedstaat konkrete Vorgaben hinsichtlich der strafrechtlichen Sanktionierung eines europarechtlichen Sachverhalts machen kann. Denn Art. 10 EGV verpflichtet die Mitgliedstaaten, die (finanziellen) Interessen der EG gleich entsprechenden mitgliedstaatlichen Sachverhalten zu behandeln, wenn das EG-Recht keine abweichende Regelung vorsieht.[407] Hat ein Mitgliedstaat

---

397 EuGH „*Griechischer Mais*" (Rn. 3 ff.).

398 EuGH „*Griechischer Mais*" (Rn. 4 f.).

399 EuGH „*Griechischer Mais*" (Rn. 23).

400 EuGH „*Griechischer Mais*" (Rn. 23 f.).

401 EuGH „*Griechischer Mais*" (Rn. 24).

402 EuGH „*Griechischer Mais*" (Rn. 24).

403 EuGH „*Griechischer Mais*" (Rn. 24).

404 EuGH „*Griechischer Mais*" (Rn. 24).

405 EuGH „*Griechischer Mais*" (Rn. 25).

406 *Tiedemann*, EuZW 1990, 100 f.

407 *Waldhoff*, in: Calliess/Ruffert (Hrsg.), EUV/EGV, Art. 280 EGV Rn. 7.

sich zu einer strafrechtlichen Regelung entschlossen, kann die EG von dem Mitgliedstaat verlangen, dass diese Vorgehensweise auf vergleichbare europarechtliche Sachverhalte erstreckt wird.

In einer späteren Entscheidung – Rs. *Zwartveld* – weitete der EuGH diese Aussage nicht aus.[408] Er setzte die tragenden Argumente der Entscheidungen Rs. *Amsterdam Bulb* und *Griechischer Mais* neu zusammen, ohne jedoch darüber hinausreichende Prinzipien zu statuieren.[409] Gleiches gilt für das Urteil Rs. *Nunes u. de Matos*.[410] Auch in weiteren Entscheidungen hat es der EuGH vermieden, der EG die Kompetenz zuzusprechen, die Mitgliedstaaten zum Erlass bestimmter strafrechtlicher Regelungen zu verpflichten.[411]

bb) Stellungnahme

Die in dem Urteil *Griechischer Mais* gewählte Formel, dass die Sanktionierung von EG-Recht durch die Mitgliedstaaten „jedenfalls wirksam, verhältnismäßig und abschreckend" zu sein habe, wird allgemein akzeptiert.[412] Die Frage, ob diese Entscheidung auch eine Aussage über eine originäre (Strafrechts-)Kompetenz der EG trifft, wird uneinheitlich beurteilt.[413] M.E. ergibt sich die Lösung aus folgenden Erwägungen. Die in der Rs. *Griechischer Mais* gewährte Kompetenz ist *akzesso-*

---

[408] EuGH vom 13.7.1990, Rs. C-2/88 „*Zwartveld*", Slg. 1990, I-3365 (Rn. 17): „In dieser Rechtsgemeinschaft gilt gemäß Artikel 5 EWG-Vertrag für das Verhältnis zwischen den Mitgliedstaaten und den Gemeinschaftsorganen der Grundsatz der loyalen Zusammenarbeit. Dieser Grundsatz verpflichtet nicht nur die Mitgliedstaaten, *alle geeigneten Maßnahmen, soweit erforderlich einschließlich strafrechtlicher Schritte, zu treffen, um die Geltung und die Wirksamkeit des Gemeinschaftsrechts zu gewährleisten* (siehe Urteil vom 21. September 1989 in der Rechtssache 68/88, Kommission / Griechenland, Slg. 1989, 2984, Rn. 23), sondern […]." [Hervorhebungen durch den Verfasser]

[409] Wie hier *Sugmann-Stubbs/Jager*, KritV 2008, 57 (63 f.); a.A. *Weiß*, ZEuS 2006, 381 (393).

[410] EuGH vom 8.7.1999, Rs. C-186/98 „*Nunes u. de Matos*", Slg. 1999, I-4883 (Rn. 14): „[…] Artikel 5 EG-Vertrag die Mitgliedstaaten verpflichtet, alle wirksamen Maßnahmen zu ergreifen, um Verhaltensweisen zu ahnden, die die finanziellen Interessen der Gemeinschaft verletzen. Solche Maßnahmen können strafrechtliche Sanktionen einschließen, auch wenn die gemeinschaftsrechtliche Regelung nur zivilrechtliche Sanktionen vorsieht. *Die vorgesehene Sanktion muss derjenigen entsprechen, die für einen nach Art und Schwere gleichartigen Verstoß gegen nationale Rechtsvorschriften gilt, und wirksam, verhältnismäßig und abschreckend sein.*"

[411] So hat der EuGH es in seinem Urteil vom 2.10.1991, Rs. C-7/90 „*Vandevenne*", Slg. 1991, I-4371 (Rn. 16 f.) vermieden, aus den Loyalitätspflichten der Gemeinschaft eine erzwingbare Pflicht zur Einführung bestimmter strafrechtlicher Strukturen herzuleiten, hierzu *Hecker*, Europäisches Strafrecht, § 7 Rn. 42 ff.

[412] Vgl. *Braum*, Europäische Strafgesetzlichkeit, S. 202 f.; *Hatje*, in: Schwarze (Hrsg.), EU-Kommentar, Art. 10 EGV Rn. 30; *Satzger*, Europäisierung, S. 356; *Gröblinghoff*, Schutz der Interessen der EG, S. 13 f.

[413] I.S.e. Kompetenz *Tiedemann*, NJW 1990, 2226; a.A. *Braum*, Europäische Strafgesetzlichkeit, S. 202 f.; *Pohl*, ZIS 2006, 213 (214).

risch zum Schutzkonzept des (einzelnen) Mitgliedstaats. Das Schutzkonzept, das die Mitgliedstaaten für innerstaatliche Problemkonstellationen als effektiv einschätzen, ist auch für die vergleichbare Problemkonstellation der europäischen (Rechts-)Ebene einzusetzen. Hieraus folgt jedoch ein entscheidender Unterschied zu einer strafrechtlichen Regelung, die auf eine originäre Strafrechtskompetenz der EG zurückgeht. Würde sich der betreffende Mitgliedstaat entschließen, das Schutzkonzept seines nationalen Sachverhalts zu ändern, entfiele die Verpflichtung des Mitgliedstaats, für den vergleichbaren Sachverhalt eine strafrechtliche Bewehrung vorzusehen.[414]

Entschließt sich ein Mitgliedstaat, bestimmte Verstöße aus dem Kriminalstrafrecht auszugliedern und als Verwaltungsunrecht einstufen, könnte die entsprechende EG-Rechtsnorm ebenfalls im Rechtscharakter verändert werden, solange dem Erfordernis genügt wird, dass das Schutzkonzept wirksam, verhältnismäßig und abschreckend ist. Insoweit überlässt die Rechtsprechung den Mitgliedstaaten die Einschätzung, ob eine Sanktionierung mittels Verwaltungsrechts die Anforderungen an zu verhängende Sanktionen erfüllt.

Aufgrund der akzessorischen Kompetenz kann die EG nur fordern, einen Rechtsakt anhand des jeweiligen Sanktionskonzepts in nationales Recht umzusetzen. Diese Kompetenz bleibt an das Sanktionskonzept des einzelnen Mitgliedstaats gekoppelt. Dies schließt nicht ein, dass die EG den einzelnen Mitgliedstaaten auf eine bestimmte Sanktionsart bzw. ein Sanktionsmodell – hinsichtlich des nationalen Rechts und/oder des europarechtlichen Sachverhalts – festlegen kann. Der Schluss von der akzessorischen auf die originäre (Strafrechts-)Kompetenz ist deshalb eine *petitio principii*. Dies würde bedeuten, einen Satz als bewiesen anzusehen, der eines Beweises bedarf.[415]

Es kann deshalb festgehalten werden, dass in der Entscheidung *Griechischer Mais* keine Aussage darüber getroffen wird, ob der EG eine *originäre* Strafrechtskompetenz zusteht.[416]

c) Zwischenergebnis

Aus den Entscheidungen vor Ergehen des Urteils *C-176/03* kann kein überzeugender Hinweis auf eine originäre Strafrechtsetzungskompetenz der EG abgeleitet werden.[417] Der EuGH hat bis dahin der EG nur eine akzessorische Kompetenz zugesprochen. Eine akzessorische Strafrechtskompetenz wird dadurch begründet, dass ein Mitgliedstaat zuvor eine vergleichbare innerstaatliche Regelung strafrechtlich geregelt hat. Dann ist dieser Mitgliedstaat aus dem Prinzip des *effet utile* ver-

---

414 A.A. *Tiedemann*, EuZW 1990, 100 f.; unklar *ders.*, NJW 1993, 23 (25 f.); offen *Waldoff*, in: Calliess/Ruffert (Hrsg.), EUV/EGV, Art. 280 EGV Rn. 8.

415 *Schneider/Schnapp*, Logik für Juristen, S. 242.

416 Zust. *Braum*, Europäische Strafgesetzlichkeit, S. 202 f. *passim*; *Pohl*, ZIS 2006, 213 (214); a.A. *Tiedemann*, NJW 1990, 2226.

417 § 4 II.1.a).

pflichtet,[418] einen entsprechenden gemeinschaftsrechtlichen Sachverhalt ebenfalls strafrechtlich zu regeln. Diese Pflicht ist akzessorischer Natur zur Regelung des nationalen Rechts und begründet auch nur eine Pflicht hinsichtlich dieses Mitgliedstaats. Gebunden ist dieser Mitgliedstaat auch nur so lange und soweit das nationale Recht den Sachverhalt strafrechtlich regelt.[419]

2. Neuere Entscheidungen des EuGH

In dem Grundsatzurteil Rs. *C-176/03* hat sich der EuGH im Jahr 2005 erstmals zu der Frage geäußert, ob der EG eine originäre Strafrechtskompetenz zustehen kann (a). Kurze Zeit später, im Oktober 2007, hatte er im Verfahren Rs. *C-440/05* erneut Gelegenheit, zu dieser Frage Stellung zu beziehen (b).

a) Entscheidung Rs. C-176/03

In der Entscheidung *C-176/03* äußerte sich der EuGH erstmals explizit zu einer originären Strafrechtskompetenz der EG.[420]

Das Verfahren richtete sich gegen den Rahmenbeschluss 2003/80/JI.[421] Dieser enthielt Vorgaben,[422] die den strafrechtlichen Schutz der Umwelt verbessern und harmonisieren sollten, und die im Wesentlichen auf ein 1998 vom Europarat getroffenes Übereinkommen zum Schutz der Umwelt zurückgingen. Nachdem die Mitgliedstaaten zögerten, dieses Übereinkommen umzusetzen, entwarf die Kommission einen Richtlinienvorschlag, der auf Art. 175 EGV gestützt wurde.[423] Dänemark hielt den EG-Vertrag nicht für die richtige Ermächtigungsgrundlage und erarbeitete eine – inhaltlich sehr ähnliche – Regelung, die das Vorgehen auf die GASP stützte. Dieser Vorschlag fand die Mehrheit im Rat, nicht

---

418 Hierzu § 2 I.2.b)bb).

419 § 4 II.1.b).

420 EuGH vom 13.9.2005, Rs. C-176/03 „*Kommission / Rat*“, Slg. 2005, I-7879 ff.

421 Titel: Rahmenbeschluss 2003/80/JI des Rates vom 27.1.2003 über den Schutz der Umwelt durch das Strafrecht; abgedruckt im ABl. 2003 L-29/55 vom 5.2.2003.

422 *Artikel 2* enthielt einen Katalog von Handlungen, die in ihrer vorsätzlichen Begehensform von den Mitgliedstaaten als strafbare Handlungen einzustufen waren. *Artikel 3* beinhaltete das Gebot, zumindest die grob fahrlässige Begehung der in Art. 2 aufgeführten Taten strafrechtlich zu sanktionieren. *Artikel 4* beinhaltete das Gebot, die Beteiligung und Teilnahme an entsprechenden Taten unter Strafe zu stellen. *Artikel 5* enthielt (Abs. 1) das Gebot, wirksame, angemessene und abschreckende Strafen vorzusehen, die in schwerwiegenden Fällen auch Freiheitsstrafen zu umfassen hätten. Absatz 2 eröffnete die Möglichkeit, zugleich u.U. ein Berufsverbot auszusprechen. *Artikel 6* regelte die Strafbarkeit juristischer Personen für ihr zurechenbare Vergehen (Abs. 1) bzw. solche, die sie durch mangelnde Überwachung ermöglicht hatte (Abs. 2). *Artikel 7* sah gesonderte Sanktionen für juristische Personen vor; *Artikel 8* traf spezielle Regelungen hinsichtlich der Gerichtsbarkeit für Verfahren nach Art. 2 und 3.

423 Richtlinienvorschlag KOM(2001) 139 endg., abgedruckt in ABl. C 180/238 vom 26.6.2001.

hingegen der Richtlinienvorschlag. Daraufhin griff die Kommission, unterstützt durch das Europäische Parlament, den Rahmenbeschluss teilweise an.[424]

aa) Schlussanträge GA *Colomer*

GA *Colomer* beginnt seine Schlussanträge vom 26.5.2005 mit der Feststellung, dass der Schutz der Gemeinschaftsrechtsordnung den Organen der Gemeinschaft obliege.[425] Der Sachkompetenz folge grundsätzlich die Sanktionskompetenz. Deshalb könne die EG von den Mitgliedstaaten die Einhaltung der Vorschriften fordern, die sie, gestützt auf ihre Sachkompetenzen, erlassen habe. Sei zur Durchsetzung einer Sachkompetenz nur eine Sanktionsart zweckmäßig, könne diese auch von der EG festgelegt und vorgeschrieben werden.[426] Dies sei z.B. im Umweltrecht der Fall, da alle Mitgliedstaaten in diesem Bereich auf Mittel des Strafrechts zurückgriffen, um besonders schwere Verstöße zu ahnden.[427] Er leitet eine originäre Strafrechtskompetenz der EG wie folgt her:[428]

> „Betrachtet man […] den wesentlichen Inhalt der Rechtsprechung, die der Gemeinschaft eine Sanktionsgewalt mit der Befugnis zur Harmonisierung der nationalen Rechtsvorschriften einräumt [er verweist hierfür auf die Urteile *Amsterdam Bulb*,[429] *Griechischer Mais*,[430] *Zwartveld u.a.*,[431] *Nunes u. de Matos*[432]] und berücksichtigt man den ständigen Prozess der Übernahme von Gemeinschaftskompetenzen im Bereich des Umweltschutzes sowie die Bedeutung oder die Fragilität der Umweltbelange, so gibt es hinreichende Gründe dafür, der Gemeinschaft die Befugnis zuzuerkennen, von den Mitgliedstaaten eine strafrechtliche Reaktion auf bestimmte, für den Planeten schädliche Verhaltensweisen zu verlangen."

---

424 Vgl. zu den Erwägungsgründen der Kommission detailliert *Comte*, Revue du droit de l'Union Européenne 2002, 775 ff.; ferner EuGH „*C-176/03*" (Rn. 18, 22).

425 GA *Colomer* Schlussanträge „*C-176/03*" (Rn. 49).

426 GA *Colomer* Schlussanträge „*C-176/03*" (Rn. 49, S. 2): „Nur soweit in Ermangelung der unentbehrlichen Beurteilungskriterien nicht die zweckmäßigste Reaktion zur Verfügung gestellt werden kann, wird diese Aufgabe den nationalen Gesetzgebern übertragen. A contrario gibt es, wenn die Bestimmung der ‚wirksamen, angemessenen und abschreckenden' Strafe offenkundig ist, keinen wesentlichen Grund dafür, die Wahl dieser Sanktion nicht demjenigen zu überlassen, der die materielle Zuständigkeit besitzt. [Rn. 50] Mit anderen Worten, es lässt sich leicht verstehen, dass die angemessene Sanktion z.B. für Angriffe auf das Leben oder den Missbrauch von Minderjährigen Strafcharakter haben muss, sodass, wenn die bei diesen Verstößen geschützten Rechtsgüter eines der Ziele der Gemeinschaft darstellten, niemand die Befugnis ihrer Rechtsetzungsorgane in Zweifel ziehen würde, von den Mitgliedstaaten die strafrechtliche Verfolgung zu verlangen."

427 GA *Colomer* Schlussanträge „*C-176/03*" (Rn. 72 f.).

428 GA *Colomer* Schlussanträge „*C-176/03*" (Rn. 75).

429 GA *Colomer* Schlussanträge „*C-176/03*" (Rn. 30 ff.); vgl. oben § 4 II.1.a)aa).

430 GA *Colomer* Schlussanträge „*C-176/03*" (Rn. 34 f.); vgl. oben § 4 II.1.b).

431 GA *Colomer* Schlussanträge „*C-176/03*" (Rn. 36); vgl. oben § 4 II.1.b).

432 GA *Colomer* Schlussanträge „*C-176/03*" (Rn. 37); vgl. oben § 4 II.1.b).

Eine Maßnahme der EG beschränke zugleich immer die Souveränitätsrechte der Mitgliedstaaten. Diesem Aspekt komme deswegen keine ausschlaggebende Bedeutung zu, wenn es um die Frage geht, ob eine Kompetenz der EG bestehe oder nicht.[433] Das Strafrecht nehme hier keine Sonderrolle ein. Die Mitgliedstaaten hätten vielfach Eingriffe von EG-Recht in diesen (Souveränitäts-)Bereich klaglos hingenommen.[434] Auch der Grundsatz „nullum crimen sine lege" stehe einer Kompetenz der EG nicht entgegen, wenn die zwingende Regelung letztlich auf den nationalen Gesetzgebers zurückgehe.[435] Aus Art. 135 und 280 Abs. 4 EGV lasse sich kein (systematisches) Gegenargument ableiten.[436] Diese Sonderreglungen träfen über die Kompetenzen des EG-Vertrags im Umweltrecht keine Aussage.[437] Die Systematik der Verträge ergebe ebenfalls nicht, dass eine strafrechtliche Tätigkeit ausschließlich im Rahmen der 3. Säule zu erfolgen habe.[438] Die strafrechtliche Kompetenz der Gemeinschaft im Rahmen des EG-Vertrags begründet und umreißt er wie folgt:[439]

> „Die zivil-, verwaltungs- oder strafrechtliche Sanktionsgewalt ist als *instrumentale Befugnis* im Dienst der Wirksamkeit des Gemeinschaftsrechts zu betrachten. Wenn die Unversehrtheit dieses Rechtssystems eine Strafdimension erfordert, müssen die Mitgliedstaaten die dafür notwendigen Mechanismen festlegen, *deren Charakter die Gemeinschaft zu bestimmen hat, sofern sie in der Lage ist, ihre Nützlichkeit für den verfolgten Zweck zu prüfen*, weil andernfalls die Aufgabe den nationalen Legislativen obliegen würde. Was die Umwelt angeht, so dürfte es klar sein, dass die Reaktion auf Verhaltensweisen, die sie ernsthaft schädigen, Strafrechtscharakter haben muss, doch ist auf der Ebene der Bestrafung die Wahl der Strafe, mit der diese Verhaltensweisen bekämpft und dem Gemeinschaftsrecht Wirksamkeit verliehen werden soll, Sache der Mitgliedstaaten."

Den Mitgliedstaaten sei es überlassen, das Strafmaß und die Art der Ahndung bestimmter Verhaltensweisen festzulegen.[440] Der EG fehlten derzeit die Instrumente, um beurteilen zu können, wie ein einheitliches Maß bestimmt werden kann.[441]

bb) Urteil des EuGH

Der EuGH erklärte in seinem Urteil vom 13.9.2005 den Rahmenbeschluss nicht – wie beantragt – teilweise, sondern in seiner Gesamtheit für nichtig.[442] Das Urteil

---

433 EuGH *„van Gend & Loos"* (S. 25 f.).

434 GA *Colomer* Schlussanträge *„C-176/03"* (Rn. 76).

435 GA *Colomer* Schlussanträge *„C-176/03"* (Rn. 77).

436 Hierzu § 4 I.3.

437 GA *Colomer* Schlussanträge *„C-176/03"* (Rn. 78).

438 GA *Colomer* Schlussanträge *„C-176/03"* (Rn. 80 ff., 82).

439 GA *Colomer* Schlussanträge *„C-176/03"* (Rn. 84) [Hervorhebungen durch den Verfasser].

440 GA *Colomer* Schlussanträge *„C-176/03"* (Rn. 85 f.).

441 GA *Colomer* Schlussanträge *„C-176/03"* (Rn. 86); vgl. hierzu § 7 III.2.

betrifft zwei grundlegende Bereiche, einmal die horizontale Kompetenzverteilung der EU (d.h. zwischen EG- und EU-Vertrag) und des Weiteren die vertikale Kompetenzverteilung der EG (d.h. das Verhältnis von EG-Vertrag gegenüber der Zuständigkeit der Mitgliedstaaten).

Das Rangverhältnis zwischen EG- und EU-Vertrag definiert der EuGH nunmehr wie folgt.[443] Der Rat sei verpflichtet, die Kompetenzen aus dem EG-Vertrag voll auszuschöpfen, bevor er (parallel) eingeräumte Befugnisse des EU-Vertrags in Anspruch nehmen könne. Diesen Grundsatz leitet er aus Art. 29 Abs. 1 und Art. 47 EUV ab.[444] Im Rahmen der Umweltschutzpolitik sei ein Vorgehen auf Grundlage von Art. 29, 31 Abs. 1 lit. e) EUV deshalb unzulässig, wenn der Regelungsspielraum von Art. 175 EGV nicht ausgeschöpft sei.[445]

Das Verhältnis zwischen EG und den Mitgliedstaaten im Hinblick auf die Sanktionsanweisungskompetenz der EG – im Bereich des Umweltrechts – beurteilt der EuGH ebenfalls neu. Aus der besonderen Ausgestaltung des Umweltpolitikziels im EG-Vertrag leitet er eine gesteigerte Anweisungskompetenz der EG ab.[446] Diese könne sogar so weit gehen, dass die EG den Mitgliedstaaten Vorgaben mache, wie die entsprechenden Bereiche des nationalen Strafrechts geregelt sein müssen:[447]

> „Sicherlich enthalten die Artikel 2 bis 7 dieses Beschlusses eine Teilharmonisierung der Strafrechtsvorschriften der Mitgliedstaaten, insbesondere in Bezug auf die Tatbestandsmerkmale verschiedener Umweltstraftaten. Grundsätzlich fällt das Strafrecht ebenso wie das Strafprozessrecht auch nicht in die Zuständigkeit der Gemeinschaft.[448] Dies kann den Gemeinschaftsgesetzgeber jedoch nicht daran hindern, Maßnahmen in Bezug auf das Strafrecht der Mitgliedstaaten zu ergreifen, die seiner Meinung nach erforderlich sind, um die volle Wirksamkeit der von ihm zum Schutz der Umwelt erlassenen Rechtsnormen zu gewährleisten, wenn die Anwendung wirksamer, verhältnismäßiger und abschreckender Sanktionen durch die zuständigen nationalen Behörden eine zur Bekämpfung schwerer Beeinträchtigungen der Umwelt unerlässliche Maßnahme darstellt."

---

442 EuGH „*C-176/03*" (Rn. 53 f.).

443 Hierzu § 4 III.5.

444 EuGH „*C-176/03*" (Rn. 38, 53); ihm folgend GA *Mazák* Schlussanträge „*C-440/05*" (Rn. 48 ff., 52 f.).

445 EuGH „*C-176/03*" (Rn. 53).

446 EuGH „*C-176/03*" (Rn. 41 f.): „Der Umweltschutz ist eines der wesentlichen Ziele der Gemeinschaft. So heißt es in Artikel 2 EG, dass es Aufgabe der Gemeinschaft ist, ein hohes Maß an Umweltschutz und Verbesserung der Umweltqualität zu fördern, und Artikel 3 Absatz 1 Buchstabe l EG sieht zu diesem Zweck eine Politik auf dem Gebiet der Umwelt vor. [Rn. 42] Darüber hinaus müssten die Erfordernisse des Umweltschutzes [...] bei der Festlegung und Durchführung der [...] Gemeinschaftspolitiken und -maßnahmen [...] einbezogen werden [Art. 6 EGV], *was den Querschnittscharakter und die grundlegende Bedeutung dieses Zieles* verdeutlicht." [Hervorhebungen durch den Verfasser]; vgl. ferner GA *Colomer* Schlussanträge „*C-176/03*" (Rn. 52 ff., 66 ff.).

447 EuGH „*C-176/03*" (Rn. 48).

448 EuGH „*C-176/03*" (Rn. 47).

Über das Urteil *C-176/03* wurde kontrovers und sehr ausführlich debattiert.[449] Eine Fülle von Stellungnahmen erging, die sich insbesondere auch mit der möglichen Reichweite der strafrechtlichen Kompetenz der EG auseinandersetzten.[450] Dabei wurden neben der Begründung des Urteils vor allem zwei mögliche Weiterungen erörtert. Es ging hierbei um die Frage, ob die vom EuGH verwendete Argumentation auch auf andere Ermächtigungsgrundlagen ausgedehnt werden könnte. Weiter wurde diskutiert, ob der EG auch die Kompetenz zukomme, die Art und das Maß der Sanktionen, d.h. die Straffolgen und Mindeststrafen u.Ä. vorzusehen. Das Urteil hatte sich hierzu nicht geäußert. Die Interpretationen reichten von einer sehr extensiven Auslegung des Urteils – wie durch die Kommission[451] – bis hin zu vollständiger Ablehnung der Entscheidungsgründe.[452]

b) Entscheidung Rs. C-440/05

Als die Diskussion langsam abebbte, verkündete der EuGH eine weitere Entscheidung zu diesem Themenkomplex. Sie ging auf eine Klage der Kommission zurück, die sie nach Ergehen des Urteils Rs. *C-176/03* in ihrer Stellungnahme vom 23.11.2005 angekündigt hatte.[453] Der in der Rs. *C-440/05* angegriffene Rechtsakt war der einzige aus einer Reihe von Rahmenbeschlüssen, welche die Kommission für nichtig erklären lassen wollte, den die Kommission noch fristgerecht anfechten konnte.[454] Dieser Rahmenbeschluss 2005/667/JI war am 12.7.2005 erlassen worden.[455] Er bezweckte, die Vorschriften der Richtlinie 2005/35/EG durch strafrechtliche Regelungen zu ergänzen.[456]

---

[449] Hierzu ausführlich unten § 4 III.

[450] Ein Überblick über die offiziellen, d.h. von EU-Organen bzw. Organen der Mitgliedstaaten vorgenommenen Stellungnahmen findet sich im Bericht des House of Lords, European Union Committee, 42nd Report of Session 2005-06, S. 18 ff. (Rn. 38 ff.).

[451] KOM(2005) 583 endg. S. 3 (Rn. 8).

[452] *Braum*, wistra 2006, 121 (123 ff.); *Cesoni*, Journal des tribunaux 2006, 365 (370).

[453] KOM(2005) 583 endg. S. 7 ff.

[454] Zur Zweimonatsfrist des Art. 230 Abs. 5 EGV vgl. *Schwarze*, in: ders. (Hrsg.), EU-Kommentar, Art. 230 EGV Rn. 51 ff.

[455] Rahmenbeschluss 2005/667/JI des Rates vom 12.7.2005 zur Verstärkung des strafrechtlichen Rahmens zur Bekämpfung der Verschmutzung durch Schiffe, ABl. L 255/164 vom 30.9.2005.

[456] Erwägungsgrund 6, Richtlinie 2005/35/EG des Europäischen Parlaments und des Rates vom 7.9.2005 über die Meeresverschmutzung durch Schiffe und die Einführung von Sanktionen für Verstöße, ABl. L 255/11 vom 30.9.2005.

aa) Schlussanträge GA *Mazák*

In seinen Schlussanträgen vom 28.6.2007 deutete GA *Mazák* das Urteil *C-176/03* in zugleich extensiver und restriktiver Weise.[457] Weit legte er das Urteil im Hinblick auf die in Betracht kommenden Kompetenzgrundlage(n) einer strafrechtlichen Harmonisierungskompetenz der EG aus. Eng interpretierte er hingegen den Umfang der Sanktionsanweisungskompetenz. Er sprach sich dafür aus, sie nicht auf die Angleichung der Art und des Maßes der Strafen zu erstrecken.[458]

GA *Mazák* empfahl dem EuGH, die Begründung der Sanktionsanweisungskompetenz aus dem Kontext der Umweltsachkompetenz zu lösen. Seines Erachtens steht der EG eine allgemeine (Annex-)Kompetenz zur Harmonisierung von Strafrecht zu. Diese umfasse alle zentralen Zielsetzungen der EG (Art. 2 f. EGV).[459] Zwar enthalte der EG-Vertrag noch keine tragfähige Begründung für eine solche Harmonisierung. An der Zulässigkeit einer strafrechtlichen Harmonisierung in jedem Politikbereich ändere dies hingegen nichts.[460] Die Harmonisierungskompetenz gestalte sich, infolge der stark einzelfallbezogenen Argumentation des EuGH, abhängig vom jeweiligen Politikfeld aus.[461] Sie könne deshalb von Politikbereich zu Politikbereich unterschiedlich weit reichen.[462]

bb) Urteil des EuGH

Das Urteil vom 23.10.2007 folgt den Einschätzungen GA *Mazáks* nur zum Teil. Es bestätigt zwar die Entscheidung Rs. *C-176/03*, weicht jedoch in der Begründung von ihr ab und schränkt sie in zweierlei Hinsicht ein. Der EuGH hält an dem postulierten Grundsatz fest, dass der EG keine Kompetenz auf dem Gebiet des Straf- und Strafprozessrechts zustehe. Trotzdem hindere dies die EG nicht daran, den Mitgliedstaaten den Erlass wirksamer, verhältnismäßiger und abschreckender strafrechtlicher Sanktionen vorzuschreiben, die im Kampf gegen schwere Beeinträchtigungen der Umwelt unerlässlich seien.[463]

Er erweitert den Anwendungsbereich seiner Rechtsprechung, indem er der EG zugesteht, Regelungen mit umweltstrafrechtlichen Zielsetzungen auch auf Kompetenznormen zu stützen, die außerhalb der Umweltsachkompetenzen des EG-Vertrags (Art. 174 ff. EGV) liegen. Notwendig sei lediglich, dass das Vorhaben

---

457 GA *Mazák* Schlussanträge „*C-440/05*" (Rn. 67 ff., 79 ff.).

458 GA *Mazák* Schlussanträge „*C-440/05*" (Rn. 103 ff., 111 f.).

459 GA *Mazák* Schlussanträge „*C-440/05*" (94, 99 f., 120); zust. *Fromm*, ZIS 2008, 168 (174, 176); skeptisch *Satzger*, KritV 2008, 17 (23).

460 GA *Mazák* Schlussanträge „*C-440/05*" (Rn. 113).

461 GA *Mazák* Schlussanträge „*C-440/05*" (Rn. 114, 120, 122).

462 GA *Mazák* Schlussanträge „*C-440/05*" (Rn. 87, 114, 121).

463 EuGH „*C-440/05*" (Rn. 66).

einen engen Zusammenhang zur Umweltpolitik aufweise.[464] In diesem Schritt liegt zugleich eine Weiterung und Beschränkung der Rechtsprechung des EuGH. Er vergrößert damit die Anzahl der möglichen Politikbereiche und Kompetenzgrundlagen, auf die eine umweltstrafrechtliche Harmonisierung von Vorschriften gestützt werden kann.

Der Anwendungsbereich der Rechtsprechung wird im Urteil *C-440/05* zwar nur explizit auf die Ermächtigungsgrundlage der EG im Verkehrswesen (Art 80 Abs. 2 EGV) übertragen.[465] Die vom EuGH hierbei verwendete Argumentation lässt eine Ausdehnung auf andere Kompetenzen, die ebenfalls einen engen Bezug zum Umweltrecht aufweisen, jedoch unproblematisch zu.[466]

Die Begründung des Urteils enthält zugleich zwei Beschränkungen. Die erste begrenzt den sachlichen Anwendungsbereich der Anweisungskompetenz auf die Themenstellungen des Umweltstrafrechts.[467] Dies tritt hervor, wenn man die Begründung des EuGH im Lichte der Argumentation von GA *Mazák* betrachtet.[468] Der Generalanwalt plädierte dafür, die in der Entscheidung *C-176/03* begründete Kompetenz zu erweitern.[469] Er wertete diese Kompetenz als allgemeine Annexkompetenz des EG-Vertrags[470] und legte dem EuGH nahe, die Entscheidung auf eine verallgemeinerungsfähige kompetentielle Grundlage zu stützen, die für alle Politikbereiche der Art. 2 und 3 EG Gültigkeit beanspruchen kann.[471] Dieser Vorschlag wird im Urteil *C-440/05* nicht aufgegriffen.[472] Die Begründung des EuGH stützt sich weiterhin maßgeblich auf den Querschnittscharakter des Umweltschutzziels.[473] Dies wird insbesondere in Rn. 66 des Urteils deutlich.[474] Die thematische

---

464 EuGH „*C-440/05*“ (Rn. 58 ff., 60, 67); krit. GA *Mazák* Schlussanträge „*C-440/05*“ (Rn. 114 ff., Rn. 122).

465 EuGH „*C-440/05*“ (Rn. 60, 62, 67).

466 Dies geht insbesondere aus EuGH „*C-440/05*“ (Rn. 60) hervor: „Da außerdem die Erfordernisse des Umweltschutzes, der eines der wesentlichen Ziele der Gemeinschaft ist *[...] nach Art. 6 EG bei der Festlegung und Durchführung der [...] Gemeinschaftspolitiken und -maßnahmen [...] einbezogen werden [müssen], ist dieser Schutz als ein Ziel anzusehen, das auch Bestandteil der gemeinsamen Verkehrspolitik ist.* Der Gemeinschaftsgesetzgeber kann deshalb auf der Grundlage von Art. 80 Abs. 2 EG in Wahrnehmung der ihm durch diese Bestimmung zugewiesenen Befugnisse beschließen, den Umweltschutz zu fördern [...].“ [Hervorhebungen durch den Verfasser]

467 Zust. *Gautier*, La Semaine Juridique – édition générale 2007, 36 (38); *Monpion*, Revue du Marché commun et de l'Union européenne, 130 (133); *Schünemann*, KritV 2008, 6 (9); a.A. *Calliess*, ZEuS 2008, 3 (31); *Fromm*, ZIS 2008, 168 (174, 176); *Marciali*, Revue du droit public 2008, 1231 (1237 f.); offen *Dawes/Lynskey*, CMLRev 2008, 131 (143 f.); *Satzger*, KritV 2008, 17 (23).

468 A.A. *Satzger*, KritV 2008, 17 (23).

469 GA *Mazák* Schlussanträge „*C-440/05*“ (Rn. 91 ff., 113 ff.).

470 GA *Mazák* Schlussanträge „*C-440/05*“ (Rn. 88, 94, 99 f., 120).

471 GA *Mazák* Schlussanträge „*C-440/05*“ (Rn. 94 f., 99 f., 112).

472 A.A. *Marciali*, Revue du droit public 2008, 1231 (1238).

473 EuGH „*C-440/05*“ (Rn. 58 ff., 60, 67).

Übereinstimmung beider Rahmenbeschlüsse (ihre umweltpolitische Zielsetzung) reicht nicht als Begründung aus, um die unterbliebene Stellungnahme zur dogmatischen Einbettung der Kompetenz zu rechtfertigen. Es liegt deshalb nahe, das Verhaftetbleiben des EuGH in seiner umweltpolitischen Argumentation als bewusste inhaltliche Begrenzung der Kompetenz anzusehen.[475] Das Urteil enthält deshalb m.E. eine inhaltliche Beschränkung der strafrechtlichen Kompetenz. Lediglich die Bezüge zum Umweltrecht der verschiedenen Kompetenznormen werden hiervon erfasst.[476]

Die zweite Einschränkung nimmt der EuGH vor, indem er die strafrechtlichen Kompetenzen der EG in ihrer Intensität begrenzt. In Übereinstimmung mit den Schlussanträgen von GA *Mazák* urteilt er,[477] dass „Art und Maß der anzuwendenden strafrechtlichen Sanktionen" nicht durch die EG festgelegt werden dürfe.[478] Der EuGH folgt damit nicht einer extensiven Auslegung des Urteils *C-176/03*.[479] Diese Sichtweise kann sich darauf stützen, dass es zu keinem Zeitpunkt genügend Anhaltspunkte im Urteil *C-176/03* gab, die eine solche Schlussfolgerung hätten tragen können. Auch die Schlussanträge von GA *Colomer* in der Rs. *C-176/03* gingen in diese Richtung.[480] Die Kommission bestreitet diese Begrenzung nunmehr nicht weiter. Der Richtlinienvorschlag, der den Rahmenbeschluss 2003/80/JI ersetzen sollte, wurde nach Ergehen des Urteils *C-440/05* entsprechend geändert.[481] Die Anordnung bestimmter Sanktionen und eines Mindeststrafrahmens wurden gestrichen.[482] Diese Restriktion wird auch in der Literatur nur noch ganz vereinzelt bestritten.[483]

---

474 EuGH „*C-440/05*" (Rn. 66): „Zwar fällt das Strafrecht grundsätzlich ebenso wie das Strafprozessrecht nicht in die Zuständigkeit der Gemeinschaft […], doch kann der Gemeinschaftsgesetzgeber, wenn die Anwendung wirksamer, verhältnismäßiger und abschreckender strafrechtlicher Sanktionen durch die zuständigen nationalen Behörden *eine zur Bekämpfung schwerer Beeinträchtigungen der Umwelt unerlässliche Maßnahme darstellt*, die Mitgliedstaaten gleichwohl zur Einführung derartiger Sanktionen verpflichten, um die volle Wirksamkeit der von ihm in diesem Bereich erlassenen Rechtsnormen zu gewährleisten (vgl. EuGH „*C-176/03*" Rn. 48)." [Hervorhebungen durch den Verfasser].

475 Zust. *Broussy/Donnat/Lambert*, AJDA 2007, 2251 (2252 f.); *Dawes/Lynskey*, CMLRev 2008, 131 (143 f.); *Eisele*, JZ 2008, 251 (252); a.A. *Calliess*, ZEuS 2008, 3 (31); *Fromm*, ZIS 2008, 168 (174).

476 Vgl. insbesondere die Bemühung des EuGH, Parallelen zwischen den Rahmenbeschlüssen 2005/667/JI und 2003/80/JI herzustellen, EuGH „*C-440/05*" (Rn. 62, 67).

477 GA *Mazák* Schlussanträge „*C-440/05*" (Rn. 103 ff., 111); ebenso GA *Colomer* Schlussanträge „*C-176/03*" (Rn. 84).

478 EuGH „*C-440/05*" (Rn. 70 f.).

479 EuGH „*C-440/05*" (Rn. 71); a.A. *Eisele*, JZ 2008, 251 (254).

480 GA *Colomer* Schlussanträge „*C-176/03*" (Rn. 86).

481 Art. 5 Abs. 2–5 RL-Vorschlag KOM(2007) 51 endg. vom 9.2.2007.

482 Vgl. Art. 5 der konsolidierten Fassung des vom EP in seiner Sitzung vom 21.5.2008 angenommenen Textes, P6_TA_PROV(2008)0215; Art. 5 [Sanktionen]: „Jeder Mitgliedstaat trifft die erforderlichen Maßnahmen, um sicherzustellen, dass die in den Artikeln 3

III. Diskussionspunkte der Literatur zum Thema Strafrechtliche Anweisungskompetenz der EG

Bereits vor Erlass des Urteils *C-176/03* haben viele Stimmen der EG eine strafrechtliche (Anweisungs-)Kompetenz zugebilligt, insbesondere im Bereich der Binnenmarktharmonisierung.[484]

Der von Einzelnen für zulässig erachtete Umfang der Angleichung entspricht einer extensiven Auslegung des Urteils *C-176/03*, d.h. er schließt auch die Angleichung der Art und des Maßes der Sanktionen nicht aus.[485] Bedenken äußert die h.L. in diesem Zusammenhang nur im Hinblick auf den Erlass „supranationalen" Strafrechts („Strafrechtsetzungskompetenz"), nicht hingegen gegenüber einer „Anordnungskompetenz der EG für nationales Strafrecht" („Angleichungskompetenz").[486]

Die Diskussion im Rahmen der Richtlinienkompetenz der EG beim Umweltstrafrecht und der Binnenmarktrechtsangleichung verlaufen demnach nahezu parallel. An dieser Stelle werden die Argumente für und wider eine strafrechtliche Harmonisierungskompetenz dargestellt, die für beide Regelungsbereiche bedeutsam sind. Da dieser (allgemeine) Streit nun schon seit geraumer Zeit geführt wird, ist die Anzahl der Stellungnahmen nahezu unüberschaubar geworden. Um dem Leser eine bessere Orientierung zu ermöglichen, wird hier deshalb zu Beginn eine Einführung in den Rahmen der Diskussion gegeben. Es wird kurz erklärt, welche Extrempositionen vertreten werden (1.). Anschließend wird auf die wichtigsten Argumente des europastrafrechtlichen Diskurses im Einzelnen eingegangen (2.–13.), wobei hier der Schwerpunkt auf die aktuellen Bezüge des Streits – gerade auch in ihrer Entwicklung nach Ergehen des ersten Urteils *C-176/03* – gelegt wird. Hieran schließt sich eine eigene Stellungnahme an (14.).

1. Einführung in den Stand der Diskussion

Der EuGH begnügte sich lange Zeit mit dem pauschalen Hinweis, dass weder das Strafrecht noch das Strafprozessrecht in die Zuständigkeit der Gemeinschaft

---

und 4 genannten Straftaten mit wirksamen, angemessenen und abschreckenden strafrechtlichen Sanktionen geahndet werden."

483 Vgl. *Bouveresse* Europe Déc. 2007, 16; *Satzger*, KritV 2008, 17 (23 f.); a.A. *Eisele*, JZ 2008, 251 (253 f.).

484 *Eisele*, JZ 2001, 1157 (1160); *Gröblinghoff*, Schutz der Interessen der EG, S. 98 ff.; *Hugger*, Strafrechtliche Anweisungen, S. 59 ff.; *Jacqué*, La question de la base juridique, S. 249 (256); *Tiedemann*, NJW 1993, 23 (24); *Satzger*, Europäisierung, S. 400 ff., 430 ff.; *Sevenster*, CMLRev 1992, 29 (53 ff.); hinsichtlich älterer Nachweise aus der Literatur vgl. *Hugger*, Strafrechtliche Anweisungen, S. 52 ff.; a.A. *Braum*, Europäische Strafgesetzlichkeit, S. 382 ff.; *Cesoni*, Journal des tribunaux 2006, 365 (370 ff.).

485 *Johannes*, EuR 1968, 63 (107 f.); *Tiedemann*, NJW 1993, 23 (25 f.); a.A. *Heitzer*, Punitive Sanktionen, S. 147, 150 f.

486 Vgl. *Hugger*, Strafrechtliche Anweisungen, S. 59 ff.; *Satzger*, Europäisierung, S. 400 ff.; *Sieber*, Madrid-Symposium, S. 349 (359 f.).

falle.[487] Näher präzisierte er diesen sybillinischen Grundsatz nicht. In einem ersten Schritt soll erläutert werden, inwieweit dieser Grundsatz besteht, und geklärt werden, ob es auch Bereiche des Einflusses des Europarechts auf das nationale Strafrecht gibt, die kompetenzrechtlich unproblematisch sind.[488]

a) Umfang der streitigen originären Strafrechtskompetenz der EG

Der Grundsatz des EuGH, dass das Strafrecht und das Strafprozessrecht nicht in die Zuständigkeit der Gemeinschaft fallen, kann unterschiedlich weit ausgelegt werden. Man kann ihn eher streng verstehen, im Sinne einer Souveränitätsbastion, die jeglichen Eingriff in strafrechtliche Fragen verbietet,[489] oder als eher lose Leitlinie, die mehr oder weniger zahlreiche und intensive Ausnahmen zulässt.[490] M.E. hat eine Antwort differenziert auszufallen. Es gibt Bereiche, in denen die EG Einfluss auf Regelungen des nationalen Strafrechts ausüben kann, in anderen ist es ihr untersagt.[491] Das Rechtsgebiet des Strafrechts ist jedoch nicht *in toto* dem nationalen Gesetzgeber vorbehalten.[492] Der zulässige Einfluss des Europarechts soll hier anhand der allgemeinen Unterscheidung zwischen negativem und positivem Einfluss des EG-Rechts auf das nationale Strafrecht dargelegt werden.[493] Es existieren in beiden Kategorien Bereiche, in denen es der EG erlaubt ist, nationales Strafrecht zu beeinflussen.

aa) Bereiche zulässigen negativen Einflusses auf nationales Strafrecht

Gegen den negativen Einfluss des Europarechts auf das nationale Strafrecht bestehen vielfach keine Bedenken.[494] Unproblematisch und weitgehend streitfrei ist der negative Einfluss, der sich nur mittelbar auf das mitgliedstaatliche Strafrecht auswirkt, da er auf der Primärebene ansetzt.[495] So berühren europarechtliche Einflüsse auf der Primärnormebene den relevanten strafrechtsspezifischen Souveräni-

---

[487] St. Rspr. des EuGH seit dem Urteil „*Cassati*" (Rn. 27); vgl. nur EuGH vom 16.6.1998, Rs. C-226/97, Slg. 1998, I-3711 „*Lemmens*" (Rn. 19); zust. *Weiß*, ZEuS 2006, 381 (409); *Cesoni*, Journal des tribunaux 2006, 365 (367); a.A. *Crosby*, Journal of European Criminal Law 2006, 11 (12); *Spinellis*, EuConst 2 (2006), 293 (301).

[488] Krit. *Schünemann*, KritV 2008, 7 (11).

[489] *Cesoni*, Journal des tribunaux 2006, 365 (367).

[490] Vgl. *Weiß*, ZEuS 2006, 381 (409); weitergehend *Crosby*, Journal of European Criminal Law 2006, 11 (12); *Spinellis*, EuConst 2 (2006), 293 (301).

[491] Krit. *Schünemann*, GA 2002, 500 (502).

[492] Vgl. *Bock*, Rechtsangleichung, S. 169 f.

[493] Zu dieser Differenzierung siehe oben § 3 III.

[494] Vgl. *Sevenster*, CMLRev 1992, 29 (41 ff.); *Tiedemann*, NJW 1993, 23 (24 f.); krit. *Schünemann*, GA 2002, 500 (501 f.).

[495] Vgl. oben § 3 II.

tätsvorbehalt nicht.[496] Änderungen dieser Verhaltensnormen schlagen zwar auf den Anwendungsbereich des Strafrechts durch, so z.B. im Fall der Verwaltungsakzessorietät von Tatbestandsmerkmalen.[497] Hierin liegt aber keine kompetenzrechtlich relevante – und vom Souveränitätsvorbehalt erfasste – spezifische Einflussnahme auf das Strafrecht. Er ist vielmehr eine Folge der (innerstaatlichen) Vernetzung der nationalen Rechtsordnung. Dieser Einfluss geht darauf zurück, dass die Mitgliedstaaten die eigenständige Bestimmung der Begrifflichkeiten des Strafrechts z.B. durch Verwaltungsakzessorietät gelockert haben. Werden durch europäisches Recht die existenten Verhaltensgebote oder -verbote teilweise abgeändert[498] oder europarechtsspezifische neue Verhaltensgebote parallel zu den bisherigen Verboten eingeführt,[499] ist der Einfluss auf das nationale Strafrecht lediglich akzessorischer Natur. Einer strafrechtlichen Kompetenzgrundlage bedarf es deshalb nicht.

M.E. ist darüber hinaus auch in bestimmten Fällen ein originärer negativer Einfluss des europäischen Rechts auf das Strafrecht zulässig. Dies sind (Einzel-) Fälle, in denen nicht spezifisch strafrechtliche Fragestellungen des nationalen Strafrechts durch europäische Regelungen beeinflusst werden.[500] Hierzu zählen Fallkonstellationen, in denen Teile einer strafrechtlichen Norm verändert werden, die gegen Grundprinzipien des Europarechts (wie z.B. Grundfreiheiten oder das Nichtdiskriminierungsgebot) verstoßen, ohne dass eine sachliche Rechtfertigung

---

[496] Auch der EuGH nimmt diese Trennung vor, vgl. EuGH vom 14.12.1995, Rs. C-163/94 „*Senza di Lera*“, Slg. 1995, I-4821 (Rn. 8): „das vorlegende Gericht ist der Ansicht, dass die Gültigkeit des Artikels 4 Absatz 1 des Königlichen Dekrets Nr. 1816 im Hinblick auf das Gemeinschaftsrecht *eine Vorfrage für die eventuelle Bejahung der Erfüllung des Straftatbestands darstelle*, der im Gesetz Nr. 40 vom 10. Dezember 1979 über die rechtliche Regelung der Devisenkontrolle in der Fassung der Ley organica Nr. 10 vom 16. August 1983 vorgesehen sei.“ [Hervorhebungen durch den Verfasser]; ähnlich die Formulierung in EuGH vom 23.2.1995, verb. Rs. C-358/93, C-416/93 „*Bordessa*“, Slg. 1995, I-361 (Rn. 5).

[497] BGH vom 26.4.1990, 4 StR 24/90, BGHSt 37, 21 (24).

[498] Vgl. EuGH „*Placanica*“ (Rn. 69 f.), sowie (Leitsatz 3): „Die Art. 43 EG und 49 EG sind dahin auszulegen, dass sie einer nationalen Regelung, die für das Sammeln von Wetten ohne die nach dem nationalen Recht erforderliche Konzession oder polizeiliche Genehmigung eine strafrechtliche Sanktion vorsieht, dann entgegenstehen, *wenn sich diese die Konzessionen oder Genehmigungen deshalb nicht beschaffen konnten, weil der betreffende Mitgliedstaat es unter Verstoß gegen das Gemeinschaftsrecht abgelehnt hatte, sie ihnen zu erteilen.* Für das Strafrecht sind zwar grundsätzlich die Mitgliedstaaten zuständig, jedoch setzt das Gemeinschaftsrecht dieser Zuständigkeit Schranken. *Das Strafrecht darf nämlich nicht die durch das Gemeinschaftsrecht garantierten Grundfreiheiten beschränken.* Außerdem darf ein *Mitgliedstaat keine strafrechtlichen Sanktionen wegen einer nicht erfüllten Verwaltungsformalität verhängen, wenn er die Erfüllung dieser Formalität unter Verstoß gegen das Gemeinschaftsrecht abgelehnt oder vereitelt hat.*“ [Hervorhebungen durch den Verfasser].

[499] Vgl. EuGH „*Griechischer Mais*“ (Rn. 10, 14, 17 f.).

[500] Krit. *Jahn*, NJW 2008, 1788 (1789).

des nationalen Rechts für diese Ausnahme (entsprechend Art. 28 ff. EGV) existiert.[501]

Beispielhaft für diese Kategorie lassen sich die Entscheidungen *Cowan / Trésor Public* oder *Donatella Calfa* anführen. In der Rs. *Cowan / Trésor Public* ging es um die Anwendbarkeit des Diskriminierungsverbots (Art. 12 EGV) im französischen Strafprozessrecht. Dem Beklagten wurde es als EU-Inländer verwehrt, eine Entschädigung geltend zu machen, die französische Staatsangehörige im Fall einer unrechtmäßigen Anklage beanspruchen können. Der EuGH stellte fest, dass eine Diskriminierung von EU-Bürgern auch dann nicht zulässig sei, wenn sie auf einer Norm des nationalen Strafprozessrechts beruhe.[502] Im Fall *Donatella Calfa* ging es um eine Sanktion des griechischen Rechts, die ausländische Straftäter mit einem lebenslangen Einreiseverbot belegte. Diese Regelung verstieß u.a. gegen die Freizügigkeit.[503]

Diese Fallgruppe beruht auf dem Vorrang des Gemeinschaftsrechts im Geltungsbereich der Grundfreiheiten und des Diskriminierungsverbots.[504] Außerhalb dieser beiden Fallgruppen kommt der EG jedoch keine Kompetenz zu, negativen Einfluss auf das nationale Strafrecht auszuüben.[505] Insoweit gilt der Grundsatz, dass das Strafrecht und das Strafprozessrecht nicht in die Zuständigkeit der Gemeinschaft fallen.

bb) Bereiche zulässigen positiven Einflusses auf nationales Strafrecht

Beim positiven Einfluss des EG-Rechts auf das nationale Strafrecht ist die – oben bereits angesprochene – Fallgruppe des akzessorischen Einflusses auf das nationale Strafrecht als zulässige Ausnahme von dem Grundsatz anzusehen. Hiervon zu trennen ist der originäre (positive) Einfluss auf das nationale Strafrecht.[506]

---

501 Für ein „europafestes Kriminalstrafrecht" wohl *Schünemann*, GA 2002, 500 (501); für einen entsprechenden Grundsatz im Regelungsbereich der nationalen Streitkräfte *Köster/ Schröder*, NJW 2001, 273; die Bundesregierung im Fall *Tanja Kreil*, vgl. EuGH vom 11.1.2000, Rs. C-285/98, Slg. 2000, I-69 (Rn. 12); vgl. hierzu ferner *Manacorda*, in: FS-Tiedemann, S. 1385; zur Vergleichbarkeit dieser Fälle vgl. unten § 7 III.4.b).

502 EuGH vom 2.2.1989, Rs. C-186/87„*Cowan / Trésor Public*", Slg. 1989, 185 (Rn. 18).

503 EuGH vom 19.1.1999, Rs. C-348/96 „*Donatella Calfa*", Slg. 1999, I-11 (Rn. 6 f.).

504 Unstr. vgl. *Stromayr*, Kompetenzkollisionen, S. 213.

505 Dies betrifft nicht Regelungen, die freiwillig durch die Mitgliedstaaten mit Mitteln des Strafrechts umgesetzt wurden. In Deutschland gehen z.B. die strafbewehrten Verbote des Insiderhandels (§ 14 WpHG i.V.m. § 38 WpHG) und der Marktmanipulation (§ 20 a i.V.m. § 38 i.V.m. § 39 WpHG) auf die Umsetzung der Marktmissbrauchs-RL 2003/6/EG zurück, vgl. hierzu *Diehm*, wistra 2006, 366 (367 Fn. 22 m.w.N.). Werden in späteren Regelungen der EG Veränderungen an den Vorgaben vorgenommen – wie z.B. durch die safe-harbor VO 2273/2003 –, die sich gerade auch auf die Vorschriften beziehen, die mittels Strafrecht umgesetzt wurden, ist die Art der Vorgabe entscheidend; vgl. hierzu *Diehm*, wistra 2006, 366 (367 f.).

506 Hinsichtlich der akzessorischen Kompetenz vgl. oben § 4 II.1.b).

Über diese Kategorie wird im Wesentlichen gestritten, wenn es darum geht, ob der EG eine strafrechtliche Kompetenz zusteht.[507]

cc) Zwischenergebnis

Der Grundsatz, dass das Strafrecht und das Strafprozessrecht nicht in die Zuständigkeit der EG fallen, lässt nur wenige Ausnahmen zu. Insbesondere der Bereich der originären positiven Einflussnahme des europäischen Rechts auf das nationale Strafrecht ist, bis auf die akzessorischen Kompetenzen, strittig geblieben. Jenem Bereich gehören auch die Urteile *C-176/03* und *C-440/05* an. Ihre Zulässigkeit muss deshalb im Weiteren näher untersucht werden.

b) Streitige Grundpositionen der Literatur

Es soll nun kurz skizziert werden, auf welche unterschiedlichen Standpunkte sich die Argumente, die später im Einzelnen dargestellt werden, zurückführen lassen.

Uneinigkeit besteht im Grunde über das notwendige Maß an textlicher Verankerung einer (originären) EG-Strafrechtskompetenz. Da der Bezug einzelner Sachzuweisungen zu bestimmten Rechtsgebieten bis heute nicht vollständig geklärt ist, wird nach wie vor darüber debattiert, ob jede originäre strafrechtliche Kompetenz der EG einen Anhaltspunkt im Wortlaut einer Ermächtigungskompetenz erfordert oder nicht. Dieser Streit beruht auf den unterschiedlichen Arten, wie zwei Leitgedanken des europäischen Strafrechts miteinander in Einklang gebracht werden. Der erste Gedanke ist das Prinzip der begrenzten Einzelermächtigung, der zweite die (große) Bedeutung des Strafrechts für die nationale Souveränität. Je nachdem welcher Stellenwert beiden eingeräumt wird, ergibt sich eine Vielzahl an Möglichkeiten, welche Einflüsse des europäischen Rechts auf das nationale Strafrecht zulässig sind.[508]

Das Meinungsspektrum kann man im Prinzip an zwei entgegengesetzten Grundannahmen aufzeigen. Eine Seite legt den Gedanken zugrunde, dass das Kriminalstrafrecht (stets) eine eigenständige Regelungsmaterie darstelle und dies auch bei

---

[507] Diese Bedenken betreffen alle Regelungsbereiche des EG-Vertrags. Beispiel hierfür ist die seit Langem anhaltende Diskussion über die Rechtsnatur der Bußgeldkompetenz der EG-Kommission in Wettbewerbssachen. Obwohl viele Anzeichen dafür sprechen, dass es sich um eine Sanktionskompetenz strafrechtlicher Natur handelt, wurde dieser Begriff beim Erlass der neuen VO gemieden. So enthält Art. 22 Abs. 4 VO 1017/68 oder Art. 19 Abs. 4 VO 4045/86 oder Art. 12 Abs. 4 VO 3975/87 die verschleiernde Klarstellung, dass Geldbußen auf Grundlage des Art. 83 Abs. 2 lit a) EGV Sanktionen „nicht-strafrechtlicher Art“ sind; krit. *Schwarze*, EuZW 2003, 261.

[508] GA *Mazák* Schlussanträge „*C-440/05*“ (Rn. 67, 69, 72); gegen einen Souveränitätsvorbehalt *Böse*, GA 2006, 211 (212 f.); *Johannes*, ZStW 83 (1971) 531 (543).

den Zuständigkeiten der EG Berücksichtigung finden müsse.[509] Diese Auffassung von Strafrecht hat zur Folge, dass der Erlass jeglicher strafrechtlicher Regelung unter einem (ungeschriebenen) Souveränitätsvorbehalt stünde.[510] Sie argumentieren, dass Strafrecht allgemein als ein kompetenzrechtlich sensibler Bereich der Mitgliedstaaten angesehen werde.[511] Die Ausgestaltung der Strafrechtsordnungen betreffe eine wesentliche Frage der nationalen Souveränität und Identität.[512] Auch der reduzierte Ansatz des EuGH nach Ergehen des Urteils *C-440/05* bliebe unzulässig.[513] Eine strafrechtliche Regelung kann demnach nur erlassen werden, wenn sich hierfür eine hinreichende textliche Grundlage in einer Kompetenznorm findet.[514]

Die Gegenposition, insbesondere die sogenannte *Akzessorietätslösung*, hält es für zulässig, die Funktion des Strafrechts darauf zu reduzieren, vergemeinschaftete Regelungsgebiete zur effektiven Geltung zu verhelfen.[515] Der EU sei es infolge der autonomen Interpretation des Gemeinschaftsrechts – in gewissem Maße – erlaubt, eine strafrechtliche Zuständigkeit aus einer Sachkompetenz der EG abzuleiten.[516] Der Grundsatz des *nulla poena sine lege parlamentaria* werde hierdurch nicht verletzt, solange die EG lediglich eine strafrechtliche Anweisungskompetenz in Anspruch nehme. Für diese beschränkte Befugnis benötige die EG keine explizite strafrechtliche Kompetenzzuweisung.[517] Die Entscheidungen *C-176/03* und *C-440/05* werden von vielen als eine Positionierung des EuGH im Sinne der *Akzessorietätslösung* aufgefasst.[518]

---

509 *P.A. Albrecht* ZRP 2004, 1 (2); *Braum*, Europäische Strafgesetzlichkeit, S. 381 ff.; *Cesoni*, Journal des tribunaux 2006, 365 (370, 372 f.); *Kaifa-Gbandi*, ZIS 2006, 521 (524); *Sugmann-Stubbs/Jager*, KritV 2008, 57 (65 f., 71); in diese Richtung auch *Hefendehl*, ZIS 2006, 161 (163, Fn. 19).

510 *Heger*, JZ 2006, 310 (313); *Rosenau*, ZIS 2008, 9 (15); siehe hierzu § 4 III.2., 3.

511 *Argyropoulos*, KritV 1999, 201 (205); *Broussy/Donnat/Lambert*, AJDA 2007, 2251 (2252); *Sieber* ZRP 2000, 186 (191); *Weigend* JuS 2000, 105 (110); krit. *Johannes*, ZStW 83 (1971), 531 (543, 550 ff.).

512 *P.A. Albrecht* ZRP 2004, 1 (2); *Broussy/Donnat/Lambert*, AJDA 2007, 2251 (2252); *Dannecker*, Jura 1998, 79 (87); *Hefendehl*, ZIS 2006, 161 (167); *Johannes*, ZStW 83 (1971), 531 (542); *Jung*, JuS 2000, 417 (421); *Otto*, Jura 2000, 98; *Satzger*, Europäisierung, S. 159 ff.; weniger krit. *Crosby*, Journal of European Criminal Law 2006, 11 ff.; *Herlin-Karnell*, European Public Law 2007, 69 (71 ff.).

513 *Schünemann*, KritV 2008, 7 (11).

514 A.A. *Hugger*, Strafrechtliche Anweisungen, S. 59 ff.

515 *White*, E.L.Rev. 2006, 81 (90 f.); krit. *Cesoni*, Journal des tribunaux 2006, 365 (372).

516 Bundesregierung, BR-Drs. 895/05 vom 14.12.2005 Rn. 6 ff., 8; *Hugger*, Strafrechtliche Anweisungen, S. 62 ff.; *Kubiciel*, NStZ 2007, 136 (137); *Moal-Nuyts*, Revue de droit international et de droit comparé 2006, 249 (265 f.); *Weiß*, ZEuS 2006, 381 (411 ff.).

517 Hierzu sogleich § 4 III.3.

518 *Moal-Nuyts*, Revue de droit international et de droit comparé 2006, 249 (264 f., 268); insbesondere auch die nationalen Parlamente hatten Vorbehalte gegen die extensive Sichtweise der Kommission, die in KOM(2005) 583 endg. zum Ausdruck kam; hierzu *Comte*, Revue du droit de l'Union Européenne 2006, 131 (143 ff., 146); vgl. ferner die

2. Das Strafrecht ist ausschließlich der 3. Säule (PJZS) zugewiesen

Aus dem Verhältnis der 1. zur 3. Säule wird ein Argument gegen eine strafrechtliche Kompetenz der EG abgeleitet.[519] Die systematische Auslegung der Verträge von Rom, Maastricht und insbesondere von Amsterdam belege, dass das Strafrecht nach dem Willen der Mitgliedstaaten ausschließlich der supranationalen 3. Säule (PJZS) angehören sollte.[520] Bei der Abfassung des Amsterdamer Vertrags hätten die Mitgliedstaaten viel Sorgfalt darauf verwandt, den Eindruck zu vermeiden, dass Strafrecht ein Regelungsgegenstand der EG sei.[521] Dies ergebe sich neben den Art. 280 Abs. 4 und Art. 135 EGV[522] auch aus Art. 61 lit. a) und e) EGV.[523] Zudem erschließen die strafrechtlichen Kompetenzen der 3. Säule nur ein begrenztes (legislatives) Betätigungsfeld.[524] Sie sind darauf gerichtet, bestimmte Tatbestände des Kriminalstrafrechts angleichen zu können; dies jedoch nur in den drei Bereichen, die Art. 31 lit. e) EUV aufführe, und zwar Terrorismus, organisierte Kriminalität und illegaler Drogenhandel.[525] So kann z.B. Art. 31 lit. c) nicht als strafrechtliche Kompetenzgrundlage herangezogen werden, da dies gegen den Sinnzusammenhang und klaren Wortlaut von Art. 29 Spiegelstrich 3 i.V.m. Art. 31 lit. e) EUV verstoße.[526]

Hiergegen wird vorgebracht, dass durch die Zuteilung strafrechtlicher Kompetenzen in der 3. Säule kein Ausschließlichkeitsverhältnis begründet werden soll-

---

Stellungnahme des Bundesrates vom 10.2.2006 BR-Drs. 895/05; die Resolution der Assemblée Nationale vom 29.3.2006, texte adopté n° 569, sowie den Rapport d'information n° 2829 vom 25.1.2006 S. 13 f. und den Rapport d'information n° 2968 vom 20.3.2006 der Assemblée Nationale.

519 *Kaiafa-Gbandi*, ZIS 2006, 521 (524); ebenso *Pohl*, ZIS 2006, 213 (219 f.); *Ambos*, Internationales Strafrecht, § 11 Rn. 10; *Flore* (Hrsg.), Actualités de droit pénal européen, S. 5 (6).

520 *Schünemann*, KritV 2008, 6 (9); *Flore* (Hrsg.), Actualités de droit pénal européen, S. 5 (6); *Kaiafa-Gbandi*, ZIS 2006, 521 (524); *Satzger*, KritV 2008, 17 (22); *Schröder*, Europäische Richtlinien, S. 139 ff., 142 folgert aus einer Analyse der ex-Art. K 1 ff. EUV [Art. 29 ff. EUV] im Zusammenhang mit ex-Art. 209a EGV [Art. 280 EGV], dass die Mitgliedstaaten der EG keine strafrechtlichen Kompetenzen verleihen wollten. Als Beispiel zieht er hierfür das Übereinkommen über den Schutz der finanziellen Interessen der EG heran. Die im Rahmen der EG erlassene VO 2988/95 (EG) widme sich nur den außerstrafrechtlichen Sanktionen, wohingegen das die strafrechtlichen Regelungen enthaltende Übereinkommen gemäß Art. K 1 ff. EUV verabschiedet wurde; vgl. § 4 I.2., 3.

521 *Satzger*, Europäisches Strafrecht, § 7 Rn. 29; *Schröder*, Europäische Richtlinien, S. 145; *Cesoni*, Journal des tribunaux 2006, 365 (370).

522 Hierzu oben § 4 I.3.

523 *Schröder*, Europäische Richtlinien, S. 153 f.; *Braum*, JZ 2000, 493 (500); *ders.*, Europäische Strafgesetzlichkeit, S. 405 ff.

524 *Cesoni*, Journal des tribunaux 2006, 365 (371); *Weiß*, ZEuS 2006, 381 (401); GA *Bot* Schlussanträge „*Vorratsdatenspeicherung*" (Rn. 100).

525 *Cesoni*, Journal des tribunaux 2006, 365 (371 f.).

526 *Bellescize*, Recueil Dalloz 2005, 2697; *Cesoni*, Journal des tribunaux 2006, 365 (372).

te.[527] Die vorgenommene Aufteilung habe das Strafrecht nur im Wesentlichen, nicht jedoch ausschließlich in der 3. Säule ansiedeln wollen.[528] Hierfür wird insbesondere der Wortlaut von Art. 29 Satz 1 EUV angeführt, der die Kompetenz „unbeschadet der Befugnisse der Europäischen Gemeinschaft" zuspreche.[529] Das Strafrecht der 1. Säule ergänze deshalb das Strafrecht der 3. Säule.[530] Dies sei keine Neuerung des Urteils *C-176/03*.[531]

Aus dem Schweigen der Gründungsverträge lässt sich m.E. jedoch ein Rückschluss ziehen, wenn man es im Zusammenhang mit der Rechtspraxis betrachtet. Letztere spricht für eine ausschließliche Zuordnung der strafrechtlichen Kompetenzen im Bereich der PJZS. Vor Ergehen der Entscheidung Rs. *C-176/03* haben die Mitgliedstaaten sorgfältig vermieden, Präzedenzfälle zu schaffen, aus denen sich eine allgemeine strafrechtliche Kompetenz der EG ableiten ließe.[532]

Auch mögliche ungeschriebene bzw. implizite strafrechtliche Kompetenzen im Rahmen der 1. Säule haben sie stets negiert. Selbst in Zeiten – wie nach den Anschlägen des 11. September 2001 – in denen die Mitgliedstaaten bereitwillig die Mittel des Strafrechts in vielen Sachmaterien einsetzten, beschränkte sich die Verwendung strafrechtlicher Mittel auf die 3. Säule.[533]

Bisherige Kommissionsvorschläge, durch die neue strafrechtliche Regelungen eingeführt werden sollten, wurden stets so abgeändert, dass sie ohne verbindliche strafrechtliche (Neu-)Regelungen verabschiedet wurden.[534] Auch das Verhalten der Mitgliedstaaten nach Ergehen des Urteils *C-176/03* spricht gegen eine parallele Zuständigkeit des EG-Vertrags in Strafsachen. Weder hat der Rat bislang – unter Beachtung der neuen Kompetenzregeln – eines der für nichtig erklärten Vorhaben

---

527 EuGH „*C-176/03*" (Rn. 38).

528 *Dannecker*, JZ 1996, 869 (878 f.); *Eisele*, JZ 2001, 1157 (1159); *Heger*, JZ 2006, 310 (312); *Hugger*, Strafrechtliche Anweisungen, S. 59 ff.; *Tiedemann*, AGON Nr. 17 1997, 12 f.; eine differenzierte Auffassung vertreten *Böse*, in: Schwarze (Hrsg.), EU-Kommentar, Art. 29 EUV Rn. 9; *ders.*, GA 2006, 211 (222); sowie *Satzger*, in: Streinz (Hrsg.), EU-Kommentar, Art. 29 EUV Rn. 18; *Vogel*, GA 2003, 314 (321 Fn. 30).

529 EuGH „*C-440/05*" (Rn. 52); *Böse*, GA 2006, 211 (215); *Fromm*, Der strafrechtliche Schutz, S. 177, 182 f.

530 *Crosby*, Journal of European Criminal Law 2006, 11 (12); a.A. *Schünemann*, GA 2002, 501 (503 f.).

531 GA *Colomer* Schlussanträge „*C-176/03*" (Rn. 80 ff.); *Vogel*, GA 2003, 314 (321 Fn. 30), der zwischen unionsrechtlichen Querschnittsmaterien und gemeinschaftsrechtlichen Annexkompetenzen unterscheidet.

532 Die drei Richtlinien, die GA *Colomer* in seinen Schlussanträgen „*C-176/03*" (Rn. 40 ff.) auflistet, belegen diese These, da in diesen gerade keine strafrechtlichen Verpflichtungen enthalten sind. Insbesondere die in Fn. 42 zitierte Richtlinie 2002/90/EG des Rates vom 28.11.2002 zur Definition der Beihilfe zur unerlaubten Ein- und Durchreise und zum unerlaubten Aufenthalt,. L 328, S. 17, hat die strafrechtlichen Regelungen in einem korrelierenden Rahmenbeschluss ausgelagert, wie auch GA *Colomer*, a.a.O., zugesteht.

533 Vgl. *Bartelt/Zeitler*, EuZW 2003, 712 (712, 713 f.); *Saurer*, NVwZ 2005, 275 (281); *Stiebig*, EuR 2005, 466 (490) m.w.N.

534 Vgl. *Sieber*, ZStW 103 (1991), 957 (965 f.); ferner unten § 4 III.6.

erlassen[535] noch wurden angekündigte Projekte wie der RL-Vorschlag KOM(2006) 168 endg. verabschiedet.[536]

3. Notwendigkeit einer expliziten Ermächtigungsgrundlage im EG-Vertrag

Gegen die Akzessorietätslösung wird angeführt, dass sie dem Prinzip der Gesetzmäßigkeit des Strafrechts zuwiderlaufe. Dieses Prinzip sei fester Bestandteil der mitgliedstaatlichen Verfassungen und eines der Grundprinzipien des Gemeinschaftsrechts.[537] Es vertraue den nationalen Gesetzgebern die Zuständigkeit in Fragen der strafrechtlichen Tatbestandsmerkmale und Sanktionstypen an. Dabei handele es sich um die demokratisch-rechtsstaatliche Dimension des *nulla poena sine lege*-Prinzips.[538] Seine Bedeutung für die nationale Souveränität beruhe darauf, dass der Nationalstaat einer besonderen Legitimierung bedürfe, um einen solchen staatlichen Eingriff vornehmen zu können, da Strafrecht wie kein anderes Mittel des Staates geeignet sei, die persönliche Freiheit des Individuums einzuschränken.[539] Der Staat habe zugleich über die Einhaltung dieses Prinzips zu wachen. Diese Wächterfunktion der nationalen Gesetzgeber führe dazu, dass jede einzelne Abweichung davon explizit geregelt sein müsse.[540] Das Prinzip der Gesetzmäßigkeit des Strafrechts hat zwei Facetten, die im Nachfolgenden getrennt untersucht werden. Man kann zwischen der formellen und der materiellen Legitimation unterscheiden.

a) Fehlende formell-demokratische Legitimation zum Erlass strafrechtlichen Sekundärrechts?

Die formellen Anforderungen des Prinzips betreffen die Frage, ob die EG-Kompetenzen hinreichend bestimmt sind, um auf sie gestützt strafrechtliche Regelungen erlassen zu können.

---

535 Der Vorschlag für eine Richtlinie des Europäischen Parlaments und des Rates über den strafrechtlichen Schutz der Umwelt KOM(2007) 51 endg. vom 9.2.2007, der infolge der Entscheidung *C-176/03* von der Kommission erarbeitet wurde, ist bislang nicht vom Rat verabschiedet worden; vgl. die Pressemeldung des Rates vom 21.5.2008, 9676/08 (Presse 136). Vgl. hinsichtlich des Verfahrens KOM(2007) 51 endg., Dokumentennummer 2007/0022 (COD) den Gang des Verfahrens unter http://www.europarl.europa.eu/oeil/FindByProcnum.do?lang=2&procnum=COD/2007/0022 [letzter Zugriff: 26.10.2009].

536 Vgl. zum Verfahrensstand http://www.europarl.europa.eu/oeil/FindByProcnum.do?lang=2&procnum=COD/2005/0127 [letzter Zugriff: 26.10.2009].

537 EuGH vom 22.11.2005, Rs. C-384/02 „*Grøngaard*“ Slg. 2005, I-9939 (Rn. 28); EuGH vom 12.12.1996, verb. Rs. C-74/95 und C-129/95 „*Bildschirmrichtlinie*“, Slg. I-1996, 6609.

538 *Roxin*, AT I § 5 Rn. 20.

539 *Hefendehl*, ZIS 2006, 161 (167); Schlussanträge GA *Mazák* „*C-440/05*“ (Rn. 68).

540 *P.A. Albrecht* ZRP 2004, 1 (2); *Spannowsky*, JZ 1994, 326 (333); *Weigend*, ZStW 105 (1993), 774 (779); *Zuleeg*, JZ 1992, 761 (766).

Zum Teil wird an dieser Stelle mit einer Analogie zum bundesdeutschen Art. 80 Abs. 1 GG argumentiert.[541] Dieser regelt die Möglichkeit der Delegation von Rechtsetzungsbefugnissen an nicht (unmittelbar) demokratisch legitimierte innerstaatliche Institutionen. Die Anforderungen an die Kompetenznormen des EG-Vertrags seien der Ausgangslage des Art. 80 Abs. 1 GG vergleichbar, da auch sie Ausnahmen von der Allzuständigkeit des demokratisch legitimierten nationalen Gesetzgebers seien. Im Rahmen von Art. 80 GG legt das BVerfG einen restriktiven Maßstab an, wenn strafrechtliche Rechtsetzung delegiert wird.[542] Diesen Anforderungen genügten die europäischen Kompetenznormen nicht. Ihnen fehle die notwendige Präzision, um als Grundlage für strafrechtliche Regelungen dienen zu können, jedenfalls wenn hierdurch supranationale Strafrechtsetzung erfolgen solle.[543]

Das Argument einer fehlenden formell-demokratischen Legitimation zum Erlass strafrechtlicher Regelungen überzeugt m.E. jedoch nicht.[544] Im europäischen Vergleich ist der deutsche Maßstab des Art. 80 GG sehr eng bemessen.[545] Dies zeigt ein Vergleich mit der französischen[546] und der englischen[547] Ausprägung des Parlamentsvorbehalts in Strafsachen. Zwar ist wahrscheinlich, dass der EuGH das Postulat eines „allgemeinen Rechtsgrundsatzes des strafrechtlichen Gesetzesvorbehalts“ auf europäischer Ebene anerkennen wird.[548] Ob der europarechtlich anzulegende Maßstab sich allerdings streng an der engen deutschen Ausprägung dieses Prinzips orientieren wird, erscheint nicht selbstverständlich. Ferner ist zu berücksichtigen, dass die Kompetenzübertragung im Rahmen von Art. 80 GG nach anderen Maßstäben erfolgt ist als die Ausgestaltung von Art. 23 GG.[549] Die Zuweisun-

---

[541] Art. 80 Abs. 1 GG: Durch Gesetz können die Bundesregierung, ein Bundesminister oder die Landesregierungen ermächtigt werden, Rechtsverordnungen zu erlassen. Dabei müssen Inhalt, Zweck und Ausmaß der erteilten Ermächtigung im Gesetze bestimmt werden. Die Rechtsgrundlage ist in der Verordnung anzugeben. Ist durch Gesetz vorgesehen, dass eine Ermächtigung weiter übertragen werden kann, so bedarf es zur Übertragung der Ermächtigung einer Rechtsverordnung.

[542] *Vogel,* Kompetenz zur Einführung supranationaler Sanktionen, S. 170 (182 f.).

[543] *Sieber*, ZStW 103 (1991), 957 (969 f.); *ders.*, Madrid-Symposium, S. 349 (357 f.).

[544] *Appel*, Kompetenzen der EG, S. 165 (184 ff.); *Böse*, Strafen und Sanktionen, S. 91 f.; *Pache*, Finanzielle Interessen der EG, S. 323, 325; *Wegener/Greenawalt*, ZUR 2005, 585 (586) in diesem Zusammenhang: „[…] haben sich […] auch Elemente einer Lehre entwickelt, die bei europarechtlicher Betrachtung kaum nachvollziehbar erscheinen.“

[545] *Gröblinghoff*, Schutz der Interessen der EG, S. 121 ff., 125; *Satzger*, Europäisierung, S. 129; *Weiß*, ZEuS 2006, 381 (408).

[546] *Gröblinghoff*, Schutz der Interessen der EG, S. 123.

[547] *Gröblinghoff*, Schutz der Interessen der EG, S. 124.

[548] *Gröblinghoff*, Schutz der Interessen der EG, S. 115 ff., 125; siehe hierzu auch *Satzger*, Europäisierung, S. 128.

[549] In Deutschland ist dies durch Art. 23 EGV geschehen, in der französischen Verfassung sind die Kompetenzen der EG einzeln in der Verfassung verankert, eine pauschale Ermächtigung wie in Deutschland hat hier nicht stattgefunden, vgl. Conseil Constitutionnel, Entscheidung vom 19.11.2004 No. 2004-505 DC (Erwägungsgrund 27).

gen an die EG enthalten eine dynamische Komponente, welche Art. 80 GG fehlt.[550] Sie umfassen zudem Ermächtigungen, die inhaltlich weiter gefasst sind. Zugleich haben die demokratisch legitimierten Parlamente, die den jeweiligen Änderungen der Gründungsverträge zugestimmt haben, eine verfahrensrechtliche (demokratische) Absicherung, wie dies in Art. 80 Abs. 1 GG vorgenommen ist, nicht für notwendig erachtet.[551]

Formell-demokratische Defizite, die es der EG untersagen würden, die Kompetenznormen der EG zum Erlass strafrechtlicher Vorschriften heranzuziehen, können nicht festgestellt werden.

b) Fehlende materiell-demokratische Legitimation zum Erlass strafrechtlichen Sekundärrechts?

Überwiegend wird jedoch die fehlende materiell-demokratische Legitimation der EG angezweifelt.[552] Nicht die *formale* demokratische Struktur der EG (d.h. welches Organ ist wie am Normerlass beteiligt ist), sondern die fehlende demokratische Infrastruktur der EG sei problematisch, wenn die EG strafrechtliche Regelungen erlasse.[553] Diese Kritik richtet sich gegen die fehlende Möglichkeit der Bürger, sich in den demokratischen Meinungsbildungsprozess der EG-Organe einzubringen.[554]

Diese Bedenken resultieren aus dem *nulla poena sine lege parlamentaria*-Satz.[555] Materiell-demokratischer Einfluss sei notwendig, um eine Norm des Strafrechts zu befähigen, ein (gesamt-)gesellschaftliches Unwerturteil über einen Einzelnen aussprechen zu können. Das die Strafbarkeit begründende Gesetz bedürfe einer gesellschaftlichen Einflussnahme, um diese gesellschaftliche Missbilligung ausdrücken zu können.[556] Eine strafrichterliche Verurteilung, die auf ein Gesetz ohne demokratische Legitimation zurückgehe, sei aus Sicht des Betroffenen ein

---

550 Zust. *Kubiciel*, NStZ 2007, 136 (137).

551 Im Ergebnis zust. *Gröblinghoff*, Schutz der Interessen der EG, S. 125.

552 Hierzu *Kubiciel*, NStZ 2007, 136 (139 f.); a.A. *Satzger*, Journal for European Criminal Law 2006, S. 27 (34), *Weiß*, ZEuS 2006, 381 (408).

553 *Schröder*, Europäische Richtlinien, S. 131 zitiert hier u.a. folgende Passage aus dem Maastricht-Urteil des BVerfG [BVerfGE 89, 155 (185)]: „[...] Eine solche [demokratische] Entwicklung [der EU] hängt nicht zuletzt davon ab, dass die Ziele der Gemeinschaftsorgane und die Abläufe ihrer Entscheidungen in die Nationen vermittelt werden. Parteien, Verbände, Presse und Rundfunk sind sowohl Medium als auch Faktor dieses Vermittlungsprozesses, aus dem heraus sich eine öffentliche Meinung zu bilden vermag [...].“; ebenso *Fromm*, eucrim 2006, 104 (106 f.); krit. *Schröder*, Europäische Richtlinien, S. 173 hinsichtlich der vorbehaltlosen Übertragbarkeit auf die europäische Ebene, da sich der Inhalt solcher Begriffe bei der Übertragung auf die gemeinschaftsrechtliche Ebene verändere.

554 Krit. *Schröder*, Europäische Richtlinien, S. 128 ff., S. 133 f.

555 Hierzu *Sieber*, ZStW 103 (1991), 957 (970 ff.).

556 *Schröder*, Europäische Richtlinien, S. 125 f.

Akt der Willkür. Seine Autorität beruhe lediglich auf dem Richterspruch,[557] was aber nicht ausreiche, um eine hinreichende Akzeptanz eines Strafurteils in der Gesellschaft zu bewirken.

Die Beteiligung des Europäischen Parlaments sei kein Äquivalent zur demokratischen Legitimation, welche die nationalen Parlamente gewährleisteten.[558] Es fehlten vielmehr die materiell-demokratischen Begleitumstände, die den innerstaatlichen Gesetzgebungsakt erst zu einem wirklich demokratischen Meinungsbildungsprozess werden lassen.[559] Diese für eine Demokratie maßgeblichen und konstitutiven Umstände seien: die Öffentlichkeit des staatlichen Rechtsetzungsverfahrens, die demokratische Diskussion und Einflussnahme ermögliche; das Vorhandensein von Parteien, in denen ein politischer Wille gebildet und über die Gremien in die Parteispitzen getragen werde; ferner müsse es möglich sein, mit der Wahl eine Richtungsentscheidung für die Politik vorzunehmen.[560] Die Beteiligung des EP könne ein fehlendes Letztentscheidungsrecht des nationalen Parlaments nicht ersetzen. Dieses Letztentscheidungsrecht sei verletzt, wenn der Entscheidungsspielraum so stark eingeengt werde, dass das Parlament nicht mehr frei über eine Strafbarkeit entscheiden könne, sondern zum „Brüsseler Lakai" verkomme.[561] Das Demokratieprinzip mache es erforderlich, den nationalen Parlamenten die „Letztentscheidung" vorzubehalten.[562] Von der h.L. wird dies insbesondere als Kritik gegen eine supranationale Strafrechtskompetenz der EG angeführt.

M.E. spricht dies jedoch bereits gegen jegliche Einflussnahme der EG auf das nationale Strafrecht, d.h. auch wenn durch die EG nur – wie dies Folge der Entscheidung Rs. *C-440/05* wäre – vorgegeben wird, dass eine Umsetzung einer Richtlinie durch Mittel des Strafrechts zu erfolgen habe. Bereits dann ist die nationale

---

557 *Schröder*, Europäische Richtlinien, S. 127, 132.

558 Schröder, Europäische Richtlinien, S. 129 f.; in dieselbe Richtung *Fromm*, eucrim 2006, 104 (106): „[…] Demokratische Überlegungen zwingen dazu, von *einem allgemeinen Rechtsgrundsatz des Gemeinschaftsrechts des Inhalts auszugehen, dass mit der zunehmenden Intensität eines Rechtsaktes auch das Ausmaß der demokratischen Legitimierung zuzunehmen hat.* Für eine Kompetenz zur Normierung von Kriminalstrafrecht und damit von Bestimmungen, die die Spitze der Eingriffsschwere darstellen, hat dies unmittelbar zur Folge, dass nur ein die europäischen Bürger unmittelbar repräsentierendes, selbst den Grunderfordernissen der Demokratie gehorchendes Organ befugt sein kann, dahin gehende Rechtsakte zu statuieren. Es besteht also ein ungeschriebener „nulla poena sine lege parlamentaria"-Grundsatz mit dem Inhalt, dass Kriminalstrafgesetze nur durch ein Gesetz des Parlaments selbst, oder nachdem dasselbe im Vorhinein inhaltlich ausreichend darauf einwirken konnte, beschlossen werden dürfen. […]" [Hervorhebungen durch den Verfasser]; a.A. *Kubiciel*, NStZ 2007, 136 (140).

559 *Schröder*, Europäische Richtlinien, S. 130.

560 *Schröder*, Europäische Richtlinien, S. 133 f.

561 *Schünemann*, StV 2003, 531 (533).

562 Zust. *Hefendehl*, ZIS 2006, 161 (167); *Heger*, JZ 2006, 310 (313); a.A. *Wegener/ Greenawalt*, ZUR 2005, 585 (587).

Legislative nicht mehr frei in ihrer Entscheidung, ob sie ein Verhalten gesellschaftlich missbilligen will oder nicht.[563]

c) *Stellungnahme*

Die ganz h.M. unterscheidet zwischen zulässiger Harmonisierung nationalen Strafrechts und unzulässigem Erlass supranationalen Strafrechts. Dies begründet sie primär damit, dass Strafrechtsangleichung (mittels RL) hinreichend demokratisch legitimiert sei, nicht hingegen die unmittelbare Strafrechtsetzung (durch VO).[564] Ihr Hauptkriterium ist das Prinzip des *nulla poena sine lege parlamentaria*, das der Kompetenzordnung der EG dieses Differenzierungskriterium aufzwinge.

aa) Kompetenzbegrenzende Wirkung des *nulla poena sine lege parlamentaria*-Prinzips?

Diese Unterscheidung der überwiegenden Meinung ist jedoch nicht mit der Systematik des EG-Vertrags vereinbar. Die Kompetenzordnung des EG-Vertrags kennt nicht die Unterscheidung, dass der EG je nach Art des gewählten Verfahrens – eine Kompetenz zusteht oder nicht.[565] Die Legitimität der Rechtsetzung der EG kennt auch keinen variablen Maßstab, der je nach betroffenem Politikbereich variiert.[566] Es ist deshalb zweifelhaft, ob der EuGH bzw. die EG einen gesonderten Maßstab für den Erlass strafrechtlicher Rechtsakte anlegen würde.[567] Der EG-Vertrag liefert hierfür jedenfalls keine Anhaltspunkte. Auch im Rahmen der 3. Säule haben die strafrechtlichen Zuständigkeiten der PJZS derzeit keine verfahrensrechtliche Sonderstellung im Vergleich zu anderen Sachkompetenzen.[568] Der

---

563 Krit. hinsichtlich jeglicher Einflussnahme auch *Cesoni*, Journal des tribunaux 2006, 365 (369 f.); *Schünemann*, KritV 2008, 6 (11 f.).

564 A.A. *Ohler*, JZ 2006, 359 (361).

565 Krit. auch *Wegener/Greenawalt*, ZUR 2005, 585 (586); *Weiß*, ZEuS 2006, 381 (410, 414 ff.).

566 Zust. *Ohler*, JZ 2006, 359 (361).

567 Als solcher käme z.B. die Grundrechtsintensität des Eingriffs in Betracht, vgl. *Appel*, Kompetenzen der EG, S. 165 (185); *Böse*, Strafen und Sanktionen, S. 91 f.; für einen einheitlichen Maßstab spricht die zu beobachtende Verlagerung punitiver Elemente in andere Rechtsgebiete; vgl. hierzu *Sieber*, ZStW 119 (2007), 1 (34 ff.).

568 In diese Richtung auch *Ohler*, JZ 2006, 359 (361); hierfür kann das Urteil „*Pupino*" angeführt werden, EuGH vom 16.6.2005, Rs. C-105/03, Slg. 2005, I-5285. Dort hatte der EuGH über die Art. 2, 3 und 8 Abs. 4 des Rahmenbeschlusses 2001/200/JI des Rates vom 15.3.2001 über die Stellung des Opfers im Strafprozess zu befinden. Obwohl das Gericht sich hier mit einer Frage des Beweisrechts im Strafverfahren beschäftigte und auch eine unmittelbaren Einfluss (in Form der rahmenbeschlusskonformen Auslegung) auf das nationale Strafverfahrensrecht bejahte, äußerte es sich nicht über Bedenken gegen die Legitimität des Erlasses des Rahmenbeschlusses, die sich aus der inhaltlichen Befassung mit (prozessualem) Strafrecht ergeben könnten.

EuGH hat bislang keine Zweifel an der Legitimität des EG-Rechtsetzungsverfahrens anklingen lassen,[569] unabhängig davon, welche Rechtsnatur die Rechtsakte aufwiesen. Eine defizitäre demokratische Legitimation der europäischen Rechtsakte spricht entweder gegen jegliche strafrechtliche Rechtsetzung der EG oder gegen keinen dieser Akte. In diesem Zusammenhang ist jedoch darauf hinzuweisen, dass die Rechtsetzungsverfahren der EG nach allgemeiner Auffassung als hinreichend demokratisch legitimiert gelten, um alle der EG zugewiesenen Sachkompetenzen regeln zu können;[570] eine kumulative Unterscheidung nach Sachgebieten findet sich nicht.[571] Materiell-rechtliche Unterschiede einzelner Sachgebiete machen die vorgesehenen Verfahrensarten nicht teilweise illegitim.[572]

Geht man – wie die h.L. – davon aus, dass Art. 95 EGV die EG befähigt, strafrechtliche Regelungen anzugleichen, ist es konsequent, ihr auch die Wahl zu belassen, ob dies mittels VO oder RL erfolgen soll. Beide Regelungsarten unterliegen dem Mitbestimmungsverfahren des Art. 251 EGV, auf das das EP maßgeblichen Einfluss nimmt. Eine demokratische Legitimation wäre prinzipiell gewährleistet. Es ist keineswegs gewiss, dass der EuGH dem *nulla poena sine lege*-Kriterium entscheidende Bedeutung beimessen würde, wenn ein Rechtsakt im Rahmen des Mitbestimmungsverfahrens (Art. 251 EGV) erlassen würde.[573] Es gibt zahlreiche Argumente, mit denen der EuGH ein Demokratiedefizit eines entsprechenden strafrechtlichen Rechtsaktes verneinen könnte.[574]

Eine entsprechende Beschränkung wird erst mit Einführung des Art. 83 Abs. 2 AEUV erreicht,[575] der die EG darauf beschränkt, beim Erlass strafrechtlicher Regelungen das Mittel der Richtlinie zu verwenden.[576]

Die Unterscheidung der h.L. beruht auf einem Missverständnis der europäischen Kompetenzordnung, insbesondere ihrer begrenzenden Prinzipien (d.h. Subsidiaritäts- und Verhältnismäßigkeitsprinzip).[577] Der EG-Vertrag sieht nicht vor, dass

569 Krit. auch *Schünemann*, KritV 2008, 7 (11); ausführlich *Biervert*, Missbrauch von Handlungsformen, S. 134 ff.

570 *Appel*, Kompetenzen der EG, S. 165 (186); *Wegener/Greenawalt*, ZUR 2005, 585 (587): „demokratisch sicher kaum schlechter legitimiert". *Appel* verweist zum Vergleich auf die unproportionale Sitzverteilung im Bundesrat; a.A. *Schünemann*, GA 2004, 193 (200); zum Vertrag von Lissabon *Papastamkos/Schwab*, EuZW 2008, 161.

571 So hinsichtlich des Strafrechts explizit *Crosby*, Journal of European Criminal Law 2006, 11; ähnlich *Appel*, Kompetenzen der EG, S. 165 (186 f.); *Böse*, Strafen und Sanktionen, S. 91; *Kubiciel*, NStZ 2007, 136 (140).

572 *Crosby*, Journal of European Criminal Law 2006, 11 (14).

573 Vgl. *Weber*, EuZW 2008, 7 (9) *a maiore ad minus*.

574 Hierzu sogleich § 4 III.3.a)bb).

575 Vgl. zur demokratischen Legitimation der EG-Rechtsakte unter Geltung des Reformvertrags von Lissabon *Papastamkos/Schwab*, EuZW 2008, 161; *Weber*, EuZW 2008, 7 (9); *Pernice*, EuZW 2008, 65: „Die Stärkung der Demokratie geht weit über […] Symbolik hinaus" […].

576 *Hatje/Kindt*, NJW 2008, 1761 (1766).

577 Vgl. § 2 I.3.

neben diesen Prinzipien aus anderen Rechtsprinzipien (wie z.B. dem *nulla poena*-Prinzip) ergänzende Restriktionen abgeleitet werden können.[578]

Der EuGH hat allgemeine Rechtsgrundsätze bislang noch in keinem Fall als Grund herangezogen, um einen gemeinschaftsrechtlichen Sekundärrechtsakt für unvereinbar mit EG-Recht zu erklären.[579] Es erscheint nicht ausgeschlossen, dass der EuGH das Mitbestimmungsverfahren des Art. 251 EGV für den Erlass strafrechtlicher Verordnungen ausreichen lässt, auch ohne Beteiligung nationaler Parlamente.[580]

Bei extensiver Auslegung ließe sich eine VO, die im Mitentscheidungsverfahren des Art. 251 EGV verabschiedet wurde, als „europäisches Gesetz" auffassen,[581] auch wenn der EuGH hiervon bislang abgesehen hat.[582] Dass die Mitgliedstaaten vor der für die EuVerf geplanten Umbenennung der VO in „Europäisches Gesetz" beim Aushandeln des Reformvertrags von Lissabon – infolge des unerwünschten Symbolcharakters – zurückschreckten,[583] macht die Bewertung der VO als „Gesetz" nicht unmöglich.

Es überrascht die Selbstverständlichkeit, mit der viele Stellungnahmen eine Differenzierung zulässiger von unzulässiger Strafrechtsetzung der EG maßgeblich von der Wahl des Rechtsetzungsmittels abhängig machen.[584] Eine solche Argumentation ist jedenfalls nicht geeignet, dic gewünschte trennscharfe Abgrenzung zu erzeugen.[585]

bb) Begrenzung auf strafrechtliche Richtlinien kraft Subsidiaritätsprinzips?

Die derzeitige Fassung des EG-Vertrags begrenzt die Kompetenzausübung der EG einzig aufgrund des Subsidiaritäts- oder Verhältnismäßigkeitsprinzips.[586] Innerhalb dieser Institute könnte zwischen (unzulässiger) strafrechtlicher Verordnung

---

578 Vgl. hierzu Schlussanträge GA *Colomer* „*C-176/03*" (Rn. 77), der dieses Prinzip als eigenständig und nicht als Unterfall des Subsidiaritätsprinzips ansieht.

579 Krit. hinsichtlich der kompetenzbegrenzenden Wirkung allgemeiner Rechtsprinzipien auch *Faßbender*, EuZW 2005, 682 f.

580 So explizit *Crosby*, Journal of European Criminal Law 2006, 11 (14); krit. auch *Gröblinghoff*, Schutz der Interessen der EG, S. 125.

581 *Biervert*, in: Schwarze (Hrsg.), EU-Kommentar, Art. 249 EGV Rn. 18.

582 So hat der EuGH ein vergleichbares Instrument [die „allg. Entscheidung"] der EGKS in seinem Zwischenurteil vom 16.7.1956, Rs. 8/55, Slg. 1955/56, S. 199 (227) „*Fédéchar*" als „fast […] Gesetzgebungsakte […], die von einem Träger öffentlicher Gewalt ausgehen und normative Wirkung erga omnes entfalten" bezeichnet.

583 *Richter*, EuZW 2007, 631 (632); *Weber*, EuZW 2008, 7 (12 f.); zur geplanten Regelung des Verfassungsvertrags *Ruffert*, in: Calliess/Ruffert (Hrsg.), EUV/EGV, Art. 249 EGV Rn. 20.

584 *Satzger*, Neue Kriminalpolitik 2007, 93 f.; wie hier *Wegener/Greenawalt*, ZUR 2005, 585 (586 f.).

585 In diese Richtung auch *Appel*, Kompetenzen der EG, S. 165 (186); *Böse*, Strafen und Sanktionen, S. 91 f.

586 Hierzu § 2 I.3.

und (zulässiger) Richtlinie unterschieden werden.[587] Ob sie einen differenzierten Gebrauch der Rechtsetzungsinstrumente „Verordnung" und „Richtlinie" ermöglichen,[588] ist jedoch fraglich.[589] Es fehlt bereits an Anhaltspunkten, wie das Verhältnismäßigkeitsprinzip bei der Rechtsformenwahl berücksichtigt werden kann.

Demnach verbliebe nur das Subsidiaritätsprinzip als beschränkendes Korrektiv einer strafrechtlichen Kompetenz der EG.[590] Der h.L. liegt unausgesprochen der Gedanke zugrunde, dass eine Richtlinie stets weniger einschneidende Folgen für das nationale Strafrecht habe als eine strafrechtliche Verordnung.[591] Dieses Ergebnis erscheint allerdings zu einseitig am Maßstab des Demokratieprinzips ausgerichtet; es ist keineswegs zwingend.[592] Richtlinien, die detaillierte Vorgaben enthalten, können massive Veränderungen in der Systematik der nationalen Strafrechtsordnungen hervorrufen.[593] Sie können dort zu Verwerfungen führen, die beim (alternativen) Erlass einer Verordnung geringer ausfielen.[594] Bei der Erforderlichkeitsprüfung kann sich eine Verordnung als weniger einschneidende Beschränkung der Souveränitätsrechte darstellen, insbesondere wenn eine entsprechende Richtlinie den nationalen Parlamenten keinen Umsetzungsspielraum beließe,[595] ihn zum „Lakaien" degradiert. Es erscheint deshalb nicht zwingend, dass eine Subsidiaritätsprüfung stets zu dem Ergebnis führt, dass nur eine Richtlinie dem Subsidiari-

---

587 EuGH vom 12.11.1996, Rs. C-84/94 „*Großbritannien / Rat*", Slg. 1996, I-5755 (Rn. 50 ff.); in diese Richtung *Weiß*, ZEuS 2006, 381 (410, 414 ff.).

588 *Hugger*, Strafrechtliche Anweisungen, S. 81 ff.; *Satzger*, Neue Kriminalpolitik 2007, 93 (94 f.); *Weiß*, ZEuS 2006, 381 (410, 414 ff.).

589 Im Protokoll (Nr. 30) über die Anwendung der Grundsätze der Subsidiarität und der Verhältnismäßigkeit vom 2.10.1997, veröffentlicht ABl. C 340 vom 10.11.1997, ist in Ziffer 6 Satz 3 hinsichtlich der Formenwahl festgeschrieben: „Für Maßnahmen der Gemeinschaft ist eine möglichst einfache Form zu wählen, wobei darauf geachtet werden muss, dass das Ziel der Maßnahme in zufriedenstellender Weise erreicht wird und die Maßnahme tatsächlich zur Anwendung gelangt. *Die Rechtsetzungstätigkeit der Gemeinschaft sollte über das erforderliche Maß nicht hinausgehen. Dementsprechend wäre unter sonst gleichen Gegebenheiten eine Richtlinie einer Verordnung und eine Rahmenrichtlinie einer detaillierten Maßnahme vorzuziehen.* Richtlinien nach Maßgabe des Artikels 249 des Vertrags, die für jeden Mitgliedstaat, an den sie gerichtet sind, hinsichtlich des zu erreichenden Ziels verbindlich sind, überlassen den innerstaatlichen Stellen die Wahl der Form und der Mittel." [Hervorhebungen durch den Verfasser]. Im Rahmen von Art. 95 EGV existiert weiterhin eine vergleichbare Vereinbarung der Mitgliedstaaten. Sie wurde der Schlussakte der EEA beigefügt, veröffentlicht in ABl. 1987, L 169/20 (24); krit. ebenfalls *Tietje*, in: Grabitz/Hilf (Hrsg.), EUV/EGV, Art. 95 EGV Rn. 49 f.

590 Hierzu § 2 I.3.a).

591 *Weigend*, ZStW 116 (2004), 276 (286 f.).

592 Zust. *Ohler*, JZ 2006, 359 (361).

593 Krit. auch *Philip*, Gazette du Palais 2006, 868 (870).

594 *Walter*, ZStW 118 (2006), 912 (931 f.); BVerfG vom 30.3.2004, 2 BvR 1520/01, 1521/01, NJW 2004, 1305; sowie BVerfG vom 14.1.2005, 2 BvR 1975/03, NJW 2005, 1707.

595 I.d.S. auch *Satzger*, Europäisierung, S. 452; *Sieber*, ZStW 103 (1991), 957 (972 f.); a.A. *Tiedemann*, NJW 1993, 23 (26).

tätsprinzip genügt. Der EuGH hat noch in keinem Fall unter Berufung auf das Subsidiaritätsprinzip die Rechtsformwahl des Rates kritisiert, geschweige denn einen Rechtsakt für nichtig erklärt.[596] Die Inanspruchnahme einer Kompetenz der EG wurde noch nie vollständig infolge des Subsidiaritätsprinzips untersagt.[597] Vielmehr ist zu konstatieren, dass für die gerichtliche Überprüfung der Rechtsformwahl der EG derzeit kein tauglicher Maßstab existiert, um eine Begrenzung vorzunehmen, wie sie der h.L. vorschwebt.[598]

Aus diesem Grund vermittelt die Berufung auf die Sachzwänge des *nulla poena sine lege*-Satzes nur vermeintliche Sicherheit. Angesichts des weiten Ermessensspielraums, der dem Rat bei der Rechtsformwahl durch die derzeitigen Kompetenzschranken des Subsidiaritäts- und Verhältnismäßigkeitsprinzips zugebilligt wird,[599] kommt mir das *nulla poena*-Kriterium wie eine Scheinbastion vor, welche der EuGH ohne großen Begründungsaufwand überwinden könnte. Er ist jedenfalls keine zuverlässige Stütze, um die von der h.L. gewünschte selektive Zuständigkeit für strafrechtliche Regelungen der EG zu begründen.[600]

d) Zwischenergebnis

Es überzeugt letztlich nicht, der EG zwar eine strafrechtliche Kompetenz zuzuschreiben, deren Inanspruchnahme aber wegen defizitärer demokratischer Legitimation einschränken zu wollen. Das Demokratieprinzip ist kein kompetenzbegrenzendes Kriterium des EG-Rechts.[601] Weder sind die Kompetenznormen des EG-

---

596 Zust. *Albin*, NVwZ 2006, 629 (630); krit. auch *Everling*, EuZW 2002, 357; vgl. zum weiten Ermessen, das der EuGH bei der Formenwahl zugesteht, EuGH „*C-440/05*" (Rn. 58); *Ohler*, JZ 2006, 359 (361).

597 *Everling*, EuZW 2002, 357 spricht dem Subsidiaritätsprinzip nur die Fähigkeit zu, in *sachlicher* Hinsicht mäßigend auf die Kompetenz*ausübung* Einfluss zu nehmen; weitergehend *Wasilew*, Subsidiarität, in: Wissenschaftliche Dienste des Deutschen Bundestages, Europa-Thema Nr. 13/07 vom 13.3.2007, S. 1.

598 Zust. *Tietje*, in: Grabitz/Hilf (Hrsg.), EUV/EGV, Art. 95 EGV Rn. 49; vgl. ferner *Papier*, Das Subsidiaritätsprinzip als Bremse, S. 8 ff.; a.A. *Appel*, Kompetenzen der EG, S. 165 (182 f.); *Satzger*, Europäisierung, S. 442 ff. (448).

599 EuGH „*Großbritannien / Rat*" (Rn. 58).

600 In diese Richtung auch *Hefendehl*, ZIS 2006, 161 (164).

601 *Böse*, Strafen und Sanktionen, S. 91; hierzu äußert sich das BVerfG in seiner *Maastricht*-Entscheidung BVerfGE 89, 155 (175 f., 181, 190) nur sehr zurückhaltend. Es führt aus, dass das Defizit an unmittelbar demokratischer Legitimation der Rechtsetzung im Hinblick auf die supranationalen Tätigkeiten der EG deshalb tolerierbar sei, weil die Tätigkeiten im Wesentlichen wirtschaftliche Tätigkeitsfelder beträfen (S. 190) und hinreichende Souveränitätsrechte der BRD fortbestünden (S. 190 f.). Entscheidend für die Zulässigkeit sei aber auch, dass der Bereich des Einflusses der EG nicht uferlos sei, sondern zum einen durch das Prinzip der begrenzten Einzelermächtigung abgesteckt (S. 181) und auch in besonders grundrechtsrelevanten Bereichen – insbesondere Justiz und Inneres – derzeit ein unmittelbarer Zugriff durch supranationale Handlungsformen nicht möglich sei (S. 175 f.). Allerdings wurde die demokratische Legitimation durch die Ausweitung des

Vertrags formell-demokratisch defizitär legitimiert, noch erwachsen aus dem *nulla poena sine lege*-Grundsatz Kompetenzausübungsgrenzen, welche die EG daran hindern, supranationale Strafrechtsnormen zu erlassen. Bejaht man, dass der EG eine strafrechtliche Kompetenz zusteht, kann deren Ausübung nur noch sehr bedingt nach Maßgabe von Art. 5 Abs. 2 und 3 EGV (Subsidiaritäts- und Verhältnismäßigkeitsprinzip) beschränkt werden.[602] Sieht man es aber als nicht vereinbar mit den Regelungen des EG-Vertrags an, dass die EG auch supranationales Strafrecht erlässt, verbleibt als konsequente Position nur, der EG eine strafrechtliche Kompetenz gänzlich abzusprechen.

4. Umgehung des Souveränitätsvorbehalts der Mitgliedstaaten im Bereich des Strafrechts

Gegen eine originäre Strafrechtskompetenz wird ferner vorgebracht, sie umgehe einen Souveränitätsvorbehalt der Mitgliedstaaten.[603] Dieser Vorbehalt wird aus dem Prinzip der begrenzten Einzelermächtigung abgeleitet. Im Umkehrschluss ergebe dieses Prinzip, dass alle nicht im EG-Vertrag erwähnten Sachgebiete weiterhin uneingeschränkt der Souveränität der Mitgliedstaaten unterstünden.[604] Man beruft sich hierbei u.a. auf die Entstehungsgeschichte der EU.[605] Durch diese ziehe sich wie ein roter Faden die Motivation, dass die Übertragung von Kompetenzen in sensiblen Bereichen der staatlichen Souveränität stets eine Verankerung in der sprachlichen Fassung der Europäischen Verträge gefunden habe,[606] auch wenn nur Befugnisse in geringem Umfang übertragen worden seien.[607] Dies gelte in besonde-

---

Mitbestimmungsverfahrens durch die Verträge von Amsterdam und Nizza verstärkt, vgl. *Kluth*, in: Calliess/Ruffert (Hrsg.), EUV/EGV, Art. 251 EGV Rn. 1, 9.

602 *Calliess*, in: Calliess/Ruffert (Hrsg.), EUV/EGV, Art. 5 EGV Rn. 2; *Everling*, EuZW 2002, 357; *Lienbacher*, in: Schwarze (Hrsg.), EU-Kommentar, Art. 5 EGV Rn. 12; a.A. *Faber* DVBl. 1991, 1126 (1134 f.); *Merten*, Subsidiarität als Verfassungsprinzip, S. 77 (81).

603 Dies setzt sich im Vertrag von Lissabon fort. Die Bedenken der Mitgliedstaaten führten dazu, dass „Notbremsen" eingebaut wurden, die aus der EuVerf stammen (Art. III-270 Abs. 3 und 4; Art. III-271 Abs. 3 und 4 EuVerf) und in den Reformvertrag von Lissabon Eingang gefunden haben (Art. 82 Abs. 3 und Art. 83 Abs. 3 AEUV). Diese „Notbremsen"-Klauseln sollen verhindern, dass die Kompetenzen – im Vergleich zu der derzeit geltenden Rechtslage – uferlos ausgedehnt werden, hierzu *Kretschmer*, in: Vedder/Heintschel v. Heinegg (Hrsg.), EVV, Art. III-270 Rn. 22, 34 ff.; Art. III-271 Rn. 22.

604 *Braum*, Europäische Strafgesetzlichkeit, S. 391 f.; *Cesoni*, Journal des tribunaux 2006, 365 (370 ff.); *Pache*, EuR 1993, 174 (179).

605 Hierzu oben § 4 I.

606 Differenzierend *Rosenau*, ZIS 2008, 9 (15).

607 *Braum*, Europäische Strafgesetzlichkeit, S. 391 f.; *Cesoni*, Journal des tribunaux 2006, 365 (370); *Moll*, Blankettsstrafgesetzgebung, S. 205 f.; a.A. *Gröblinghoff*, Schutz der Interessen der EG, S. 99 ff., 105 ff.; *Hugger*, Strafrechtliche Anweisungen, S. 54.

rem Maße für das Strafrecht,[608] das in den Augen der Mitgliedstaaten eines ihrer wesentlichen Souveränitätsrechte ist.[609] Strafrechtliche Kompetenzen wurden ausschließlich im EU-Vertrag normiert, um keine Hoheitsbefugnisse erteilen zu müssen. Die fehlende Verankerung eines textlichen Hinweises sei deshalb kein redaktionelles Missgeschick. Auch die funktionalen Ermächtigungen erstrecken daher ihre Kompetenzen nicht in den Bereich des Strafrechts und Strafprozessrechts.[610]

Für diese Haltung spricht u.a.,[611] dass z.B. die öffentliche Diskussion in Großbritannien davon ausgeht, dass man sich noch in einem Souveränitätsstadium befinde, in dem keine strafrechtlichen Kompetenzen auf eine supranationale Organisation übertragen worden seien.

In der englischen Presse fand 2007 im Rahmen der Abstimmung über die EuVerf eine Debatte darüber statt, ob die EG die Mitgliedstaaten zum Erlass strafrechtlicher Vorschriften anweisen könne.[612] Es wurde thematisiert, ob es überhaupt wünschenswert sei, das Mehrheitsprinzip auf den Bereich des Strafrechts zu übertragen, d.h. es wurde über die Folgen diskutiert, die eine Übertragung hoheitlicher Kompetenzen in diesem Bereich nach sich zieht. Eine der Kernforderungen bestand darin, dass diesem Schritt eine parlamentarische Debatte vorausgehen müsse.[613]

Auch aus den Urteilen zweier oberster Gerichtshöfe der Mitgliedstaaten lässt sich ableiten, dass diese von einem Souveränitätsvorbehalt im Strafrecht ausgehen. Sowohl das BVerfG als auch der Conseil Constitutionnel haben die Inanspruchnahme einer strafrechtlichen Kompetenz durch die EG in ihren Entscheidungen als Beispiel gewählt, um zu illustrieren, wann die Kompetenzen der EG überschritten sind.

Das BVerfG hatte in seinem *Maastricht*-Urteil seine Figur des ausbrechenden Rechtsakts anhand des Beispiels der Einführung des Strafrechts durch ex-Art. K.9 [Art. 29] und ex-Art. N [Art. 48] EUV exemplifiziert.[614] In seinem Urteil zum *Lissabon*-Vertrag nahm

---

608 *Cesoni*, Journal des tribunaux 2006, 365 (370); *Flore* (Hrsg.), Actualités de droit pénal européen, S. 5 (6).

609 *Pohl*, ZIS 2006, 213; vgl. ferner das Vorbringen der Mitgliedstaaten in EuGH „C-176/03" (Rn. 27). Die im Verhältnis der Rechtsstreite in der Rs. C-176/03 und C-440/05 gestiegene Beteiligung der Mitgliedstaaten als Nebenkläger ist Beleg für die unveränderte Aktualität dieser These.

610 Zust. *Sieber*, ZStW 103 (1991), 957 (969 f.); a.A. *Böse*, GA 2006, 211 (213).

611 *Rosenau*, ZIS 2008, 9 (15).

612 *Open Europe*, "The new treaty: what will it mean and do we need a referendum?", S. 19.

613 The Guardian vom 5.6.2007, http://www.guardian.co.uk/uklatest/story/0,-6684212,00.html [letzter Zugriff: 26.10.2009].

614 BVerfG „*Maastricht*", BVerfGE 89, S. 155 (209 f.). Es ist Spekulation, darüber zu urteilen, ob das BVerfG das Urteil des EuGH in den Rs. *C-176/03* und *C-440/05* als *ultra vires*-Akte i.S.d. Maastricht-Rechtsprechung auffassen würde. Angesichts der zweifachen Reduzierung der Kompetenz der EG durch das Urteil „*C-440/05*" dürfte dies allerdings unwahrscheinlich sein. In seinem *Lissabon*-Urteil hat sich das BVerfG hierzu nicht geäußert, vgl. BVerfG, a.a.O. (Rn. 352 ff.).

es erneut hierauf Bezug.[615] Der französische Verfassungsgerichtshof *(Conseil Constitutionnel)* stellte bei seiner Überprüfung der EuVerf auf die Vereinbarkeit mit der französischen Verfassung fest, dass eine Ermächtigung, wie sie Art. III-271 EuVerf [Art. 83 Abs. 2 AEUV] enthält, einer Verfassungsänderung bedarf.[616]

Die Argumente, die GA *Colomer* gegen den Souveränitätsvorbehalt der Mitgliedstaaten vorbringt, vermögen hingegen nicht zu überzeugen. Er schließt aus dem vielfach hingenommenen negativen Einfluss des Europarechts auf nationales Strafrecht darauf, dass ein Souveränitätsvorbehalt gegenüber dem positiven-originären Einfluss nicht bestehe.[617] Dass das Europarecht nicht vor der Einflussnahme auf strafrechtliche Tatbestandsmerkmale Halt macht, ist jedoch weniger ein Argument gegen die Existenz eines Souveränitätsvorbehalts als gegen die Annahme, Strafrecht sei ein absolutes Souveränitätsbollwerk der Mitgliedstaaten. Die zitierten Entscheidungen sind Fälle, die nicht unter den oben dargestellten Grundsatz fallen.[618] Inhalt waren u.a. offen diskriminierende Teile strafrechtlicher bzw. strafprozessualer Regelungen,[619] welche die Ausübung der Grundfreiheiten in unzulässiger Weise beeinträchtigten.[620] Dass die EG u.a. den Grundfreiheiten auch im Rahmen des nationalen Strafrechts zur Verwirklichung verhilft, rechtfertigt nicht den Schluss, dass die Mitgliedstaaten den Souveränitätsvorbehalt auch im Hinblick auf eine originäre strafrechtliche Kompetenz der EG aufgegeben haben.[621] Ein solcher Schluss ist zirkulär und hätte zur Folge, dass der Grundsatz, dass „das Strafrecht nicht in die Zuständigkeit der Gemeinschaft falle", zum Lippenbekenntnis verkommt.[622] Auch das Urteil *C-440/05* überschreitet deshalb die Grenze des strafrechtlichen Souveränitätsvorbehalts.[623] Letztlich ist den Mitgliedstaaten stets die Wahl zu belassen, den Rechtscharakter der Durchsetzung der Ge- und Verbote im Rahmen des Art. 10 EGV selbst zu bestimmen.[624]

---

615 BVerfG „*Lissabon*" (Rn. 253, 352 ff.).

616 Conseil Constitutionnel, Entscheidung vom 19.11.2004 No. 2004-505 DC (Erwägungsgrund 27). Der Conseil Constitutionnel urteilte, dass die französische Verfassung im Fall der Annahme der EuVerf einer Änderung bedürfe, da u.a. Art. III-271 EuVerf der EU weitergehende Befugnisse zugestehe, als bislang durch Art. 31 und 34 EUV eingeräumt werden.

617 GA *Colomer* Schlussanträge „*C-176/03*" (Rn. 76).

618 Vgl. § 4 III.1.a).

619 EuGH „*Drexl*" (Rn. 14 ff., 17); EuGH „*Cowan*" (Rn. 4 f., 19); EuGH „*Banchero*" (Rn. 27); EuGH „*Donatella Calfa*" (Rn. 20 ff., 29).

620 So EuGH „*Cowan*" (Rn. 19); EuGH „*Donatella Calfa*" (Rn. 17): „Das Strafrecht darf nämlich nicht die durch das Gemeinschaftsrecht garantierten Grundfreiheiten beschränken […]."; EuGH „*Banchero*" (Rn. 20, 58 ff.).

621 Hierzu § 4 III.1.a).

622 *Hefendehl*, ZIS 2006, 161 (167).

623 Vgl. § 4 II.2.b).

624 Zust. *Wuermeling*, BayVwBl 2006, 368 (370); zu den Einschränkungen durch Selbstbindung vgl. § 4 III.1.a)aa).

5. Vorrang des Gemeinschaftsrechts aufgrund Art. 29 Abs. 1, Art. 47 EUV

Der EuGH spricht der strafrechtlichen Sachkompetenz der EG Vorrang vor den strafrechtlichen Kompetenzen der PJZS zu.[625] Er stützt sich hierbei auf den Wortlaut von Art. 29 Abs. 1 Halbsatz 1 EUV und die Kollisionsnorm des Art. 47 EUV.[626]

Art. 29 EUV bestimmt das Verhältnis der PJZS zum EG-Recht.[627] Der maßgebliche 1. Halbsatz wurde bislang so ausgelegt, dass die Kompetenzen der EU die Kompetenzen der EG nicht beinträchtigen.[628] Art. 47 EUV sollte die Kompetenzen von EG und EU voneinander abtrennen,[629] d.h. der *acquis communautaire* von den später ergehenden Regelungen der EU unbeeinflusst bleiben.[630] Die Beeinträchtigung des *acquis communautaire* setzt voraus, dass der EG eine parallele Kompetenz zusteht. Der Vorrang bezieht sich zudem nur auf ausschließliche oder (bereits ausgeübte) konkurrierende Kompetenzen.[631] Ein Vorrang für bislang nicht in Anspruch genommen konkurrierende Kompetenzen besteht hingegen nicht.[632]

Der EuGH deutete in seiner Entscheidung *C-176/03* die Aussage von Art. 29 und 47 EUV um. Er weitete den Vorrang des Gemeinschaftsrechts auf das Verhältnis zwischen EG- und EU-Vertrag aus.[633] Er postuliert nunmehr ein allgemeines Vorrang- oder Stufenverhältnis des EG-Vertrags.[634] Der EuGH hat hieran in seinem Urteil Rs. *C-440/05* festgehalten.[635] Er hat aus dem Bereich des Vorrangs des EG-

---

625 EuGH „*C-176/03*" (Rn. 38).

626 Art. 29 EUV [Allgemeine Maßnahmen zur Verhütung und Bekämpfung der Kriminalität, Eurojust], Abs. 1: „Unbeschadet der Befugnisse der Europäischen Gemeinschaft verfolgt die Union das Ziel [...] indem sie ein gemeinsames Vorgehen der Mitgliedstaaten im Bereich [...] Strafsachen entwickelt [...]."

Art. 47 EUV [Verhältnis des EUV zum Gemeinschaftsrecht] „Vorbehaltlich der Bestimmungen [...] der Europäischen Gemeinschaft [...] lässt der vorliegende Vertrag die Verträge zur Gründung der Europäischen Gemeinschaften sowie nachfolgende Verträge und Akte zur Änderung oder Ergänzung der genannten Verträge unberührt."

627 EuGH vom 12.5.1998, Rs. C-170/96 „*Transitvisa*", Slg. 1998, I-2763 (Rn. 14, 16).

628 *Böse*, in: Schwarze (Hrsg.), EU-Kommentar, Art. 29 EUV Rn. 8.

629 *Krück*, in: von der Groeben/Schwarze (Hrsg.), EUV/EGV, Art. 47 EUV Rn. 2 f.; *Pohl*, ZIS 2006, 213 (217).

630 GA *Fenelly* Schlussanträge vom 5.2.1998, Rs. C-170/96 „*Transitvisa*", Slg. 1996, I-2763 (Rn. 8 f.); *Herrnfeld*, in: Schwarze (Hrsg.), EU-Kommentar, Art. 47 EUV Rn. 1.

631 *Böse*, in: Schwarze (Hrsg.), EU-Kommentar, Art. 29 EUV Rn. 9.

632 *Böse*, in: Schwarze (Hrsg.), EU-Kommentar, Art. 29 EUV Rn. 10.

633 EuGH „*C-176/03*" (Rn. 38, 53).

634 Zust. *Moestl*, Kompetenzabgrenzung zwischen Gemeinschafts- und Unionspolitiken, S. 165 ff.

635 EuGH „*C-440/05*" (Rn. 52, 71).

Vertrags allerdings die Fragen der Art und des Maßes der Sanktion ausgenommen und sie einer Regelung nach Art. 29 ff. EUV vorbehalten.[636]

Zwar ist auch diese Lesart des Verhältnisses zwischen den EU-Verträgen vom Wortlaut des Art. 47 EUV gedeckt.[637] Dennoch vermag sie nicht zu überzeugen. Die historische Auslegung belegt, dass ein absoluter Vorrang des Gemeinschaftsrechts vor den EU-Kompetenzen nicht beabsichtigt war.[638] Eine Änderung der Auslegung der Art. 29, 47 EUV durch eine „dynamische" Interpretation lässt sich nicht überzeugend begründen. Als Argument kann lediglich das (politische) Motiv des EuGH angeführt werden, strafrechtliche Regelungen ohne Einstimmigkeitserfordernis erlassen zu können.[639] Diese Auslegung des EU-Vertrags greift jedoch in die Position der Mitgliedstaaten als „Herren der Verträge" ein. Auch überzeugende systematische Gründe für diese extensive Lesart der Art. 29, 47 EUV finden sich nicht. Selbst wenn man davon ausginge, dass der EG-Vertrag eine Kompetenz zur Angleichung von Strafrecht enthielte, hätte sich ein Vorrang des EG-Vertrags nicht konstruieren lassen, da die EG die Kompetenz bislang noch nicht ausgeübt hatte. Dies muss erst recht gelten, wenn man – wie hier – der Auffassung folgt, dass ein ungeschriebener Souveränitätsvorbehalt die Mitgliedstaaten vor Einflussnahme der EG im Bereich des Strafrechts schützt. Ein Vorrang kann nicht bestehen, wenn jede substantielle Regelung einer strafrechtlichen Frage ausgeschlossen ist.[640]

---

636 EuGH „*C-440/05*" (Rn. 52, 71).

637 Sie wirft zwar nach dem deutschen Wortlaut des Art. 47 EUV Probleme auf. Dieser lautet u.a.: „[…] lässt die Verträge zur Gründung der Europäischen Gemeinschaften […] unberührt." Allerdings scheint die deutsche Version des EU-Vertrags hier eine Sonderrolle zu spielen. Die französische, englische und italienische Fassung des Textes ergeben keine vergleichbaren Bedenken gegen diese Auslegung. Die *französische* Fassung lautet: „ […], aucune disposition du présent traité n'affecte les traités instituant les Communautés européennes ni les traités et actes subséquents qui les ont modifiés ou complétés."; die *englische*: „[…], nothing in this Treaty shall affect the Treaties establishing the European Communities or the subsequent Treaties and Acts modifying or supplementing them."; die *italienische*: „[…], nessuna disposizione del presente trattato pregiudica i trattati che istituiscono le Comunità europee né i trattati e atti successivi che li hanno modificati o completati." Zust. *Pohl*, ZIS 2006, 213 (216 f.); *Schünemann*, GA 2002, 500 (502).

638 Ebenso *Dawes/Lynskey*, CMLRev 2008, 131 (155 f.).

639 Vgl. hierzu sogleich § 4 II.9.

640 Zust. *Bellescize*, Recueil Dalloz 2005, 2697.

6. Umkehrschluss aus Art. 42 EUV

Nach der Entscheidung *C-176/03* wurde sowohl in der Literatur,[641] in der Rechtspraxis[642] und auf Regierungsebene der Mitgliedstaaten diskutiert,[643] ob nicht das Urteil zum Anlass genommen werden sollte, von der Möglichkeit des Art. 42 EUV Gebrauch zu machen und eine strafrechtliche Harmonisierungskompetenz im EG-Vertrag festzuschreiben.[644] Im September 2006 wurde der Vorschlag unter den Justizministern der Mitgliedstaaten diskutiert.[645] Sie entschieden sich – insbesondere angesichts der bevorstehenden Verabschiedung der EuVerf – dagegen.[646] Dass sie jedoch die Verwendung von Art. 42 EUV erwogen, spricht dafür, dass man nach wie vor davon ausging, dass der EG keine Kompetenz zur Angleichung strafrechtlicher bzw. strafprozessualer Normen zusteht.[647]

Das Argument einer schleichenden Verschiebung der strafrechtlichen Kompetenz von der 3. in die 1. Säule überzeugt deshalb nicht.[648] Die Rechtsprechung des EuGH ist uneinheitlich.[649] Auch wenn man die tatsächliche Entwicklung der EG-

---

641 Vgl. nur *Jour-Schröder/Konow*, EuZW 2006, 550; *Moal-Nuyts*, Revue de droit international et de droit comparé 2006, 249 (271); *Philip*, Gazette du Palais 2006, 868 (871 f.); *Simon*, Europe Déc. 2007, 16.

642 GA *Mazák* Schlussanträge „*C-440/05*" (Rn. 122).

643 So die französische Assemblée Nationale, Résolution, texte adopté n° 560 vom 29.3.2006, Considerée 5 (S. 3); Assemblée Nationale rapport d'information n° 2689 vom 20.3.2006, S. 9 f.; ferner rapport d'information n° 2829 der Assemblée Nationale vom 25.1.2006 S. 17 ff. und rapport d'information n° 2968 vom 20.3.2006; das englische House of Lords, European Union Committee, 42nd Report of Session 2005-06, Rn. 11 f., 96 ff.

644 Art. 42 EUV [Anwendbarkeit von Titel IV EG-Vertrag] lautet: „Der Rat kann auf Initiative der Kommission oder eines Mitgliedstaats und nach Anhörung des Europäischen Parlaments einstimmig beschließen, dass Maßnahmen in den in Art. 29 genannten Bereichen unter Titel IV des Vertrags zur Gründung der Europäischen Gemeinschaft fallen, und gleichzeitig das entsprechende Abstimmungsverfahren festlegen. Er empfiehlt den Mitgliedstaaten, diesen Beschluss gemäß ihren verfassungsrechtlichen Vorschriften anzunehmen."; hierzu allgemein im Hinblick auf die PJZS *Geiger*, in: FS-G. Hirsch, S. 75 ff.

645 Zitiert nach *Open Europe*,"The new treaty: what will it mean, and do we need a referendum?", S. 19 f.; abzurufen unter http://www.openeurope.org.uk/research/newtreaty.pdf. [letzter Zugriff: 26.10.2009].

646 So das Verhalten Deutschlands auf der Regierungskonferenz im Herbst 2006, *Open Europe*, "The new treaty: what will it mean and do we need a referendum?", S. 19; Gleiches gilt für die Haltung der Assemblée Nationale, wie aus dem Bericht von *Simon*, Europe Mai 2006, 1 hervorgeht.

647 Dies lässt aus einem Umkehrschluss ableiten, dass auch das Gebrauchmachen von einer (ergänzenden) Vertragskompetenz wie z.B. Art. 308 EGV keine bindende (kompetenzerweiternde) Wirkung zukommt, vgl. hierzu *Rossi*, in: Calliess/Ruffert (Hrsg.), EUV/EGV, Art. 308 EGV Rn. 45; zust. *Simon*, Europe Déc. 2007, 16.

648 Zust. *Philip*, Gazette du Palais 2006, 868 (871 f.).

649 EuGH vom 30.5.2006, verb. Rs. C-317/04 u. C-318/04 „*Fluggastdaten*" Slg. 2006, I-4722 (Rn. 56, 67); a.A. GA *Bot* Schlussanträge vom 14.10.2008, Rs. C-301/06 „*Vorratsdatenspeicherung*" (Rn. 92 ff.); hierzu unten § 7 I., II.

Politik nach Ergehen der Entscheidung Rs. *C-176/03* berücksichtigt, ergeben sich nicht genügend Anhaltspunkte, um eine Veränderung der Position der Mitgliedstaaten in diesem Punkt belegen zu können.[650]

Allerdings verabschiedeten der Rat und das Parlament zwischenzeitlich die dritte Geldwäscherichtlinie.[651] Diese Richtlinie verschärft bereits existente strafrechtliche Regelungen, welche auf die ersten beiden Geldwäscherichtlinien zurückgehen. Eine Besonderheit stellt diese Konstellation insofern dar, als die ersten beiden Richtlinien keine Präzedenzfälle für eine strafrechtliche Kompetenz der EG bilden. Denn beide Richtlinien enthielten keine verpflichtenden Vorschriften, welche die Mitgliedstaaten lediglich durch den Erlass strafrechtlicher Vorschriften hätten umsetzen können.[652] Nunmehr sehen es die Mitgliedstaaten scheinbar als unproblematisch an, Veränderungen bzw. Verschärfungen dieser Richtlinien mittels EG-Kompetenzen vorzunehmen.[653] Ob Art. 95 EGV ein solches Vorgehen überhaupt zulässt, wurde bislang weder kritisch diskutiert noch gerichtlich geklärt.

Es fehlt an Beispielen, die über die Sonderfälle der Geldwäsche- und Insiderhandelsrichtlinie hinaus belegen, dass die Mitgliedstaaten die Befugnisverteilung zwischen 1. und 3. Säule nunmehr anders beurteilen.[654] Der ungebrochene Widerstand zeigte sich u.a. im Verfahren Rs. *C-440/05.* Die Anzahl der Streithelfer gegen den Antrag der Kommission stieg auf 19 Mitgliedstaaten an. Auch auf die nur sehr zögerliche Verabschiedung der Richtlinienvorschläge KOM(2006) 168 endg. und KOM(2007) 51 endg., welche auf Widerstand im Rat stoßen, sei hier noch einmal verwiesen.[655]

Aus dem Nichtgebrauchmachen von der Brückenvorschrift des Art. 42 EUV kann deshalb kein Rückschluss gezogen werden, der belegt, dass die Mitgliedstaaten mittlerweile ihre ablehnende Auffassung gegenüber einer Strafrechtskompetenz der EG aufgegeben hätten.

---

650 Hierzu *Kaiafa-Gbandi*, ZIS 2006, 521 (524).

651 Richtlinie 2005/60/EG des Europäischen Parlaments und des Rates vom 26.10.2005 zur Verhinderung der Nutzung des Finanzsystems zum Zwecke der Geldwäsche und der Terrorismusfinanzierung, veröffentlicht im ABl. L 309/15 vom 25.11.2005, welche die zweite Geldwäsche-RL ersetzt, die Richtlinie 2001/97/EG zur Veränderung der Richtlinie 91/308/EWG zur Verhinderung der Nutzung des Finanzsystems zum Zwecke der Geldwäsche vom 4.12.2001, ABl. L 344/76 vom 28.12.2001

652 Hierzu *Sieber*, ZStW 103 (1991), 957 (965 f.), sowie § 6 I.

653 Vgl. zur sog. „Änderungsharmonisierung" *Tietje*, in: Grabitz/Hilf (Hrsg.), EUV/EGV, Art. 95 EGV Rn. 44 f.; *Kaman*, ZEuS 2001, 23 (39 f.).

654 A.A. *Böse*, GA 2006, 211 (212 f.); *Crosby*, Journal of European Criminal Law 2006, 11 (13).

655 Insbesondere in England, vgl. hierzu den Bericht anlässlich der Verabschiedung des Richtlinienvorschlags KOM(2007) 51 endg. am 21.5.2008, zitiert nach EurActiv.com http://www.euractiv.com/en/environment/eu-agrees-outlaw-green-crimes/article-172573 [letzter Zugriff: 26.10.2009].

7. Vorwegnahme der EuVerf bzw. des Reformvertrags von Lissabon (AEUV)

Die Befugnis, die der EG nach dem Urteil *C-176/03* zusteht, entspricht insbesondere bei weiter Auslegung der Kompetenz in Art. 83 Abs. 2 AEUV (ex-Art. III-271 Abs. 2 EuVerf).[656] Trotzdem wird vorgebracht, dass in der Zuerkennung der weiten Kompetenz durch das Urteil *C-176/03* keine unzulässige Vorwegnahme des Verfassungsvertrags liege.[657] Die Verabschiedung der EuVerf durch den Rat am 29.10.2004 habe dazu geführt, dass die Harmonisierung strafrechtlicher Regelungen ein anerkanntes Rechtsprinzip des Gemeinschaftsrechts geworden sei.[658] Dieses entfalte Wirksamkeit, auch wenn der Vertrag noch nicht in Kraft getreten sei. Die fehlende offizielle Inkraftsetzung durch die Mitgliedstaaten könne den EuGH nicht daran hindern, aus diesem Prinzip erste Rückschlüsse zu ziehen.[659] Aus dem Urteil *C-176/03* lassen sich jedoch keine eindeutigen Folgerungen ableiten. Obwohl der Verfassungsentwurf zur Zeit des Erlasses des Urteils bereits verabschiedet war,[660] erwähnte der EuGH ihn in seinem Urteil nicht.

Die vom Rat beschlossenen, aber noch nicht von den Mitgliedstaaten ratifizierten Änderungen des Primärrechts würden nach dieser Auffassung ein Zwischenstadium erreichen, das sie in den Rang eines anerkannten Rechtsprinzips *(agreed principle)* hebt. Eine Argumentation mit *agreed principles* fördert jedoch beliebige Ergebnisse zutage. Dies zeigt die Ablehnung des Verfassungsvertrags durch die Referenden in den Niederlanden und in Frankreich.[661] Das Zugeständnis von Kompetenzen aufgrund von *agreed principles* ließe die formelle Ratifikation durch die nationalen Parlamente weitgehend obsolet werden.[662] Eine solche Wirkung zu statuieren, widerspricht dem Prinzip, dass die Mitgliedstaaten „Herren der Verträge" geblieben sind.[663] Denn die maßgeblichen Entscheidungsinstanzen der mitgliedstaatlichen Demokratien könnten übergangen werden, wenn nicht ratifizierte Änderungen des Primärrechts auf diese Weise durch die Hintertür in Kraft gesetzt werden.

---

656 So insbesondere die Kommission KOM(2005) 583 endg.; hierzu House of Lords, 42nd Report Session 2005-06, Rn. 62 ff., krit. *Bellescize*, Recueil Dalloz 2005, 2697; *Kaiafa-Gbandi*, ZIS 2006, 521 (524); *Satzger*, KritV 2008, 17 (24); sowie House of Lords, a.a.O., Rn. 34 ff.

657 *Zarka*, La Semaine Juridique – édition générale 2005, 2224 (2226).

658 *Crosby*, Journal of European Criminal Law 2006, 11 (12).

659 *Crosby*, Journal of European Criminal Law 2006, 11 (12).

660 Der Entwurf des Vertrags über eine Verfassung für Europa wurde vom Europäischen Konvent am 13.6. und 10.7.2003 angenommen und dem Präsidenten des Europäischen Rats am 18.7.2003 in Rom überreicht, Dokumentennummer CONV850/03. Der Entwurf wurde am 29.10.2004 in Rom von den 25 Mitgliedern des Rats unterzeichnet.

661 Vgl. *Schmalenbach/Ruffert*, in: Calliess/Ruffert (Hrsg.), EUV/EGV, Art. 313 EGV Rn. 3; *Hitzel-Cassagnes*, KJ 2008, 134 (136).

662 Krit. auch *Dawes/Lynskey*, CMLRev 2008, 131 (156 f.).

663 Hierzu *Puttler*, EuR 2004, 669.

8. Rechtspolitische Bedenken

Gegen eine Strafrechtskompetenz der EG werden ferner rechtspolitische Bedenken vorgebracht. Wenn eine Strafrechtskompetenz in den EG-Vertrag integriert werde, verleite dies die EU dazu, die vereinfachten Mehrheitsverhältnisse insbesondere des Mitentscheidungsverfahrens (Art. 251 EG-Vertrag[664]) verstärkt für strafrechtliche Regelungen zur Steuerung unerwünschten Verhaltens einzusetzen.[665] Dies wiederum habe zur Folge, dass nationale Besonderheiten eingeebnet würden, die auf homogene Verhaltensüberzeugungen beruhen, die z.T. allenfalls national zu erklären seien. Dies betreffe insbesondere bestimmte strafrechtlich geschützte sozial-ethische Wertvorstellungen oder Verhaltensdelikte.[666] Die Kritik an der Möglichkeit der barrierefreien Harmonisierung baut auf der zutreffenden Beobachtung auf, dass dem Strafrecht im europäischen Politikbetrieb ein Einfluss auf die menschliche Verhaltenssteuerung unterstellt wird, dessen Ausmaß überschätzt wird.[667] Diese Bedenken sind zugleich Grundlage und Folge einer Ausgestaltung der Kompetenzordnung, ohne jedoch unmittelbaren Einfluss auf sie zu haben.[668] Sie unterstützen allerdings die These, dass die originären Strafrechtskompetenzen unter einem Souveränitätsvorbehalt stehen.

9. Praktikabilität

Die EuGH-Entscheidung Rs. *C-176/03* wurde von der Literatur und der Kommission auch deshalb begrüßt, da sie ermögliche, Sachregelungen und auf sie bezogene strafrechtliche Sanktionen nunmehr in demselben gemeinschaftsrechtlichen Rechtsakt zu erlassen.[669] Vor dieser Entscheidung mussten die strafrechtlichen Vorschriften von der Richtlinie abgespalten und mittels eines gesonderten Rahmenbeschlusses erlassen werden.[670]

Dies ist jedoch kein rechtliches, sondern allenfalls ein rechtspolitisches Argument und kann kein maßgebliches Kriterium für eine wesentliche Neuinterpretation der Kompetenzordnung der EG sein. Die Verfahrensordnung ist Teil der Kompe-

---

664 Vgl. *Schoo*, in: Schwarze (Hrsg.), EU-Kommentar, Art. 251 EGV Rn. 1, 8 ff.

665 *Hefendehl*, ZIS 2006, 161 (167); *Schünemann*, ZIS 2007, 528.

666 *Hefendehl*, ZIS 2006, 161 (167); *Schünemann*, ZIS 2007, 528; in diese Richtung auch *Farkas*, ZStW 120 (2008), 642.

667 *Braum*, wistra 2006, 121 (124 f.); *Hefendehl*, ZStW 119 (2007), 816 (820 ff., 821); vgl. ferner § 6 V.

668 In diese Richtung auch *Wegener/Greenawalt*, ZUR 2005, 585 (587).

669 KOM(2005) 583 endg. S. 4 (Rn. 11); *Dawes/Lynskey*, CMLRev 2008, 131 (132); *Petite*, Gazette du Palais 2006, 864 (867).

670 *Eisele*, JZ 2008, 251 (253 f.); *Marciali*, Revue du droit public 2008, 1231 (1248); vgl. Erwägungsgrund 6 der Richtlinie 2005/35/EG vom 7.9.2005 über die Meeresverschmutzung durch Schiffe und die Einführung von Sanktionen für Verstöße, ABl. L 255/11 vom 30.9.2005; vgl. § 4 II.2.b).

tenzordnung. Mehrheitserfordernisse spielen zwar in der Praxis eine gewichtige Rolle, insbesondere für die extensive Auslegung bestimmter Kompetenznormen, die dem Mehrheitsverfahren des Art. 251 EGV zugeordnet sind.[671] Ein Erkenntnisgewinn für die verfassungsrechtliche Debatte lässt sich jedoch hieraus nicht ableiten. Das Gemeinschaftsrecht kennt keinen verfahrensrechtlichen Aspekt des *effet utile*. Es existiert kein Rechtssatz, dass das EG-Recht im Zweifel auf die Kompetenzgrundlage gestützt werden kann, welche am einfachsten erlassen werden kann, etwa durch Mehrheitsentscheidung (u.a. Art. 251 EGV). Bei der Wahl der Kompetenzgrundlage ist das hieran gekoppelte Entscheidungsverfahren kein zu berücksichtigender Aspekt.

Das Praktikabilitätsargument ist überdies durch die neue Entscheidung Rs. *C-440/05* in weiten Teilen entkräftet worden, wenn man nicht annimmt, dass der EG entgegen dem Urteil die Kompetenz zusteht, die Art und das Maß der Sanktionen zu bestimmen.[672] Es herrscht nunmehr wieder der Rechtszustand, der – unter anderen Vorzeichen – dem Stand vor Ergehen der Entscheidung *C-176/03* entspricht.[673] Der Zustand entbehrt nicht einer gewissen Ironie, wenn man ergebnisorientiert argumentiert. Die für nichtig erklärten Rahmenbeschlüsse 2003/80/JI und 2005/667/JI sahen konkretere strafrechtliche Vorgaben für das nationale Strafrecht vor,[674] als das vorgeblich effektivere Gemeinschaftsrecht vorschreiben kann.[675]

10. Begrenzungsmöglichkeiten der Strafrechtskompetenz

Bislang ist weitgehend unerörtert geblieben, ob aus dem Urteil auch ein Kriterium abgeleitet werden kann, das den Grundsatz präzisiert, dass weder das Strafrecht noch das Strafprozessrecht in die Zuständigkeit der Gemeinschaft fällt. Der EuGH hat in seinen Urteilen Rs. *C-176/03* und *C-440/05* einen Anhaltspunkt geliefert, indem er ein neuartiges Kriterium eingeführt hat. Er knüpft das Tätigwerden der EG an die Bedingung, dass der Einsatz von Strafrecht für die Durchsetzung des EG-Rechts *unerlässlich* sein müsse:[676]

> „Dies kann den Gemeinschaftsgesetzgeber jedoch nicht daran hindern, Maßnahmen in Bezug auf das Strafrecht der Mitgliedstaaten zu ergreifen, die seiner Meinung nach er-

---

671 Hierzu oben § 4 III.8.; zu dem Bsp. im Rahmen der Abgrenzung von Art. 308 EGV und der Annexkompetenzen zu Art. 95 EGV, vgl. ferner § 2 I.1.b)aa).

672 *Dawes/Lynskey*, CMLRev 2008, 131 (144 ff.); *Eisele*, JZ 2008 251 (254).

673 *Marciali*, Revue du droit public 2008, 1231 (1245).

674 *Gautier*, La Semaine Juridique – édition générale 2007, 36; a.A. *White*, E.L.Rev. 2006, 81 (89 f.).

675 Hierzu oben § 4 II.2.a); vgl. auch die Fassung des Richtlinienvorschlags KOM(2007) 51 endg. in der geänderten Fassung durch das EP, das die Entscheidung *C-440/05* berücksichtigt, vgl. nur den Bericht des Rechtsausschlusses des EP vom 15.4.2008, A6-0154/2008, S. 7 (Änderungsantrag 6) u.a., umgesetzt durch Beschluss des EP vom 21.5.2008, vgl. Art. 5 der geänderten Fassung des Richtlinienvorschlags KOM(2007) 51 endg. = P6_TA-PROV(2008)0215.

676 EuGH „*C-176/03*" (Rn. 48) [Hervorhebungen durch den Verfasser].

forderlich sind, um die volle Wirksamkeit der von ihm zum Schutz der Umwelt erlassenen Rechtsnormen zu gewährleisten, wenn die Anwendung […] abschreckender Sanktionen durch die zuständigen nationalen Behörden eine zur Bekämpfung schwerer Beeinträchtigungen der Umwelt *unerlässliche Maßnahme* darstellt."

Dieses Kriterium ist bislang nur wenig interpretiert worden.[677] Wie es auszulegen ist, wurde vom EuGH nicht erklärt. Weder in den Schlussanträgen GA *Mazáks*[678] noch im Urteil *C-440/05* finden sich hierzu nähere Ausführungen. Weitere Stellungnahmen halten sich bedeckt.[679] Auch die Auffassung des Ministerrats zu dieser Frage ist nicht bekannt.[680] Lediglich die Kommission hat sich hierzu zweimal geäußert.

a) Weites Ermessen: Die Position der Kommission

Die Kommission interpretiert den EuGH in ihrer Mitteilung KOM(2005) 583 endg. in einem funktionalen Sinne.[681] Der Gesetzgeber sei durch dieses Kriterium nur an die Obliegenheit gebunden,[682] die „Notwendigkeit" des Erlasses strafrechtlicher Maßnahmen von Fall zu Fall darzulegen.[683] Hiernach käme der Kommission ein weiter Ermessensspielraum zu, da sie selbst die Beurteilung der Notwendigkeit

---

677 Ein Ansatz findet sich bei *Marciali*, Revue du droit public 2008, 1231 (1241 f.); Andeutungen bei *Hefendehl*, ZIS 2006, 161 (164); *Petite*, Gazette du Palais 2006, 864 (866); *Philip*, Gazette du Palais 2006, S. 868 (870).

678 GA *Mazák* Schlussanträge „*C-440/05*" (Rn. 90).

679 Vgl. Stellungnahme BRAK 33/2007, S. 4 hinsichtlich des Richtlinienvorschlags KOM(2007) 51 endg.

680 In der Stellungnahme des Rates vom 22.2.2006, Ratsdokument 6466/06 vom 16.2.2006, S. 2 deutete dieser die Kompetenz restriktiv, indem er verfügte, dass die Kompetenz der EG eng auszulegen sei und für jeden Fall einzeln geprüft werden müsse. Er hat eine Beratung des Richtlinienvorschlags KOM(2006) 168 endg. u.a. auch deshalb abgelehnt, da die Notwendigkeit der Harmonisierung der strafrechtlichen Maßnahmen nicht nachgewiesen sei.

681 KOM(2005) 583 endg. S. 3 f. (Rn. 9): „Der Gerichtshof differenziert nicht nach der Art der strafrechtlichen Maßnahmen. Sein Ansatz ist funktionsorientiert. Es ist die dem Gesetzgeber *obliegende Notwendigkeit*, für die Einhaltung der Gemeinschaftsnormen zu sorgen, die ihm die Möglichkeit eröffnet, strafrechtliche Maßnahmen vorzusehen." [Hervorhebungen durch den Verfasser].

682 KOM(2005) 583 endg. S. 4 (Rn. 9).

683 KOM(2005) 583 endg. S. 4 (Rn. 10): *„Der Nachweis dieser Notwendigkeit muss von Fall zu Fall erbracht werden, und es obliegt der Kommission, diese in ihren Vorschlägen zu würdigen.* Wenn die Kommission jedoch zu der Auffassung gelangt, dass die volle Wirksamkeit des Gemeinschaftsrechts in einem bestimmten Sektor nur durch strafrechtliche Maßnahmen gewährleistet werden kann, dürfen diese je nach den Erfordernissen des jeweiligen Sektors Folgendes einschließen: den Grundsatz der strafrechtlichen Verfolgung, die Definition des Straftatbestandes, d.h. der Tatbestandsmerkmale und, soweit angemessen, die Strafart und das Strafniveau oder sonstige Maßnahmen in Bezug auf das Strafrecht. […] Die Kommission würdigt den Grad des Eingreifens der Gemeinschaft im strafrechtlichen Bereich von Fall zu Fall und entsprechend den Notwendigkeiten, […]." [Hervorhebungen durch den Verfasser].

vorzunehmen habe.[684] Im Verfahren Rs. *C-440/05* vertrat die Kommission dann folgende Ansicht:[685]

> „[…] dass die Begriffe *unerlässlich* und *notwendig* einerseits und der Begriff *erforderlich* in Art. 29 EU andererseits in Wirklichkeit dieselbe Bedeutung hätten und dass insoweit kein Unterschied zwischen dem EG-Vertrag und dem EU-Vertrag bestehe."

Die Beurteilung des Kriteriums der *Unerlässlichkeit* würde bei dieser Interpretation nahezu ins Belieben der Kommission gestellt. Folge wäre eine überaus extensive Strafrechtskompetenz der EG.[686] Gegen diese Einschätzung der Kommission, den Begriff „unerlässlich" nach Maßgabe des Begriffs „erforderlich" in Art. 29 EUV auszulegen,[687] spricht bereits der natürliche Sinngehalt des Begriffs „unerlässlich".[688] Auch die anderen Sprachfassungen des Urteils verwenden Begriffe, die auf eine restriktive Ausdehnung der Kompetenz hindeuten. Die französische Fassung lautet *indispensable*,[689] die englische verwendet den Begriff *essential measure*.[690] Dem Wortlaut kann entnommen werden, dass der EuGH hier ein enges Ausmaß der Kompetenz anstrebte.

Demgegenüber sind die Anforderungen an den Begriff „erforderlich" in Art. 29 EUV sehr schwammig. Zum Teil wird das Kriterium „erforderlich" als Ausprägung der Erforderlichkeitsprüfung des Subsidiaritätsprinzips,[691] überwiegend jedoch als *lex specialis* zu den allgemeinen Grundsätzen des Verhältnismäßigkeits- und Sub-

---

684 Zust. GA *Mazák* Schlussanträge „*C-440/05*" (Rn. 90).

685 EuGH „*C-440/05*" (Rn. 38).

686 Krit. *Hefendehl*, ZIS 2006, 161 (164 f.); *Petite* Gazette du Palais 2006, 864 (866).

687 Die französische Fassung des EU-Vertrags lautet: Article 29 Abs. 2 Spiegelstrich 3 EUV: „au rapprochement, *en tant que de besoin*, des règles de droit pénal des États membres, conformément à l'article 31, point e)" [Hervorhebungen durch den Verfasser]; die englische Fassung lautet: Article 29 Abs. 2 Spiegelstrich: „approximation, *where necessary*, of rules on criminal matters in the Member States, in accordance with the provisions of Article 31(e)" [Hervorhebungen durch den Verfasser].

688 In diese Richtung auch *Marciali*, Revue du droit public 2008, 1231 (1242).

689 EuGH „*C-176/03*" (Rn. 48): „Cette dernière constatation ne saurait cependant empêcher le législateur communautaire, lorsque *l'application de sanctions pénales* […] *constitue une mesure indispensable* pour lutter contre les atteintes graves à l'environnement, de prendre des mesures en relation avec le droit pénal des États membres et qu'il estime nécessaires pour garantir la pleine effectivité des normes qu'il édicte en matière de protection de l'environnement." [Hervorhebungen durch den Verfasser].

690 EuGH „*C-176/03*" (Rn. 48): "However, the last-mentioned finding does not prevent the Community legislature, when the application […] criminal penalties […] *is an essential measure* for combating serious environmental offences, from taking measures which relate to the criminal law of the Member States which it considers necessary in order to ensure that the rules which it lays down on environmental protection are fully effective." [Hervorhebungen durch den Verfasser].

691 *Suhr*, in: Calliess/Ruffert (Hrsg.), EUV/EGV, Art. 29 EUV Rn. 37.

sidiaritätsprinzips angesehen.[692] Welchen Kriterien eine Maßnahme nach Art. 29 EUV genügen muss, wird dementsprechend in der Literatur nicht einheitlich beurteilt. Z.T. wird vertreten, dass Art. 29 EUV die Notwendigkeit postuliere, „sorgfältig zu prüfen".[693] Andere füllen den Begriff primär politisch aus. Er soll die „besondere Bedeutung für ein rechtspolitisch sensibles Gebiet unterstreichen", deshalb seien „an die Rechfertigung der Maßnahme hohe Anforderungen zu stellen".[694]

Ein derartiges Verständnis von „unerlässlich" würde den restriktiven Begriffsinhalt der Sprachfassung des Urteils ignorieren.[695] „Unerlässlich" ist deshalb enger als „erforderlich" in Art. 29 EUV auszulegen.[696] In ihm ist m.E. ein Hinweis auf die *ultima ratio*-Funktion des Strafrechts enthalten, die auch dem EG-Vertrag zugrunde liegt.[697] Die Auslegung der Kommission liefe darauf hinaus, dem Strafrecht im EG-Recht lediglich eine politisch beliebige Funktion zuzuschreiben, die sich darin erschöpft, dem europäischen Recht zur (vermeintlich) effektiven Durchsetzung zu verhelfen.[698] Wie eine Auslegung erzielt werden kann, die auch dem in dem Begriff „unerlässlich" steckenden Verweis auf die *ultima ratio*-Funktion des Strafrechts genügen kann, soll im nächsten Schritt ermittelt werden.

b) „Unerlässlich" als materielles Begrenzungskriterium

Die Urteile Rs. *C-176/03* und *C-440/05* geben eine zweistufige Prüfungsreihenfolge vor.[699] Im ersten Schritt ist zu ermitteln, ob das Strafrecht in dem zu regulierenden Bereich eine unerlässliche Maßnahme darstellt.[700] Im zweiten Schritt kann der Gesetzgeber sein Ermessen ausüben und beurteilen, ob einzelne Maßnahmen erforderlich sind, um dem Gemeinschaftsrecht in diesem Bereich zur effektiven Durchsetzung zu verhelfen.[701]

---

692 *Wasmeier/Jour-Schröder*, in: von der Groeben/Schwarze (Hrsg.), EUV/EGV, Art. 29 EUV Rn. 19; *Röben*, in: Grabitz/Hilf (Hrsg.), EUV/EGV, Art. 29 EUV Rn. 25; a.A. wohl *Suhr*, in: Calliess/Ruffert (Hrsg.), EUV/EGV, Art. 29 EUV Rn. 37.

693 *Röben*, in: Grabitz/Hilf (Hrsg.), EUV/EGV, Art. 29 EUV Rn. 25.

694 *Wasmeier/Jour-Schröder*, in: von der Groeben/Schwarze (Hrsg.), EUV/EGV, Art. 29 EUV Rn. 19.

695 Zust. *Marciali*, Revue du droit public 2008, 1231 (1241).

696 Krit. auch *Philip*, Gazette du Palais 2006, 868 (870).

697 Vgl. die Nachweise bei § 7 III.3.

698 Krit. auch Bundesrechtsanwaltskammer, Stellungnahme BRAK 33/2007, S. 4; *Broussy/Donnat/Lambert*, AJDA 2007, 2251 (2253); GA *Mazák* Schlussanträge „*C-440/05*" (Rn. 117); *Hefendehl*, ZIS 2006, 161 (167); *ders.*, ZStW 119 (2007), 816 (820 ff.); *Herlin-Karnell*, European Public Law 13 (2007), 69 (74, 77); krit. gegenüber einer extensiven Auslegung auch BVerfG „*Lissabon*" (Rn. 358).

699 Zust. *Marciali*, Revue du droit public 2008, 1231 (1241 f.).

700 EuGH „*C-176/03*" (Rn. 48 Satz 2).

701 EuGH „*C-176/03*" (Rn. 48 Satz 1).

Marciali möchte den Begriff „unerlässlich" parallel zur Reichweite der Außenkompetenzen der EG bestimmen.[702] Dies entspräche einer rein formellen Bestimmung des Kriteriums. Es knüpfte den Gebrauch an die Bedingung, dass die EG zuvor Sekundärrecht in diesem Sachpolitikbereich erlassen hat, das des Schutzes durch strafrechtliche Vorschriften bedürfe.[703] Ein solcher Schluss ist halbherzig, da er bei genauerem Hinsehen keine Begrenzungswirkung hat. Der Erlass strafrechtlicher Vorschriften hinge lediglich davon ab, dass die EG zuvor eine mehr oder weniger beliebige sekundärrechtliche Regelung erlassen hat.[704] Dieses Kriterium entspricht inhaltlich dem Subsidiaritätsprinzip, das *Marciali* jedoch ausdrücklich als Kriterium ablehnt, da es zu wenig begrenze.

Als alternativer Maßstab, der ebenfalls mittels einer formellen Begrenzung arbeitet, aber über die Prüfung im Rahmen des Subsidiaritätsprinzips hinausginge, bietet sich die Folgenabschätzung an.[705] Z.T. prüft die EG in diesem Verfahren sehr detailliert, ob und wie weit sie rechtlich bestimmte Sachverhalte regeln muss.[706] Allerdings bietet auch dieses Instrument keine Gewährleistung dafür, dass die EG eine kritische Überprüfung des Gemeinschaftsvorhabens vornimmt. Dies illustriert gerade ein Folgenabschätzungsverfahren, das im Bereich des Strafrechts durchgeführt wurde.[707] Zwar könnte es dazu benutzt werden, eine beweisbasierte Eruierung der Auswirkungen einer geplanten Änderung der Politik vorzunehmen,[708] d.h. im Hinblick auf das Strafrecht zu analysieren, ob eine Angleichung notwendig ist und wenn ja in welchem Ausmaß (d.h. hinsichtlich Tatbestandsmerkmalen, Sanktionsfolgen u.Ä.). GA *Colomer* hat jedoch zugestanden, dass der EG für einen solchen Vergleich in den wesentlichen Bereichen bereits der (Vergleichs-)Maßstab fehlt.[709] Auch könnte eine rein formale Absicherung des Kriteriums auf lange Frist dazu

---

[702] *Marciali*, Revue du droit public 2008, 1231 (1242) verweist hierfür auf die Entscheidung EuGH „*TRIPs-Kompetenz*" (Rn. 88): „[...] wenn von der Harmonisierungskompetenz einmal Gebrauch gemacht worden ist, die so erlassenen Harmonisierungsmaßnahmen die Freiheit der Mitgliedstaaten zu Verhandlungen mit Drittstaaten begrenzen oder sogar beseitigen können. Es ist jedoch ausgeschlossen, dass eine Zuständigkeit für die Harmonisierung auf interner Ebene, die nicht in einem bestimmten Bereich ausgeübt worden ist, dazu führen kann, zugunsten der Gemeinschaft eine ausschließliche externe Zuständigkeit in diesem Bereich zu schaffen."; vgl. zu den Außenkompetenzen oben § 2 I.2.b)aa).

[703] *Marciali*, Revue du droit public 2008, 1231 (1242).

[704] *Marciali*, Revue du droit public 2008, 1231 (1243).

[705] Vgl. hierzu nur die „Impact Assessment Guidelines", Draft Version, 27.5.2008, S. 2 f., download unter: http://ec.europa.eu/governance/impact/consultation/docs/ia_guidelines_draft_text_final_en.pdf [letzter Zugriff: 26.10.2009].

[706] Vgl. hierzu nur die Folgenabschätzung über die Harmonisierung der indirekten Steuern für Dieselkraftstoffe KOM(2007) 52, SEC(2007)170/2; hierzu § 6 V.2.b).

[707] Vgl. Richtlinienvorschlag KOM(2007) 51 endg. S. 5.

[708] Vgl. hierzu nur die „Impact Assessment Guidelines", Draft Version, 27.5.2008, S. 2 f., download unter: http://ec.europa.eu/governance/impact/consultation/docs/ia_guidelines_draft_text_final_en.pdf [letzter Zugriff: 26.10.2009].

[709] GA *Colomer* Schlussanträge „*C-176/03*" (Rn. 86).

verleiten, das Nachweiserfordernis nach und nach herunterzuschrauben. Ferner stellten sich kaum zu überwindende praktische Probleme, wie die verfahrensrechtliche Effizienz der Kontrolle überhaupt sichergestellt werden kann. Neben den spezifisch strafrechtlichen Problemen müsste erst einmal ein allgemeiner Maßstab festgelegt werden, der bestimmt, wie offen die Frage bzw. Alternativvorschläge zu formulieren sind; ob das Ergebnis der Folgenabschätzungsprüfung für den EG-Gesetzgeber bindend wäre usw. Dies wäre so komplex, dass es unpraktikabel würde. M.E. ist deshalb die verfahrensrechtliche Anreicherung des Begründungserfordernisses keine Möglichkeit, den in dem Begriff „unerlässlich" steckenden Verweis auf die *ultima ratio*-Funktion der strafrechtlichen Rechtsdurchsetzung sicherzustellen.

M.E. muss hier deshalb auf ein materielles Begrenzungskriterium zurückgegriffen werden. Treffend erscheint es auch in diesem Zusammenhang, z.B. nach der Art der Kompetenzzuweisung der EG zu unterscheiden, d.h. zwischen ausschließlichen und konkurrierenden Kompetenzen.[710] Eine strafrechtliche Harmonisierung wäre nur dort zulässig, wo der EG eine ausschließliche Kompetenz zusteht. Dies lässt sich damit begründen, dass es der EG lediglich in den Bereichen mit ausschließlicher Kompetenz freistünde, die Funktion des Strafrechts aus dem *ultima ratio*-Gedanken zu lösen und einem funktionalen Ansatz zu unterstellen. Bei den konkurrierenden Kompetenzen stünde der *ultima ratio*-Gedanke entgegen. Er bildet ein allgemeines Rechtsprinzip der Rechtsordnungen der Mitgliedstaaten, das die EG nicht ohne explizite Kompetenzübertragung verändern darf.[711]

Der Begriff „unerlässlich" ist auch das Kriterium, mit dem die Reichweite der expliziten Strafrechtskompetenz in Art. 83 Abs. 2 AEUV [ex-Art. 271 Abs. 2 EuVerf] begrenzt werden soll.[712] Der hiesige Lösungsansatz kann auch unter Art. 83 Abs. 2 AEUV Geltung beanspruchen. Sein Wortlaut „[…] unerlässlich für die wirksame Durchführung der Politik der Union auf einem Gebiet, auf dem Harmonisierungsmaßnahmen erfolgt sind […]", knüpft zwar ebenfalls nur an ein formelles Kriterium an. Legt man das Tatbestandsmerkmal „Gebiet, auf dem Harmonisierungsmaßnahmen erfolgen" jedoch restriktiv aus,[713] indem man es darauf begrenzt, ob eine absolute Kompetenz der EG besteht oder durch Harmonisierung entstanden ist, ergäbe dies eine Auslegung, die der von allen Stellungnahmen geforderten Eingrenzung des Begriffs „unerlässlich" gerecht würde.[714]

Unter Geltung des EG-Vertrags wäre jedoch selbst eine solche Lesart des Urteils ein Verstoß gegen den oben dargestellten Grundsatz, dass der EG keine originäre

---

710 Hierzu oben § 2 I.2.a)aa).

711 Hierzu detailliert § 7 III.3.

712 So auch *Marciali*, Revue du droit public 2008, 1231 (1242).

713 Dies fordert nunmehr auch explizit das BVerfG, vgl. BVerfG „*Lissabon*" (Rn. 358).

714 Vgl *Kretschmer*, in: Vedder/Heintschel v. Heinegg (Hrsg.), EVV, Art. III-271 Rn. 16, 20; *Walter*, ZStW 118 (2006), 912 (928 f.); *Weigend*, ZStW 116 (2004), 275 (284).

strafrechtliche Kompetenz zusteht.[715] Ob der EuGH zur Ausweitung des Grundsatzes befugt ist, wird weiter unten diskutiert.[716]

c) Zwischenergebnis

Es überzeugt nicht, das Kriterium der Unerlässlichkeit, an das der EuGH in seinen Urteilen *C-176/03* und *C-440/05* die strafrechtliche Kompetenz der EG anknüpft, parallel zum Begriff „erforderlich" in Art. 29 EUV auszulegen. Der hieraus resultierende weite Anwendungsbereich widerspräche dem engen Wortlaut des Begriffs „unerlässlich". Auch ein formelles Begrenzungskriterium lässt sich nicht schlüssig begründen, da es nicht beschränkend wirkt. Als einzige Interpretation überzeugt eine materielle Auslegung. Diese erfüllt sowohl die begrenzende Funktion des Wortlauts als auch des *ultima ratio*-Gedankens des Strafrechts, der auch dem EG-Recht zugrunde liegt.

11. Strafrecht als implied powers- oder Annexkompetenz der EG-Kompetenzen

Auf welche dogmatische Grundlage der EuGH eine originäre strafrechtliche Kompetenz zurückführt, geht aus den Urteilen *C-176/03* und *C-440/05* nicht klar hervor.[717] Einige Stimmen in der Literatur deuten sie als eine besonders weitgehende Anwendung der *implied powers*-Lehre.[718] Die zunehmende Integration der EG beschere den ungeschriebenen Kompetenzen einen größeren Anwendungsbereich.[719] Im Rahmen der Rechtsdurchsetzung führe der dynamische Charakter der Union dazu, dass auch intensivere Mittel zulässig werden, um das Gemeinschaftsrecht durchzusetzen.[720] Es sei eine erlaubte Weiterbildung des EG-Vertrags, wenn der EuGH auf *implied powers*-Kompetenzen zurückgreife, um Regelungsbereiche für das EG-Recht zu erschließen, auch wenn sich diese mit einer Sachpolitik

---

[715] Vgl. § 4 III.1.a).

[716] Vgl. § 4 III.14.

[717] Ebenso *Ross*, E.L.Rev. 2006, 476 (498); a.A. *Pohl*, ZIS 2006, 213 (220).

[718] GA *Mazák* Schlussanträge „*C-440/05*" (Rn. 90, 120); *Calliess*, ZEuS 2008, 3 (28 f.); *Haguenau-Moizard*, RTDeur 2006, 377 (381); *Satzger*, Neue Kriminalpolitik 2007, 93 (94); *Spinellis*, EuConst 2 (2006), 293 (300); NJW-Spezial 2007, 552; *Wegener/Greenawalt*, ZUR 2005, 585 (587 f.); krit. *Hefendehl*, ZIS 2006, 161 (165); *Schünemann*, ZIS 2007, 535 f.; vgl. hinsichtlich älterer Literatur die Nachweise bei GA *Colomer* Schlussanträge „*C-176/03*" (Fn. 81).

[719] In diese Richtung *Calliess*, ZEuS 2008, 3 (8); krit. *Braum*, wistra 2006, 121 (124); *Hugger*, Strafrechtliche Anweisungen, S. 57 f.

[720] *Bellescize*, Recueil Dalloz 2005, 2697; *Crosby*, Journal of European Criminal Law 2006, 11 (12); *Haguenau-Moizard*, RTDeur 2006, 377 (381); krit. *Chaltiel*, Revue du Marché commun et de l'Union européenne 2006, 24 (28).

der Mitgliedstaaten überschneide.[721] Denn die gemeinschaftsrechtliche Einstufung als *implied powers* hänge aufgrund der autonomen Bestimmung des Gemeinschaftsrechts nicht davon ab, ob die Sachmaterie für die Mitgliedstaaten eine wesentliche Regelungsfrage sei, die in den nationalen Rechtsordnungen nicht als Annex eingestuft würden.[722] Zwar kann diese Sichtweise für sich anführen, dass sich GA *Mazák* in seinen Schlussanträgen Rs. *C-440/05* für eine dogmatische Verankerung der Kompetenz aussprach. Gegen diese Auffassung sprechen jedoch mehrere materiell-rechtliche Gesichtspunkte, unabhängig von der Tatsache, dass der EuGH dem Bewertungsvorschlag von GA *Mazák* nicht gefolgt ist.

a) Indizcharakter der Schlussanträge GA Mazáks (Rs. C-440/05)?

GA *Mazák* ordnet in seinen Schlussanträgen Rs. *C-440/05* die Strafrechtskompetenz als Ausfluss des *implied powers*-Prinzips ein.[723] Der EuGH ist dieser Einschätzung nicht gefolgt. Er hat in seinem Urteil weder den Schlussanträgen zugestimmt noch ihnen ausdrücklich widersprochen. Allerdings liegt darin keine stillschweigende Zustimmung zu dem Votum GA *Mazáks*. Denn eine vergleichbare *implied powers*-Kompetenz der EG hat der EuGH – im Bereich der Binnenkompetenzen der EG – bislang nicht zuerkannt. *Implied powers* wurden bis dahin eingesetzt, um u.a. eine Gemeinschaftsagentur oder eine Zolltarifstruktur einzuführen, welche für die Ausübung einer Kompetenz Voraussetzung war.[724] Die Frage, ob die EG die Befugnis besitzt, die nationalen Strafrechtsordnungen anzugleichen, ist jedoch ein *aliud* zu dieser bisherigen ständigen Übung. Es geht nicht um akzessorische Befugnisse einer Sachpolitik, sondern um eine eigenständige Sachpolitik.[725] Der Anwendungsbereich der *implied powers* kann vom EuGH zwar in Grenzen geändert oder erweitert werden. Jedoch ist es nicht üblich, dass der EuGH eine neue Art der *implied powers*-Kompetenz stillschweigend begründet. Es ist deshalb nicht überzeugend, das Schweigen des EuGH im Sinne einer Zustimmung zu den Schlussanträgen GA *Mazáks* auszulegen.

---

721 Krit. *Hefendehl*, ZIS 2006, 161 (163 f., 165).

722 In diese Richtung *Tobler*, CMLRev 2006, 835 (851).

723 GA *Mazák* Schlussanträge „*C-440/05*" (Rn. 90).

724 Hierzu oben § 2 I.1.b)aa).

725 A.A. *Vogel*, in: Zieschang et al. (Hrsg.), Strafrecht und Kriminalität in Europa, S. 29 (40).

b) Strafrecht: implied powers oder eigenständige Sachpolitik des EG-Vertrags?

Mehrere materiell-rechtliche Gründe stehen einer Deutung des Strafrechts als Annex- oder *implied powers*-Kompetenz des EG-Vertrags entgegen.[726]

Einer Herleitung aus dem *implied powers*-Prinzip widerspricht ein Gesichtspunkt, der sich aus den Vertragsverhandlungen der Mitgliedstaaten um den Reformvertrag von Lissabon ergibt. Die Mitgliedstaaten haben nach dem Scheitern der EuVerf an der Verabschiedung einer expliziten Harmonisierungskompetenz der EU auf dem Gebiet des Strafrechts (Art. III-271 Abs. 2) festgehalten (Art. 83 Abs. 2 AEUV). Dies taten sie, obwohl zwischenzeitlich das Urteil *C-176/03* ergangen war und seine Folgen lebhaft in allen Mitgliedstaaten diskutiert wurden.[727] Hätten sie die Frage einer strafrechtlichen Harmonisierungskompetenz als derartige „Kleinigkeit" angesehen, dass sie sich mittels einer *implied powers*-Kompetenz regeln ließe, hätten sie Art. 83 Abs. 2 AEUV unter Berufung auf die zwischenzeitliche Änderung der Rechtsprechung durch die Rs. *C-176/03* streichen können, zumal sie sich auf die extensive Interpretation des Urteils durch die Kommission hätten berufen können.[728] Eine Aussage lässt sich diesem Verhalten entnehmen, wenn man es mit der Handhabe der (bis heute fehlenden) primärrechtlichen Verankerung des Prinzips der *implied powers* vergleicht. Die Mitgliedstaaten hielten es zu keinem Zeitpunkt für notwendig, eine explizite Regelung der *implied powers*-Kompetenzen im Primärrecht vorzusehen, auch wenn diese Figur durch den EuGH und die europäischen Gesetzgebungsorgane nunmehr seit mehreren Jahrzehnten verwendet wird. Dies kontrastiert mit dem von den Mitgliedstaaten ausgehenden Bedürfnis, jegliche strafrechtliche Befugnisse der EU genau festzuhalten.[729] Dies rechtfertigt den Umkehrschluss, dass eine strafrechtliche Kompetenz der EG nicht als *implied powers* eingestuft werden kann, da sie von zu großer Bedeutung für die Mitgliedstaaten ist.

Diese Auffassung wird unterstützt durch die Entscheidung *Fluggastdaten* des EuGH. In diesem Zusammenhang sprach sich das Gericht gegen die Möglichkeit aus, eine Regelung, die kriminalstrafrechtliche Zielsetzungen verfolgt, als Annex einer Binnenmarktvorschrift anzuerkennen.[730] Dies legt nahe, dass auch der EuGH dem Strafrecht eine besondere Rolle im Rahmen des EG-Vertrags beimisst.

---

726 A.A. *Johannes*, EuR 1968, 63 (107); vgl. ferner *Gröblinghoff*, Schutz der Interessen der EG, S. 94 ff.

727 Einen guten Überblick über die Auffassungen der Mitgliedstaaten, des EP und des Ministerrates gibt der Report des „European Union Committee" des House of Lords, 42nd Report of Session 2005-06, S. 14 ff., (Rn. 23 ff.).

728 Diese umfasste alle wesentlichen Politikbereiche des EG-Vertrags, vgl. KOM(2005) 583 endg. S. 7 ff.

729 In diese Richtung auch *Dieblich*, Strafrechtlicher Schutz, S. 274 f.; *Hecker*, Europäisches Strafrecht, § 8 Rn. 43; *Hugger*, Strafrechtliche Anweisungen, S. 56 ff.

730 EuGH „*Fluggastdaten*" (Rn. 56 ff., 69).

Ein weiterer Einwand ergibt sich aus der Weite der strafrechtlichen Kompetenz im Verhältnis zum oben festgestellten zulässigen Ausmaß einer ungeschriebenen Kompetenz.[731] Nach der Ausweitung der Kompetenzen durch sein Urteil *C-440/05* ist es nicht mehr möglich, die Rechtsschöpfung des EuGH als Annex der Umweltkompetenz des Art. 175 EGV zu verstehen. Fasst man Art. 175 EGV als Ausfluss des Prinzips der begrenzten Einzelermächtigung und als allgemeine Kompetenz der EG in Umweltsachen auf, müsste eine strafrechtliche Annex-Umweltkompetenz ausschließlich auf diese Vorschrift gestützt werden.[732] Denn eine Annexkompetenz erfordert, dass der zu regelnde Sachverhalt als „Aspekt [einer Sachmaterie] verstanden werden kann, der vernünftigerweise nicht mehr von den Mitgliedstaaten geregelt werden kann“.[733] Ist es hingegen möglich, einen (materiellen) Regelungszusammenhang im Rahmen mehrerer Sachgebiete zu normieren, spricht dies gegen den Charakter als *implied powers*-Kompetenz. Die Möglichkeit, als Annexkompetenz zu fungieren, verliert ein Regelungsbereich umso mehr, je mehr er eine eigenständige Sachkompetenz darstellt.[734] Dass auch die Mitgliedstaaten nach wie vor davon ausgehen, dass Strafrecht eine eigenständige Sachmaterie ist, zeigt wiederum der AEUV, der nicht nur Art. 83 Abs. 2 einführt, sondern dem Strafrecht ein eigenes Kapitel widmet (Kapitel 4 in Titel IV). Das Strafrecht steht somit auf einer Stufe u.a. mit den Grundfreiheiten, die überwiegend ebenfalls in einem eigenständigen Kapitel geregelt werden.[735] Auch erfüllt die Harmonisierung materiellen Strafrechts nicht das von der Rechtsprechung aufgestellte Erfordernis der „Unmöglichkeit der Regelung durch die Mitgliedstaaten“.[736] Ein Sachverhalt, der – wie der flankierende strafrechtliche Schutz bestimmter Sachgebiete – in verschiedenen Konstellationen Einsatz findet, ist einer Regelung durch die Mitgliedstaaten nicht *a priori* entzogen. Im Bereich der *implied powers*-Kompetenzen lässt sich kein vernünftiger Fall bilden, in dem Vorschriften des materiellen Strafrechts unter Berufung auf solche Kompetenzen erlassen werden könnten.[737] Es wäre derzeit allenfalls denkbar, eine strafrechtliche Kompetenz auf Art. 308 EGV zu stützen.[738] Dieser ermöglicht sachgebietsübergreifende Ergänzungen des EG-Vertrags.[739]

---

731 Hierzu siehe oben § 2 I.2.b)aa).

732 In diese Richtung auch *Lienbacher*, in: Schwarze (Hrsg.), EU-Kommentar, Art. 5 EGV Rn. 10; a.A. *Spinellis*, EuConst 2 (2006), 293 (300).

733 *Lienbacher*, in: Schwarze (Hrsg.), EU-Kommentar, Art. 5 EGV Rn. 10.

734 I.d.S. auch *Calliess*, in: Calliess/Ruffert (Hrsg.), EUV/EGV, Art. 5 EGV Rn. 16 weist Art. 308 EGV gerade die Funktion zu, aus vertraglichen Zielbestimmungen neue, allgemeine Befugnisse herzuleiten.

735 Vgl. Kapitel III, Titel 3 AEUV „Dienstleistungen“.

736 Vgl. § 2 I.2.b).

737 Zust. *Dieblich*, Strafrechtlicher Schutz, S. 275; *Hugger*, Strafrechtliche Anweisungen, S. 58.

738 Hierzu sogleich § 4 III.13.

739 Siehe oben § 2 I.2.c).

c) *Zwischenergebnis*

Es mangelt an überzeugenden Argumenten, um eine strafrechtliche Kompetenz der EG als *implied powers*-Kompetenz einzustufen. Die Rechtsprechung des EuGH bietet hierzu keine Anhaltspunkte. Inhaltlich spricht gegen diese Charakterisierung, dass eine strafrechtliche Kompetenz der EG den zulässigen Umfang von *implied powers*-Kompetenzen weit überschreiten würde.

12. Originäre Strafrechtskompetenz aus Effizienzgründen (effet utile)

Andere folgern eine strafrechtliche Kompetenz der EG aus dem *effet utile* des Gemeinschaftsrechts (Art. 10 EGV).[740] Aus dem Grundsatz der Effektivität des Gemeinschaftsrechts resultiere eine umfassende Sanktionierungsbefugnis.[741] Die EU sei eine Rechtsgemeinschaft und eine solche bedürfe verbindlicher und zwingender Regelungen, insbesondere auch strafrechtlicher Natur.[742] Die Urteile *C-176/03* und *C-440/05* gestalteten die Interaktion des Gemeinschaftsrechts mit dem mitgliedstaatlichen Strafrecht fort.[743] Sie bauten auf die Entscheidung *Griechischer Mais* auf.[744] Wie jedoch oben gezeigt wurde, regelt die Entscheidung *Griechischer Mais* ein *aliud* zu der Frage, die Inhalt der Entscheidung *C-176/03* und *C-440/05* ist.[745]

Zwar folgt aus dem Urteil *C-440/05* nur noch die Befugnis der EG, den Mitgliedstaaten einen strafrechtlichen Rahmen vorzugeben.[746] Aus allgemeinen Prinzipien wie dem *effet utile* des Gemeinschaftsrechts folgen jedoch keine originären Kompetenzen der EG,[747] sie können allenfalls dazu führen, dass ihr akzessorische Kompetenzen zukommen, wie z.B. infolge der Entscheidung *Griechischer Mais*.[748] Ließe man zu, dass der EuGH sie als Grundlage für originäre (Strafrechts-)Kom-

---

740 *Johannes*, EuR 1968, 63 (107 f.); *Satzger*, Europäisierung, S. 331 ff., 336 f.; *Winkler*, Die Rechtsnatur der Geldbuße, S. 11 f.; *Böse*, Strafe und Sanktionen, S. 141; *Tiedemann*, NJW 1993, 23 (25 f.); vgl. ferner *Hecker*, Europäisches Strafrecht, § 7 Rn. 19 ff.; krit. *Kaiafa-Gbandi*, ZIS 2006, 521 (524); *Ross*, E.L.Rev. 2006, 476 (480 f.).

741 *Chaltiel*, Revue du Marché commun et de l'Union européenne 2006, 24 (28); *Petite*, Gazette du Palais 2006, 864 (866); *Simon*, Europe Nov. 2005, 11 (12); *Weiß*, ZEuS 2006, 381 (411 ff.); *White*, E.L.Rev. 2006, 81 (92); *Moal-Nuyts*, Revue de droit international et de droit comparé, 2006, 249 (265 f.); krit. *Herlin-Karnell*, European Public Law 13 (2007), 69 (73 f.); *Ross*, E.L.Rev. 2006, 476 (480 f.).

742 *Crosby*, Journal of European Criminal Law 2006, 11; in diese Richtung ebenfalls *v. Bogdandy*, in: GS-Grabitz, S. 17 (23); krit. *Wuermeling*, BayVwBl 2006, 368 (369, 370).

743 GA *Colomer* „*C-176/03*" (Rn. 84, Fn. 81); a.A. *Sugmann-Stubbs/Jager*, KritV 2008, 57 (69 f.).

744 *Tobler*, CMLRev 2006, 835 (848 f.).

745 Hierzu § 4 II.2.b)bb).

746 Vgl. § 4 II.2.b)bb).

747 Siehe oben § 2 I.1.

748 Vgl. § 4 II.1.b).

petenzen der Gemeinschaft einsetzt, spräche man der Gemeinschaft eine Kompetenz-Kompetenz zu.[749] Zwar kann aus dem Prinzip der Effektivität des Gemeinschaftsrechts in gewissen Fällen folgen, dass eine Um- bzw. Durchsetzung von Rechten der Gemeinschaft mittels Normen eines bestimmten Rechtscharakters erfolgen muss.[750] Allerdings ist der induktive Schluss von einer akzessorischen auf eine originäre Kompetenz der Gemeinschaft unzulässig.[751] Auch der reduzierte Umfang – infolge der Entscheidung *C-440/05* – überschreitet die zulässigen Kompetenzgrenzen des EG-Vertrags. Denn sie bleibt eine originäre Strafrechtskompetenz.[752]

13. Art. 308 EGV als Grundlage einer Umweltstrafrechtskompetenz

In seinen Entscheidungen stützt der EuGH die originäre strafrechtliche Kompetenz der EG maßgeblich auf den Querschnittscharakter des Umweltschutzziels. Der Umweltschutz ist sowohl Querschnittsziel als auch eigenständiger Politikbereich der EG.[753] Art. 6 EGV sichert den Einfluss dieses Vertragsziels über den Politikbereich des Umweltschutzes (Art. 174 ff. EGV)[754] hinaus.[755] Hieraus folgen jedoch keine Kompetenzen. Die Querschnittsklausel hat den Charakter einer Aufgabe, auch wenn ihr besondere Bedeutung zukommt.[756] Ihre Einführung sollte dem Umweltschutz im Rahmen des EG-Vertrags erst eine bessere,[757] später eine hervorgehobene Rolle verleihen.[758] Dies bezieht sich auf alle Bereiche des Gemeinschaftshandelns.[759]

---

[749] In diese Richtung auch *Ross*, E.L.Rev. 2006, 476 (496); grundsätzlich zust. ferner *Hefendehl*, ZIS 2006, 161 (165).

[750] Siehe § 4 II.1.a)aa)(1).

[751] Vgl. § 4 II.1.a)aa)(2).

[752] Siehe oben § 4 III.1.a)bb).

[753] Vergleichbares findet sich seit dem Vertrag von Amsterdam nur noch in Art. 3 Abs. 2 EGV hinsichtlich der Gleichstellung von Mann und Frau, vgl. zur Entwicklung des Umweltschutzziels im Vertragsgefüge der EG *Epiney*, Umweltrecht, S. 11 ff.; *Jahns-Böhm*, in: Schwarze (Hrsg.), EU-Kommentar, Art. 6 EGV Rn. 2 ff.; *Calliess*, in: Calliess/Ruffert (Hrsg.), EUV/EGV, Art. 174 Rn. 3 ff.

[754] Vgl. *Calliess*, in: Calliess/Ruffert (Hrsg.), EUV/EGV, Art. 174 EGV Rn. 1; *Epiney*, Umweltrecht, S. 56 ff.

[755] *Epiney*, Umweltrecht, S. 9, 17 ff.; *Calliess*, in: Calliess/Ruffert (Hrsg.), EUV/EGV, Art. 6 EGV Rn. 18.

[756] *Calliess*, in: Calliess/Ruffert (Hrsg.), EUV/EGV, Art. 6 EGV Rn. 19; *Stein*, in: FS-Everling, S. 1439 (1440 f.); *Jahns-Böhm*, in: Schwarze (Hrsg.), EU-Kommentar, Art. 6 EGV Rn. 3, 22; *Streinz*, EUV/EGV, Art. 6 EGV Rn. 23.

[757] Vgl. zu den Ursprüngen der umweltrechtlichen Querschnittsklausel in der Fassung durch die EEA und den Vertrag von Maastricht, *Jahns-Böhm*, in: Schwarze (Hrsg.), EU-Kommentar, Art. 6 EGV Rn. 2 ff.

[758] *Jahns-Böhm*, in: Schwarze (Hrsg.), EU-Kommentar, Art. 6 EGV Rn. 8.

[759] Vgl. zu den vielfältigen Bezugspunkten, die bislang der Querschnittsklausel zugeordnet wurden, *Epiney*, Umweltrecht, S. 111 f.

In der Entscheidung *C-176/03* hat der EuGH die strafrechtliche Kompetenz aus Art. 175 EGV hergeleitet.[760] In der Rs. *C-440/05* löste er diese Bindung zu Art. 175 EGV. Er statuierte, dass es auch möglich sei, mittels anderer Kompetenzgrundlagen des EG-Vertrags umweltstrafrechtliche Belange dieses Politikbereichs zu harmonisieren, solange die Regelung einen engen Bezug zum Umweltstrafrecht aufweise.[761] Analysiert man die Entscheidungen *C-176/03* und *C-440/05* auf ein verallgemeinerungsfähiges Rechtsprinzip, ist die einzige stimmige Lösung, dass der EuGH eine neue Kompetenz aus dem (Umwelt-)Vertragsziel der EG erschaffen hat.[762] Alle anderen Begründungsansätze, wie *implied powers-* oder *effet utile-*Kompetenz, vermögen die Begründung nicht zu tragen.[763] Art. 308 EGV wäre die einzige Norm, auf die sich diese Kompetenz stützen ließe; er dient dazu, bislang im EG-Vertrag nicht enthaltene, aber für die Abrundung einer Sachpolitik notwendige Kompetenzen zu erschließen.[764]

Gegen die rechtmäßige Inanspruchnahme von Art. 308 EGV spricht jedoch entscheidend folgender Aspekt: Vorausgesetzt, der EuGH hätte sich auf diesen Artikel als Kompetenznorm gestützt, müsste dies zusätzlich mit dem Vorrangverhältnis des EG-Vertrags gegenüber dem EU-Vertrag vereinbar sein, das der EuGH in Art. 29 Abs. 1, Art. 47 EUV niedergelegt sieht.[765] Hiernach geht die strafrechtliche Kompetenz der EG dem (völkerrechtlichen) EU-Recht vor.[766] An dieser Voraussetzung scheitert die strafrechtliche Kompetenz, die grundsätzlich auf Art. 308 EGV gestützt werden könnte, jedoch im Fall einer Umweltstrafrechtskompetenz. Es kann kein Vorrangverhältnis bestehen,[767] wenn eine entsprechende Kompetenz im EG-Vertrag bislang nicht existiert, sondern erst durch Art. 308 EGV geschaffen werden muss. Ein Vorrang für eine derartige Kompetenz wäre auch von der neuen, extensiven Lesart des Art. 29 Abs. 1, Art. 47 EUV nicht umfasst. Denn eine noch nicht vorhandene Kompetenz kann nicht an dem Stufenverhältnis zwischen EG- und EU-Recht teilhaben. Hieraus folgt, dass Art. 308 EGV nicht als Kompetenzgrundlage für die Neuschöpfung der Umweltstrafrechtskompetenz der EG in Betracht kommt.

---

760 Hierzu oben § 4 II.2.a).

761 Hierzu oben § 4 II.2.b). Zu den denkbaren anderen Politikbereichen, die das Kriterium des EuGH „*C-440/05*" (Rn. 60) erfüllen, zählen insbesondere die Landwirtschaft (Art. 3 lit e), die Verkehrspolitik (Art. 3 lit. f), der Ausbau transnationaler Netze (Art. 3 lit. o) sowie die Bereiche Energie und Tourismus (Art. 3 lit. u); hierzu *Jahns-Böhm*, in: Schwarze (Hrsg.), EU-Kommentar, Art. 6 EGV Rn. 10.

762 Art. 3 lit l) i.V.m. Art. 6 EGV; eine allgemeine strafrechtliche Harmonisierungskompetenz hat der EuGH abgelehnt, wie sich aus dem Umkehrschluss zu den weitergehenden Anträgen von GA *Mazák* „*C-440/05*" (Rn. 113) ergibt; a.A. wohl *Dawes/Lynskey*, CMLRev 2008, 131 (144).

763 Hierzu oben § 4 III.11., 12.

764 Hierzu oben § 2 I.2.c).

765 Hierzu oben § 4 II.2.a).

766 EuGH „*C-176/03*" (Rn. 38).

767 Krit. § 4 III.5.

Als Zwischenergebnis lässt sich festhalten, dass der EuGH durch seine Entscheidungen C-*176/03* und *C-440/05* eine Kompetenz neu geschaffen hat, die prinzipiell in den Anwendungsbereich des Art. 308 EGV fallen könnte. Im Rahmen der Umweltstrafrechtskompetenz greift jedoch die Besonderheit, dass diese neu zu schöpfende Kompetenz nicht unter das Vorrangverhältnis des EG-Vertrags fiele, das der EuGH nunmehr aus Art. 29 Abs. 1, 47 EUV ableitet. Dieses setzt voraus, dass die EG eine bestehende Kompetenz erweitern kann, gilt jedoch nicht für den Fall, wenn sie sich eine Kompetenz erst über Art. 308 EGV verschaffen muss. Art. 308 EGV ist deshalb ebenfalls keine Kompetenzvorschrift, mittels der die EG umweltstrafrechtliche Vorschriften verabschieden könnte.

14. Unzulässige Rechtsfortbildung des EuGH

Es verbleibt der mögliche Einwand, dass es dem EuGH aufgrund seiner formalen Position (Art. 220 EGV) erlaubt sei, den EG-Vertrag auszulegen und fortzubilden, ohne hierbei der im EG-Vertrag festgelegten Kompetenzordnung detailgetreu folgen zu müssen.[768] Dann wäre es dem EuGH auch möglich, der EG durch Rechtsfortbildung Kompetenzen zuzuschreiben, die ihr durch die Mitgliedstaaten bislang nicht verliehen wurden.

Einer solchen Beurteilung steht jedoch entgegen, dass dem EuGH in Art. 220 EGV nur eine eingeschränkte Befugnis erteilt wurde, das EG-Recht weiterzubilden. Zwar steht es ihm frei, auch rechtsschöpferisch tätig zu werden und die Kompetenzgestaltung der EG umzugestalten und neu zu interpretieren.[769] Aber diese Fähigkeit des EuGH ist begrenzt.[770] Es soll hier nunmehr beurteilt werden, ob das Gericht in seinen Entscheidungen *C-176/03* und *C-440/05* diese Befugnisgrenze überschritten hat. Als Maßstab dient hierfür das oben entwickelte Begrenzungskriterium der Rechtsfortbildungskompetenz des EuGH.[771]

a) Festlegung des anzuwendenden Maßstabs

In Anwendung dieses Maßstabs ist in einem ersten Schritt zu beurteilen, ob die betreffende Kompetenz der EG ausschließlicher oder konkurrierender/paralleler Natur ist. Sämtliche Gesichtspunkte sprechen hierbei für die Anwendung des Maßstabs, der für den Bereich der konkurrierenden Kompetenzen der EG gilt. Denn die durch die Urteile *C-176/03* und *C-440/05* neu geschaffene Kompetenz lässt sich

---

768 In diese Richtung *White*, E.L.Rev. 2006 81 (89 ff., 92 *passim*); *Haguenau-Moizard*, RTDeur. 2006, 377 (378 f., 381 *passim*); *Chaltiel*, Revue du Marché commun et de l'Union européenne 2006, 24 (26, 28 *passim*); *Zarka*, La Semaine Juridique – édition générale 2005, 2224 (2226 *passim*); *Tobler*, CMLRev 2006, 835 (848 f., 849).

769 Siehe oben § 2 II.2.b).

770 Vgl. § 2 II.2.b).

771 Vgl. § 2 II.2.c).

nicht einer einzigen Kompetenznorm der EG zuordnen. Sie bezieht sich auf eine Aufgabenzuweisung, das gesamte Politikfeld Umweltschutz (Art. 6 EUV). Dieser Politikbereich ist konkurrierender Natur.[772] Auch durch die Einführung der (Umwelt-)Strafvorschriften sollte hier keine abschließende Regelung der EG getroffen, sondern lediglich eine Mindestharmonisierung vorgenommen werden.[773]

Der Umweltschutz (Art. 174 ff.) EGV ist ein konkurrierender Politikbereich der EG.[774] Die Aufgabe des Umweltschutzes ist weder der EU alleine auferlegt noch kann dieses Ziel ausschließlich von ihr erfüllt werden. Auch die Querschnittsklausel des Art. 6 EGV hat nicht bewirkt, dass der Umweltschutz zu einer ausschließlichen Kompetenzzuweisung heraufgestuft wurde. Denn die Querschnittsklausel teilt keine zusätzlichen Kompetenzen zu, sondern sollte nur die Breitenwirkung des Politikziels vergrößern.[775] Auch das bisher verabschiedete sekundäre Gemeinschaftsrecht verleiht der EG keine ausschließliche Kompetenz im Bereich der Umweltschutzpolitik. Die sekundärrechtlichen Regelungen haben hier den Charakter einer Mindestregelung.[776] Sie belassen den Mitgliedstaaten die Möglichkeit, weitergehende Regelungen vorzusehen.[777]

b) Beurteilung der Entscheidungen Rs. C-176/03 und C-440/05

Es gilt nunmehr, den Maßstab für die Rechtsfortbildung konkurrierender EG-Kompetenzen auf die Entscheidungen Rs. *C-176/03* und *C-440/05* anzuwenden.[778] Hier ist abzuwägen, wie die Interessen der EG mit den Souveränitätsinteressen der Mitgliedstaaten, die im EG-Vertrag niedergelegt sind, in Einklang gebracht werden können. Die Souveränitätsinteressen der Mitgliedstaaten dürfen durch die Rechtsfortbildung nicht in unzulässiger Weise beeinträchtigt werden.[779]

Die bisherige Untersuchung hat herausgearbeitet, dass die Urteile des EuGH *C-176/03* und *C-440/05* eine Umwelt(sanktions-)kompetenz *sui generis* begründen.[780] Dem Querschnittsziel in Art. 6 EGV wurde hiermit kompetenzbegründende Funktion zugesprochen; es wurde von einer Aufgabe zu einer Kompetenznorm um-

---

772 Vgl. *Hugger*, Strafrechtliche Anweisungen, S. 35 ff.

773 Der Charakter einer Mindestharmonisierung des Umweltstrafrechts steht auch hinter dem Richtlinienvorschlag KOM(2007) 51 endg., vgl. Richtlinienvorschlag KOM(2007) 51 endg. S. 9, sowie Art. 5 Abs. 2–5 (S. 13 f.).

774 So der RL-Entwurf KOM(2007) 51 endg. S. 6.

775 Vgl. oben § 4 III.13.b).

776 Ausführlich *Schlösser*, Die Sperrwirkung sekundären Gemeinschaftsrechts, S. 43 ff., 160 ff.

777 Dies ergibt sich aus dem Ziel von Art. 6 EGV, den Umweltschutz zu stärken, vgl. hierzu *Jahns-Böhm*, in: Schwarze (Hrsg.), EU-Kommentar, Art. 6 EGV Rn. 1.

778 Vgl. zu den Maßstäben § 2 II.3.b); ob in diesem Zusammenhang bereits von Rechtsfortbildung gesprochen werden kann bezweifelt *Monpion*, Revue du Marché commun et de l'Union européenne, 2008, 130 (133); a.A. GA *Mazák* Schlussanträge „*C-440/05*" (Rn. 98 f., 113); *Fromm*, ZIS 2008, 168 (176).

779 Vgl. § 2 II.3.b).

780 Vgl. § 4 III.13.

funktioniert. Dies widerspricht primärrechtlichen Vorgaben. Die neue Kompetenz lässt sich nur unter Verstoß gegen das Prinzip begründen, dass der EG keine Kompetenz-Kompetenz zukommt.[781] Die Stellung der Mitgliedstaaten als Herren der Verträge würde in Frage gestellt, was die vorgenommene Auslegung des EuGH bereits unzulässig macht.

Auch vermögen die Entscheidungen keine überzeugende Weiterbildung des EG-Rechts zu vollbringen. Insbesondere die Entscheidung *C-440/05* lässt offen, ob ihr postuliertes Ziel, das EG-Recht effizienter durchzusetzen, überhaupt durch den in ihr angelegten Weg erreicht werden kann.[782]

c) Zwischenergebnis

Die Rechtsfortbildung des EuGH in den Entscheidungen Rs. *C-176/03* und *C-440/05* ist nicht mit dem EG-Vertrag vereinbar. Sie wäre nur zulässig, wenn der EuGH der EG im Bereich der Umweltpolitik neue Befugnisse zusprechen könnte. Diese Kompetenz steht ihm jedoch nicht zu.

IV. Ergebnis § 4

Es lässt sich festhalten, dass überzeugende Argumente dafür sprechen, der EG keine originäre strafrechtliche Kompetenz zuzusprechen. Weder lässt sich eine solche Sichtweise auf eine Auslegung der EG-Verträge zurückführen, noch überzeugen die Gründe, aus denen der EuGH in seinen Urteilen Rs. *C-176/03* und *C-440/05* eine solche Kompetenz ableitet. Diese Urteile stellen eine Rechtsfortbildung *contra legem* dar, welche unzulässig ist.

In den Gründungsverträgen und den späteren Änderungen des Primärrechts haben die Mitgliedstaaten stets versucht, bereits den Eindruck zu vermeiden, der EG könne eine strafrechtliche Kompetenz zustehen.[783] Die Handlungsbefugnisse der EU wurden vielmehr ausschließlich im Bereich der PJZS konzentriert.[784] Gegen eine implizite Kompetenzübertragung insbesondere durch funktionale Kompetenzen spricht das Prinzip der begrenzten Einzelermächtigung. Die Konzeption der h.L. überzeugt nicht, die der EG zwar eine strafrechtliche Befugnis zuspricht, diese aber maßgeblich unter Berufung auf das *nulla poena sine lege*-Prinzip auf eine „Strafrechtsanweisungskompetenz" begrenzen möchte. Diesem Prinzip kommt im Rahmen des EG-Vertrags keine kompetenzbegrenzende Funktion zu. Weder finden

---

781 *Kaiafa-Gbandi*, ZIS 2006, 521 (524); *Griese*, EuR 1998, 462 (476) vertritt eine ähnliche Auffassung im Rahmen der Argumentation von Art. 280 Abs. 4 Satz 2 EGV; zust. *Schröder*, Europäische Richtlinien, S. 145 f.

782 Krit. *Herlin-Karnell*, European Public Law 13 (2007), 69 (75).

783 Hierzu § 4 I.

784 Hierzu § 4 II.

sich formell-demokratische Defizite, welche die EG daran hindern würden, eine strafrechtliche Kompetenz zum Erlass unmittelbar geltenden Strafrechts zu verwenden,[785] noch finden sich Kriterien, die aus materiell-demokratischen Gesichtspunkten Einwände hiergegen hervorzubringen vermögen.[786] Da diese Kompetenzausübungsschranken keine wirksame Kontrolle versprechen, kann eine Sachkompetenz nur entweder ganz bejaht oder verneint werden. Für Letzteres sprechen die besseren Argumente.

Die Mitgliedstaaten haben sich bislang vor einer Übertragung hoheitlicher Befugnisse auf die EG im Bereich des Strafrechts zurückgehalten, dem EG-Vertrag liegt insoweit ein Souveränitätsvorbehalt zugrunde.[787] Es überzeugt nicht, das Verhältnis zwischen strafrechtlicher Rechtsetzung im Rahmen des EG- und des EU-Vertrags im Sinne eines Stufenverhältnisses zu definieren, da keine EG-vertragliche Kompetenz besteht.[788] Auch infolge der Entscheidungen Rs. *C-176/03* und *C-440/05* haben die Mitgliedstaaten der EG keine strafrechtliche Kompetenz übertragen. Sie haben – trotz intensiver Diskussion – nicht von der sogenannten „passerelle" des Art. 42 EUV Gebrauch gemacht.[789] Die Rechtsprechung sieht sich deshalb weiterhin dem berechtigten Einwand ausgesetzt, sie nehme in unzulässiger Weise Art. 83 Abs. 2 AEUV vorweg.[790] Diese rechtlichen werden durch rechtspolitische Bedenken gestützt, die auf die Gefahren einer Politik hinweisen, die das Mittel des Strafrechts als allgemein effizientestes Mittel zur Verhaltenssteuerung ansehen.[791]

Für eine strafrechtliche Kompetenz der EG kann zwar angeführt werden, dass es praktikabler wäre, Sach- und Sanktionsregelungen in einem Rechtsakt erlassen zu können. Kompetenzrechtliche Relevanz kommt diesem Argument allerdings nicht zu.[792] Die Urteilsformel des EuGH, dass eine strafrechtliche Harmonisierung zulässig ist, wenn der Einsatz von Strafrecht *unerlässlich* sei, um schwere Beeinträchtigungen von der Umwelt fernzuhalten, enthält nach hiesiger Sichtweise einen Verweis auf die *ultima ratio*-Funktion des (europäischen) Strafrechts. Eine entsprechende Begrenzung wird lediglich erreicht, wenn man ein materielles Begrenzungskriterium bildet. Der hier entwickelte Maßstab sieht vor, dass diese Kompetenz nur in den Politikbereichen besteht, in denen der EG eine ausschließliche Regelungskompetenz zuerkannt wurde.[793] Dieses Kriterium ist auch mit Art. 83

---

785 Hierzu § 4 III.3.a).
786 Vgl. § 4 III.3.b).
787 Vgl. § 4 III.4.
788 Vgl. § 4 III.5.
789 Vgl. § 4 III.6.
790 Vgl. § 4 III.7.
791 Vgl. § 4 III.8.
792 Vgl. § 4 III.9.
793 Vgl. § 4 III.10.

Abs. 2 AEUV vereinbar.[794] Eine Strafrechtskompetenz der EG lässt sich jedoch nicht auf das *implied powers*-Prinzip stützen, auch wenn sich GA *Mazák* in seinen Schlussanträgen Rs. *C-440/05* hierfür ausgesprochen hat.[795]

Überzeugende materiell-rechtliche Gesichtspunkte, die diese Wertung stützen, finden sich nicht.[796] Das Prinzip des *effet utile* kann ebenfalls nicht dafür herangezogen werden, eine originäre Strafrechtskompetenz der EG zu begründen, ohne dass man gegen den Grundsatz verstößt, dass der EG keine Kompetenz-Kompetenz zuerkannt wurde.[797] Auch auf Art. 308 EGV lässt sich die Befugnis nicht stützen. Zwar wäre die Umweltstrafrechtskompetenz grundsätzlich geeignet, mittels Art. 308 EGV in den EG-Vertrag eingefügt zu werden. Die Kompetenz des Art. 308 EGV hat jedoch nicht an dem (abzulehnenden) Vorrangverhältnisses des EG-Vertrags vor dem EU-Vertrag teil. Dieses beruht darauf, dass die in erster Linie in Anspruch zu nehmende Kompetenz bereits in ihren Grundzügen im EG-Vertrag angelegt ist und nicht erst mittels Art. 308 EGV aus einer Aufgabe abgeleitet oder vollständig neu begründet werden muss.[798] Auch reicht es nicht aus, als Legitimation der neuen Kompetenz der EG lediglich darauf zu verweisen, dass dies nunmehr gefestigte Rspr. des EuGH sei. Die Rechtsfortbildungskompetenz des EuGH ist limitiert. Die Entscheidungen *C-176/03* und *C-440/05* bilden in unzulässiger Weise die EG-Kompetenzen weiter. Sie stellen deshalb keine zulässige und verbindliche Weiterbildung des EG-Rechts dar.[799]

---

[794] Vgl. § 4 III.10.b).
[795] Vgl. § 4 III.11.a).
[796] Vgl. § 4 III.11.b).
[797] Vgl. § 4 III.12.
[798] Vgl. § 4 III.13.
[799] Vgl. § 4 III.14.

Teil 2

Strafrechtliche Harmonisierung mittels Art. 95 EGV?

Ziel dieses Teils ist es, zu untersuchen, ob eine strafrechtliche Angleichungskompetenz der EG aus der Binnenmarktbefugnis des Art. 95 EGV abgeleitet werden kann. Die h.M. geht seit der Einführung von Art. 95 EGV [ex-Art. 100a EWGV] durch die Einheitliche Europäische Akte (EEA)[1] davon aus, dass er dazu ermächtige, auch strafrechtliche Vorschriften der Mitgliedstaaten anzugleichen. Die Ausführungen beginnen mit einer Auslegung des Tatbestands von Art. 95 EGV (§ 5), auf deren Grundlage eine kritische Auseinandersetzung mit den Fallgruppen erfolgen soll, welche die h.M. zu Art. 95 EGV entwickelt hat (§ 6). Hierauf aufbauend wird ein eigenständiger Ansatz zur Frage der Vereinbarkeit von Art. 95 EGV mit dem Politikfeld des Strafrechts und Strafprozessrechts entwickelt (§ 7).

§ 5 Art. 95 EGV

Um ein hinreichendes Verständnis der Vorschrift des Art. 95 EGV zu ermöglichen, wird kurz auf deren Entstehungsgeschichte eingegangen (I.), bevor der darin enthaltene Tatbestand erörtert wird (II.). Anschließend werden die zulässigen Zielsetzungen (Beseitigung von Hemmnissen für eine Grundfreiheit oder Beseitigung spürbarer Wettbewerbsverzerrungen) analysiert (III. und IV.).

I. Die Entstehung von Art. 95 EGV

Anfang der 1980er Jahre war der Integrationsprozess der Europäischen Gemeinschaft in eine Krise geraten. Auch dic Rechtsfortbildung, die durch die integrationsfreundliche Rechtsprechung des EuGH stattfand, genügte nicht mehr den Anforderungen einer immer näher zusammenrückenden, sich aber gleichzeitig diversifizierenden Gemeinschaft.[2] Um die ins Stocken geratene Integration wieder anzukurbeln, ersannen die Staats- und Regierungschefs das „Konzept Binnen-

---

[1] Hierzu detailliert *de Ryut*, Acte Unique Européen, S. 4 ff. (51, 53, 57 ff.).

[2] *de Ryut*, Acte Unique Européen, S. 22 f.; *Schwarze*, Europäisches Wirtschaftsrecht, Rn. 694.

markt",[3] dessen Umsetzung maßgeblich über die Kompetenz des Art. 95 EGV erfolgen sollte.[4]

Art. 95 EGV war als Art. 100a EWGV durch Art. 18 EEA zum 1.7.1987 in den EWG-Vertrag eingeführt und der Binnenmarkt als Art. 8a EGV a.F. durch Art. 13 EEA als neues Vertragsziel in den EWG-Vertrag aufgenommen worden.[5] Mithilfe von Mehrheitsentscheidungen sollte die wirtschaftliche Integration in größerem Maße als bisher vorangetrieben und dem Ziel eines europäischen Binnenmarkts neue Dynamik und Flexibilität eingehaucht werden.[6] Es war beabsichtigt, bis zum 31.12.1992 einen funktionierenden Binnenmarkt zu errichten.[7] Die „Verwirklichung des Binnenmarkts" endete jedoch nicht mit diesem Zeitpunkt.[8] Es ist ein Dauermandat der EG.

Art. 95 EGV[9] wurde deshalb als Instrument „funktionaler" Rechtsangleichung ausgestaltet.[10] Nach h.M. erlegt er den zuständigen Institutionen bei der Wahl der Maßnahmen grundsätzlich keine Schranken auf.[11] Er wird als „Querschnittszuständigkeit",[12] „Generalklausel"[13] oder „Generalrechtsangleichungskompetenz"[14] charakterisiert, der sich von der üblichen Kompetenzzuweisung unterscheidet,[15] die

---

[3] *Joerges/Rödl*, KJ 2008, 149 (152 f.); *Kahl*, in: Calliess/Ruffert (Hrsg.), EUV/EGV, Art. 14 EGV Rn. 1.

[4] *Hatje*, in: Schwarze (Hrsg.), EU-Kommentar, Art. 14 EGV Rn. 2.

[5] *Pipkorn/Bardenhewer-Tating/Taschner*, in: von der Groeben/Schwarze (Hrsg.), EUV/EGV, Art. 14 EGV Rn. 3.

[6] *Everling*, in: FS-Steindorff, S. 1155 (1163 f.); *Müller-Graff*, EuR 1989, 107 (110 ff.); *Schwarze*, Europäisches Wirtschaftsrecht, Rn. 694.

[7] *Kahl*, in: Calliess/Ruffert (Hrsg.), EUV/EGV, Art. 95 EGV Rn. 4. Die „Errichtung" des Binnenmarkts war mit Ablauf des 31.12.1992 weitgehend abgeschlossen, da bis zum 31.12.1992 über 95 % der im Weißbuch über die Vollendung des Binnenmarkts KOM(85) 310 endg. vom 14.6.1985 vorgesehenen Rechtsakte umgesetzt waren, vgl. *Kahl*, in: Calliess/Ruffert (Hrsg.), EUV/EGV, Art. 14 EGV Rn. 24.

[8] *Kahl*, in: Calliess/Ruffert (Hrsg.), EUV/EGV, Art. 95 EGV Rn. 4. Der Bezug von Art. 95 EGV auf Art. 14 EGV, nach dem die „erforderlichen Maßnahmen bis zum 31.12.1992" verwirklicht sein müssen, entfaltet nach ganz h.M. keine rechtliche Wirkung, vgl. *Pipkorn/Bardenhewer-Tating/Taschner*, in: von der Groeben/Schwarze (Hrsg.), EUV/EGV, Art. 14 EGV Rn. 4, 12; *Tietje*, in: Grabitz/Hilf (Hrsg.), EUV/EGV, Art. 95 Rn. 11.

[9] Art. 95 EGV: (1) [1]Soweit in diesem Vertrag nichts anderes bestimmt ist, gilt abweichend von Artikel 94 für die Verwirklichung der Ziele des Artikels 14 die nachstehende Regelung. [2]Der Rat erlässt gemäß dem Verfahren des Artikels 251 und nach Anhörung des Wirtschafts- und Sozialausschusses die Maßnahmen zur Angleichung der Rechts- und Verwaltungsvorschriften der Mitgliedstaaten, welche die Errichtung und das Funktionieren des Binnenmarktes zum Gegenstand haben.

[10] *Herrnfeld*, in: Schwarze (Hrsg.), EU-Kommentar, Art. 95 EGV Rn. 4; *Kahl*, in: Calliess/Ruffert (Hrsg.), EUV/EGV, Art. 95 EGV Rn. 4; *Stromayr*, Kompetenzkollisionen, S. 129; *Selmayr/Kamann/Alhers*, EWS 2003, 49.

[11] *Tietje*, in: Grabitz/Hilf (Hrsg.), EUV/EGV, Art. 95 Rn. 10.

[12] *Braum*, Europäische Strafgesetzlichkeit, S. 385.

[13] *Schwarze*, Europäisches Wirtschaftrecht, Rn. 693.

[14] *Kahl*, in: Calliess/Ruffert (Hrsg.), EUV/EGV, Art. 95 EGV Rn. 5.

[15] Vgl. *ter Steeg*, EuZW 2003, 325 (326); *Bungenberg*, EuR 2000 879 (885 *passim*).

nicht final, d.h. an politischen Konzepten, sondern nach Sachgebieten erfolgt ist.[16] Durch seine funktionale Ausrichtung soll er eine Vielzahl von Sachgebieten erfassen. Explizit ausgenommen sind hiervon nur die Bereiche, die in den Ausnahmevorschriften von Art. 95 Abs. 2 EGV genannt sind.[17]

In seinem Wortlaut verweist Art. 95 EGV auf Art. 14 EGV, welcher den Begriff des Binnenmarkts definiert. Das Konzept des Binnenmarkts geht maßgeblich auf das Weißbuch der Kommission KOM(85) 310 endg. zurück.[18] Dieses Weißbuch beinhaltet einen Katalog von 282 Vorschlägen. Es stellt kein bindendes Programm auf, sondern unterbreitet Vorschläge, die weder vollständig noch in der vorgeschriebenen Art umgesetzt wurden.[19] Was jenseits des Weißbuchs KOM(85) 310 endg. Inhalt des Konzepts Binnenmarkt wurde, lässt sich nicht genau feststellen. So überrascht es wenig, dass bis heute die Zielsetzung, Reichweite und Tatbestandsvoraussetzung des Art. 95 EGV streitig geblieben sind,[20] ja sogar zu den umstrittensten Fragen des EG-Rechts zählen.[21]

II. Die Auslegung von Art. 95 Abs. 1 Satz 2 EGV

Der Wortlaut und die Zielsetzung von Art. 95 Abs. 1 Satz 2 erlauben, Vorschriften der Mitgliedstaaten anzugleichen, die den Binnenmarkt in bestimmter Weise betreffen.[22] Im Unterschied zu Art. 94 EGV[23] erfasst er nicht nur Vorschriften, „die

---

[16] *Möstl*, EuR 2002, 318 (324); *Stromayr*, Kompetenzkollisionen, S. 129 f.; Zuweisungen nach Sachgebieten sind z.B. die Kompetenzen der EG im Bereich der Landwirtschaft (Art. 34 ff. EGV), des Verkehrs (Art. 71 EGV) und der Sozialpolitik (Art. 137 EGV), hierzu *ter Steeg*, EuZW 2003, 325 (326).

[17] Art. 95: „(2) Absatz 1 gilt nicht für die Bestimmungen über die Steuern, die Bestimmungen über die Freizügigkeit und die Bestimmungen über die Rechte und Interessen der Arbeitnehmer." Die Mitgliedstaaten wollten hierdurch bestimmte Politikfelder aus dem Anwendungsbereich heraushalten und somit die Souveränität darüber behalten; vgl. *Everling*, in: FS-Steindorff, S. 1155 (1166 f.); *Herrnfeld*, in: Schwarze (Hrsg.), EU-Kommentar, Art. 95 EGV Rn. 16; ferner unten § 7 III.4.a).

[18] Das Weißbuch KOM(85) 310 endg. wurde durch die Treffen der Staats- und Regierungschefs vom 3. und 4.12.1982 in Kopenhagen und vom 25. und 26.6.1984 in Fontainebleau maßgeblich ausgehandelt, vgl. zu den Stadien der Verhandlung *de Ruyt*, L'Acte Unique Européen, S. 48 ff.

[19] *Hatje*, in: Schwarze (Hrsg.), EU-Kommentar, Art. 14 EGV Rn. 15.

[20] *Selmayr/Kamann/Alers*, EWS 2003, 49 (50).

[21] *Schwarze*, Europäisches Wirtschaftsrecht, Rn. 18; *Breier*, EuZW 1993, 315 (316 f.); *Stein*, EWS 2001, 12 (16 f.).

[22] *Schwarze*, Europäisches Wirtschaftsrecht, Rn. 693; spezifisch zu frühen Entscheidungen des EuGH *Everling*, EuR 1991, 179; *Kamann*, ZEuS 2001, 23 (30 ff.).

[23] Art. 94 EGV [Angleichung von Rechts- und Verwaltungsvorschriften]: „Der Rat erlässt einstimmig auf Vorschlag der Kommission und nach Anhörung des Europäischen Parlaments und des Wirtschafts- und Sozialausschusses Richtlinien für die Angleichung

sich unmittelbar auf die Errichtung und das Funktionieren […] auswirken".[24] Seine Reichweite ist größer, „dem Gemeinschaftsgesetzgeber [wird] eine Zuständigkeit eingeräumt, die spezifisch den Erlass von Maßnahmen zur Verbesserung des Funktionierens des Binnenmarkts erlaubt".[25] In der Entscheidung *Tabakwerberichtlinie I* schränkte der EuGH den Anwendungsbereich des Art. 95 EGV unter Berufung auf das Prinzip der begrenzten Einzelermächtigung ein.[26] Es reiche nicht aus, dass eine geplante Maßnahme nur einen allgemeinen Binnenmarktbezug aufweise.[27]

In dem Verfahren ging es um die Gültigkeit der Richtlinie 98/43/EG,[28] welche mitgliedstaatliche Rechts- und Verwaltungsvorschriften über Werbung und Sponsoring von Tabakerzeugnissen angleichen sollte.[29] Sie wurde auf der Grundlage von ex-Art. 100a EGV (Art. 95 EGV) erlassen und untersagte sowohl die direkte als auch die indirekte Werbung und das Sponsoring von Tabakerzeugnissen fast vollständig. Wegen der unterschiedlichen Verbote konnten Waren und Dienstleistungen, die mit dieser Werbung zusammenhingen, nicht frei im Binnenmarkt zirkulieren.[30] Die Richtlinie berief sich dabei auf die Verpflichtung zu einem hohen Niveau des Gesundheitsschutzes (Art. 95 Abs. 3 EGV).[31]

In der Entscheidung *Tabakwerberichtlinie I* erklärte der EuGH diese Richtlinie insbesondere deshalb für nichtig, weil Art. 95 EGV für diese Maßnahme keine ausreichende Ermächtigung bilde.[32] Gleichzeitig legte er fest, wie der Anwendungsbereich von Art. 95 EGV konform mit dem Prinzip der begrenzten Einzelermächtigung zu bestimmen sei. Diese Auslegung hat allgemeine Zustimmung gefunden.[33]

---

derjenigen Rechts- und Verwaltungsvorschriften der Mitgliedstaaten, die sich unmittelbar auf die Errichtung oder auf das Funktionieren des Gemeinsamen Marktes auswirken."

24 Hierzu *Everling*, EuR 1991, 179.

25 EuGH „*Tabakwerberichtlinie I*" (Rn. 87); EuGH vom 20.5.2003, Rs. C-465/00, C-138/01 und C-139/01 „*Österreichischer Rundfunk u.a.*", Slg. 2003, I-4989 (Rn. 41 f.); EuGH vom 6.11.2003, Rs. C-101/01 „*Lindquist*", Slg. 2003, I-12971 (Rn. 40 f.).

26 Zust. *Crosby*, E.L.Rev. 2002, 177 (179 f.); *Hervey*, E.L.Rev. 2001 101 (119, 123); *Kamann*, ZEuS 2001, 23 (35); *Möstl*, EuR 2002, 318 (324 ff.); *Selmayr/Kamann/Ahlers*, EWS 2003, 49 (50); *Bock*, Rechtsangleichung, S. 75 ff. (80, 104); *Herr*, EuZW 2005, 171 (172); bestätigt durch EuGH „*British American Tobacco*" (Rn. 60 ff.); EuGH vom 14.12.2004, Rs. C-210/03 „*Swedish Match*" Slg. 2005, I-11893 (Rn. 27 ff., 30); EuGH vom 14.12.2004, Rs. C-434/02, „*Arnold André*", Slg. 2004, I-11825 (Rn. 36 ff.).

27 EuGH „*Tabakwerberichtlinie I*" (Rn. 83).

28 Richtlinie 98/43/EG des Europäischen Parlaments und Rates vom 6.7.1998 zur Angleichung der Rechts- und Verwaltungsvorschriften der Mitgliedstaaten über Werbung und Sponsoring zugunsten von Tabakerzeugnissen.

29 Zur Entstehungsgeschichte vgl. EuGH „*Tabakwerberichtlinie I*" (Rn. 14 ff.).

30 GA *Fennelly* Schlussanträge „*Tabakwerberichtlinie I*" (Rn. 21).

31 Hiervon waren nur wenige Ausnahmen normiert, u.a. für Mitteilungen, die ausschließlich für den Tabakhandel bestimmt waren, für die Aufmachung der Tabakprodukte selbst sowie für Publikationen, die hauptsächlich für Drittländer bestimmt waren, GA *Fennelly* Schlussanträge „*Tabakwerberichtlinie I*" (Rn. 21 ff.)

32 EuGH „*Tabakwerberichtlinie I*" (Rn. 118).

33 Von den zahlreichen Anmerkungen vgl. nur *Crosby*, E.L.Rev. 2002, 177; *Hillion*, Cambridge Law Journal 60 (2001), 486; *Selmayr/Kamann/Ahlers*, EWS 2003, 49; *Stein*, EWS 2001, 12; *Wägenbaur*, EuZW 2000, 549.

Danach ist der Gebrauch von Art. 95 EGV an ein formelles Erfordernis gekoppelt (1.) sowie darauf beschränkt, zwei materielle Zielsetzungen verfolgen zu können (2.).[34] Diese sind, erstens, die Beseitigung von Hemmnissen für eine der Grundfreiheiten[35] und, zweitens, die Behebung spürbarer Wettbewerbsverzerrungen.[36] In späteren Entscheidungen hat der EuGH diese Grundsätze weitestgehend bestätigt. Allerdings hat er die – in nur geringfügiger Form modifizierte Tabakwerberichtlinie – in einer späteren Entscheidung *(Tabakwerberichtlinie II)* als EG-vertragskonform erachtet.[37] Ob aus dieser und anderen Entscheidungen Veränderungen für die Auslegung von Art. 95 EGV folgen, wird deshalb im Anschluss diskutiert (3.).

1. Formelle Voraussetzung: Binnenmarkt als erklärte Zielsetzung der Regelung

Der erste Prüfungspunkt des EuGH ist formeller Natur. Es wird untersucht, ob sich den Erwägungsgründen des legislativen Vorhabens entnehmen lässt, dass die Regelung wirklich das Ziel verfolgt, den Binnenmarkt zu regulieren.[38] Dies erfordert, dass der Gemeinschaftsgesetzgeber z.B. in den Erwägungsgründen den Willen erkennen lässt, das Funktionieren des Binnenmarkts zu verbessern.[39] Es reicht allerdings aus, wenn das Binnenmarktziel neben anderen Zielsetzungen verfolgt wird. Nach Auffassung des EuGH ist es sogar unerheblich, wenn diesen (Neben-) Zielen eine maßgebliche Bedeutung zukommt.[40] Dieses häufig als „subjektives“[41] Element umschriebene Ziel stellt ein spezifisches Formerfordernis dar,[42] denn Folge eines fehlenden Hinweises auf das Binnenmarktziel ist die Nichtigkeit des Rechtsakts.[43]

---

34 Krit. *Simon* Europe Déc. 2000, 10 (11).

35 Zulässiger Regelungsgegenstand von Art. 95 EGV sind alle Grundfreiheiten. Der EuGH hat in der Entscheidung „*Tabakwerberichtlinie I*“ (Rn. 87) betont, dass die Rechtsprechung zu Art. 95 EGV auch auf die spezielleren Grundfreiheitskompetenzen der Art. 47 Abs. 2 und Art. 55 i.V.m. Art. 47 Abs. 2 EGV Anwendung findet; zust. *Schweitzer/Schroeder/Bock*, EG-Binnenmarkt und Gesundheitsschutz, S. 32. Aufgrund einer Vielzahl spezieller Ermächtigungen des EG-Vertrags schrumpft der praktische Anwendungsbereich von Art. 95 EGV jedoch im Wesentlichen auf Maßnahmen, die zumindest auch einen Bezug zur Warenverkehrsfreiheit aufweisen.

36 EuGH „*Tabakwerberichtlinie I*“ (Rn. 106 ff.).

37 Vgl. die Besprechung der zweiten Tabakwerberichtlinie (RL 2003/33/EG) bei *Görlitz*, EuZW 2003, 485.

38 *Crosby*, E.L.Rev. 2002, 177 (179).

39 EuGH „*Tabakwerberichtlinie I*“ (Rn. 83, 90 ff.).

40 EuGH „*Tabakwerberichtlinie I*“ (Rn. 88).

41 Vgl. *Selmayr/Kamann/Ahlers*, EWS 2003, 49 (50).

42 Ebenso *Heck*, NVwZ 2008, 523 (525).

43 Zust. *Kahlert*, ELR 2006, 242 (244); *Schweitzer/Schroeder/Bock*, EG-Binnenmarkt und Gesundheitsschutz, S. 32; *Selmayr/Kamann/Ahlers*, EWS 2003, 49 (50 Fn. 14).

2. Materielle Voraussetzungen: Binnenmarktziele als Schwerpunkt der Regelungsmaßnahme

Ein Rechtsakt, der auf Art. 95 EGV gestützt wird, muss darüber hinaus gewissen inhaltlichen Anforderungen entsprechen. Der EuGH prüft nach seiner ständigen Rechtsprechung anhand objektiver, gerichtlich nachprüfbarer Umstände,[44] ob ein Rechtsakt inhaltlich darauf gerichtet ist, nicht nur einen allgemeinen Einfluss auf die Regulierung des Binnenmarkts auszuüben (a), ob er auch tatsächlich im Schwerpunkt eine Binnenmarktregelung enthält (b) und ob er eines der beiden erlaubten Regelungsziele des Binnenmarkts verfolgt (c), d.h. entweder die Beseitigung von Hemmnissen für die Grundfreiheiten oder spürbarer Wettbewerbsverzerrungen beabsichtigt.

a) Qualifizierte Auswirkungen des Rechtsakts auf den Binnenmarkt

Der EuGH fordert, dass die geplante Maßnahme nicht nur einen allgemeinen Binnenmarktbezug aufweist,[45] d.h. den Binnenmarkt in irgendeiner Weise betrifft,[46] sondern „tatsächlich den Zweck hat, die Voraussetzungen für die Errichtung und das Funktionieren des Binnenmarkts zu verbessern".[47] Unzureichend ist es, wenn nur auf bestehende Unterschiede in den nationalen Rechtsordnungen hingewiesen wird, sich aus ihnen aber lediglich die abstrakte Gefahr ergibt, dass hierdurch die Grundfreiheiten beeinträchtigt oder Wettbewerbsverzerrungen hervorgerufen werden.[48] Die zu fordernde konkrete Beeinträchtigung setzt jedoch keine existenten Vorschriften voraus. Unter gewissen Umständen ist der Gemeinschaftsgesetzgeber berechtigt, auch präventiv die Vorschriften der Mitgliedstaaten anzugleichen. Der EuGH führt hierzu aus:

> „Zwar kann Artikel 100a, wie der Gerichtshof in der Randnummer 35 des Urteils Spanien/Rat [EuGH vom 13.7.1995, Rs. C-350/92, Slg. 1995, I-1985] festgestellt hat, als Rechtsgrundlage herangezogen werden, um der Entstehung neuer Hindernisse für den Handel infolge einer heterogenen Entwicklung der nationalen Rechtsvorschriften vorzu-

---

[44] St. Rspr. vgl. EuGH „*Titandioxid*" (Rn. 10); EuGH vom 26.3.1987, Rs. C-45/86 „*Kommission / Rat*", Slg. 1987, I-1493 (Rn. 11); EuGH vom 29.3.1990, Rs. C-62/88 „*Griechenland / Rat*", Slg. 1990, I-1527 (Rn. 11, 14); EuGH vom 3.12.1996, Rs. C-268/94 „*Portugal / Rat*", Slg. 1996, I-6177 (Rn. 22); EuGH vom 13.5.1997, Rs. C-233/94 „*Deutschland / Parlament u. Rat*", Slg. 1997, I-2405 (Rn. 12); EuGH „*Tabakwerberichtlinie I*" (Rn. 85).

[45] Der EuGH „*Tabakwerberichtlinie I*" führt in Rn. 83 aus: „[…] Art. 100a EGV […] [k]eine allgemein Kompetenz zur Regelung des Binnenmarkts […]."

[46] Vgl. EuGH „*Tabakwerberichtlinie I*" (Rn. 84, 95); zust. *Kahl*, in: Calliess/Ruffert (Hrsg.), EUV/EGV, Art. 95 EGV Rn. 16; *Selmayr/Kamann/Ahlers*, EWS 2003, 49 (51).

[47] EuGH „*Tabakwerberichtlinie I*" (Rn. 84).

[48] EuGH „*Tabakwerberichtlinie I*" (Rn. 84).

beugen. Das Entstehen solcher Hindernisse muss jedoch wahrscheinlich sein und die fragliche Maßnahme ihre Vermeidung bezwecken.“[49]

Wie der Begriff „wahrscheinlich“ auszulegen ist, führt der EuGH nicht aus. Der Gemeinschaftsgesetzgeber muss jedenfalls nicht abwarten, bis Hindernisse tatsächlich eingetreten sind. Es ist jedoch zu fordern, dass Anhaltspunkte vorliegen, aus denen sich die konkrete Gefahr der Beeinträchtigung ergibt. Welche Anhaltspunkte hinreichend konkret sind, wird nicht einheitlich beurteilt. Es dürfte nicht ausreichen, dass ein Gesetzesvorhaben in einem Mitgliedstaat angekündigt ist, das Beeinträchtigungen hervorrufen könnte.[50] Aufgrund der steten Veränderungen, denen die Gesetzesvorhaben infolge der öffentlichen politischen Diskussion und des parlamentarischen Verabschiedungsprozesses unterliegen, müssen strengere Anforderungen gestellt werden. Die h.M. sieht es als hinreichend an, wenn ein Gesetzgebungsverfahren eingeleitet wurde.[51] M.E. genügt dies jedoch nicht pauschal als hinreichender Anhaltspunkt. Es muss vielmehr aus dem Vorhaben unmittelbar hervorgehen, dass relevante Behinderungen für den Binnenmarkt entstehen und diese nicht etwa durch Ausnahmevorschriften gerade verhindert werden.[52]

Ein ausreichender Bezug zum Binnenmarkt besteht demnach dann, wenn konkrete Behinderungen für die Grundfreiheiten oder Wettbewerbsverzerrungen bestehen oder unmittelbar drohen.

b) Binnenmarktziele als Schwerpunkt der Regelung nach Art. 95 EGV

Es stellt sich die Frage, welchen weiteren materiellen Anforderungen eine Regelung genügen muss, um auf Art. 95 EGV gestützt werden zu können. Bei einer Reihe von politischen Zielsetzungen ist dies nicht möglich, da Art. 95 EGV gegenüber den Kompetenznormen dieser Politikbereiche formell oder materiell subsidiär ist.

Formelle Subsidiarität besteht etwa zu Art. 94 EGV, materielle zu den Spezialermächtigungen der Grundfreiheiten des Gemeinsamen Marktes (z.B. die Grundfreiheiten des Gemeinsamen Marktes, Art. 40, 44 EGV, oder die Spezialermächtigung zur justitiellen Zusammenarbeit in Zivilsachen, Art. 65 EGV).[53]

Das Verhältnis zu den meisten Kompetenzgrundlagen ist hingegen weder ausdrücklich geregelt noch aus der Normenhierarchie des EG-Vertrags eindeutig ab-

---

49 EuGH „*Tabakwerberichtlinie I*“ (Rn. 86).

50 GA *Geelhoed* Schlussanträge „*British American Tobacco*“ (Rn. 131); *Koenig/Kühling*, EWS 2002, 12 (17).

51 *Schweitzer/Schroeder/Bock*, EG-Binnenmarkt und Gesundheitsschutz, S. 36 f.; *Seidel*, EuR 2006, 26 (28 f., 31); *Stromayr*, Kompetenzkollisionen, S. 134; *Tietje*, in: Grabitz/Hilf (Hrsg.), EUV/EGV, Art. 95 EGV Rn. 32.

52 Krit. auch *Seidel*, EuR 2006, 26 (31, 45).

53 Hierzu *Herrnfeld*, in: Schwarze (Hrsg.), EU-Kommentar, Art. 95 EGV Rn. 9.

leitbar.[54] In diesen Fällen ist es nach der Rechtsprechung des EuGH zulässig, dass eine Regelung neben einer objektiven Verbesserung des Binnenmarkts zugleich andere Zielsetzungen verfolgt.[55] Aufgrund seines funktionalen und generalklauselartigen Charakters werden sogar häufig Regelungen auf Art. 95 EGV gestützt, die zugleich andere Ziele verfolgen.[56]

Die praktisch bedeutsamsten Fälle sind gesundheitspolitische oder umweltpolitische Ziele „neben" dem Binnenmarktziel. So hat die EG eine ganze Reihe von Tabakrichtlinien auf Art. 95 EGV gestützt erlassen, die auch oder sogar vor allem gesundheitspolitischen Zielen dienten.[57] Auch Umweltschutzaspekte spielen im Rahmen von Art. 95 EGV eine Rolle, wie z.B. die Entscheidung *Titandioxid* belegt.[58]

Hat eine Regelung des Gemeinschaftsgesetzgebers mehrere Zielsetzungen, folgt der EuGH nunmehr einer Auffassung der Literatur,[59] welche die zutreffende Ermächtigungsgrundlage auf Basis einer „Schwerpunktabgrenzung" ermittelt.[60] Im Regelfall ordnet der EuGH dann die verschiedenen Zielsetzungen einem Hauptziel unter.[61] Wird eine der Zielsetzungen nur beiläufig verfolgt und bleibt hinter der anderen zurück,[62] kann der Rechtsakt nur aufgrund dessen Ermächtigungsgrundlage erlassen werden.[63] In der Literatur wird, abweichend hiervon, vertreten, dass auch (binnenmarkt-)fremde Ziele eine maßgebliche Rolle bei Regelungen im Rahmen von Art. 95 EGV spielen dürfen.[64]

---

54 Vgl. *Herrnfeld*, in: Schwarze (Hrsg.), EU-Kommentar, Art. 95 EGV Rn. 10 ff.; *Nettesheim*, EuR 2006, 737 (739 f.); *Stromayr*, Kompetenzkollisionen, S. 127 ff.

55 EuGH „*Tabakwerberichtlinie I*" (Rn. 88); vgl. die Nachweise bei *Herrnfeld*, in: Schwarze (Hrsg.), EU-Kommentar, Art. 95 EGV Rn. 11.

56 *Kahl*, in: Calliess/Ruffert (Hrsg.), EUV/EGV, Art. 95 EGV Rn. 17; *Herrnfeld*, in: Schwarze (Hrsg.), EU-Kommentar, Art. 95 EGV Rn. 11.

57 Siehe ferner *Calliess*, Jura 2001, 311 (312); *Hervey*, E.L.Rev. 2001 101; *Stein*, EuZW 2007, 54 (55).

58 Vgl. EuGH „*Titandioxid*" (Rn. 23); *Höhler/Lafuente*, ZUR 2007, 71.

59 Vgl. *Kahl*, in: Calliess/Ruffert (Hrsg.), EUV/EGV, Art. 95 EGV Rn. 17.

60 Ausführlich *Höhler/Lafuente*, ZUR 2007, 71; a.A. GA *Bot* Schlussanträge „*Fluggastdaten*" (Rn. 97).

61 GA *Léger* Schlussanträge „*Fluggastdaten*" (Rn. 147 ff.), krit. *Simitis*, NJW 2006, 2011 (2012 f.), ferner *Kahlert*, ELR 2006, 242 (244).

62 Ein solcher Fall ist allerdings nicht bereits dann gegeben, wenn ein Vorhaben zwei Zielsetzungen aufweist oder sein Inhalt zwei (Teil-)Bereiche umfasst, vgl. EuGH vom 23.2.1999, Rs. C-42/97, Slg. 1999, I-869 (Rn. 39). Werden zwei in etwa gleichberechtigte Zielsetzungen in einem Rechtsakt verfolgt und sind beide untrennbar miteinander verbunden, so ist der Rechtsakt auf beide Ermächtigungsgrundlagen zu stützen, EuGH vom 6.12.2001, Gutachten 2/00 zum Protokoll von Cartagena, Slg. 2001, I-9713 (Rn. 23).

63 EuGH vom 6.12.2001, Gutachten 2/00 zum Protokoll von Cartagena, Slg. 2001, I-9713 (Rn. 23).

64 So *Calliess*, Jura 2001, 311 (315); *Görlitz*, ZUM 2002, 97 (100).

Der Charakter als „Querschnittszuständigkeit“ ermögliche es der EG, auch Zielen nachzugehen, die „schwerpunktmäßig und primär“ außerhalb des Binnenmarkts liegen.[65] Diese funktionale Ermächtigung soll den Gesetzgeber gerade in die Lage versetzen, jedes der Ziele des EG-Vertrags verfolgen zu können.[66] Zum Teil wird auch vertreten, dass das politische Ziel eines Rechtsakts überhaupt keinen Einfluss auf die Rechtmäßigkeit des Vorhabens habe, da dieses Kriterium den Anwendungsbereich von Art. 95 EGV nicht einschränken könne. Allein die Erfüllung der Tatbestandsvoraussetzungen sei entscheidendes Kriterium.[67]

In der Literatur wird z.T. ausgehend von der Schwerpunktabgrenzung eine weitergehende Unterscheidung vorgenommen.[68] Es wird danach differenziert, ob der EG beide potentiellen Kompetenzen zustehen (horizontaler Kompetenzkonflikt). Dann sei eine Schwerpunktabgrenzung zulässig. Stehe der EG nur eine der beiden Kompetenzen zu (vertikaler Kompetenzkonflikt), scheide eine Schwerpunktabgrenzung aus.[69]

Art. 95 EGV erlaube es nicht, primär binnenmarktfremde (politische) Ziele zu verfolgen.[70] Die Inanspruchnahme von Art. 95 EGV für eher binnenmarkt- oder EG-vertragsfremde Zwecke stelle einen unzulässigen „kompetenzrechtlichen Missbrauch“ [71] dar.[72] Als Beispiel für binnenmarktfremde Zielsetzungen werden u.a. Gesundheitspolitik,[73] Verbraucher- und Umweltschutz[74] oder auch das Strafrecht genannt.[75]

---

65 GA *Léger* Schlussanträge „*Fluggastdaten*“ (Rn. 150); *Barents*, CMLRev 1993, 85 (101); *Selmayr/Kamann/Ahlers*, EWS 2003, 49 (50 f.).

66 Zur Natur der Zielbestimmungen des EU- und EG-Vertrags, vgl. *Reimer*, EuR 2003, 992 (996).

67 *Selmayr/Kamann/Ahlers*, EWS 2003, 49 (51).

68 *Tietje*, in: Grabitz/Hilf (Hrsg.), EUV/EGV, Art. 95 EGV Rn. 58; im Ergebnis ebenso *Calliess*, in: Calliess/Ruffert (Hrsg.), EUV/EGV, Art. 5 EGV Rn. 8; *Strutz*, EG-Werbeverbot, S. 38; a.A. *Schweitzer/Schroeder/Bock*, EG-Binnenmarkt und Gesundheitsschutz, S. 27 f.

69 Zust. *Braum*, Europäische Strafgesetzlichkeit, S. 391 f.; *Cesoni*, Journal des tribunaux 2006, 365 (368 f.).

70 *Cesoni*, Journal des tribunaux 2006, 365 (367 f., 370).

71 *Bock*, Rechtsangleichung, S. 76 leitet dies aus der Formulierung „Ermessensmissbrauch“ des EuGH ab, den ein Organ der Gemeinschaft begehen könne. Er spitzt diese Figur auf das Gebiet der Rechtsetzung zu. Zur Rüge des Ermessensmissbrauchs, vgl. EuGH vom 12.11.1996, Rs. C-84/94 „*Vereinigtes Königreich / Rat*“, Slg. 1996, I-5755 (Rn. 69); EuGH vom 13.7.1995, Rs. C-156/93 „*Parlament / Kommission*“, Slg. 1995, I-2019 (Rn. 31).

72 *Bock*, Rechtsangleichung, S. 76 f.; *Braum*, Europäische Strafgesetzlichkeit, S. 391.

73 Vgl. das Klägervorbringen „*British Imperial Tobacco*“ (Rn. 43, 54); krit. *Kamann*, ZEuS 2001, 23 (38).

74 EuGH „*Titandioxid*“ (Rn. 32); hierzu *Epiney*, JZ 1992, 564.

75 *Braum*, Europäische Strafgesetzlichkeit, S. 382; aktuelles Bsp. ist die RL 2006/24/EG über die Vorratsdatenspeicherung ABl. 2005 L 105/54, die Gegenstand des Verfahrens Rs. C-301/06 „*Vorratsdatenspeicherung*“ war, veröffentlicht in ABl. 2006 C 237/5; hierzu detailliert § 7 I.

M.E. ist die Schwerpunktabgrenzung ein zulässiges Mittel, um sicherzustellen, dass die EG einen Rechtsakt auf die entsprechende Kompetenzgrundlage stützt. Allerdings ist ihr Anwendungsbereich auf die Fälle der horizontalen Kompetenzkonflikte zu beschränken.[76] Diese Methode ist für vertikale Kompetenzkonflikte hingegen kein angemessenes Mittel, um zu beurteilen, ob eine Regelung noch auf eine bestimmte Ermächtigungsgrundlage gestützt werden kann oder nicht. In diesem Bereich sind die Schranken der zulässigen Inanspruchnahme einer Kompetenz anhand des Primärrechts zu ermitteln.[77] Die Grenzen werden von den Möglichkeiten gesetzt, die das EG-Primärrecht belässt, um etwa in Form der *implied powers* oder Art. 308 EGV neue Kompetenzen in Anspruch nehmen zu können.[78] Es können aber unter Berufung auf die Schwerpunktabgrenzung keine Kompetenzen beansprucht werden, welche der EG ausdrücklich vorenthalten wurden (wie z.B. Art. 152 Abs. 4 lit. c) EGV) oder ihr aus anderen Gründen nicht zustehen. Auch die Funktion der Schwerpunktabgrenzung spricht für diese Differenzierung. Sie besteht darin, der EG einen Modus zu verschaffen, wie sie interne Kompetenzunklarheiten lösen kann. Sind Regelungsgebiete betroffen, die nicht in die Kompetenz der EG fallen, bestehen diese Unklarheiten nicht. Dies gilt auch, wenn eine solche Regelung als Teil eines umfassenden Regelungskomplexes erlassen werden soll. Das nominelle Gewicht einer (unzulässigen) Teilregelung an einer Gesamtregelung ist bei vertikalen Kompetenzkonflikten ohne Bedeutung und würde nicht zu sachgerechten Abgrenzungen führen.

Wie die Entstehung des Richtlinienvorschlags KOM(2006) 168 endg. zeigt, würde ein solches formelles (Schwerpunkt-)Kriterium leicht zu beliebigen Ergebnissen führen, die insbesondere auch von Zufälligkeiten des Gesetzgebungsverfahrens bestimmt werden. Die formelle Selbständigkeit des Regelungsvorschlags KOM(2006) 168 endg. war nicht vom Gesetzgeber beabsichtigt.[79] Die Regelungen, die man in diesem Richtlinienvorschlag zusammengefasst hat, waren ursprünglich ein (kleiner) Teil des Richtlinienvorschlags KOM(2003) 46 endg.[80] und ergänzten als Art. 20 („Strafrechtliche Bestimmungen") die wesentlich umfangreicheren zivilrechtlichen Regelungen zur Verbesserung der Durchsetzung der Rechte des geistigen Eigentums. Aufgrund von Zweifeln an der Kompetenz der EG wurden sie abgekoppelt und die sog. Enforcement Richtlinie (RL 2004/48/EG) ohne

76 Krit. *Weiß*, ZEuS 2006, 381 (403).

77 Hierzu oben § 2.

78 Zust. *Strutz*, EG-Werbeverbot, S. 38; *Tietje*, in: Grabitz/Hilf (Hrsg.), EUV/EGV, Art. 95 EGV Rn. 58.

79 Vgl. nur die Begründung der Ausgliederung der strafrechtlichen Vorschriften aus dem Richtlinienvorschlag KOM(2003) 24 endg. Die strafrechtlichen Vorschriften wurden aufgrund der anhängigen Klage Rs. *C-176/03* aus dem Richtlinienvorschlag ausgegliedert, um das Ergebnis dieses Verfahrens abzuwarten, vgl. hierzu die Erläuterungen des Berichterstatters des EP, *Fourtou* vom 5.12.2003, A5-0468/2003 endg. S. 41.

80 Vorschlag für eine Richtlinie des Parlaments und des Rates über die Maßnahmen und Verfahren zum Schutz der Rechte des geistigen Eigentums vom 30.1.2003, 2003/0024/COD.

sie erlassen.[81] Würde man eine Schwerpunktabgrenzung zulassen, wäre die Regelung in ihrer anfänglichen Form zulässig. In ihrer derzeitigen Form bestehen jedoch erhebliche Bedenken,[82] obwohl die Ausgliederung in eine selbstständige Richtlinie ohne inhaltliche Veränderung der Vorschriften ablief.

Demnach muss eine Regelung, die auf Art. 95 EGV gestützt wird, primär ein Binnenmarktziel verfolgen. Sie kann daneben auch auf andere (politische) Ziele gerichtet sein. Handelt es sich dabei um Politikfelder der EG, kann mittels einer Schwerpunktabgrenzung ermittelt werden, welches der Ziele vorrangig realisiert wird. Ist es das Binnenmarktziel, ist Art. 95 EGV die richtige Kompetenznorm. Ist ein (Neben-)Ziel jedoch kein zulässiges Politikfeld der EG, scheidet eine Schwerpunktabgrenzung von vorneherein aus. Entscheidend sind hierbei materielle Gesichtspunkte, nicht der (formelle) Schwerpunkt einer Regelung.[83]

c) Die relevanten Zielsetzungen des Binnenmarkts

Der EuGH konkretisiert darüber hinaus die zulässigen Zielsetzungen einer Binnenmarktharmonisierung. Sowohl Hemmnisse für die Verwirklichung der Grundfreiheiten als auch Wettbewerbsverzerrungen im Binnenmarkt berechtigen zu einer harmonisierenden Tätigkeit.[84] Die beschränkende Präzisierung der Binnenmarktziele auf diese beiden tatbestandsähnlichen Zielsetzungen leitet der EuGH aus dem Verweis des Art. 95 EGV auf die Begriffsdefinition des Binnenmarkts in Art. 14 und Art. 3 Abs. 1 lit. c) EGV ab.[85]

Auch wenn der EuGH in seinem Urteil *Tabakwerberichtlinie I* die Befugnis der EG apodiktisch feststellte, über Art. 95 EGV wettbewerbsverzerrende Regelungen der Mitgliedstaaten angleichen zu können, ist dies kein unbestrittenes Ergebnis (aa). Es stellt sich außerdem die Frage, ob die beiden Tatbestandserfordernisse kumulativ vorliegen müssen oder ob sie die EG auch alternativ zum Tätigwerden berechtigen (bb).

aa) Wettbewerbsregulierung als Teil der Binnenmarktordnung?

Dass zum Binnenmarkt neben den Grundfreiheiten auch ein System gehört, das die Unverfälschtheit des Wettbewerbs sichern soll, wird aus einem Vergleich des Begriffs „Binnenmarkt" mit dem Begriff „Gemeinsamer Markt" abgeleitet.

---

[81] Vgl. *Vervaele*, in: FS-Tiedemann, S. 1353 (1365).

[82] Vgl. *Hilty/Peukert/Kur* GRUR-Int 2006, 722 f.

[83] Zust. *Braum*, Europäische Strafgesetzlichkeit, S. 384; *Cesoni*, Journal des tribunaux 2006, 365 (370).

[84] EuGH „*Tabakwerberichtlinie I*" (Rn. 95).

[85] *Calliess*, Jura 2001, 311 (315); *Stromayr*, Kompetenzkollisionen, S. 128, 134 f., bezieht sich – abweichend – maßgeblich auf Art. 3 Abs. 1 lit. g) EGV.

Der *Gemeinsame Markt* hat zwei wesentliche Funktionen.[86] *Ipsen* hat sie unter den Schlagworten „Freiheit nach innen“ und „Einheit nach außen“ zusammengefasst.[87] Zum einen soll er innerhalb der EG die Gewährleistung der Grundfreiheiten und eines möglichst unverfälschten Wettbewerbs sicherstellen.[88] Zugleich obliegt ihm – nach außen hin – die gemeinschaftliche Handels- und Zollpolitik festzulegen.[89] Der *Binnenmarkt* hat nach dem – zwar nicht rechtsverbindlichen,[90] aber dennoch den Begriff prägenden – Weißbuch KOM (85) 310 endg. eine dreifache Zielsetzung.[91] Erstens zielt er darauf ab, die nationalen Einzelmärkte in einem einzigen Binnenmarkt aufgehen zu lassen. Zweitens soll dieser Binnenmarkt wachsen und nicht statisch bleiben. Er soll – drittens – flexibel ausgestaltet sein, sodass eine optimale Allokation menschlicher wie materieller Ressourcen und Investitionsmittel erfolgen kann. Die Zielsetzung des Binnenmarkts scheint nach seinem Wortlaut mehr „nach innen“ ausgerichtet als die des Gemeinsamen Markts.[92] Das Weißbuch KOM (85) 310 endg. konzentriert seine Aktivitäten auf den Bereich der Binnengrenzen und die wirtschaftlichen Binnenaktivitäten.[93] Aber dieser Schein trügt. Auch die Gewäh-

---

[86] Der EuGH legt in ständiger Rechtsprechung dem Begriff folgende Definition zugrunde: „[…] Der Begriff Gemeinsamer Markt […] stellt ab auf die Beseitigung aller Hemmnisse im innergemeinschaftlichen Handel mit dem Ziele der Verschmelzung der nationalen Märkte zu einem einheitlichen Markt, dessen Bedingungen denjenigen eines wirklichen Binnenmarktes möglichst nahe kommen. Es ist wichtig, dass die Vorteile dieses Marktes über den berufsmäßigen Handel hinaus auch Privatleuten zugute kommen, wenn sie grenzüberschreitende wirtschaftliche Transaktionen durchführen“, vgl. EuGH vom 5.5.1982, Rs. C-15/81 *„Gaston Schul“*, Slg. 1982, 1409 (Rn. 33); auch nach Einführung des Begriffs „Binnenmarkt“ in den EG-Vertrag blieb der EuGH bei dieser Definition, vgl. EuGH vom 17.5.1994, Rs. C-41/93 *„Frankreich / Kommission“*, Slg. 1994, I-1829 (Rn. 19); ähnlich bereits zuvor *Grabitz*, in: FS-Ipsen, S. 645 (646).

[87] *Ipsen*, Europäisches Gemeinschaftsrecht, S. 551; *Schubert*, Gemeinsamer Markt, S. 136; *Hatje*, in: Schwarze (Hrsg.), EU-Kommentar, Art. 2 EGV Rn. 29; *v. Bogdandy*, in: Grabitz/Hilf (Hrsg.), EUV/EGV, Art. 2 EGV Rn. 39.

[88] *Hatje*, in: Schwarze (Hrsg.), EU-Kommentar, Art. 2 EGV Rn. 29.

[89] *v. Bogdandy*, in: Grabitz/Hilf, Art. 2 EGV, Rn. 39; *Hatje*, in: Schwarze (Hrsg.), EU-Kommentar, Art. 2 EGV Rn. 29.

[90] Hierzu *Breulmann*, Normung und Rechtsangleichung, S. 99 (Fn. 70).

[91] Vgl. KOM(85) 310 endg. Rn. 8.

[92] In diese Richtung auch *Müller-Graff*, Binnenmarktziel und Rechtsordnung, S. 11. f.

[93] Zur Erreichung des Ziels, die nationalen Märkte zu einem Binnenmarkt zusammen zu führen, sah das Weißbuch drei wesentliche Mittel vor (Rn. 10): die Beseitigung der materiellen Schranken (Rn. 11 f., 24 ff.), die der sog. technischen Schranken (Rn. 12, 58 f.) und der Steuerschranken (Rn. 149). Unter dem Begriff der materiellen Schranken wird insbesondere die Beseitigung der Zollgrenzen bzw. Grenzkontrollen verstanden, die „für den Handel, die Industrie und das Geschäftsleben“ belastende Wirkung haben, indem sie direkte und indirekte Kosten verursachen, was die Wettbewerbsfähigkeit beeinträchtigt (Rn. 24). Erklärtes Ziel war es, bis zum Jahr 2000 die Schranken und Kontrollen vollständig abgebaut zu haben (Rn. 46). Die Abschaffung von technischen Schranken hat zum Ziel, die Bewegungsfreiheit von Waren, Personen und Gesellschaften innerhalb der Binnengrenzen herzustellen (Rn. 58 f.). Dazu zählen auch die Rechte des geistigen und gewerblichen Eigentums (Rn. 145 ff.). So sieht das Weißbuch u.a. vor, auf dem Gebiet der Rechte des geistigen Eigentums mittels einer Doppelstrategie vorzugehen, d.h. eine Gemeinschaftsmarke einzuführen und die nationalen Markenrechte zu harmonisieren (Rn. 146). Das dritte Ziel besteht darin, bestehende Steuerschranken zu beseitigen (Rn. 14, 160 ff.).

rung der Einheit des Marktes „nach außen“ zählt zu einer der primären Funktionen der Zollunion, die über die Warenverkehrsfreiheit Teil des Binnenmarkts ist.[94] Auch in ihrer dynamischen Funktion entsprechen sich die beiden Begriffe, ebenso wie in ihrer Orientierung am Marktprinzip.[95] Die Begriffe sind deshalb als deckungsgleich anzusehen.

Der EuGH sieht es als Funktion des Binnenmarkts an, ein System des unverfälschten Wettbewerbs herzustellen.[96] Allerdings gibt es Stimmen, die dies ablehnen.[97] Sie folgern dies aus der Art der Erwähnung der Wettbewerbspolitik im Weißbuch KOM(85) 310 endg. Rn 157 ff. unter der Rubrik „technische Schranken“ im Rahmen der Unterkategorie „Anwendung des Gemeinschaftsrechts“. Dies belege, dass ein System zur Verhinderung von Wettbewerbsverzerrungen nicht Teil der Funktionen des Begriffs „Binnenmarkt“ sei. Dies würde jedoch voraussetzen, dass dem Konzept des Binnenmarkts ein Verständnis zugrunde liegt, das regulierende Eingriffe des Staates zur Beseitigung von Wettbewerbsverzerrungen für unnötig hält, da der Markt die sich stellenden Probleme eigenständig zu lösen imstande ist.[98] Das Wettbewerbsverständnis des EG-Vertrags ist jedoch nicht festgelegt, auch nicht auf ein neoklassisches Staats- und Wettbewerbsverständnis,[99] wie u.a. Art. 3 Abs. 1 lit. g)[100] zum Ausdruck bringt.[101] Aber auch, wenn man die Aufgabe des Art. 3 Abs. 1 lit. g) eng auffasst und lediglich als Verweis auf die den Binnenmarkt flankierenden Wettbewerbsvorschriften der Art. 81 ff. EGV versteht,[102] ergibt sich dennoch, dass die Konzeption des Begriffs „Binnenmarkt“ eine Wettbewerbsregulierung nicht nur auf dem Gebiet des Wettbewerbsrechts i.e.S. (Art. 81 ff. EGV) vorsieht. Denn, wie soeben festgestellt wurde, sind die Begriffe „Gemeinsamer Markt“ und „Binnenmarkt“ weitgehend deckungsgleich und der Begriff des Gemeinsamen Marktes umfasst ohne Zweifel die Befugnisse, Wettbewerbsverzerrungen zu beseitigen. Diese Kompetenz ist der EG deshalb auch im Rahmen des Binnenmarkts zuzugestehen.

---

94 Vgl. hierzu nur *Meesenburg*, in: Schwarze (Hrsg.), EU-Kommentar, Art. 23 EGV Rn. 2.

95 Vgl. die Formulierung des EuGH vom 5.5.1982, Rs. C-15/81 „*Gaston Schul*“, Slg. 1982, 1409 (Rn. 33), die diesen dynamischen Aspekt zum Ausdruck bringt: „[…] die einem Binnenmarkt *möglichst nahe kommt.*“

96 EuGH „*Titandioxid*“ (Rn. 14); EuGH „*Spanien / Rat*“ (Rn. 32 ff.).

97 In diesem Sinne jedenfalls *Everling*, in: FS-Steindorff, S. 1155 (1160 ff., 1170 f.); *Breier*, EuZW 1993, 315 (316); *Epiney*, JZ 1992 564 (567); a.A. *Müller-Graff*, Binnenmarktziel und Rechtsordnung, S. 10.

98 Krit. *Schubert*, Gemeinsamer Markt, S. 136 ff. (143 f.).

99 Gegen ein solches neoklassisches Verständnis des Binnenmarktkonzepts auch *Schubert*, Gemeinsamer Markt, S. 143.

100 Art. 3 Abs. 1 EGV: „Die Tätigkeit der Gemeinschaft […] umfasst […] [lit. g)] ein System, das den Wettbewerb innerhalb des Binnenmarkts vor Verfälschungen schützt.“

101 In diesem Sinne *Stromayr*, Kompetenzkollisionen, S. 134 f.

102 Hierzu *Hatje*, in: Schwarze (Hrsg.), EU-Kommentar, Art. 3 EGV Rn. 14.

Der Begriff „Binnenmarkt“ umfasst demnach auch die Kompetenz, Wettbewerbsverzerrungen zu beseitigen. Die beiden zulässigen Binnenmarktziele sind deshalb, Hemmnisse für die Grundfreiheiten und Wettbewerbsverzerrungen zu beseitigen.[103]

bb) Kumulative oder alternative Binnenmarktziele?

Es ist ungeklärt, ob die beiden Erfordernisse kumulativ oder alternativ erfüllt sein müssen. Aus dem Primärrecht ergeben sich hierzu keine Anhaltspunkte. In seiner neuesten Entscheidung *Tabakwerberichtlinie II* äußerte sich der EuGH in Richtung eines alternativen Verständnisses.[104]

Ob Art. 95 EGV auch in Anspruch genommen werden kann, wenn ausschließlich Wettbewerbsverzerrungen beseitigt werden sollen, ist bislang unerörtert geblieben.[105] Eine Antwort auf diese Frage erschließt sich m.E. ausgehend von der Funktion des Art. 95 EGV.[106] Ungeachtet der gleichzeitig zu befolgenden Zielsetzung, seinen Anwendungsbereich mit dem Prinzip der begrenzten Einzelermächtigung vereinbar zu halten, darf die Schwelle für ein Tätigwerden der EG nicht künstlich hoch angesetzt werden. Es gehört zum Wesen einer generalklauselartigen Vorschrift, flexibel und vielseitig einsetzbar zu sein. Wie ein Vergleich mit Art. 94 EGV zeigt, entspricht es der ursprünglichen Funktion der Art. 94 f. EGV, auch eine Regelung erlassen zu können, die lediglich Wettbewerbsverzerrungen beseitigen soll. Dies wurde später um die Bereiche der Waren- und Personenverkehrsfreiheit ergänzt.[107] Hieraus lässt sich aufgrund der Deckungsgleichheit der Begriffe des Gemeinsamen Markts (Art. 94) und des Binnenmarkts (Art. 95) ableiten, dass eine getrennte Verfolgung beider Zielsetzungen grundsätzlich möglich sein muss.[108] Zugleich lässt sich weder aus Art. 95 EGV noch Art. 14 EGV entnehmen, dass eine Maßnahme nur dann zulässig ist, wenn beide Zielsetzungen des Binnenmarkts kumulativ erfüllt sind.[109]

---

103 *Stromayr*, Kompetenzkollisionen, S. 133.

104 Falls die Beeinträchtigung einer Grundfreiheit festgestellt werde, müsse man die Frage, ob diese auch zu spürbaren Verzerrungen des Wettbewerbs führe, nicht mehr prüfen, vgl. EuGH „*Tabakwerberichtlinie II*“ (Rn. 67): krit. *Schwarze*, in: FS-G. Hirsch, S. 165 (167 f.).

105 In Richtung eines alternativen Verständnisses EuGH „*Tabakwerberichtlinie I*“ (Rn. 114).

106 Hierzu § 5 II.1.

107 Vgl. *Everling*, in: FS-Pescatore, S. 227 (228).

108 Differenzierend *Tietje*: in Grabitz/Hilf (Hrsg.), EUV/EGV, Art. 95 EGV Rn. 18 f.

109 Zust. *Tietje*, in: Grabitz/Hilf (Hrsg.), EUV/EGV, Art. 95 EGV Rn. 34; a.A. *Bock*, Rechtsangleichung, S. 127; *Schwarze*, in: FS-G. Hirsch, S. 165 (167).

Die Merkmale „Beseitigung von Hemmnissen für Grundfreiheiten“ und „Beseitigung von Wettbewerbsverzerrungen“ stellen folglich kein kumulatives, sondern ein alternatives Erfordernis dar. Es ist der EG also möglich, eine Regelung zu erlassen, die sich entweder darauf beruft, spürbare Wettbewerbsverzerrungen oder die Beeinträchtigung einer Grundfreiheit im Binnenmarkt zu beseitigen.

d) Zwischenergebnis

Eine Inanspruchnahme der Kompetenz des Art. 95 EGV setzt voraus, dass in dem Rechtsakt die Binnenmarktregulierung ausdrücklich als Zielsetzung genannt wird. Die inhaltlichen Anforderungen an einen solchen Rechtsakt sind wie folgt: Er muss qualifizierte Auswirkungen auf den Binnenmarkt haben, d.h. konkrete Behinderungen betreffen, auch wenn diese erst durch unmittelbar bevorstehende Rechtsakte eintreten werden. Der Binnenmarkt muss der Schwerpunkt der Regelung sein, auch wenn nicht ausgeschlossen ist, dass neben diesem noch andere, untergeordnete Zielsetzungen verfolgt werden, solange diese ebenfalls in die Zuständigkeit der EG fallen. Der Rechtsakt kann entweder mit dem Ziel erlassen werden, ein Hindernis für die Grundfreiheiten zu beheben oder Wettbewerbsverzerrungen zu beseitigen.

3. Änderung dieser Auslegungsprinzipien in späteren Urteilen des EuGH

Der EuGH hat diese enge Auslegung von Art. 95 EGV in verschiedenen Sachverhaltskonstellationen bestätigt.[110] In seiner Folgeentscheidung *Tabakwerberichtlinie II*[111] hat er jedoch keine ernsthafte materielle Begrenzung des Anwendungsbereichs des Art. 95 EGV vorgenommen.[112] Auch in anderen Entscheidungen weitete er z.T. den Anwendungsbereich des Art. 95 EGV aus. Ob diese Entscheidungen Einfluss auf seine Auslegung haben, soll nunmehr kurz analysiert werden.

---

[110] EuGH „*British American Tobacco*“, Slg. 2002, I-11453 (Rn. 60 ff.); vgl. hierzu *Iber*, Legal Issues of Economic Integration 2003, 167; *Gundel*, EuR 2003, 100; *Wägenbaur*, EuZW 2003, 107; *Hillion*, Cambridge Law Journal 63 (2004) 297; EuGH vom 14.12.2004, Rs. C-210/03 „*Swedish Match*“ Slg. 2005, I-11893 (Rn. 27 ff., 30); EuGH vom 14.12.2004, Rs. C-434/02, „*Arnold André*“, Slg. 2004, I-11825 (Rn. 36 ff.); EuGH „*Fluggastdaten*“ (Rn. 56 ff., 69); GA *Léger* Schlussanträge „*Fluggastdaten*“ (Rn. 143).

[111] EuGH vom 12.12.2006, Rs. C-380/03 „*Tabakwerberichtlinie II*“, Slg. 2006, I-11573.

[112] Vgl. hierzu *Gundel*, EuR 2007, 251; *Lindner*, BayVwBl 2007, 304; *Ludwigs*, CMLRev 2007, 1159; *Maierhöfer*, JZ 2007, 304; *Rauber*, ZEuS 2007, 151; *Schier/Lehmann* GPR 2007, 68.

a) Die Entscheidung Tabakwerberichtlinie II

In der Entscheidung *Tabakwerberichtlinie II* hatte der EuGH über die Richtlinie 2003/33/EG zu entscheiden,[113] die eine „abgespeckte"[114] Version des umfassenden Werbe- und Sponsoringverbots der ersten Tabakwerberichtlinie enthielt.

Sie entspricht genau dem Umfang, den der EuGH in seiner *Tabakwerberichtlinie I*-Entscheidung im *obiter dictum* in Rn. 97 f. als verhältnismäßig bezeichnet hatte.[115] Die zweite Tabakwerberichtlinie unterschied sich von der für nichtig erklärten ersten Richtlinie nur punktuell. Anstelle eines generellen Verbots, wie es noch Art. 3 Abs. 1 der Richtlinie 89/552/EWG vorsah, wurde das Verbot in Art. 1, 3 ff. der Richtlinie 2003/33/EG vom 26.5.2003 auf bestimmte Medien beschränkt: Presse und gedruckte Veröffentlichungen; Hörfunk; Dienste der Informationsgesellschaft und Sponsoring in Verbindung mit Tabakerzeugnissen, einschließlich ihrer kostenlosen Verteilung.[116] Die Begründung der Richtlinie stellte maßgeblich darauf ab, dass in den Mitgliedstaaten ungleiche Verbote für Tabakwerbung gelten und die Unterschiede sich weiter zu vergrößern drohten.[117] Hierdurch komme es zu Beeinträchtigungen der Warenverkehrs- und Dienstleistungsfreiheit.[118]

Der EuGH hat in der Entscheidung zwei seiner materiell-begrenzenden Leitprinzipien unangewendet gelassen.[119] Er hat keine Kontrolle der objektiv feststellbaren Zielsetzungen des Rechtsakts vorgenommen und auch nur sehr vage Hinweise auf zukünftige Änderungen der Rechtslage in den Mitgliedstaaten als Nachweis ausreichen lassen, um eine gegenwärtige konkrete Gefährdung des Binnenmarkts anzunehmen.

Eine objektive Kontrolle der Auswirkungen und der Zielsetzung des Rechtsakts wurde in dem Urteil nicht vorgenommen.[120] Auch das Kriterium,[121] dass ein Rechtsakt anhand des gerichtlich (objektiv) feststellbaren Ziels und Inhalts auf seine Rechtmäßigkeit überprüft wird,[122] findet hier keinen Niederschlag. Die Richtlinie stützte sich auf bloße (abstrakte) Hinweise, dass die anzupassenden Regelun-

---

113 Richtlinie 2003/33/EG des Parlaments und des Rates vom 26.3.2003, veröffentlicht im ABl. 2003 L 152/16 vom 20.6.2003.

114 *Görlitz*, ZUM 2002, 97 (98).

115 Krit. *Schwarze*, ZUM 2002, 89 (91 ff.).

116 Hierzu *Görlitz*, ZUM 2002, 97 (101f.).

117 Krit. anhand der dem EuGH vorliegenden Studien *Rauber*, ZEuS 2007, 151 (154 ff.).

118 Vgl. zum Klagevorbringen Deutschlands EuGH „*Tabakwerberichtlinie II"* (Rn. 18, 24).

119 Weitergehend *Ludwigs*, CMLRev 2007, 1159 (1166 ff.).

120 In diese Richtung auch *Lindner*, BayVwBl 2007, 304 (305); *Rauber*, ZEuS 2007, 151 (153 f.).

121 EuGH vom 12.12.2006, Rs. C-380/03 „*Tabakwerberichtlinie II*", Slg. 2006, I-11573 (Rn. 80).

122 St. Rspr. EuGH „*Titandioxid*" (Rn. 10); EuGH vom 26.3.1987, Rs. C-45/86 „*Kommission / Rat*", Slg. 1987, I-1493 (Rn. 11); EuGH vom 29.3.1990, Rs. C-62/88 „*Griechenland / Rat*", Slg. 1990, I-1527 (Rn. 11, 14); EuGH vom 3.12.1996, Rs. C-268/94 „*Portugal / Rat*", Slg. 1996, I-6177 (Rn. 22); EuGH vom 13.5.1997, Rs. C-233/94 „*Deutschland / Parlament u. Rat*", Slg. 1997, I-2405 (Rn. 12); hierzu oben § 5 II.2.

gen eine Auswirkung auf den Binnenmarkt haben können.[123] Würde eine solche Argumentation vom EuGH in anderen Fällen akzeptiert, führte dies dazu, dass der Gebrauch des Wortes „Binnenmarkt" als „Sesam öffne Dich" für nahezu jede beliebige Regulierung durch die EG herangezogen werden könnte.[124] Dies wäre ein gravierender Verstoß gegen das Prinzip der begrenzten Einzelermächtigung.[125]

Stein folgert aus Aussagen von Richtern des EuGH zu dem Verfahren *Tabakwerberichtlinie II*, dass das Gericht die Rechtmäßigkeitsüberprüfung durch ein mehr oder weniger politisches Votum ersetzt hat, das als maßgebliches Kriterium für die Rechtmäßigkeit eines Rechtsakts ansieht, dass er die für das Verfahren notwendige Mehrheit gefunden habe.[126] Dies schafft die Möglichkeit, eine Regelung auf Art. 95 EGV zu stützen, deren inhaltliche Zielsetzung nahezu beliebig sein kann.[127] Der EuGH lässt den Hinweis ausreichen, eine Maßnahme sei mit der Zielrichtung des Binnenmarkts erlassen worden.[128] Es stellt für ihn kein Problem dar, dass die Behinderung für eine Grundfreiheit nicht überzeugend dargelegt werden konnte.[129] Der kumulativ hinzutretende Verzicht auf den Nachweis einer Wettbewerbsverzerrung ebnet das Nachweiserfordernis weiter ein.[130] Das in seiner Entscheidung *Tabakwerberichtlinie I* feststellbare Bemühen, die Einhaltung dieser Formel ernsthaft anhand eigener Plausibilitätserwägungen zu kontrollieren, findet sich nicht mehr.[131] Die Folge wäre, dass auch Regelungen mittels Art. 95 EGV erlassen werden könnten, die wie der Gesundheitsschutz durch Art. 152 Abs. 4 lit. c) EGV ausdrücklich von einer Harmonisierung durch dic EG ausgenommen sind.[132]

Das Ergebnis wäre eine uferlose Weite des Art. 95 EGV.[133] Die Kompetenz würde sich nicht mehr von einer „allgemein Kompetenz zur Regelung des Binnenmarkts"[134] unterscheiden, welche der EuGH in seiner Entscheidung *Tabakwerbe-*

---

123 Krit. *Ludwigs*, CMLRev 2007, 1159 (1173 f.); *Rauber*, ZEuS 2007, 151 (155); *Schwarze*, in: FS-G. Hirsch, S. 165 (168); *Stein*, in: FS-G. Hirsch, S. 185 (186).

124 *Stein*, EWS 2001, 12 (16).

125 Vgl. § 2 I.1., 2.a).

126 *Stein*, in: FS-G. Hirsch, S. 185 (186 f.).

127 *Stein*, in: FS-G. Hirsch, S. 185 (186); krit. *Jahn*, NJW 2008, 1788 (1789); *Schwarze*, Europäisches Wirtschaftsrecht, Rn. 706.

128 EuGH „*Tabakwerberichtlinie II*" (Rn. 80).

129 Krit. *Stein*, in: FS-G. Hirsch, S. 185 (186); a.A. *Ludwigs*, CMLRev 2007, 1159 (1171).

130 Krit. *Schwarze*, in: FS-G. Hirsch, S. 165 (168).

131 *Stein*, EuZW 2007, 54 (56); a.A. *Gundel*, EuR 2007, 251 (254, 256 ff.).

132 In diesem Sinne auch *Stein*, EuZW 2007, 54 (56); *Rauber*, ZEuS 2007, 151 (152); a.A. *Gundel*, EuR 2007, 251 (255 f.).

133 *Ludwigs*, CMLRev 2007, 1159 (1168 f.); *Stein*, EuZW 2007, 54 (56); *ders.*, in: FS-G. Hirsch, S. 185 (186); ebenso *Schwarze*, Europäisches Wirtschaftsrecht, Rn. 704.

134 Anders noch EuGH „*Tabakwerberichtlinie I*" (Rn. 83); hierzu *Wägenbaur*, EuZW 2000, 549 (551).

richtlinie I noch abgelehnt und zutreffend als unvereinbar mit dem Prinzip der begrenzten Einzelermächtigung bezeichnet hatte.[135]

Auch die Voraussetzungen, unter denen ein präventives Tätigwerden der EG möglich ist,[136] hat der EuGH in der Entscheidung ausgeweitet.[137] Er lässt mehr abstrakte als konkrete Anhaltspunkte für eine mögliche Beeinträchtigung des Binnenmarkts aufgrund unterschiedlicher nationaler Vorschriften ausreichen.[138] Er erörtert nicht mehr – hierauf aufbauend –, ob diese Unterschiede auch zu einer konkreten Beeinträchtigung führen können.[139]

Diese weite Interpretation verstößt gegen das Prinzip der begrenzten Einzelermächtigung.[140] Es wäre nicht mehr möglich, eine Einschätzungsprognose des Gemeinschaftsgesetzgebers anhand objektiver Tatsachen kritisch zu hinterfragen, geschweige denn sie als unzutreffend zurückzuweisen.[141] Ein Vorhaben der EG kann auf dieser Grundlage kaum mehr überprüft werden, da bereits die Existenz von Rechtsunterschieden als hinreichender Beleg für eine Behinderung des Binnenmarkts ausreichen würde.[142] Hierdurch würde Art. 95 EGV zu einer allgemeinen Kompetenz zur Regelung des Binnenmarkts ungewandelt; eine Auslegung, die von dem Prinzip der begrenzten Einzelermächtigung nicht mehr gedeckt wäre.[143]

---

[135] Einen Verstoß gegen das Prinzip der begrenzten Einzelermächtigung sieht hierin *Rauber*, ZEuS 2007, 151 (158); krit. *Schwarze*, Europäisches Wirtschaftsrecht, Rn. 713; ablehnend *Stein*, EuZW 2007, 54 (56); a.A. *Gundel*, EuR 2007, 251 f.

[136] Hierzu oben § 5 II.2.a).

[137] In diese Richtung auch GA *Geelhoed* Schlussanträge „*British American Tobacco*" (Rn. 131); vgl. ferner GA *Léger* Schlussanträge „*Tabakwerberichtlinie II*" (Rn. 104, 106, 138).

[138] Hierzu *Rauber*, ZEuS 2007, 151 (155 ff., 159); vgl. als Gegenbeispiel die genaue Auflistung hinsichtlich existenter Gesetze und geplanter Vorhaben im Verfahren „*Spanien / Rat*" (Rn. 34).

[139] Die tatsächlichen Feststellungen der zukünftigen Rechtslage im Urteil (Rn. 46) sind nicht zu beanstanden. Jedoch sind die Schlussfolgerungen (Rn. 47, 60) auf drohende Divergenzen, die zu einer Beeinträchtigung des Binnenmarkts führen könnten, nicht korrekt. Der EuGH lässt alleine die Tatsache, dass der EU weitere Mitgliedstaaten beitreten werden, als Beleg ausreichen, dass Behinderungen für den Binnenmarkt eintreten werden. Diese Tatsache reicht hingegen allenfalls aus, um abstrakte Anhaltspunkte für ein Auseinanderfallen der Rechtsordnung zu begründen, vgl. *Rauber*, ZEuS 2007, 151 (154 f.); GA *Léger* Schlussanträge „*Tabakwerberichtlinie II*" (Rn. 61); zust. *Maierhöfer*, JZ 2007, 463; *Seidel*, EuR 2006, 26 (28 f.) argumentiert m.E. zutreffend, dass aus dem Verfahren *Tabakwerberichtlinie I* der Umkehrschluss gezogen werden könne, dass sogar eine weitergehende Einlassung als im ersten Urteil notwendig gewesen wäre; a.A. *Gundel*, EuR 2007, 251 (255 f.).

[140] Zust. *Lindner*, BayVwBl 2007, 304 (305); *Schwarze*, in: FS-G. Hirsch, S. 165 (168); *ders.*, Europäisches Wirtschaftsrecht, Rn. 706 f.; a.A. *Gundel*, EuR 2007, 251 (257 f.).

[141] *Stein*, in: FS-G. Hirsch, S. 185 (186): „ein echter Sündenfall".

[142] Zum Konzept der Entscheidung „*Tabakwerberichtlinie I*" siehe § 5 II.2.a).

[143] Zust. *Stein*, EuZW 2007, 54 (56); *Schwarze*, in: FS-G. Hirsch, S. 165 (167 f.); zurückhaltender *ders.*, Europäisches Wirtschaftsrecht, Rn. 699 ff. (704).

b) Weitere Entscheidungen des EuGH

Auch in der bereits oben angesprochenen Entscheidung Rs. *ENISA* hat der EuGH den Anwendungsbereich von Art. 95 EGV ausgedehnt.[144] Er hält es nunmehr für zulässig, auch Gemeinschaftsagenturen unter Berufung darauf zu gründen.[145] Dem stehen jedoch der Wortlaut und die Funktion von Art. 95 EGV entgegen.[146] Eine solche Auslegung erweiterte den Anwendungsbereich in unzulässiger Weise auf Maßnahmen, die einer Regelung nach Art. 308 EGV vorbehalten sind.[147]

c) Zwischenergebnis

Die extensiven Interpretationen des EuGH, insbesondere der Entscheidung Rs. *Tabakwerberichtlinie II*, vermögen keine überzeugenden Änderungen der Auslegungskriterien des Art. 95 EGV zu begründen.[148] Da die Rechtsprechungsentwicklung zudem uneinheitlich ist, werden dieser Untersuchung weiterhin die Kriterien zugrunde gelegt, wie sie im Urteil *Tabakwerberichtlinie I* aufgestellt wurden.[149]

III. Beseitigung von Hemmnissen für eine Grundfreiheit

Art. 95 Abs. 1 Satz 2 EGV ermächtigt die EG, Hindernisse zu beseitigen, die von Unterschieden in nationalen Regelungen ausgehen und die Verwirklichung der Grundfreiheiten behindern.[150] Sein Anwendungsbereich umfasst grundsätzlich alle Grundfreiheiten. Er wird jedoch dadurch beschränkt, dass Art. 95 EGV hinter einer Vielzahl speziellerer Kompetenzen der EG zurücktritt.[151] Sein wesentlicher Anwen-

---

[144] EuGH „*ENISA*" (Leitsatz 1, Unterabsatz 2 f.); EuGH „*Raucharomen*" (Rn. 41); EuGH „*European Cooperative Society*" (Rn. 38); hierzu oben § 2 I.2.b)aa).

[145] Vgl. § 2 I.2.b)aa).

[146] *Schwarze*, Europäisches Wirtschaftsrecht, Rn. 693; a.A. *Pipkorn/Bardenhever-Rating/Taschner*, in: von der Groeben/Schwarze (Hrsg.), EUV/EGV, Art. 95 EGV Rn. 29.

[147] Hierzu oben § 2 I.1.b)aa).

[148] Zust. *Ludwigs*, CMLRev 2007, 1159 (1176); *Schwarze*, in: FS-G. Hirsch, S. 165 (168 Fn. 24); *Stein*, EuZW 2007, 54 (56); *ders.*, in: FS-G. Hirsch, S. 185 (186).

[149] Zust. *Stein*, EuZW 2007, 54.

[150] *Kahl*, in: Calliess/Ruffert (Hrsg.) EUV/EGV, Art. 95 EGV Rn. 13; *Pipkorn/Bardenhewer-Rating/Taschner*, in: von der Groeben/Schwarze (Hrsg.), EUV/EGV, Art. 95 EGV Rn. 11.

[151] Diese *legi speciali* sind: Art. 40 EGV [Maßnahmen zur Herstellung der Freizügigkeit]; Art. 46 Abs. 2 und Art. 47 Abs. 2 EGV [Niederlassungsfreiheit]; Art. 52 und 55 i.V.m. Art. 46 Abs. 2 und Art. 47 Abs. 2 EGV [Dienstleistungsfreiheit]; Art. 57 Abs. 2 EGV [Kapitalverkehrsfreiheit]; Art. 65 i.V.m. Art. 67 EGV [Personenverkehrsfreiheit], Art. 93 EGV [Indirekte Steuern].

dungsbereich ist deshalb die Beeinträchtigung der Warenverkehrsfreiheit (Art. 28 ff. EGV).[152]

Mangels anderweitiger Regelungen im Rahmen von Art. 95 EGV richtet sich die Feststellung, ob Hemmnisse für eine Grundfreiheit bestehen nach den allgemeinen Grundsätzen, insbesondere Art. 28 ff. EGV.[153] Der *Dassonville*-Formel des EuGH zufolge ist dies jede Regelung, die „geeignet ist, den innergemeinschaftlichen Handel unmittelbar oder mittelbar, tatsächlich oder potentiell zu behindern."[154] Behinderungen können nach der *Cassis de Dijon*-Rechtsprechung des EuGH grundsätzlich durch alle Regelungen hervorgerufen werden, auch wenn sie – wie z.B. produktbezogene Vorschriften – „unterschiedslos für alle Erzeugnisse gelten", die in einem Land vertrieben werden.[155] Diese Formel greift jedoch in zwei Fällen nicht: zum einen für Regelungen, die gemäß Art. 30 EGV durch ein Allgemeininteresse gerechtfertigt sind, das der Warenverkehrsfreiheit vorgeht.[156] Zum anderen, gemäß der Entscheidung *Keck u. Mithouard*, bei Regelungen, die „bestimmte Verkaufsmodalitäten beschränken oder verbieten [...], sofern diese Bestimmungen für alle betroffenen Wirtschaftsteilnehmer gelten, die ihre Tätigkeit im Inland ausüben, und sofern sie den Absatz der inländischen Erzeugnisse und der Erzeugnisse aus anderen Mitgliedstaaten rechtlich wie tatsächlich in der gleichen Weise berühren,"[157] d.h. keinen Einfluss auf den Marktzugang haben.[158]

Der Umfang der Angleichungskompetenz ist in zwei Punkten nicht streitfrei. Zum einen ist nicht geklärt, ob die EG nur berechtigt ist, Hindernisse für die Grundfreiheiten zu beseitigen (negative Harmonisierung), oder ob ihr weitergehende Befugnisse zustehen (positive Harmonisierung).[159] Zum anderen ist umstritten, ob das Tatbestandsmerkmal „Hemmnisse für eine Grundfreiheit" nicht durch ein dem Spürbarkeitsmerkmal des Begriffs „Wettbewerbsverzerrungen" vergleichbares Begrenzungskriterium eingeschränkt werden muss.[160]

Manche vertreten, dass es der EG – insbesondere im Hinblick auf die Schutzniveauklausel des Art. 95 Abs. 3 EGV – möglich sein müsse, Regelungen zu erlas-

---

[152] *Bock*, Rechtsangleichung, S. 80; *Kahl*, in: Calliess/Ruffert (Hrsg.), EUV/EGV, Art. 95 EGV Rn. 13.

[153] *Pipkorn/Bardenhewer-Rating/Taschner*, in: von der Groeben/Schwarze (Hrsg.), EUV/EGV, Art. 95 EGV Rn. 12.

[154] EuGH vom 11.7.1974, Rs. C-8/74 „*Dassonville*", Slg. 1974, 837 (Rn. 2/4).

[155] EuGH vom 20.2.1979, Rs. 120/78 „*Cassis de Dijon*", Slg. 1979, 649 (Rn. 13 f.).

[156] EuGH vom 20.2.1979, Rs. 120/78 „*Cassis de Dijon*", Slg. 1979, 649 (Rn. 13 f.).

[157] EuGH „*Keck u. Mithouard*" (Rn. 16).

[158] EuGH „*Keck u. Mithouard*" (Rn. 17).

[159] In diese Richtung *Schwarze*, in: FS-G. Hirsch, S. 165 (167); *Tietje*, in: Grabitz/Hilf (Hrsg.), EUV/EGV, Art. 95 EGV Rn. 31; vgl. hinsichtlich der negativen Harmoninisierung oben § 3 III.

[160] In diese Richtung *Schweitzer/Schroeder/Bock*, EG-Binnenmarkt und Gesundheitsschutz, S. 43.

sen, die nicht ausschließlich Hemmnisse beseitigen, sondern auch partiell die Grundfreiheiten weiter einschränken, als die bislang existenten nationalen Regelungen (positive Harmonisierung).[161] M.E. ist es überzeugender, der EG auch die Befugnis zuzugestehen, bestimmte (flankierende) Verbote im Rahmen eines Maßnahmepakets zu erlassen, wenn die Gesamtregelung ein System bildet, das der Verwirklichung der Grundfreiheit insgesamt dienlich ist,[162] d.h. zu einem Freiheitsgewinn führt.[163] Wo die Grenze der zulässigen Verschärfung liegt, die von der EG vorgegeben werden kann, ist eine Frage des Subsidiaritäts- und des Verhältnismäßigkeitsprinzips.[164] Unzulässig ist es jedenfalls wiederum, über diese positive Harmonisierung Regelungen zu erlassen, die nicht in die Zuständigkeit der EG fallen.

Auch bestehen m.E. keine Einwände, ein einschränkendes Kriterium entsprechend dem Spürbarkeitskriterium (der Wettbewerbsverzerrungen) auf den Bereich der Grundfreiheiten zu übertragen.[165] Der Anwendungsbereich der *Dassonville*-Formel ist sehr weit und würde ins Uferlose gehen, wenn man sie im Rahmen von Art. 95 EGV nicht begrenzte. Das Spürbarkeitserfordernis ist hierbei an der Bedeutung des Verhaltens für eine Grundfreiheit zu bemessen, d.h. es darf keine Beeinträchtigung sein, welche die Grundfreiheit zu ungewiss oder zu indirekt beschränkt.[166]

Als Zwischenergebnis kann festgehalten werden, dass die EG die Harmonisierung nationaler Regelungen auf Art. 95 EGV stützen kann, wenn sie hierdurch eine spürbare Beeinträchtigung für eine Grundfreiheit beseitigt. Diese Maßnahme muss sich nicht auf die negative Harmonisierung der mitgliedstaatlichen Rechtsordnungen beschränken, sondern kann auch in Teilen positiv harmonisieren, d.h. zu einer Verschärfung einzelner flankierender Regelungen führen, wenn diese sicherstellen, dass die Warenverkehrsfreiheit hierdurch insgesamt gefördert wird.

IV. Beseitigung spürbarer Wettbewerbsverzerrungen im Binnenmarkt

Die zweite zulässige Zielsetzung einer Harmonisierungsmaßnahme nach Art. 95 EGV bezieht sich auf die Beseitigung spürbarer Wettbewerbsverzerrungen. Es soll

---

161 So u.a. *Bock*, Rechtsangleichung, S. 133 ff., 160 ff., 186; GA *Bot* Schlussanträge „*Fluggastdaten*" (Rn. 97); vgl. hinsichtlich der positiven Harmonisierung oben § 3 III.

162 EuGH vom 9.8.1994, Rs. C-359/92 „*Deutschland / Rat*", Slg. 1994, I-3681 (Rn. 34).

163 Zust. *Selmayr/Kamnn/Ahlers*, EWS 2003 49 (53); *Tietje*, in: Grabitz/Hilf (Hrsg.), EUV/EGV, Art. 95 EGV Rn. 31.

164 Vgl. § 2 I.3.; vgl. ferner die Grenze des Urteils „*Tabakwerberichtlinie I*" (Rn. 96 ff.); GA *Fenelly* Schlussanträge „*Tabakwerberichtlinie I*" (Rn. 103 ff.).

165 Zust. *Schweitzer/Schroeder/Bock*, EG-Binnenmarkt u. Gesundheitsschutz, S. 43; a.A. *Tietje*, in: Grabitz/Hilf (Hrsg.), EUV/EGV, Art. 95 EGV Rn. 32.

166 *Bock*, Rechtsangleichung, S. 91 ff.

hier nun untersucht werden, wie die Begriffe „Wettbewerbsverzerrungen“ und „spürbar“ auszulegen sind.[167]

1. Tatbestandselement „Wettbewerbsverzerrungen“

Die Konturen der Wettbewerbskompetenz des Art. 95 EGV gehen weder aus der Definition in Art. 14 Abs. 2 EGV noch aus der Zielkonkretisierung des Art. 3 Abs. 1 lit. g) EGV hervor, der statuiert, dass ein System aufgebaut werden soll, das den Binnenmarkt vor Verfälschungen der Wettbewerbsbedingungen schützt. Daraus darf jedoch nicht der Schluss gezogen werden, es gäbe ein perfektes Wettbewerbssystem, das dem Binnenmarkt Modell gestanden hätte und das es nur zu verwirklichen gelte.[168] In den Wirtschaftswissenschaften geht man davon aus, dass es eine allgemeingültige „natürliche Wettbewerbsordnung“ nicht gibt.[169]

Ziel dieses Abschnitts ist es daher, den Begriff „Wettbewerbsverzerrung“ auszulegen (a). Anschließend soll ein Maßstab bestimmt werden, mittels dem beurteilt werden kann, ob ein regulativer Unterschied Wettbewerbsverzerrungen hervorruft (b), um – hierauf aufbauend – klären zu können, wie weitreichend die Regulierungsbefugnis der EG im Rahmen dieser Zielsetzung des Art. 95 EGV ist (c).

a) Begriff „Wettbewerbsverzerrungen“

Weder der Begriff des Wettbewerbs noch der hierauf aufbauende Begriff der Wettbewerbsverzerrung werden durch den EG-Vertrag definiert.[170] Es gilt deshalb zunächst einmal das allgemeine Wettbewerbskonzept des Binnenmarkts festzulegen. Dieses basiert auf dem Wettbewerbskonzept des EWG-Vertrags, das wiederum auf den *Spaak*-Bericht aus dem Jahr 1956 zurückgeht.[171] *Von der Groeben* hat den Wettbewerbsbegriff des E(W)G-Vertrags so umschrieben, dass nicht ein bestimmtes national-ökonomisches Modell, sondern ein funktionsfähiger Wettbewerb sein Ziel sei. Dies bedeutet, dass nicht die vollständige Konkurrenz Ungezählter angestrebt wird, sondern ein praktisch wirksamer, effektiver Wettbewerb.[172]

Bestimmt man den Begriff des Wettbewerbs in einer neutralen Form, dann beschreibt er das gleichgerichtete (d.h. auf die Marktgegenseite bezogene) Bemühen der Anbieter einerseits und der Nachfrager andererseits, ihren individuellen Vorteil in einer privatwirtschaftlich organisierten Wirtschaftsordnung zu suchen.[173] Bei Leistungswettbewerb hängt der

---

[167] EuGH „*Tabakwerberichtlinie I*“ (Rn. 107).

[168] *v. Bogdandy*, in: Grabitz/Hilf (Hrsg.), EUV/EGV, Art. 2 EGV Rn. 43.

[169] *Ambrosius*, Regulativer Wettbewerb, S. 17; *Müller*, Systemwettbewerb, S. 133.

[170] *Regul*, Wettbewerbsverzerrungen, S. 24 (Teil B, Rn. 4.2).

[171] *Bock*, Rechtsangleichung, S. 106 f.; *Regul*, Wettbewerbsverzerrungen, S. 5.

[172] *von der Groeben*, WuW 1964, 1001 (1005).

[173] *Streit*, Theorie der Wirtschaftspolitik, S. 44.

Erfolg eines Marktteilnehmers von dem Leistungsvorsprung ab, den er vorübergehend vor seinen Wettbewerbern gewinnen kann, ehe diese ihn durch eine Leistungssteigerung ein- oder überholen.[174]

1966 untersuchte *Regul* im Auftrag der Kommission kritisch, ob diese Konzeption und die bisherige Praxis der Anwendung der ex-Art. 101 f. E(W)GV (Art. 96 f. EGV) noch gerecht wurde.[175] Das Gutachten sollte u.a. überprüfen, wie globale von spezifischen Wettbewerbsverzerrungen abgegrenzt werden können.[176] Es stützt sich auf den *Spaak*-Bericht, dessen Wettbewerbskonzeption in weiten Teilen vom EWG-Vertrag übernommen wurde.[177] Das Gutachten erging zu ex-Art. 101 f. EWGV, spiegelt aber die Wettbewerbskonzeption wider, auf der der gesamte EWG-Vertrag basiert.[178] Die Konzeption der EWG wiederum kann auf den EG-Vertrag übertragen werden, da die EG den Charakter der EWG als funktionalen Zweckverband weiterführte.[179] Die Ergebnisse können zudem auf das Regelungskonzept von Art. 95 EGV übertragen werden, weil dieser die Art. 96 f. EGV zugedachte Funktion übernommen hat.[180]

Der anfangs angelegte funktionale Unterschied zwischen Art. 96 EGV („Wettbewerbsverfälschung, die eine Wettbewerbsverzerrung hervorruft") und Art. 95 EGV („Wettbewerbsverzerrungen") wurde durch die Rechtsprechung des EuGH eingeebnet,[181] indem er für Art. 95 EGV forderte, dass die Wettbewerbsverzerrungen „spürbar" sein müssen.[182] Hiermit erfüllt Art. 95 EGV heute die Voraussetzungen, die ursprünglich Art. 96 zugedacht waren.

Regul kommt zu einem negativen Ergebnis. Er folgert, dass nicht jeder nach nicht-marktwirtschaftlichen Prinzipien vorgenommene Eingriff in den Wirtschaftsprozess per se Wettbewerbsverzerrungen hervorrufe.[183] Er erläutert:[184]

> „Die Wirtschaftssysteme der Gemeinschaftsländer sind mit den Wirtschaftsstrukturen historisch gewachsen, und in einer bestimmten Ausgangslage bestand ein, in den einzel-

---

174 *Streit*, Theorie der Wirtschaftspolitik, S. 44.

175 *Regul*, Wettbewerbsverzerrungen, S. 5.

176 *Regul*, Wettbewerbsverzerrungen, S. 7 (Teil A, Rn. 1).

177 *Regul*, Wettbewerbsverzerrungen, S. 21 (Teil B, Rn. 3.0), S. 24 (Teil B, Rn. 4.0).

178 Zust. *Bock*, Rechtsangleichung, S. 107 f.

179 *Müller-Graff*, EuR 1989, 107 (121 f., 135).

180 *Herrnfeld*, in: Schwarze (Hrsg.), EU-Kommentar, Art. 96/97 EGV, Rn. 2 f.

181 Ein Unterschied beider Begriffe sei rein terminologischer Art, so *Mesenberg*, BB 1961, 141 (143 f.); z.T. werden im Hinblick auf den EGKS-Vertrag Wettbewerbs*verfälschungen* als solche zwischen Wettbewerbern auf dem Markt beschrieben und Wettbewerbs*verzerrungen* als solche der allgemeinen Wirtschaftsbeziehungen zwischen den Mitgliedstaaten, vgl. *Regul*, Wettbewerbsverzerrungen, S. 19 (Teil B, Rn. 2.5).

182 EuGH „*Tabakwerberichtlinie I*" (Rn. 106). Diese tatbestandliche Einschränkung wurde vom EuGH bewusst eingeführt, wie die Ausführungen in Rn. 107 des Urteils zeigen.

183 *Regul*, Wettbewerbsverzerrungen, S. 26 (Teil B, Rn. 5.0).

184 *Regul*, Wettbewerbsverzerrungen, S. 26 (Teil B, Rn. 5.0) [Hervorhebungen durch den Verfasser].

nen Ländern unterschiedliches, Verhältnis zwischen Marktform und Demokratie. Die Rechtsordnungen und dementsprechend die Rechts- und Verwaltungsvorschriften sind Ausdruck solcher Mischformen. Steuern, Zölle, Subventionen, *Ge- und Verbote* sowie zahlreiche andere Bestimmungen sind Instrumente der jeweiligen Wirtschaftspolitiken. *Im Allgemeinen können wir davon ausgehen, dass sie von der Wirtschaft absorbiert sind; die Unternehmen haben sich darauf eingestellt,* und *es besteht eine Art inneren Gleichgewichts.*“

Hinzu kommt ein weiterer Aspekt. Der EG-Vertrag gibt kein bestimmtes Wettbewerbsmodell vor. Er lässt verschiedene Ausprägungen zu. Zu Beginn des EWG-Vertrags orientierte man sich an einem neoklassisch-orientierten Wettbewerbssystem,[185] d.h. am Kapitalismus angelsächsisch-amerikanischer Prägung.[186] Die Kommission setzt diesem Konzept in letzter Zeit zunehmend einen stärker am europäischen Solidar- und Gerechtigkeitsmodell orientierten Ansatz entgegen.[187] Die Wettbewerbsordnung schließt aber auch nicht aus, dass ein bestimmter (Teil-) Markt in Richtung eines planwirtschaftlichen Modells ausgestaltet wird, wie dies z.B. im Agrarsektor geschehen ist.[188] Auch die im Rahmen der Verabschiedung des Vertrags von Lissabon ausgehandelte textliche Ausgliederung der Zielbestimmung des Art. 3 Abs. 1 lit. g) und der Festlegung der Wirtschaftsunion auf den Grundsatz einer „offenen Marktwirtschaft mit freiem Wettbewerb“ (Art. 4 Abs. 1 EGV) aus Art. 3 EUV [Fassung von Lissabon] hat keine Auswirkungen im Hinblick auf das Wettbewerbsmodell des EG-Vertrags.[189] Ihre Ausgliederung in ein Protokoll hat weitgehend symbolischen Charakter, da die Protokolle ebenso wie die Vertragstexte Gültigkeit beanspruchen können und bei der Auslegung der Verträge zu berücksichtigen sind.[190]

Eine vergleichbare Auffassung wie *Regul* vertritt später (1993) der EuGH. In seiner Entscheidung *Keck u. Mithouard* urteilte er, dass:[191]

„[…] sich die Wirtschaftsteilnehmer immer häufiger auf Artikel 30 EWG-Vertrag berufen, um *jedwede Regelung zu beanstanden, die sich als Beschränkung ihrer geschäftli-*

---

185 *v. Bogdandy*, in: Grabitz/Hilf (Hrsg.), EUV/EGV, Art. 2 EGV Rn. 33.

186 *Ambrosius*, Regulativer Wettbewerb, S. 8; diese Entwicklung setzte sich bei der Verabschiedung des Reformvertrags von Lissabon fort, vgl. hierzu *Basedow*, EuZW 2008, 225.

187 *Ambrosius*, Regulativer Wettbewerb, S. 8; *Schwartz*, EuR 2007, 194; *v. Bogdandy*, in: Grabitz/Hilf (Hrsg.), EUV/EGV, Art. 2 EGV Rn. 33.

188 *Wolf* ZRP 2008, 27.

189 Konkret ging es um die Formulierung, ob in den Vertrag von Lissabon aufgenommen werden sollte, dass ein „freier und unverfälschter Wettbewerb“ Ziel der EU sei, wie es in Art. I-3 EuVerf hieß. In letzter Sekunde verhinderte dies die französische Delegation. Stattdessen wurde ein Protokoll verabschiedet, das dem Wettbewerbsprinzip Gestalt verleihen soll, vgl. *Wernicke*, Der Vertrag von Lissabon und das Wettbewerbsprinzip, S. 190 f., 192 ff.; sowie *Kotzur*, Die soziale Marktwirtschaft nach dem Reformvertrag, S. 197 f.; ferner *Basedow*, EuZW 2008, 225.

190 *Basedow*, EuZW 2008, 225.

191 EuGH „*Keck u. Mithouard*“ (Rn. 14) [Hervorhebungen durch den Verfasser].

chen Freiheit auswirkt, auch wenn sie nicht auf Erzeugnisse aus anderen Mitgliedstaaten gerichtet ist […].“

Die Argumente des EuGH lassen sich auf den Bereich der Wettbewerbsverzerrungen übertragen. In seiner Urteilsbegründung geht der EuGH zwar explizit nur auf den Bereich der Grundfreiheiten ein; die Kläger berufen sich hingegen ausdrücklich auch auf das Tatbestandsmerkmal der Wettbewerbsverzerrungen.[192] Der EuGH wies die Klage insgesamt ab, ging aber auf das Vorbringen der Parteien hinsichtlich der „Wettbewerbsverfälschung“ nicht ein. Hieraus kann gefolgert werden, dass er auch beim Begriff der Wettbewerbsverzerrungen eine „Bagatellgrenze“ einzieht, ansonsten hätte er zu dem Tatbestandsmerkmal „Wettbewerbsverzerrungen“ gesondert Stellung beziehen müssen. Sein Schweigen kann deshalb als „beredtes Schweigen“ gewertet werden, aus dem folgt, dass die Argumentation in der Entscheidung *Keck u. Mithouard* auch eine Aussage hinsichtlich des Tatbestandsmerkmals der Wettbewerbsverzerrungen trifft.

Im Jahr 2000 deutet der EuGH in der Entscheidung *Tabakwerberichtlinie I* an, dass der Begriff der Wettbewerbsverzerrungen weit auszulegen sei und deshalb einer Einschränkung durch ein Spürbarkeitserfordernis bedürfe:[193]

> „Bestünde diese Voraussetzung nicht, wären der Zuständigkeit des Gemeinschaftsgesetzgebers praktisch keine Grenzen gezogen. Zwischen den nationalen Rechtsvorschriften *über die Voraussetzungen der Ausübung bestimmter Tätigkeiten bestehen nämlich vielfach Unterschiede, was sich unmittelbar oder mittelbar auf die Wettbewerbsbedingungen der betroffenen Unternehmen auswirkt.* Eine Auslegung des Art. 100 a […], dass der Gemeinschaftsgesetzgeber diese Bestimmungen auch zur Beseitigung nur geringfügiger Wettbewerbsverzerrungen heranziehen dürfte, wäre deshalb mit dem […] Grundsatz unvereinbar, dass die Befugnisse der Gemeinschaft auf Einzelermächtigungen beruhen.“

Allerdings geht aus diesem Urteil insgesamt nicht klar hervor, wie der Begriff der Wettbewerbsverzerrungen definiert wird. In Rn. 109 nimmt der EuGH die nur mittelbaren Einflüsse aus dem Anwendungsbereich wieder aus.[194]

Es kann also festgehalten werden, dass der Begriff des Wettbewerbs (entwicklungs-)offen definiert ist. Sein Inhalt kann nicht aus einem bestimmten nationalstaatlichen Modell abgeleitet werden. Er ist nicht darauf ausgerichtet, ein Modell der vollständigen Konkurrenz herzustellen. Dieses Modell der unvollkommenen Konkurrenz ist deshalb auch dem Begriff der Wettbewerbsverzerrungen zugrunde zu legen. Der Begriff darf jedenfalls nicht dazu missbraucht werden, „jedwede Regelung, die sich als eine Beschränkung der geschäftlichen Freiheit auswirkt“,[195] als Wettbewerbsverzerrung anzusehen.[196] Der Begriff „Wettbewerbs-

---

192 EuGH „*Keck u. Mithouard*“ (Rn. 3).

193 EuGH „*Tabakwerberichtlinie I*“ (Rn. 107) [Hervorhebungen durch den Verfasser].

194 Hierzu sogleich § 5 IV.1.b)aa).

195 EuGH „*Keck u. Mithouard*“ (Rn. 14).

verzerrungen“ erfasst nicht jeglichen Normunterschied, der sich mittelbar auf eine geschäftliche Tätigkeit auswirkt. Welcher Maßstab zu seiner Konkretisierung in dem Modell der unvollkommenen Konkurrenz zugrunde gelegt werden kann, ist Gegenstand des nachfolgenden Abschnitts.

b) Maßstab der Wettbewerbsrelevanz von Normunterschieden

aa) Bestimmung einer Messgröße

Als Maßstab zur Bestimmung von Wettbewerbsverzerrungen schlug der *Spaak*-Bericht einen Gesamtkostenvergleich vor.[197] Demzufolge liegt dann eine Verzerrung vor, wenn bestimmte Industrieteile eines Landes hinsichtlich ihrer Gesamtkosten durch Rechts- und Verwaltungsvorschriften gegenüber anderen Industrieteilen desselben Landes benachteiligt oder begünstigt werden.[198] Diese Auffassung wird zu Recht kritisiert, da eine solche gesamtwirtschaftliche Betrachtungsweise weder sinnvoll noch praktisch durchführbar ist, wenn hierauf ein internationaler Vergleich gestützt werden soll.[199] Auch der EuGH hat diesen Maßstab nie angewendet.[200]

Es stellt sich deshalb die Frage, welcher Vergleichsmaßstab anstatt dieses Gesamtkostenvergleichs herangezogen werden kann. Früher war die Wettbewerbsfunktion des Binnenmarkts darauf beschränkt, den Wettbewerbern freien Zugang zum gesamten Binnenmarkt zu gewähren.[201] Dieser Maßstab wird jedoch allgemein als veraltet angesehen. Als maßgebliches Kriterium gilt heute, dass Wettbewerbsverzerrungen eine Auswirkung auf die Kostenbelastung eines Wettbewerbers haben müssen.[202] Manche gehen hierbei sehr weit und integrieren in diese Betrachtung auch mittelbare Kosten (d.h. finanziellen Aufwand)[203] oder einen Vergleich der Gewinnchancen,[204] d.h. der Möglichkeiten, bestimmte Geschäfte abschließen zu können.[205]

---

196 Zust. *Müller*, Systemwettbewerb, S. 141.

197 Hierzu *Müller*, Systemwettbewerb, S. 126.

198 Hierzu *Bock*, Rechtsangleichung, S. 106 f.

199 *Bock*, Rechtsangleichung, S. 107; *Müller*, Systemwettbewerb, S. 134.

200 Vgl. nur die Argumentation in den Entscheidungen „*Keck u. Mithouard*“ (Rn. 14); EuGH „*Titandioxid*“ (Rn. 12, 23); EuGH „*Tabakwerberichtlinie I*“ (Rn. 109 ff., 112 ff.).

201 So die ursprüngliche Konzeption des Binnenmarkts, vgl. *v. Bogdandy*, in: Grabitz/Hilf (Hrsg.), EUV/EGV, Art. 2 EGV Rn. 28.

202 A.A. *Mestmäcker*, Europäisches Wettbewerbsrecht, S. 54 f.

203 *Bock*, Rechtsangleichung, S. 107.

204 *Reich*, EuzW 1991, 203 (207); *Langeheine*, in: Grabitz/Hilf (Hrsg.), EUV/EGV, Art. 100a EGV Rn. 20; es wird hierbei verglichen, welcher Mitgliedstaat die weitestgehende Möglichkeit einräumt, eine bestimmte Art von Geschäften abschließen zu können. Die-

Der EuGH hat es jedoch in mehreren Urteilen abgelehnt, bloße Gewinnchancen oder mittelbare Kosten als Maßstab heranzuziehen.[206] Im Urteil *Keck u. Mithouard* äußerte er sich zu Regelungen, die nur die Möglichkeit beschränkten, bestimmte Geschäfte abzuschließen. Diese Regelungen ermöglichten bzw. verhinderten reine Gewinnchancen, welche jedoch keinen hinreichenden (unmittelbaren) Bezug zu Kosten aufwiesen.[207] In seinem Urteil *Tabakwerberichtlinie I* führte er diese Rechtsprechung fort:

> „Was Werbeagenturen und Hersteller von Werbeträgern angeht, so sind zwar Unternehmen, die in Mitgliedstaaten mit einer weniger restriktiven Regelung der Tabakwerbung ansässig sind, *hinsichtlich der Größenvorteile und der Gewinnerzielung* begünstigt. Diese Vorteile wirken sich jedoch auf den Wettbewerb nur entfernt und *mittelbar* aus und führen nicht zu Verzerrungen, die als spürbar betrachtet werden könnten."[208]

Hieraus folgt, dass lediglich unmittelbare Kosten des einzelnen Wirtschaftsteilnehmers taugliche Grundlage sind, um einen Vergleich der Wettbewerbsbedingungen vornehmen zu können.[209] Dem ist zuzustimmen. Denn die Kostensituation des einzelnen Marktteilnehmers, sei es auf der Anbieter- oder auf der Nachfrageseite, bestimmt ganz maßgeblich sein Verhalten im Wettbewerb, gerade auch bei grenzüberschreitenden Geschäftsaktivitäten. Allerdings reicht es nicht aus, bloße Kostenunterschiede aufzuzeigen.[210] Es müssen spezifische Kostenunterschiede sein, aus denen sich ableiten lässt, ob die Rechts- und Verwaltungsvorschriften, die sich in diesen Kosten niederschlagen, zu Wettbewerbsverzerrungen führen. In der Literatur werden zwei spezifische Kostenunterschiede diskutiert:[211] Produktions- und Transaktionskosten.[212]

---

ses Land wird als Maßstab für die weniger liberalen Wirtschaftsordnungen der anderen Mitgliedstaaten herangezogen.

205 Ist es z.B. in Land A zulässig, Waffen an das Nicht-EU-Land C zu verkaufen, in Land B hingegen nicht, dann kann ein Wettbewerber in Land A ein Geschäft mit einem Käufer des Landes C abschließen, nicht hingegen ein Wettbewerber des Landes B. Die Möglichkeit, dass der Wettbewerber in Land B auch mit einem Käufer des Landes C Geschäfte abschließen kann, stellt lediglich eine Gewinnchance dieses Wettbewerbers dar.

206 EuGH „*Titandioxid*" (Rn. 12); EuGH „*Tabakwerberichtlinie I*" (Rn. 109).

207 EuGH „*Keck u. Mithouard*" (Rn. 14); a.A. wohl *Bock*, Rechtsangleichung, S. 107.

208 EuGH „*Tabakwerberichtlinie I*" (Rn. 109) [Hervorhebungen durch den Verfasser].

209 *Bock*, Rechtsangleichung, S. 107. So hat auch die Kommission in einer im Jahr 2007 veröffentlichen Folgenabschätzung über die unterschiedliche Besteuerung von Dieselkraftstoffen ebenfalls diesen Punkt als Ausgangspunkt gewählt, vgl. die Folgenabschätzung KOM(2007) 52 endg., SEC(2007) 170/2.

210 Zust. *Müller*, Systemwettbewerb, S. 142.

211 A.A. *Bock*, Rechtsangleichung, S. 109 ff., der aus der Entscheidung „*Tabakwerberichtlinie I*" eine eigene Kategorie von Kostenunterschieden folgert, da er sie – anders als hier – nicht als Fortsetzung der Rspr. „*Keck u. Mithouard*" ansieht.

212 Vgl. *Müller*, Systemwettbewerb, S. 129 ff.; *Bock*, Rechtsangleichung, S. 104 ff.

bb) Verzerrungen durch Unterschiede in den Produktionskosten

Unter dem Begriff der Produktionskosten werden alle Einflüsse zusammengefasst, die sich in den Kosten der Herstellung eines Produkts oder einer Dienstleistung an einem Produktionsort niederschlagen.[213]

Der Entscheidung *Titandioxid* zufolge sind relevante Regelungen insbesondere solche, die *unmittelbaren* Einfluss auf die Produktionskosten einer bestimmten Branche ausüben.[214] Auch die Schlussanträge von GA *Bot* in der Rs. *Vorratsdatenspeicherung* stellen darauf ab, dass die Kosten der Vorratsdatenspeicherung einen „wichtigen“ Faktor darstellen.[215] Die Entscheidungen legen eine weitere Begrenzung nahe. Nur Regelungen, die sich auf eine (potentiell) überschaubare Anzahl von Wettbewerbern auswirken, können berücksichtigt werden.[216] Regelungen, die auf die gesamte Wirtschaft oder Gattungen von Branchen (wie z.B. die heterogen strukturierte Dienstleistungsbranche oder das produzierende Gewerbe) zurückgreifen, reichen hingegen nicht aus. In der Entscheidung *Tabakwerberichtlinie I* hat der EuGH es z.B. für zulässig erklärt, dass ein Werbeverbot zu einer spezifischen, aber in sich homogenen Branche (Werbeagenturen)[217] einen hinreichend konkreten Bezug hat.[218]

Mithin können Kostenunterschiede, die auf Rechts- und Verwaltungsvorschriften beruhen und die zu unmittelbaren Kostenunterschieden in einer homogenen Bran-

---

213 Vgl. *North*, Institutionen, institutioneller Wandel, S. 79 f.; ferner *Ehrmann*, Kostenrechnung, S. 2 f.

214 In der Entscheidung „*Titandioxid*“ waren dies unterschiedliche nationale Regelungen über Umweltauflagen bei der Produktion von Titandioxid. Der EuGH stellte hier fest (Rn. 12): „Indem die Richtlinie somit Verpflichtungen hinsichtlich der Behandlung von Abfällen aus der Titandioxid-Produktion auferlegt, ist sie geeignet, sowohl die Verschmutzung zu verringern als auch *einheitlichere* Produktions- und damit Wettbewerbsbedingungen zu schaffen, da sich die nationalen Rechtsvorschriften über die Abfallbehandlung, die durch die Richtlinie harmonisiert werden sollen, auf die Produktionskosten der Titandioxid-Industrie auswirken.“ [Hervorhebungen durch den Verfasser]; zust. *Herrnfeld*, in: Schwarze (Hrsg.), EU-Kommentar, Art. 95 EGV Rn. 6; *Müller-Graff*, EuR 1989, 107 (123 f.); *Kahl*, in: Calliess/Ruffert (Hrsg.), EUV/EGV, Art. 95 EGV Rn. 14; *Tietje*, in: Grabitz/Hilf (Hrsg.), EUV/EGV, Art. 95 EGV Rn. 34.

215 In der Rs. „*Vorratsdatenspeicherung*“ geht es um die Harmonisierung der Speicherfrist elektronischer Daten. Die Speicherkosten sind ein Hauptkostenfaktor für die betroffenen Wirtschaftsteilnehmer vgl., GA *Bot* Schlussanträge „*Vorratsdatenspeicherung*“ (Rn. 56, 85).

216 Dieses Kriterium wird durch die Entscheidungen „*Tabakwerberichtlinie I*“ (Rn. 109 ff.) und „*Vorratsdatenspeicherung*“ (Rn. 56) bestätigt, in denen der EuGH ebenfalls sehr detailliert nach bestimmten, spezialisierten Märkten einteilt.

217 EuGH „*Tabakwerberichtlinie I*“ (Rn. 97, 109).

218 In diesem Fall ist das Tatbestandsmerkmal Wettbewerbsverzerrungen m.E. jedoch aus einem anderen Grund nicht erfüllt. Das Verbot, in bestimmten Medien für Tabakprodukte zu werben, stellt lediglich eine Geschäftschance dar, die als verzerrender Faktor unbeachtlich ist. Der EuGH hat diese Frage in seinem Urteil „*Tabakwerberichtlinie II*“ (Rn. 67) umgangen.

che führen, als Maßstab herangezogen werden, um festzustellen, ob bestimmte Vorschriften Wettbewerbsverzerrungen hervorrufen.

cc) Verzerrungen durch unterschiedliche Transaktionskosten

Transaktionskosten sind Kosten,[219] die bei Markthandlungen der Marktteilnehmer in einer privatwirtschaftlich organisierten Wirtschaftsordnung entstehen. Hierzu zählen laufende Transaktionskosten zur Anbahnung, Aushandlung und Kontrolle von Transaktionen sowie einmalige Transaktionskosten durch Regeln und Verfahrensweisen für Marktgeschehen, wie etwa Verfahrensrechte oder Institutionen wie z.B. Börsen, Industrienormen oder Qualifikationszertifikate.[220] Grundsätzlich fallen Transaktionskosten auf beiden Marktseiten an, d.h. Anbieter- und Nachfragerseite. Die Intensität von Wettbewerbsprozessen wird von Transaktionskosten beeinflusst; niedrige Transaktionskosten (z.B. durch standardisierte Verträge) ermöglichen es, Markthandlungen effizienter abzuwickeln, was sich positiv auf die Entstehung bzw. die Aufrechterhaltung von Wettbewerb auswirkt.[221] Unter dieser Prämisse kann ein durch Rechts- und Verwaltungsvorschriften geschaffener Transaktionskostenpegel, der z.B. für grenzüberschreitende Sachverhalte höher ist als für vergleichbare inländische Sachverhalte, durchaus wettbewerbsverzerrend wirken, da inländische Marktteilnehmer relativ begünstigt werden. Dies betrifft u.a. Regelungen im Zusammenhang mit der Anbahnung, dem Abschluss und der Durchführung grenzüberschreitender Verträge.[222] Harmonisierungsmaßnahmen mit dem Ziel, gleiche bzw. angenäherte Transaktionskostenpegel für beide Sachverhalte herzustellen, würden daher die Wettbewerbsbedingungen verbessern. Transaktionskosten sind so gesehen ein prinzipiell geeigneter Maßstab, um Wettbewerbsverzerrungen zu konkretisieren.

Im Rahmen der Grundfreiheiten werden regelmäßig Rechtsakte auf die Begründung gestützt, dass Transaktionskosten dazu führten, dass die Grundfreiheiten nicht in Anspruch genommen würden. Mit Transaktionskosten argumentiert die EG insbesondere im Verbraucherschutzrecht.[223] So zielt u.a. die Richtlinie 2005/29/EG darauf ab,[224] die Trans-

---

[219] Hierzu *Busse*, WuW 2002, 112 (113 ff.); *Eidemüller*, Effizienz als Rechtsprinzip, S. 97 ff.; krit. *Baumann*, RNotZ 2007, 297 (301 f.).

[220] *Streit*, Theorie der Wirtschaftspolitik, S. 84, 87 f.

[221] *Streit*, Theorie der Wirtschaftspolitik, S. 98 f., 130.

[222] In diese Richtung auch *Bock*, Rechtsangleichung, S. 111.

[223] Zum Grünbuch der Kommission zum Verbraucheracquis vom 8.2.2007 krit. *Tamm*, EuZW 2007, 756 (757).

[224] Richtlinie 2005/29/EG des Europäischen Parlaments und des Rates vom 11.5.2005 über unlautere Geschäftspraktiken im binnenmarktinternen Geschäftsverkehr zwischen Unternehmen und Verbrauchern und zur Änderung der Richtlinie 84/450/EWG des Rates, der Richtlinien 97/7/EG, 98/27/EG und 2002/65/EG des Europäischen Parlaments und des Rates sowie der Verordnung (EG) Nr. 2006/2004 des Europäischen Parlaments und des Rates (Richtlinie über unlautere Geschäftspraktiken), ABl. L 149/22 vom 11.6.2005.

aktionskosten im grenzüberschreitenden Geschäftsverkehr zu senken,[225] indem die Regelungen über unlautere Geschäftspraktiken einander angenähert werden. Auf diese Weise sollen Verbraucher dazu angehalten werden, ihre Grundfreiheiten in stärkerem Maße in Anspruch zu nehmen, sowie die Transaktionskosten auf der Anbieterseite zu senken.

Fraglich ist, ob die Transaktionskosten auch ein geeigneter Maßstab sind, um Auskunft über das Maß an Wettbewerbsverzerrungen im Binnenmarkt zu geben. Z.T. wird vertreten, dass ihre bloße Existenz bereits zu Wettbewerbsverzerrungen führe.[226] Sie fallen jedoch bei jeder Markthandlung an, unabhängig davon, ob sie in derselben Rechtsordnung vorgenommen wird oder grenzüberschreitend.[227] Ließe man das bloße Anfallen von Transaktionskosten ausreichen, würde man in letzter Konsequenz die Existenz national eigenständiger (Wirtschafts-)Regelungen infrage stellen. Die rechtliche Integration der EG würde zum Selbstzweck.[228] Dies verbietet sich jedoch, da die EG weiterhin – trotz vorangeschrittener Integration – auf der grundsätzlichen Eigenständigkeit der Mitgliedstaaten, ihren gewachsenen Rechtstraditionen und ihren unterschiedlichen Sprachen aufbaut.[229] Ein erhöhter Transaktionskostenpegel für grenzüberschreitende Geschäfte ist deshalb nicht per se wettbewerbsverzerrend. Welcher Unterschied als erheblich anzusehen ist, lässt sich jedoch weder aus dem Primärrecht noch aus Präzedenzfällen ableiten. Der EuGH hat diesen Maßstab bislang noch nicht herangezogen, um Wettbewerbsverzerrungen zu bestimmen.

Eine Lösung soll hier ausgehend von der Funktion des Binnenmarkts bestimmt werden. Sein Ziel besteht darin, die effiziente Allokation von Ressourcen zu gewährleisten.[230] Es gibt zwei grundsätzlich gleichberechtigte Wege, diese ökonomische Zielvorgabe des Binnenmarkts zu erfüllen: zum einen mittels eines Systemwettbewerbs[231] und zum anderen mittels Rechtsharmonisierung. Beide Arten sind prinzipiell gleichwertige und gleichberechtigte Mittel. Ob es deshalb Ziel des Binnenmarkts sein kann, die Vereinheitlichung der Rechtsordnungen so weit voranzutreiben, bis keine messbaren rechtlichen Unterschiede mehr bestehen

---

225 Hierzu ausführlich *Brömmelmeyer* GRUR 2007, 295.

226 *Staudenmayer*, EuZW 2003 165 (167); a.A. *Bock*, Rechtsangleichung, S. 112 f., 114.

227 *Streit*, Theorie der Wirtschaftspolitik, S. 91 f.

228 Krit. *Hilty*, in: ders./Geiger (Hrsg.), Impulse für eine europäische Harmonisierung des Urheberrechts, S. X; *v. Bogdandy*, in: Grabitz/Hilf (Hrsg.), EUV/EGV, Art. 2 Rn. 34.

229 *Hatje*, EuR 2005, 148 (153 f.) *a maiore ad minus*; in diese Richtung ebenso *Müller*, Systemwettbewerb, S. 130, 138 f.

230 *Hatje*, in: Schwarze (Hrsg.), EU-Kommentar, Art. 2 EGV Rn. 12; ausführlich hierzu *Tietje*, in: Grabitz/Hilf (Hrsg.), EUV/EGV, Vor Art. 94–97 EGV Rn. 25 ff.

231 Zur Definition vgl. § 6 III.1.; ein Systemwettbewerb ist ein taugliches Mittel, um innerhalb der EU für die optimale Allokation der Ressourcen zu sorgen. Hierfür sprechen Überlegungen der Außenhandelstheorie. Ein solcher Wettbewerb führt dazu, dass jedes Mitgliedsland seine komparativen Kostenvorteile (Rohstoffvorkommnisse, Produktionsmöglichkeiten u.a.) optimal nutzt. Die Güterproduktion findet so am effizientesten Produktionsstandort in der EU statt und fördert somit den (volkswirtschaftlichen) Wohlstand aller Mitgliedstaaten, siehe hierzu ausführlich *Müller*, Systemwettbewerb, S. 131 f.

(„level playing field"), ist zweifelhaft. Das ökonomische Konzept des Binnenmarkts ist auf diese Zielsetzung nicht festgelegt; es stellt sie geradezu in Frage.[232] Denn eine vollständige Harmonisierung hätte zur Folge, dass ein Wettbewerb der Systeme nicht mehr stattfinden kann.[233]

Der Aspekt der Systemrivalität im Binnenmarkt ist zu berücksichtigen, wenn man den Maßstab festlegen möchte, in dem Unterschiede in den Transaktionskosten als Begründung herangezogen werden, um eine Harmonisierung der Rechts- und Verwaltungsvorschriften zu legitimieren.[234] Möchte man ermitteln, welche Rechtsunterschiede relevant sind, kann es nicht unbeachtet bleiben, dass die Rechtsangleichung und der Systemwettbewerb zwei gleichberechtigte Konzepte sind und bleiben sollen.[235] Würde man es gestatten, eine bestimmte nominale Größenordnung als Maßstab heranzuziehen (etwa einen Transaktionskostenunterschied, der sich in einem Kostenunterschied i.H.v. 5 Prozent pro verkaufter Einheit niederschlägt), wären diese jedoch nicht zugleich Ausdruck relevanter Transaktionskostenunterschiede.[236] Sie können vielmehr auf Besonderheiten einer nationalen Rechtsordnung zurückzuführen sein, die sich ihrerseits wiederum als besonders effizient erweisen, sich jedoch von den Regelungen in anderen Rechtsordnungen beträchtlich unterscheiden.[237] Transaktionskostenunterschiede wären damit zugleich Ausdruck eines funktionierenden Wettbewerbs der Systeme. Möchte man Transaktionskosten als Maßstab berücksichtigen, um Wettbewerbsverzerrungen innerhalb des Binnenmarkts festzustellen, wäre deshalb die Einschränkung zu machen, dass hiervon nicht solche Regelungen erfasst werden, welche lediglich die natürlichen Gegebenheiten eines Landes oder die Präferenzen seiner Bürger widerspiegeln, sondern nur solche betreffen, die einer kleinen Gruppe (etwa infolge besonders teurer Konzessionsverfahren für bestimmte Tätigkeiten o.Ä.) Sondervorteile gewähren,[238] die zu Transaktionskostenunterschieden führen.

Allerdings rückt ein solcher Vergleich derart in die Nähe des Gesamtkostenvergleichs, den der *Spaak*-Bericht vorschlägt, dass die Argumente, die gegen ihn angeführt werden, auch hier gelten müssen. M.E. setzt auch der Transaktionskostenvergleich voraus, dass die Kosten einer Branche mit denen eines anderen Wirtschaftszweigs desselben Landes verglichen werden, um diese Daten anschlie-

---

232 *Kieninger*, Wettbewerb im Binnenmarkt, S. 350; *Müller*, Systemwettbewerb, S. 135.

233 Krit. *v. Danwitz*, in: Dauses (Hrsg.), HdB EU-WirtschaftsR, B II (Rn. 104); *Tietje*, in: Grabitz/Hilf (Hrsg.), EUV/EGV, Vor Art. 94–97 EGV, Rn. 28 f., 30; *Schwartz*, EuR 2007, 194 f.

234 *Tietje*, in: Grabitz/Hilf (Hrsg.), EUV/EGV, Vor Art. 94–97 EGV, Rn. 25; *Schwartz*, EuR 2007 194 (195 f.).

235 *Müller*, Systemwettbewerb, S. 136; *Schwartz*, EuR 2007, 194 (206); *Tietje*, in: Grabitz/Hilf (Hrsg.), EUV/EGV, Vor Art. 94–97 EGV Rn. 25 ff., 28 ff.

236 *v. Bogdandy*, in: Grabitz/Hilf (Hrsg.), EUV/EGV, Art. 2 EGV Rn. 34.

237 Zust. *Müller*, Systemwettbewerb, S. 135.

238 *Müller*, Systemwettbewerb, S. 139 f., 141.

ßend mit einem äquivalenten Datensatz aus einem anderen Land zu vergleichen. Dies wäre so aufwändig, dass er sich nicht von dem Gesamtkostenvergleich des *Spaak*-Berichts unterscheidet, der allgemein zu Recht als impraktikabel gilt.[239] Deshalb ist es überzeugender, bei der Ermittlung, ob bestimmte Rechts- oder Verwaltungsvorschriften wettbewerbsverzerrende Wirkung haben, den Maßstab der Transaktionskosten überhaupt nicht heranzuziehen.

c) Beschränkung auf bestimmte Harmonisierungsmaßnahmen

Es gilt ferner festzustellen, in welchem Umfang die EG berechtigt ist, mitgliedstaatliche Regelungen unter Berufung auf spürbare Wettbewerbsverzerrungen anzugleichen.

In der Rs. *Spanien / Rat* hatte der EuGH über die Frage zu urteilen, ob der EG die Kompetenz zusteht, ein einheitliches (Schutz-)Zertifikat für Arzneimittel zu schaffen.[240] Dieses hatten einige Mitgliedstaaten eingeführt, um lange Wartezeiten für die Zulassung von Medikamenten zu kompensieren, während der die Unternehmen den Patentschutz nicht wirtschaftlich ausnutzen und ihre Investitionen amortisieren konnten. Um einer regionalen Zersplitterung entgegenzuwirken, führte die EG daraufhin ein einheitliches Zertifikat für alle Länder ein. Hiergegen klagte Spanien.

Der EuGH führt aus, dass die Gemeinschaft – gestützt auf Art. 95 EGV – eine Kompetenz besitze, um Regelungen zu erlassen, die gleiche Wettbewerbsbedingungen herstellen sollen.[241] Hieraus folgern Teile der Literatur, dass Art. 95 EGV auch die Kompetenz beinhalte, die Standortbedingungen unternehmerischer Tätigkeit anzugleichen.[242] Der EuGH habe der EG nicht nur die Kompetenz zugesprochen, über Art. 95 EGV die Wettbewerbs*freiheit* zu sichern (negative Harmonisierung), sondern auch, Wettbewerbs*gleichheit* herzustellen (positive Harmonisierung).[243]

Dem wird entgegengehalten, der Wortlaut „Beseitigung spürbarer Wettbewerbsverzerrungen" lege nahe, dass Art. 95 EGV ausschließlich zu einer negativen Harmonisierung der mitgliedstaatlichen Regelungen berechtige. [244] Diese Beschränkung der Kompetenz finde ihren Widerhall im Wortlaut von Art. 95 EGV, auch in der englischen („approximation") und französischen („rapprochement") Fassung

---

239 *v. Bogdandy*, in: Grabitz/Hilf (Hrsg.), EUV/EGV, Art. 2 EGV Rn. 42.

240 EuGH „*Spanien / Rat*" (Rn. 2).

241 EuGH „*Spanien / Rat*" (Rn. 32, 34).

242 Zust. *Reich*, EuZW 1991, 203 (207).

243 *Reich* EuzW 1991, 203 (207); *Langeheine*, in: Grabitz/Hilf (Hrsg.), EUV/EGV, Art. 100a EGV Rn. 20.

244 *Müller-Graff*, EuR 1989, 107 (137) verweist zur argumentativen Unterstützung der Begrenzung auf das primäre Angleichungsmittel im Rahmen von Art. 95 EGV: die Richtlinie. Diese habe den nationalen Gesetzgebern stets einen Umsetzungsspielraum zu belassen.

und ergebe sich überdies aus der Zielsetzung des Artikels, der keine gänzliche Uniformierung der Rechtsordnungen bewirken solle, sondern eine Annäherung der nationalen Regelungen.[245]

M.E. ist es fraglich, ob eine Abgrenzung beider Arten der Harmonisierung im Rahmen der wirtschaftlichen Gestaltung stets trennscharf durchgeführt werden kann.[246] Wie das Beispiel *Spanien / Rat* zeigt, ist der Unterschied meist theoretischer Natur. Das Ziel der Wettbewerbsordnung der EG besteht darin, nicht vollständig harmonisierte Volkswirtschaften hervorzubringen.[247] Wird die EG aber regulierend tätig, beseitigt sie Verzerrungen und stellt zugleich gleiche Bedingungen her. Eine Unterscheidung in zulässige negative und unzulässige positive Harmonisierung lässt sich deshalb nicht präzise treffen. Diese Bemessung ist vielmehr eine Frage der Ausübung der Kompetenz, die mittels des Subsidiaritäts- und des Verhältnismäßigkeitsprinzips bestimmt werden muss.[248]

d) Zwischenergebnis

Als Ausgangspunkt für die Bestimmung von Wettbewerbsverzerrungen kann auf das Kriterium der Produktionskostenunterschiede zurückgegriffen werden, die durch nationale Regelungen verursacht werden. Transaktionskosten sind hingegen kein taugliches Kriterium, um solche Verzerrungen festzustellen. Besteht eine Kompetenz des Gesetzgebers, beschränkt sich diese jedoch nicht von vorneherein darauf, lediglich existente Wettbewerbsverzerrungen zu beseitigen. Es steht ihm grundsätzlich frei, im Rahmen des Subsidiaritäts- und Verhältnismäßigkeitsprinzips gleiche Wettbewerbsbedingungen herzustellen.

2. „Spürbarkeit" der Wettbewerbsverzerrungen

Durch die Entscheidung *Tabakwerberichtlinie* hat der EuGH das begrenzende Tatbestandsmerkmal der „Spürbarkeit" dem Begriff der Wettbewerbsverzerrungen

---

245 *Müller*, Systemwettbewerb, S. 136; *Schwartz*, EuR 2007, 194 (206); *Tietje*, in: Grabitz/Hilf (Hrsg.), EUV/EGV, Vor Art. 94–97 EGV Rn. 25 ff., 28 ff.

246 EuGH „*Titandioxid*" (Rn. 23): „[…] zur Verwirklichung der in Artikel 8a EWG-Vertrag genannten Grundfreiheiten wegen der zwischen den Rechtsordnungen der Mitgliedstaaten bestehenden Unterschiede Harmonisierungsmaßnahmen in den Bereichen getroffen werden müssen, in denen die Gefahr besteht, dass diese Unterschiede verfälschte Wettbewerbsbedingungen schaffen oder aufrechterhalten"; EuGH „*Tabakwerberichtlinie I*" (Rn. 106); vgl. auch *Stein*, EWS 2001, 12 (15 f.).

247 Dieses Ziel liegt auch nicht dem Reformvertrag von Lissabon zugrunde, vgl. *Pernice* (Hrsg.), Der Vertrag von Lissabon, S. 11 f.

248 Hierzu siehe oben § 2 I.2.

zur Seite gestellt. Wie dieses auszulegen ist, hat er bislang offen gelassen. Die weit überwiegende Meinung bestimmt den Maßstab qualitativ.[249]

Die qualitative Bestimmung orientiert sich an den Maßstäben, die der EuGH anwendet, um einen Eingriff in die Grundfreiheiten festzustellen. Eine nationale Regelung beeinträchtige eine Grundfreiheit, wenn sie sich nicht nur ungewiss und indirekt bzw. rein hypothetisch auf sie auswirke.[250] Spürbarkeit liege vor, wenn eine nationale Regelung geeignet sei, Einfluss auf die Entscheidung einer Person zu nehmen, ob sie von einer Grundfreiheit Gebrauch mache oder nicht.[251]

Manche sprechen sich für eine quantitative Bemessung des Spürbarkeitskriteriums aus. Sie greifen hierfür auf das Spürbarkeitserfordernis der Bagatellklausel des Art. 81 EGV zurück.[252]

Der EuGH hat in einer frühen Entscheidung zu Art. 81 EGV gefordert, eine Beschränkung des Wettbewerbs müsse „spürbar" sein.[253] Die Kommission hat diese Bestimmung später in ihrer Bagatellbekanntmachung aus dem Jahr 1997 erstmals aufgegriffen[254] und hält seitdem daran fest.[255] Sie legt darin verschiedene Maßstäbe für unterschiedliche Arten der Zusammenarbeit an.[256] Entscheidendes Kriterium ist dabei der Marktanteil der (potentiellen) Kartellanten.[257] Wettbewerber müssen grundsätzlich zwischen 5 und 10 Prozent des relevanten Marktes beherrschen,[258] z.T. aber auch 15 Prozent, wenn die Unternehmer keine Wettbewerber sind. Die Kommission hat sich das Recht vorbehalten, in Einzelfällen auch bei geringeren Anteilen ein Kartell anzunehmen.[259]

M.E. überzeugt jedoch weder eine ausschließlich quantitativ noch eine qualitativ orientierte Auslegung des Spürbarkeitskriteriums. Das Spürbarkeitserfordernis hat vielmehr sowohl ein quantitatives (a) als auch ein qualitatives Element (b). Erst beide zusammen begrenzen das Spürbarkeitskriterium in hinreichendem Maß.

---

249 *Bock*, Rechtsangleichung, S. 124 f.; *Schweitzer/Schroeder/Bock*, EG-Binnenmarkt und Gesundheitsschutz, S. 44; *Tietje*, in: Grabitz/Hilf (Hrsg.), EUV/EGV, Art. 95 EGV Rn. 36 f.

250 *Schweitzer/Schroeder/Bock*, EG-Binnenmarkt und Gesundheitsschutz, S. 44 f.

251 *Schweitzer/Schroeder/Bock*, EG-Binnenmarkt und Gesundheitsschutz, S. 45.

252 *Kamann*, ZEuS 2001, 23 (37 f.); *Görlitz*, ZUM 2002, 97 (100); in diese Richtung auch *Müller*, Systemwettbewerb, S. 131 ff.

253 EuGH vom 30.6.1966, Rs. C-56/65 „*Société Minière / Maschinenbau Ulm*", Slg. 1966, 281 (303 f.).

254 Bekanntmachung der Kommission über Vereinbarungen von geringer Bedeutung, die nicht unter Art. 85 Abs. 1 des Vertrages zur Gründung der EG fallen, ABl. C 372/12 vom 9.12.1997.

255 So die, die Bekanntmachung C 372/12 ersetzende, Bekanntmachung der Kommission über Vereinbarungen von geringer Bedeutung, die den Wettbewerb gemäß Art. 81 Abs. 1 des Vertrags zur Gründung der Europäischen Gemeinschaft nicht spürbar beschränken (de minimis), ABl. C 368/13 vom 22.12.2001.

256 Bagatellbekanntmachung vom 21.12.2001, C 368/13 f. (Rn. 7 ff.).

257 Bagatellbekanntmachung vom 21.12.2001, C 368/14 (Rn. 10).

258 Bagatellbekanntmachung vom 21.12.2001, C 368/14 (Rn. 7 f.).

259 Bagatellbekanntmachung vom 21.12.2001, C 368/14 (Rn. 7 lit. b).

a) Quantitatives Element

Zutreffend kritisiert die h.L., dass die quantitative Betrachtung im Rahmen von Art. 81 EGV einen anderen Sachverhalt regelt als Art. 95 EGV. Art. 81 EGV befasst sich mit der Frage, wann ein Marktanteil in einem Marktsegment „spürbar" ist. Im Rahmen von Art. 95 EGV ist die Grenze zu bestimmen, ab der Kostenunterschiede für konkurrierende Unternehmen „spürbar" werden. Zwar ist es erstrebenswert, das Kriterium der Spürbarkeit in einem „gewissen Näheverhältnis zur grundfreiheitlich geschützten Tätigkeit"[260] auszulegen.[261] Überträgt man jedoch die weite Formel der Entscheidung *Dassonville* auf den Bereich der Wettbewerbsverzerrungen, erhielte man nahezu beliebige Ergebnisse. Denn die Möglichkeit, dass ein Kostenunterschied möglicherweise zu einer Wettbewerbsverzerrung führt, kann bei fast jedem Normunterschied nicht kategorisch ausgeschlossen werden. Hierdurch wäre der begrenzenden Funktion des Spürbarkeitskriteriums nicht genügt, da ein Hinweis darauf, dass Kostenunterschiede bestehen, ausreichen würde, um die Anforderungen zu erfüllen.[262]

Ein quantitativer Maßstab ist besser geeignet, dieses Näheverhältnis zu einer Grundfreiheit auf einer objektiven Basis wiederzugeben, gerade im Zusammenhang mit dem Kriterium der (Produktions-)Kostenunterschiede. Der EuGH verwendet im Rahmen des Wettbewerbsrechts i.e.S. ebenfalls ein quantitatives Kriterium. Auch die Zielbestimmung des Art. 95 EGV ist eine wettbewerbsrechtliche Regelungskompetenz der EG. Es handelt sich hierbei um ein alternatives Zielkriterium des Art. 95 EGV; Wettbewerbsverzerrungen sind nicht bloß die Anknüpfung für die Regelungsbefugnis des Art. 95 EGV, sondern sie sind zugleich ihr Regelungsinhalt. Deshalb sprechen die besseren Gründe dafür, das Kriterium quantitativ zu bestimmen.

Wie eine solche quantitative Analyse erfolgen kann, zeigt die Folgenabschätzung der Kommission, in der die Auswirkungen der unterschiedlichen Besteuerung von Dieselkraftstoffen auf das Transportgewerbe untersucht wurden. Die durch die unterschiedliche Besteuerung hervorgerufenen Kostenunterschiede führen insbesondere im Speditionsmarkt zu Wettbewerbsverzerrungen.[263]

Die Kommission erarbeitete eine Folgenabschätzung zu Art. 93 EGV, in der sie die Angleichung der indirekten Steuern auf Dieselkraftstoff als besten Weg bezeichnet, um

---

260 *Schweitzer/Schroeder/Bock*, EG-Binnenmarkt und Gesundheitsschutz, S. 45.

261 Zust. *Tietje*, in: Grabitz/Hilf (Hrsg.), EUV/EGV, Art. 95 Rn. 36.

262 Zust. *Müller*, Systemwettbewerb, S. 142.

263 KOM(2007) 52 endg. S. 3; Ermächtigungsgrundlage ist Art. 93 EGV, Vgl. KOM (2007) 52 endg. S. 11, 14; zur Zielsetzung des Binnenmarkts vgl. KOM(2007) 52 endg. S. 1 f.; auf die hiermit zugleich verfolgten fiskalischen und umweltpolitischen Zielsetzungen der Richtlinie wird in diesem Zusammenhang nicht eingegangen, vgl. hierzu nur KOM(2007) 52 endg. S. 2; aber auch der Markt für Tankstellen und Häfen bleibt hiervon nicht verschont, SEK(2007) 171/2 S. 4; vgl. ferner SZ vom 14.3.2007, 7.

spürbare Wettbewerbsverzerrungen im Transportgewerbe zu verhindern.[264] Die Folgenabschätzung vergleicht die Auswirkungen der unterschiedlichen Besteuerung von Dieselkraftstoffen auf den Transportsektor.[265] Die Kommission wählt darin einen quantitativen Ansatz, um das Vorliegen und das Ausmaß von Wettbewerbsverzerrungen zu bestimmen.[266] Zunächst ließ sie feststellen, wie sich die unterschiedliche Besteuerung auf die Kosten auswirkt.[267] Dann wurde errechnet, welche Folgen diese Kostenunterschiede für die Produktionskosten[268] und die Marktanteile der betroffenen Transportunternehmer haben.[269] Die Untersuchung ergab, dass eine Erhöhung des Steuersatzes für Dieselkraftstoff um 1 Prozent dazu führt, dass ca. 5 Prozent des nationalen Transportmarkts an Unternehmen aus anderen Mitgliedstaaten verloren gehen.[270]

Diese Berechnungsweise kann als Ausgangspunkt genommen werden, um einen Maßstab herauszubilden, der auf alle Fallkonstellationen anwendbar ist. Vorausgesetzt wird dabei, dass eine Ware oder Dienstleistung herangezogen wird, für die ein einheitlicher Markt besteht.[271] Ausgangspunkt sind die Auswirkungen der rechtlichen Regelungen auf die Produktionskosten.[272] Der (Produktionskosten-) Unterschied muss zum Gewinn oder Verlust von Marktanteilen der Wettbewerber eines anderen Landes führen, die diesen Regelungen nicht unterworfen sind.

Es ist keineswegs ausreichend, unterschiedliche Produktionskosten festzustellen. Diese alleine geben keine Auskunft darüber, ob eine nationale Regelung Wettbewerbsverzerrungen verursacht. Denn unterschiedliche Produktionskosten können durchaus an die Verbraucher weitergegeben werden, z.B. in Form von höheren Preisen, die der Markt akzeptiert. Wichtig ist ferner, dass ein konnexes Verhältnis zu dem (Miss-)Erfolg im Wettbewerb feststellbar ist, d.h. dass der Verlust an Marktanteilen auf den unterschiedlichen Produktionskosten beruht und nicht auf anderen Tatsachen.

Kostenunterschiede i.H.v. 5 Prozent sind wohl in der Regel ausreichend, um auf die Wettbewerbssituation Einfluss zu nehmen. Resultiert hieraus ein Verlust von Marktanteilen und führt dies zum Gewinn von Marktanteilen für andere Wettbewerber, muss in einem weiteren Schritt die Marktanteils-Variation pro Jahr fest-

---

264 Nicht thematisiert werden soll an dieser Stelle, dass Art. 93 EGV nicht dazu berechtigt, unter Berufung auf Wettbewerbsverzerrungen die Harmonisierung von Steuern anzugehen, hierzu *Stumpf*, in: Schwarze (Hrsg.), EU-Kommentar, Art. 93 Rn. 13.

265 Vgl. hierzu SEC(2007) 170/2, impact assessment {COM(2007)52 final SEC(2007)171}.

266 Folgenabschätzung SEC(2007) 170/2, impact assessment {COM(2007)52 final SEC(2007)171}, S. 8 ff.

267 Folgenabschätzung SEC(2007) 170/2, impact assessment {COM(2007)52 final SEC(2007)171}, S. 6 f.

268 Folgenabschätzung SEC(2007) 170/2, impact assessment {COM(2007)52 final SEC(2007)171}, S. 8 ff.

269 Folgenabschätzung SEC(2007) 170/2, impact assessment {COM(2007)52 final SEC(2007)171}, S. 11f.

270 Folgenabschätzung SEC(2007) 170/2, impact assessment {COM(2007)52 final SEC(2007)171}, S. 11 f.

271 Vgl. zu diesem Erfordernis oben § 5 IV.1.b)aa).

272 Hierzu oben § 5 IV.1.b)bb).

gestellt werden. Um die Messbarkeit anhand verfügbarer Daten garantieren zu können, sollte diese Schwelle nicht allzu hoch angesetzt werden. Bereits eine geringe Veränderung der Marktanteile kann einen hohen Verlust an Wettbewerbsfähigkeit signalisieren. Gleichzeitig müssen kurzfristige (saisonale) Schwankungen und Bagatellfälle ausgeschlossen werden. Die Untergrenze sollte deshalb bei ca. 2 Prozent (relativer Verlust an Marktanteilen pro Jahr) ansetzen.

In dem oben herangezogenen Beispiel des Tanktourismus steht z.B. fest, dass der Dieselpreis zu unterschiedlichen Produktionskosten für das Transportgewerbe führt. Das quantitative Kriterium der Spürbarkeit im Rahmen von Art. 95 EGV wäre erfüllt.

b) Qualitatives Element

Das quantitative Kriterium ist durch ein qualitatives Kriterium zu ergänzen. Die Notwendigkeit für eine solche Ergänzung erschließt sich aus einer Parallele zu den Grundfreiheiten. Diese setzen einen grenzüberschreitenden Sachverhalt voraus.[273]

Bestimmte man das Spürbarkeitskriterium der Wettbewerbsverzerrungen ohne eine qualitative Einschränkung, wäre es ausreichend, dass bestimmte wettbewerbsverzerrende Phänomene auf dem Binnenmarkt auftreten. Es käme nicht darauf an, ob diese Vorfälle maßgeblich durch die unterschiedlichen Regelungen in den Mitgliedstaaten verursacht würden. Dies entspräche dem „Auswirkungsprinzip“,[274] das der EuGH – in unterschiedlicher Strenge – im Wettbewerbsrecht i.e.S. (Art. 81 EGV) anwendet.[275] Für das Auswirkungsprinzip spricht die hierdurch ermöglichte umfassende Kontrolle. Keine mitgliedstaatlichen Vorschriften würden dem Anwendungsbereich *a priori* entzogen. Dies entspräche der Funktion des Art. 95 EGV als Generalklausel, da es einen weiten Anwendungsbereich gewährleistet.

Bedenkt man, dass Art. 95 EGV nur bestimmte Sachverhalte erfasst, ergibt sich jedoch ein entscheidender Unterschied, der für eine Einschränkung spricht, die nahe der an den Grundfreiheiten orientierten Konzeption liegt. Im Rahmen des Art. 81 EGV ist eine umfassende Regulierung erwünscht; nicht hingegen bei

---

273 Hinsichtlich Warenverkehrsfreiheit vgl. nur EuGH „*Tabakwerberichtlinie II*“ (R 20, 27, 29, 53); EuGH „*British American Tobacco*“ (Rn. 64); hinsichtlich der Freizügigkeit vgl. nur EuGH vom 19.10.2004, Rs. C-200/02 „*Chen*“, Slg. 2004, I-9925 (Rn. 18 ff.); zur Niederlassungsfreiheit vgl. EuGH vom 13.12.2005, Rs. C-411/03 „*SEVIC*“ Slg. 2005, I-10805 (Rn. 26 ff.); zur Dienstleistungsfreiheit vgl. nur EuGH vom 11.12.2003, Rs. C-322/01 „*Doc Morris*“, Slg. 2003, I-14887 (Rn. 41, 73).

274 Das Auswirkungsprinzip ermöglicht einen umfassenden Schutz der Wettbewerbsordnung, da es keine Entstehungsursachen aus der Betrachtung ausschließt; es stellt lediglich darauf ab, ob die Auswirkungen im Binnenmarkt spürbar sind, vgl. *Schröter*, in: von der Groeben/Schwarze (Hrsg.), EUV/EGV, Art. 81 EGV Rn. 81; *Brinker*, in: Schwarze (Hrsg.), EU-Kommentar, Art. 81 EGV Rn. 21.

275 EuGH vom 27.9.1988; verb. Rs. C-89, 104, 114, 116, 117 und 125 bis 129/85 „*Ahlström u.a.*“, Slg. 1988, 5193 (Rn. 16, 18); hierzu *Brinker*, in: Schwarze (Hrsg.), EU-Kommentar, Art. 81 EGV Rn. 21 f.

Art. 95 EGV. Mit Art. 95 EGV wurde der EG keine umfassende Kompetenz zugeteilt, sondern nur eine solche, die Auswirkungen bestimmter Art (Rechts- und Verwaltungsvorschriften) erfassen sollte. Die allgemeine Betroffenheit des EG-Binnenmarkts durch die Herstellung oder den Handel mit bestimmten Produkten reicht nicht aus;[276] Art. 95 EGV ist keine allgemeine Kompetenz zur Regelung von Sachverhalten mit Binnenmarktbezug.[277] Hieraus folgt, dass es nicht überzeugt, sämtliche Wettbewerbsverzerrungen in den Anwendungsbereich von Art. 95 EGV einzubeziehen, sondern einen im Verhältnis zu Art. 81 EGV reduzierten Maßstab anzuwenden.

Bei Fällen, die – wie z.B. die Herstellung von Piraterieware – primär, d.h. schwerpunktmäßig außerhalb des Binnenmarktraums (z.B. in der Volksrepublik China) stattfinden, sich aber im Binnenmarkt auswirken, kann die EG keine Kompetenz aus Art. 95 EGV beanspruchen. Eine Zuständigkeit der EU kann sich jedoch über die Außenkompetenz (Art. 130 EGV) ergeben, wenn diese der EG zukommt.[278]

Eine Einschränkung kann man erreichen, indem man ein Territorialitätsprinzip als Maßstab nimmt.[279] Dies läuft auf eine Parallele zu den Grundfreiheiten hinaus. So reicht es für die Wettbewerbsverzerrungen aus, dass sie „zumindest auch" einen grenzüberschreitenden Sachverhalt betreffen. Für Art. 95 EGV resultiert hieraus jedoch eine Einschränkung. Er berechtigt nur zur Beseitigung von Wettbewerbsverzerrzungen, die sich räumlich und funktionell als Fragestellungen des *mitgliedstaatlich* grenzüberschreitenden Wettbewerbs darstellen.[280]

Keinen ausreichenden Binnenmarktbezug hat demnach z.B. das Außenwirtschaftsrecht. Dies betrifft nur Regeln zwischen einem Mitgliedstaat und Nicht-EU-Ländern.[281] Der Wirkungskreis dieser Vorschriften bleibt auf eine Volkswirtschaft begrenzt, ohne Relevanz für den zwischenstaatlichen Wettbewerb im Binnenmarkt zu entfalten.

c) Zwischenergebnis

Das Spürbarkeitskriterium ist anhand eines quantitativen Maßstabs zu bestimmen, welcher durch ein qualitatives Kriterium zu ergänzen ist. Das quantitative Kriterium ist geeignet, objektive Ergebnisse darüber zu liefern, in welchem Ausmaß (Produktions-)Kostenunterschiede zu Wettbewerbsverzerrungen führen. Das qualitative Kriterium begrenzt die relevanten Faktoren weiter. Es stellt sicher, dass die Verzerrungen auf Regelungsunterschiede der Mitgliedstaaten beruhen. Ausgefiltert werden hierdurch Auswirkungen, die nicht auf Regelungsunterschiede im

---

276 EuGH vom 28.6.1994, Rs. C-187/93 „*Parlament / Rat*", Slg. 1994, I-2857 (Rn. 25).

277 EuGH „*Tabakwerberichtlinie I*" (Rn. 83), hierzu § 5 II.2.a).

278 Vgl. zu den Außenkompetenzen § 2 I.2.b)aa).

279 *Schröter*, in: von der Groeben/Schwarze (Hrsg.), EUV/EGV, Art. 81 EGV Rn. 79.

280 Vgl. *Regul*, Wettbewerbsverzerrungen, S. 24 (Rn. 4.1).

281 A.A. *Gröblinhoff*, Schutz der Interessen, S. 98 ff. (99, 103, 104).

Binnenmarkt zurückgehen, sondern lediglich das Wirtschaften im Binnenmarkt allgemein betreffen oder ausschließlich für einen Mitgliedstaat relevant sind.

V. Gesamtergebnis § 5

Die Kompetenznorm des Art. 95 EGV ist ein Instrument der funktionalen Rechtsangleichung. Dies erlaubt es, ihn nicht nur im Hinblick auf ein Sachgebiet einzusetzen, sondern auch auf alle Regelungsbereiche, die für sein Ziel, die *Verwirklichung des Binnenmarkts*, relevant sind.[282] Der Anwendungsbereich von Art. 95 EGV bedarf jedoch infolge des Prinzips der begrenzten Einzelermächtigung der Beschränkung.[283] Durch das Urteil *Tabakwerberichtlinie I* legte der EuGH die Auslegungsgrundsätze fest. Eine Regelung, die auf der Grundlage von Art. 95 EGV erlassen werden soll, muss demnach formelle und materielle Kriterien erfüllen.[284] Insbesondere muss ein Rechtsakt qualifizierte Auswirkungen auf den Binnenmarkt haben, der Binnenmarkt muss der Schwerpunkt der Regelung sein und sie muss eine der relevanten Zielsetzungen des Binnenmarkts verfolgen: die Beseitigung von Hemmnissen für eine Grundfreiheit oder (alternativ) von spürbaren Wettbewerbsverzerrungen.[285] Spätere Entscheidungen (insbesondere die Entscheidung *Tabakwerberichtlinie II*) haben diese Grundsätze zwar z.T. unangewendet gelassen, sie aber nicht prinzipiell in Frage gestellt, sodass dieser Maßstab dieser Untersuchung zugrunde gelegt wird.

Im Bereich der Grundfreiheiten ist Art. 95 EGV insbesondere im Rahmen der Warenverkehrsfreiheit von Bedeutung. Die EG kann hier auch Regelungen erlassen, die zu einer teilweisen Beschränkung der Grundfreiheiten führen, wenn insgesamt ein Freiheitsgewinn Folge der Regelung ist.[286] Das Tatbestandsmerkmal *spürbare Wettbewerbsverzerrungen* richtet sich nach der Wettbewerbskonzeption des Binnenmarkts. Diesem liegt ein Modell der unvollkommenen Konkurrenz zugrunde, sodass sich nicht jedwede Beschränkung der wirtschaftlichen Freiheit auswirkt.[287] Als Vergleichsmaßstab, um *Wettbewerbsverzerrungen* festzustellen, kann auf Kostenunterschiede in den Mitgliedstaaten zurückgegriffen werden.[288] Als entscheidende Kostenunterschiede kommen jedoch lediglich Produktionskostenunterschiede in Betracht,[289] nicht hingegen Transaktionskosten, da sich diese nicht

---

282 § 5 I.

283 § 5 II.

284 § 5 II.1., 2.

285 § 5 II.2.

286 § 5 III.

287 § 5 IV.1.a).

288 § 5 IV.1.b).

289 § 5 IV.1.b)bb).

in praktikabler Weise für die hiesige Bestimmung abgrenzen lassen.[290] Die *Spürbarkeit* der Wettbewerbsverzerrungen ist quantitativ-qualitativ zu bestimmen. Das quantitative Kriterium dient als objektive Basis, um eine Größenordnung bestimmen zu können. Diese ist bei einem Produktionskostenunterschied ab ca. 5 Prozent, der zu einer Verschiebung von Marktanteilen von ca. 2 Prozent pro Jahr führt, erreicht.[291] Das quantitative Element bedarf einer Ergänzung durch ein qualitatives Kriterium. Hierdurch wird sichergestellt, dass der Anwendungsbereich parallel zu den Grundfreiheiten verläuft, d.h. nur Regelungsunterschiede relevant werden, die auf Effekte zurückzuführen sind, die von einer Regelung eines Mitgliedstaates verursacht werden.[292]

§ 6 Harmonisierung nationalen Strafrechts mittels Art. 95 EGV

Die ganz h.M. orientiert sich bei der Auslegung von Art. 95 EGV an seinem funktionalen Charakter.[293] Dieser schließe kein Rechtsgebiet von der Harmonisierung *a priori* aus. Auch das Strafrecht falle deshalb nicht von vornherein aus seinem Anwendungsbereich heraus.[294] Die Harmonisierung strafrechtlicher Regelungen könne vorgenommen werden, wenn der Tatbestand des Art. 95 EGV erfüllt sei.[295] Insbesondere führten Unterschiede in den Strafrechtsordnungen der Mitgliedstaaten zu Wettbewerbsverzerrungen im Binnenmarkt.[296] Der EG sei es in diesen Fällen erlaubt, die mitgliedstaatlichen Strafrechtsvorschriften anzugleichen. Ob diese Fallkonstellationen bzw. Phänomene wirklich existieren und ob die hieraus resultierenden Effekte tatsächlich die Tatbestandsvoraussetzungen des Art. 95 EGV erfüllen, soll nachfolgend untersucht werden.

Für diese Sichtweise spricht, dass in einem marktwirtschaftlichen System nicht nur den Regelungen Wettbewerbsrelevanz zukommt, die das redliche (Wirtschafts-)

---

290 § 5 IV.1.b)cc).

291 § 5 IV.2.a).

292 § 5 IV.2.b).

293 Hierzu § 2 I.1.a).

294 *Hecker*, Europäisches Strafrecht, § 8 Rn. 49 ff.; *Hugger*, Strafrechtliche Anweisung, S. 59 ff.; *Satzger*, Europäisierung, S. 421 ff.; *Sevenster*, CMLRev 1992, 29 (59); *Tiedemann*, NJW 1993, 23 (25).

295 Vgl. *Hugger*, Strafrechtliche Anweisungen, S. 59 ff.; *Trüe*, Rechtssetzungskompetenzen, S. 100 f., 123 ff.; *Johannes*, ZStW 83 (1971), 531 (543); *Sevenster*, CMLRev 1992, 29 (54 ff.); *Tiedemann*, NJW 1993, 23 (24) m.w.N. hinsichtlich älterer Literatur; *Zuleeg*, JZ 1992, 761 (766 f.); die im Umweltrecht durch den EuGH festgelegte Begrenzung, dass eine Kompetenz nicht die Art und das Maß der Strafe umfasse, gilt in diesem Zusammenhang nicht; krit. *Dawes/Lynskey*, CMLRev 2008, 131 (145 ff.).

296 Zu den allgemeinen Tatbestandsvoraussetzungen, vgl. § 5 II.2.

Verhalten betreffen.[297] Denn gerade Wirtschaftskriminalität betrifft Faktoren, die in engem Zusammenhang mit regulärem Wettbewerbsverhalten stehen.[298] Es kann deshalb nicht von vornherein ausgeschlossen werden, dass strafrechtliche Vorschriften das Funktionieren des Wettbewerbs im Binnenmarkt nicht beeinflussen.

Die Darstellung beginnt mit einer Einführung in den Stand der Literatur, die sich auf den Gesichtspunkt konzentriert, ob Art. 95 EGV auch zur Harmonisierung strafrechtlicher Regelungen herangezogen werden darf (I.).[299] Die weitergehende Analyse erfolgt anhand der Tatbestandsmerkmale des Art. 95 EGV. Sie widmet sich zu Beginn der bislang wenig diskutierten Frage, ob eine Harmonisierung mitgliedstaatlicher strafrechtlicher Vorschriften unter Berufung auf die Beseitigung spürbarer Beeinträchtigungen einer Grundfreiheit zulässig ist (II.). Anschließend wird die Zielsetzung des Art. 95 EGV untersucht, die von der h.L. primär diskutiert wird, nämlich der „Beseitigung spürbarer Wettbewerbsverzerrungen" (III.). Die in der Literatur in diesem Zusammenhang entwickelten Fallgruppen werden abschließend einzeln anhand des unter § 5 entwickelten (quantitativ-qualitativen) Maßstabs evaluiert (IV. bis VI.).

I. Entwicklung des Meinungsstands seit Einführung des Art. 100a EWGV

Lange Zeit fehlte es bei der Interpretation von Art. 95 EGV (ex-Art. 100a EWGV) an konkreten Auslegungsmaßstäben.[300] War dies anfangs noch einem Konsens über die Notwendigkeit einer vertieften Harmonisierung geschuldet, geriet die Weite der Ermächtigungsgrundlage seit den Anfängen der 1990er Jahre zunehmend in die Diskussion.[301] Die Interpretation von Art. 95 EGV erfolgte z.T. extensiv.[302] In der Rechtsprechung waren erst vereinzelt die Konturen der Kompetenznorm des Art. 100 E(W)EG festgelegt,[303] und in der Literatur herrschte eine weitgehend unkritische Haltung gegenüber inhaltlichen Begrenzungen der Kompe-

---

297 A.A. *Bruns*, Der strafrechtliche Schutz der europäischen Marktordnung für Landwirtschaft, S. 73.

298 *Tiedemann*, Wirtschaftskriminalität, in: ders. (Hrsg.), Verbrechen in der Wirtschaft, S. 9 (10 f.).

299 Vgl. von den neueren Stellungnahmen nur Kommission KOM(2005) 583 endg. S. 7; *Fromm*, ZIS 2008, 168 (176); *Weiß*, ZEuS 2006, 381 (419); *White*, E.L.Rev. 2006, 81 (91 f.); krit. *Cesoni*, Journal des tribunaux 2006, 365 (368 f.); *Hefendehl*, ZIS 2006, 161 (165 f.).

300 Krit. *Pescatore*, CMLRev 1987, 1 (9 ff.); *Ehlermann*, CMLRev 1987, 361 (384).

301 Vgl. *Barents*, CMLRev 1993, 85 (86 f.).

302 *Barents*, CMLRev 1993, 85 (86); *Langeheine*, in: Grabitz/Hilf (Hrsg.), EUV/EGV, Art. 100a EGV Rn. 43; *Reich*, EuZW 1991, 208.

303 Vgl. EuGH „*Titandioxid*" (Rn. 10); hierzu oben § 5 I.

tenz vor.[304] Skeptische Stimmen wurden erst nach Einführung einer strafrechtlichen Kompetenz im EU-Vertrag (Art. 29 ff. EUV [ex-Art. K ff.]) laut.[305] Vor Verabschiedung des Vertrags von Amsterdam und vor Ergehen des Urteils *Tabakwerberichtlinie I* wurde die Zulässigkeit von Strafrechtsangleichung mittels einer auf Art. 100a E(W)GV gestützten Richtlinie weitgehend bejaht.[306]

Die Mitgliedstaaten standen zu dieser Zeit einer strafrechtlichen Aktivität der EG bereits wesentlich vorsichtiger gegenüber. Frühe Versuche, Richtlinien zu verabschieden, die konkrete Vorschriften enthielten, wurden vom Rat nicht verabschiedet.

Vor Inkrafttreten des Vertrags von Maastricht wehrten die Mitgliedstaaten zwei Richtlinienvorschläge ab, durch die mittels Art. 100a Abs. 1 EWGV konkrete strafrechtliche Normen eingeführt werden sollten.[307] Diese Richtlinien richteten sich gegen die Phänomene der Geldwäsche-[308] und des Insiderhandels.[309] Sie sahen in ihrer ursprünglichen Fassung eine Verpflichtung der Mitgliedstaaten vor, kriminalstrafrechtliche Regelungen und Sanktionen zu erlassen.[310] Aufgrund von Bedenken der Mitgliedstaaten gegenüber einer strafrechtlichen Kompetenz der EG wurden die Vorschläge nur in abgeschwächter Form verabschiedet.[311] Die Mitgliedstaaten einigten sich auf eine Kompromisslösung. Die Richtlinie selbst enthielt nur die Vorgabe, die Verbote mittels geeigneter Maßnahmen durchzusetzen.[312] Die strafrechtliche Umsetzung wurde in einer Erklärung beschlossen, die gemeinschaftsrechtlich nicht erzwingbar war.[313] Erst die spätere, freiwillige Selbstverpflichtung der Mitgliedstaaten führte dazu, dass die Richtlinien ins Strafrecht der Mitgliedstaaten transponiert wurden.[314]

---

304 Vgl. *Barents*, CMLRev 1993, 85 (86).

305 Siehe oben § 4 I.3.

306 Anstelle vieler *Tiedemann*, NJW 1993, 23 (24, 26); *Sevenster*, CMLRev 1992, 29 (58 ff.).

307 Zu den vielen gescheiterten Versuchen, im Rahmen des EG-Vertrags Rechtsnormen mit strafrechtlichem Inhalt zu erlassen, vgl. *Hugger*, Strafrechtliche Anweisungen, S. 35 ff.

308 Richtlinie 91/308/EWG des Rates vom 10.6.1991 zur Verhinderung der Nutzung des Finanzsystems zum Zwecke der Geldwäsche, ABl. L 166/77 vom 28.6.1991.

309 Richtlinie 89/592/EWG des Rates vom 13.11.1989 zur Koordinierung der Vorschriften betreffend Insider-Geschäfte, ABl. L 334/30 vom 18.11.1989.

310 Die ursprüngliche Fassung von Art. 2 des Richtlinienvorschlags KOM(90) 106 endg. sah vor, dass „das Waschen der Erlöse aus schweren Straftaten nach ihren nationalen Rechtsvorschriften als strafbare Handlung gilt“, vgl. *Carl*, wistra 1991, 288 (289 f.).

311 *Hülsmann*, in: Eser/Huber (Hrsg.), Strafrechtsentwicklung in Europa 4.1, S. 183.

312 Art. 13 der 1. Insider-Richtlinie [Fn. 309] sah vor: „Die Sanktionen müssen so weit gehen, dass sie einen hinreichenden Anreiz zur Einhaltung der Vorschriften darstellen“. Art. 14 der 1. Geldwäsche-Richtlinie [Fn. 308] enthielt die Formulierung, dass die Umsetzung in mitgliedstaatliches Recht mittels „geeignete[r] Maßnahmen, um die vollständige Anwendung der Richtlinie [...] sicherzustellen“ vollzogen werden müsse.

313 Vgl. *Sieber*, ZStW 103 (1991), 957 (965); *Häde*, EuZW 1991, 553 (555), die Erklärung ist veröffentlicht im ABl. L 166/83 vom 28.6.1991: „[…] verpflichten sich, spätestens bis zum 31.12.1992 alle nötigen Maßnahmen zu ergreifen, um Strafvorschriften in Kraft zu setzen, die ihnen gestatten, ihre aus den oben genannten Rechtsakten erwachsenden Verpflichtungen zu erfüllen.“

314 Hierzu *Stellpflug*, wistra 1994, 257 (258).

Erst nach Inkrafttreten des Vertrags von Amsterdam 1998 und insbesondere nach Erlass des ersten *Tabakwerberichtlinien*-Urteils[315] begann die Strafrechtswissenschaft einen kritischen Blick auf die dogmatische Eignung von Art. 95 EGV zur Regelung strafrechtlicher Problemstellungen zu richten.[316]

Ab dem Jahr 2005, im Anschluss an die Entscheidung *C-176/03*, schwenkte die Stimmung wieder um. Viele, u.a. die Kommission und Stimmen in der Literatur, sprachen sich dafür aus, die neue Rechtsprechung des EuGH insbesondere auch auf Art. 95 EGV zu übertragen.[317] Allerdings nahmen auch die Stimmen, die eine strafrechtliche Kompetenz auf der Grundlage des EGV allgemein ablehnten, weiter zu.[318] Ob der EuGH eine Übertragung seiner Rechtsprechung auf Art. 95 EGV befürwortet, ist derzeit ungeklärt.[319] In seiner Entscheidung *C-440/05* hat er den Anwendungsbereich der strafrechtlichen Anweisungskompetenz auf das Ziel des Umweltschutzes begrenzt.[320] Zudem hat er in seiner Entscheidung *Fluggastdaten* die Kompetenz der EG abgelehnt, auf Art. 95 EGV Rechtsakte stützen zu können, die strafrechtliche Zielsetzungen verfolgen.[321] Diesen Grundsatz hat GA *Bot* in seinen Schlussanträgen im Verfahren *Vorratsdatenspeicherung* bestätigt,[322] aber eine Ausnahme gefordert, wenn die Regelung im Vorfeld des strafrechtlich relevanten Sachverhalts liegt.[323]

II. Die Tatbestandsalternative: Beeinträchtigung von Grundfreiheiten

Die Grundfreiheiten spielen im Diskurs, ob eine strafrechtliche Angleichung im Rahmen von Art. 95 EGV möglich ist, nur eine untergeordnete Rolle. Die Harmonisierungsansätze der EG hatten bislang stets einen strafschärfenden Inhalt.

---

315 Die meisten Stellungnahmen zur Angleichungskompetenz im Rahmen von Art. 95 EGV ergingen vor Inkrafttreten des Vertrags von Amsterdam und des Erlasses des ersten *Tabakwerberichtlinien*-Urteils, vgl. hierzu nur *Satzger*, Europäisierung, S. 430 ff.

316 Krit. insbesondere *Braum*, Europäische Strafgesetzlichkeit, S. 389 ff.

317 KOM(2005) 583 endg. S. 3 (Rn. 8); GA *Mazák* Schlussanträge „*C-440/05*" (Rn. 90 *passim*); *Dannecker*, Jura 2006, 95 (97); *Wegener/Greenawalt*, ZUR 2005, 585 (586).

318 *Cesoni*, Journal des tribunaux 2006, 365 (369 f.); *Diehm*, wistra 2006, 366 (369); *Hefendehl*, ZIS 2006, 161 (163): „[…] erscheint es aber durchaus nicht ausgemacht, dass […] zumindest eine Anweisungskompetenz der Gemeinschaft zu bejahen ist […]."; *Heger*, JZ 2006, 310 (311 f.).

319 Hierzu siehe unten § 7.

320 Siehe oben § 4 II.2.b).

321 EuGH „*Fluggastdaten*" (Rn. 56, 69); krit. auch *Sugmann-Stubbs/Jager*, KritV 2008, 57 (65, 69 f.).

322 GA *Bot* Schlussanträge „*Vorratsdatenspeicherung*" (Rn. 107 *passim*).

323 Krit. hinsichtlich seiner eigenen Differenzierung GA *Bot* Schlussanträge „*Vorratsdatenspeicherung*" (Rn. 108); vgl. hierzu unten § 7 II.

Die strafrechtliche Harmonisierungstätigkeit der EG zielte z.B. darauf ab, neuartige Tatbestände flächendeckend einzuführen (vgl. die Geldwäsche- oder Insiderhandelsrichtlinie), vorhandene strafrechtliche Tatbestände auszudehnen (vgl. Art. 3 des Richtlinienvorschlags KOM(2006) 168 endg.), das Strafniveau anzuheben oder die Sanktionsarten auszuweiten (vgl. Art. 5 des Richtlinienvorschlags KOM(2006) 168 endg.).[324]

Die EG kann sich in diesen Fällen nicht auf die Grundfreiheiten berufen. Rechtsakte, deren ausschließlicher Zweck darin besteht, ein Verbot zu verschärfen,[325] werden zu Recht als nicht vereinbar mit dem Regelungsziel der Grundfreiheiten angesehen, da sie keine Beeinträchtigung einer Grundfreiheit beseitigen.[326]

Da die Grundfreiheiten jedoch grundsätzlich an nationale Verbotstatbestände anknüpfen, erfasst die obige generelle Betrachtungsweise nicht alle denkbaren Fallkonstellationen. Beurteilt man, wie sich die Grundfreiheiten zu nationalen Verboten verhalten, lassen sich zwei Konstellationen voneinander unterscheiden. Zum einen kann eine Handlung in allen Mitgliedstaaten verboten sein (1.), auch wenn die Intensität der Bewehrung unterschiedlich ist. So kann z.B. ein Verbot in Land A kriminalstrafrechtlich und in Land B verwaltungsrechtlich bewehrt sein; oder ein Verbot ist zwar auf gleiche Art bewehrt (z.B. strafrechtlich), aber mit unterschiedlichem Strafmaß.[327] Zum anderen können auch Verbote international uneinheitlich sein (2.). So kann etwa dieselbe Handlung in manchem Mitgliedstaat erlaubt, in

---

324 Vgl. die Erwägungsgründe des Richtlinienvorschlags KOM(2006) 168 endg. S. 2: „Zur Durchsetzung dieser Schutzrechte sind strafrechtliche Verfahren und Sanktionen vorgesehen, doch weist die Rechtslage in der Gemeinschaft große Unterschiede auf, sodass die Inhaber von Rechten an geistigem Eigentum nicht überall in der Gemeinschaft dasselbe Schutzniveau vorfinden. Bei den strafrechtlichen Sanktionen sind insbesondere hinsichtlich des Strafmaßes erhebliche Unterschiede festzustellen." Art. 3 lautet: „Die Mitgliedstaaten sorgen dafür, dass jede vorsätzliche, in gewerblichem Umfang begangene Verletzung eines Rechts des geistigen Eigentums, der Versuch einer solchen Rechtsverletzung sowie die Beihilfe und Anstiftung dazu als Straftat gilt." Art. 5: „Die Mitgliedstaaten treffen die erforderlichen Maßnahmen, um sicherzustellen, dass gegen natürliche Personen, die sich einer Straftat im Sinne von Artikel 3 schuldig gemacht haben, eine Freiheitsstrafe im Höchstmaß von vier Jahren verhängt werden kann, […]."; vgl. zu dem bisherigen Strafmaß im Markenrecht in den Mitgliedstaaten der EU *Göpfert*, Strafbarkeit von Markenverletzungen, S. 361 ff.

325 Nicht näher thematisiert wird an dieser Stelle der Bereich des negativen Einflusses des Europarechts auf das Strafrecht, der für die Grundfreiheiten durchaus einen Anwendungsbereich lässt, hierzu § 4 III.1.a)aa).

326 *Schwarze*, in: FS-G. Hirsch, S. 165 (167 f.), siehe oben § 5 III.

327 Richtlinienvorschlag KOM(2006) 168 endg., Begründung, Art. 1 (Satz 3): „Die Richtlinie gilt für sämtliche Verletzungen von Rechten des geistigen Eigentums, die im Gemeinschaftsrecht (z. B. Richtlinie 2004/48/EG) und/oder im innerstaatlichen Recht der Mitgliedstaaten vorgesehen sind." Durch die Richtlinie wird den Mitgliedstaaten nicht die Pflicht auferlegt, neue Verbotstatbestände zu normieren oder existente Verbote zu erweitern. Im Richtlinienvorschlag KOM(2006) 168 endg., Begründung, Art. 3 (Satz 4) heißt es: „[…] jede vorsätzliche Verletzung eines Rechts des geistigen Eigentums *strafrechtlich zu ahnden*, sofern die Verletzung in gewerbsmäßigem Umfang begangen wird. Dies gilt auch für den Versuch, die Beihilfe und die Anstiftung zu solchen Rechtsverletzungen." [Hervorhebungen durch den Verfasser].

anderen verboten sein.[328] Aber es besteht auch die Möglichkeit, dass die Verbote in den Staaten unterschiedlichen Umfang haben, sodass Teile einer Handlung in einem Land gestattet sind, in einem anderen Land hingegen nicht.[329]

1. International einheitliche Verbote

Wenn das gleiche Verhalten (wie z.B. der Handel mit einer bestimmten Ware) in sämtlichen Mitgliedstaaten verboten ist, entzieht dies die Möglichkeit, hiervon im grenzüberschreitenden Verkehr in legaler und damit schützenswerter Weise Gebrauch zu machen.[330]

So ist z.B. der Handel mit Heroin nicht durch die Grundfreiheiten geschützt.[331] Man könnte entweder den Tatbestand verneinen, weil Heroin der „Waren"-Charakter fehlt, da es in allen Mitgliedstaaten als Handelsgut verboten ist.[332] Oder man legitimiert das Verbot als Ausnahme vom Prinzip der Warenverkehrsfreiheit gemäß Art. 30 EGV.[333] Das Verbot harter Drogen ist nach h.M. durch „ein zwingendes Interesse des Allgemeinwohls" gerechtfertigt, da es die Volksgesundheit schützt.[334]

Ist also eine bestimmte Handlung in allen Mitgliedstaaten der EU verboten, ist der Anwendungsbereich der Grundfreiheiten entweder nicht eröffnet oder eine Beeinträchtigung ist gerechtfertigt.

2. International uneinheitliche Verbote

In dieser Fallkonstellation können grundfreiheitsrelevante Unterschiede aus der Weite der Verbotsnorm, aus der Art der Sanktionsnorm oder dem (Straf-)Maß der Sanktionsnorm resultieren. M.E. lässt sich diese Fallgruppe parallel der Entscheidung *Keck* des EuGH bestimmen. Hierin hatte er darüber zu urteilen, wie es europarechtlich zu bewerten ist, wenn bestimmte Aspekte einer wirtschaftlichen

---

328 Prominentestes Beispiel hierfür ist die unterschiedliche Handhabe des Glücksspielmarkts in der EU. In manchen Ländern ist es Privaten erlaubt, Glücksspiel anzubieten und in anderen Ländern ist es (vollständig) verboten, es zu betreiben; vgl. hierzu *Postel*, EuR 2007, 317 (324 f.); *Stein*, in: FS-G. Hirsch, S. 185 (188).

329 Diese Konstellation liegt der Entscheidung *Tabakwerberichtlinie I* zugrunde, vgl. § 5 II.

330 Zust. *Bock*, Rechtsangleichung, S. 185.

331 Zum Stand der EU-Maßnahmen zur Bekämpfung des illegalen Drogenhandels vgl. *Rahlf*, in: MünchKommStGB, Vor §§ 1 ff. BtMG Rn. 22 ff.

332 Dies entspräche einem Vorbehalt der Erlaubtheit des Verhaltens, wie er z.T. in der deutschen Literatur u.a. für Art. 12 GG befürwortet wird, vgl. hierzu *Tettinger/Mann*, in: Sachs (Hrsg.), GG-Kommentar, Art. 12 GG (Rn. 36 m.w.N.).

333 Hierzu *Becker*, in: Schwarze (Hrsg.), EU-Kommentar, Art. 28 EGV Rn. 9 ff.

334 Hierzu krit. *Hefendehl*, Kollektive Rechtsgüter, S. 142 f.

Tätigkeit durch ein nationales Verbot beeinträchtigt werden.[335] Bestimmte Verkaufsverbote [d.h. das Verbot, eine Ware unter Einkaufspreis zu veräußern] seien lediglich eine Beschränkung der Verkaufsmodalitäten, aber keine Beeinträchtigung einer Grundfreiheit.[336] Als verallgemeinerungsfähigen Grundsatz – dem als Spezialfall wiederum die *Cassis de Dijon*-Formel vorgeht – spricht die Entscheidung aus, dass unterschiedlich weite Verbotstatbestände keine Behinderung der Warenverkehrsfreiheit bewirken, wenn sie alle in- und ausländischen Waren in derselben rechtlichen wie tatsächlichen Art und Weise erfassen.[337] Der EuGH sieht deshalb unterschiedlich weite nationale Verbotstatbestände, solange sie nicht diskriminierend wirken, als mit den Grundfreiheiten vereinbar an.[338] Diese Rechtsprechung erfasst alle Fälle, in denen die zugrunde liegende (nationale) Primärebene, d.h. das Verbot an sich, geändert werden soll,[339] umfasst jedoch auch den Fall, dass unterschiedliche Sanktionsfolgen an Verbotsnormen geknüpft werden.[340] Zur strafschärfenden Harmonisierung kann sich die EG deshalb nicht auf eine Beeinträchtigung der Grundfreiheiten stützen.

3. Zwischenergebnis

Die Grundfreiheiten können von der EG nicht angeführt werden, um eine Verschärfung der mitgliedstaatlichen Strafrechtsordnungen zu veranlassen.

III. Beseitigung spürbarer Wettbewerbsverzerrungen im Binnenmarkt

Eine (verschärfende) Harmonisierung strafrechtlicher Vorschriften wird deshalb in Literatur und Praxis ausschließlich auf die Zielsetzung gestützt, dass hierdurch der Entstehung spürbarer Wettbewerbsverzerrungen im Binnenmarkt vorgebeugt

---

335 Mit seiner Argumentation im Urteil „*Tabakwerberichtlinie I*“ knüpft der EuGH an seine Formulierung in der *Keck*-Rspr. an; zust. *Sties/Hellert*, ZUM 2000, 1038 (1040); a.A. *Bock*, Rechtsangleichung, S. 109 f.

336 EuGH „*Keck u. Mithouard*“ (Rn. 16); siehe oben § 5 III.

337 In diesem Sinne auch *Sties/Hellert*, ZUM 2000, 1038 (1040).

338 Im Verfahren „*Tabakwerberichtlinie I*“ (Rn. 113) übernahm er diese Rspr. für den Bereich der Wettbewerbsverzerrungen: Ein (Werbe-)Verbot für Tabakprodukte sei „keine Verzerrung des Wettbewerbs, sondern eine Beschränkung der Wettbewerbsarten, die in gleicher Weise für alle Wirtschaftsteilnehmer in diesen Mitgliedstaaten gilt“.

339 In diese Richtung *Schwarze*, in: FS-G. Hirsch, S. 165 (167 f.); *Selmayr/Kamann/Ahlers*, EWS 2003, 49 (53).

340 Vgl. hierzu als Gegenbeispiel den Fall „*Donatella Calfa*“ (Rn. 6 f.), siehe oben § 4 III.1.a)aa), das ein Verbot zum Gegenstand hatte, das nur gegenüber Ausländern ausgesprochen werden konnte.

werde.[341] Es wird argumentiert, mit zunehmender Integration der mitgliedstaatlichen Wirtschaftsordnungen werde es immer wahrscheinlicher, dass auch Regelungen des Strafrechts wettbewerbsverzerrende Wirkung zukomme.[342] Zu den methodischen Grundlagen der h.L. finden sich indes kaum präzise Hinweise. Die h.L. bezieht sich auf die Erkenntnisse der ökonomischen Analyse des Rechts – insbesondere auf die Ausführungen *Beckers* – und verweist pauschal auf die Zusammenhänge des *Delaware-Effekts* des US-amerikanischen Gesellschaftsrechts.[343] Diese Grundlagen der Argumentation werden vorab dargestellt und analysiert (1.). Sodann wird untersucht, ob sich die Zusammenhänge des *Delaware-Effekts* plausibel auf den EG-Binnenmarkt und auf die von der h.L. angeführten Phänomene übertragen lassen (2.). Anschließend wird der *rational choice*-Ansatz erklärt, der die zweite methodische Verankerung der h.L. darstellt, auf die sich die Stellungnahmen jedoch meist nur implizit beziehen (3.). Die h.L. hat hierdurch ein Verhaltensmodell konstruiert, das (kriminelles) menschliches Verhalten bei zwischenstaatlichen Normunterschieden berechenbar und damit vorhersehbar machen soll.[344]

1. Fallgruppen der h.L.

Der pauschale Verweis auf die Zusammenhänge des *Delaware-Effekts* umfasst – wie hier herauszuarbeiten ist – mehrere Phänomene, denen Relevanz für den Wettbewerb im Binnenmarkt zukommen kann. Diese Phänomene lassen sich als Teilaspekte des (allgemeinen) Systemwettbewerbs der EU-Mitgliedstaaten einordnen.[345]

Unter dem Begriff „Systemwettbewerb" wird ein „Prozess verstanden, in dessen Verlauf Unterschiede institutioneller Anbieter die Allokation mobiler Produktionsfaktoren beeinflussen, wodurch wiederum die Anbieter institutioneller Infrastruktur zueinander in Konkurrenzbeziehungen geraten".[346] Die Verwendung des Begriffs ist dabei nicht ganz ein-

---

341 Vgl. GA *Bot* Schlussanträge „*Vorratsdatenspeicherung*" (Rn. 106).

342 *Böse*, Strafen und Sanktionen, S. 68 ff.; *Dannecker*, in: Wabnitz/Janovsky (Hrsg.), HdB Wirtschaftsstrafrecht, Kapitel 2, Rn. 197; *Gröblinghoff*, Schutz der Interessen der EG, S. 97 ff.; *Hecker*, Europäisches Strafrecht, § 8 Rn. 49 ff.; *Satzger*, Europäisierung, S. 423 ff.; *Sevenster*, CMLRev 1992, 29 (59 f.); *Vogel*, in: Zieschang (Hrsg.), Strafrecht und Kriminalität in Europa, S. 29 (36 f.).

343 So u.a. *Satzger*, Europäisierung, S. 429; *Gröblinghoff*, Schutz der Interessen der EG, S. 103; *Sevenster*, CMLRev 1992, 29 (59 f.).

344 Vgl. *Becker*, Crime and punishment, S. 1 f.; hinsichtlich der europarechtlichen Diskussion *Satzger*, Europäisierung, S. 425 f.

345 Auf diesen Zusammenhang wird allerdings von der h.L. so nicht verwiesen, da es bislang an einer Untersuchung fehlt, die sowohl wirtschaftswissenschaftliche, kriminologische und strafrechtspolitische Aspekte miteinander verbindet. Diese Forschungslücke soll im Nachfolgenden geschlossen werden.

346 *Streit/Wohlgemut*, in: dies. (Hrsg.), Systemwettbewerb als Herausforderung an Politik und Theorie, S. 7; hierzu unten ausführlich § 6 V.1.

heitlich. Zum Teil wird dieses Phänomen auch als „institutioneller Wettbewerb“, „Wettbewerb zwischen Jurisdiktionen“[347] oder „Regulierungswettbewerb“[348] beschrieben.[349] Einen Unterschied in der Bedeutung hat die unterschiedliche Terminologie jedoch nicht zur Folge.[350]

Die Diskussion betrifft im Wesentlichen zwei Phänomene sowie mögliche Folgeerscheinungen. Zum einen geht es um die geografische Verlagerung,[351] insbesondere im Bezug auf Güter-[352] und Personenbewegungen (hierzu IV.).[353] Zum anderen wird diskutiert, welche Folgen der Systemwettbewerb auf das Gebiet des Strafrechts hat (hierzu V.).[354] Ferner werden Folgen dieser Prozesse diskutiert (sog. Sog- oder Spiralwirkungen), die ebenfalls durch eine grenzüberschreitende Harmonisierung des Strafrechts verhindert werden könnten (hierzu VI.).[355]

2. Sprachliche Anleihen der h.L. beim Delaware-Effekt

Die überwiegende Auffassung beruft sich auf ein bestimmtes Verhaltensmodell, das der Institutionenökonomik zugrunde liegt.[356] Diese befasst sich mit den Folgen eines Wettbewerbs zwischen Jurisdiktionen, der dadurch entsteht, dass Nachfrage-Bürger zwischen konkurrierenden Anbieter-Jurisdiktionen frei wählen können.[357] Die Menschen verhalten sich hierin nach der Maßgabe eines dispositiven Nutzenmaximierers in einem (neoklassischen) Wettbewerbsumfeld. Bezüge zur Institutio-

---

347 *Erlei/Leschke/Sauerland*, Neue Institutionenökonomik, S. 410.

348 *Ambrosius*, Regulativer Wettbewerb, S. 23.

349 Im Zusammenhang mit der europäischen Integration wird häufig auch von „Integrationsökonomik“ gesprochen, wenn es um die optimale Ausgestaltung des Wirtschaftsraums der EU geht, vgl. hierzu nur *Heine/Kerber*, Integrationstheorie und Wettbewerbsföderalismus, in: Cassel/Welfens (Hrsg.), Regionale Integration und Osterweiterung der EU, S. 107 (108 f.).

350 *Ambrosius*, Regulativer Wettbewerb, S. 23 ff.; *Streit/Wohlgemut*, in: dies. (Hrsg.), Systemwettbewerb als Herausforderung an Politik und Theorie, S. 7.

351 *Sevenster*, CMLRev 1992, 29 (59 f.); u.a. *Satzger*, Europäisierung, S. 425; *Weyembergh*, CMLRev 2005, 1567 (1579); *Bernardi*, Opportunité de l’harmonisation, S. 452 (461).

352 So im Hinblick auf Straftaten im Bereich der Markenverletzungen *Göpfert*, Strafbarkeit von Markenverletzungen, S. 342.

353 *Dannecker*, in: Wabnitz/Janovsky (Hrsg.), HdB des Wirtschaftsstrafrechts, Kapitel 2 Rn. 197.

354 Vgl. *Brohm*, Staatswissenschaft und Staatspraxis, 1990, 132 (145 f.); *Dieblich*, Strafrechtlicher Schutz, S. 280 f.; *Gröblinghoff*, Schutz der Interessen der EG, S. 104; *Sevenster*, CMLRev 1992, 29 (61).

355 So u.a. *Gröblinghoff*, Schutz der Interessen der EG, S. 102 ff.; hinsichtlich des Bereichs des Abfallexports z.B. *Hecker/Heine*, Schlussteil, in: Hecker/Heine (Hrsg.), Abfallwirtschaftskriminalität, S. 301; *Dieblich*, Strafrechtlicher Schutz, S. 281; *Gröblinghoff*, Schutz der Interessen der EG, S. 102.

356 *Erlei/Leschke/Sauerland*, Neue Institutionenökonomik, S. 410.

357 *Erlei/Leschke/Sauerland*, Neue Institutionenökonomik, S. 410.

nenökonomik werden allerdings nur vereinzelt und in geringem Umfang hergestellt.[358] Die h.L. bezieht sich hierauf, indem sie pauschal auf den *Delaware-Effekt* verweist.[359] Der *Delaware-Effekt* erfüllt die Voraussetzungen, welche die neoklassische Institutionenökonomik in ihren Modellen zugrunde legt.[360] Aufgrund des pauschalen Verweises nahezu der gesamten h.L. auf die Zusammenhänge des *Delaware-Effekts* soll dieser zu Beginn skizziert werden (a). Es folgt eine kurze Darstellung, ob dieser Effekt auch unter den Regulierungsbedingungen des Binnenmarkts stattfinden kann (b). Abschließend wird erörtert, ob diese sprachliche Analogie überhaupt eine tragfähige Grundlage bildet, um die kriminologischen und strafrechtlichen Sachverhalte zu beschreiben (c).

a) Delaware-Effekt des US-amerikanischen Gesellschaftsrechts

Grundlage des *Delaware-Effekts* ist die Rechtswahlfreiheit des US-amerikanischen Gesellschaftsrechts. Unter dem Begriff *Delaware-Effekt* versteht man das Ergebnis des freien Wettbewerbs der US-Bundesstaaten um das attraktivste Unternehmensrecht. Das Gesellschaftsrecht in den USA ist Sache der Bundesstaaten; Konkurrenz zwischen den Rechtsordnungen der Bundesstaaten ist umfassend zugelassen.[361] Dadurch können die einzelnen Bundesstaaten in einen „Wettstreit" um das attraktivste Unternehmens- und Gesellschaftsrecht eintreten.[362]

aa) Entstehung des *Delaware-Effekts*

Der *Delaware-Effekt* beruht auf einer bestimmten normativ-faktischen Rechtsentwicklung im US-Bundesstaat Delaware.[363] Den normativen Rahmen bildet ein Unternehmensrecht, das aus Regelungen besteht, die für Unternehmen günstig sind: niedrige Steuersätze sowie ein flexibel ausgestaltetes Unternehmens- und Gesellschaftsrecht.[364] Die faktische Komponente besteht darin, dass der Gesetzgeber das Recht schnell aktuellen Bedürfnissen der Gesellschaften anpasst und eine spe-

---

[358] So verweist z.B. *Satzger*, Europäisierung, S. 426 lediglich pauschal auf die Figur des dispositiven Nutzenmaximierers.

[359] Vgl. *Gröblinghoff*, Schutz der Interessen der EG, S. 98 ff.; 23 (25 f.); *Satzger*, Europäisierung, S. 429; *Sevenster*, CMLRev 1992, 29 (54, 59 f.); *Tiedemann*, NJW 1993, *Weyembergh*, CMLRev 2005, 1567 (1579).

[360] Zust. *Kieninger*, Wettbewerb der Privatrechtsordnungen, S. 4; hierzu detailliert § 6 V.1.

[361] Hierzu *Günther*, GmbH und U.S.-amerikanische Limited Liability Company, S. 70.

[362] *Bebchuk/Hamdani*, Yale Law Journal 112 (2002), 553 f.; *Cary*, Yale Law Journal 83 (1974), 663 (668); *Daines*, Journal of Financial Economics 62 (2001), 525 (526).

[363] *Cary*, Yale Law Yournal 83 (1974), 663 m.w.N.

[364] *Cary*, Yale Law Yournal 83 (1974), 663; *Daines*, Journal of Financial Economics 62 (2001), 525 (526).

zialisierte Rechtsprechung existiert,[365] die für Rechtssicherheit und Planbarkeit sorgt.[366] Insbesondere auch die Rechtsprechung ist eine wesentliche Voraussetzung des *Delaware-Effekts*,[367] dessen Beitrag von manchen als höher eingeschätzt wird als der Beitrag der materiell-rechtlichen Regelungen des *Delaware corporate law*.[368]

bb) Folgen des *Delaware-Effekts*: *race to the bottom*?

Lange Zeit wurde nicht bestritten, dass der *Delaware-Effekt* zu einer Abwärtsspirale *(race to the bottom)* der gesellschaftsrechtlichen Schutzstandards führe.[369] Das Schlagwort *race to the bottom* beschreibt die Folgen dieses Systemwettbewerbs: die Aufweichung der (Haftungs-)Regelungen des Delaware-Rechts, die den Geschäftsführern zugute komme.[370] Weite Teile ihrer Verantwortung seien über die Jahre erodiert.[371] Diese Entwicklung gehe insbesondere auf Kosten der Gesellschaft, d.h. der dahinterstehenden Eigentümer.[372] Das *race to the bottom* führe letztlich zu einem Wertverlust der Delaware-Companies.[373] Über den Systemwettbewerb zwischen den US-Bundesstaaten würden die anderen US-Bundesstaaten gezwungen, ihre Gesellschaftsrechtsordnungen entsprechend anzupassen, um im Wettbewerb um die Ansiedlung von Gesellschaften und den hieraus resultierenden Steuereinnahmen konkurrenzfähig zu bleiben.[374] Der Bundesstaat Delaware sei durch seine Abhängigkeit von den Einnahmen aus der Unternehmenssteu-

---

365 Für Unternehmensstreitigkeiten ist ein spezialisierter „Chancery Court“ zuständig; hierzu *Sullivan/Colon*, Law & Society Review 31 (1997), 713 ff.; *dies*., The Academy of Management Journal 42 (1999), 319 ff.

366 *Cary*, Yale Law Yournal 83 (1974), 663; *Daines*, Journal of Financial Economics 62 (2001), 525 (526); die Zuständigkeit der Gerichtsbarkeit des Staats Delaware beschränkt sich auf gesellschaftsinterne Angelegenheiten *(internal affairs)*, vgl. *Günther*, GmbH und U.S.-amerikanische LLC, S. 70 f.

367 *Cahery/Vermeulen*, Does the European Company Prevent the “Delaware-effect”?, S. 9.

368 *Kirchner/Painter/Kaal*, European Company and Financial Law Review 2 (2005), 159 (171 f.); so ist es nach den Regelungen des Bundesstaats Delaware durchaus möglich, interne Gesellschafterstreitigkeiten auch einem Schiedsgericht zu unterwerfen. Diese Option ist aber über Ansätze nie hinausgekommen.

369 Dieser Begriff geht auf *Cary* zurück, *ders*., Yale Law Journal 83 (1974), 663 (666) benutzt den Ausdruck „race *for* the bottom“. Allerdings hat sich der Ausdruck „race *to* the bottom“ eingebürgert und wird auch hier verwendet.

370 *Cary*, Yale Law Journal 83 (1974), 663 (670).

371 *Cary*, Yale Law Journal 83 (1974), 663 (692 ff.). In seiner Untersuchung analysiert er hierfür die Entwicklung der gesellschaftsrechtlichen Rechtsprechung in mehreren zentralen Bereichen.

372 *Cary*, Yale Law Journal 83 (1974), 663 (672).

373 *Daines*, Journal of Financial Economics 62 (2001), 525 (526).

374 *Cary*, Yale Law Journal 83 (1974), 663 (697).

er (ca. 20 Prozent des Steueraufkommens) daran gehindert, den eingeschlagenen Kurs wieder aufzugeben.[375]

Es mehren sich jedoch die Kritiker dieser Sichtweise.[376] Sie verweisen darauf, dass Delaware-Companies langfristig eine überdurchschnittliche Wertsteigerung aufweisen.[377] Es könne deshalb nicht davon ausgegangen werden, dass die Entwicklung des *Delaware corporate law* zulasten der Eigner gehe.[378] Der Wettbewerb der Systeme führe zu einem *race to the top*, da er dafür sorge, dass sich die Firmen besser entwickelten, als in konkurrierenden Rechtsordnungen.[379]

Die hierfür angeführten Gründe sind nicht einheitlich. Einige heben die Rolle der Gerichtsbarkeit heraus.[380] Andere rekurrieren auf das (materielle) Recht, das ein hohes Maß an Rechtssicherheit gewährleiste. Manchen zufolge habe die Quasi-Monopolstellung des Delaware-Rechts den zusätzlichen Vorteil, dass hierdurch die Transaktionskosten bei Veränderungen im Gesellschaftsstatut gering blieben;[381] wiederum andere führen diese Entwicklung primär auf das flexible Übernahmerecht zurück.[382]

b) Rechtlicher Rahmen für vergleichbare Phänomene im EG-Binnenmarkt

Die voranschreitende Integration – insbesondere durch das Prinzip der gegenseitigen Anerkennung – hat zur Folge, dass in einer steigenden Anzahl von Rechts-

---

375 *Cary* vertritt die Auffassung, dass diese Entwicklung durch die Einführung föderaler Standards gestoppt werden könnte, *ders.*, Yale Law Journal 83 (1974), 663 (692); zust. *Greenfield*, Law and Contemporary Problems 67 (2004), 101.

376 Vgl. *Subramanian*, The Journal of Law, Economics & Organisation 20 (2004), 32 (33 ff.).

377 Die Langzeitstudie von *Daines*, Journal of Financial Economics 62 (2001), 525 (525 ff., 539 f.) kommt für den Untersuchungszeitraum von 1981–1996 zu dem Ergebnis, dass Delaware-Firmen in 12 von 16 Vergleichsjahren eine höhere Wertsteigerung aufwiesen als nicht-Delaware Firmen; krit. *Subramanian*, The Journal of Law, Economics & Organisation 20 (2004), 32 (34 f.).

378 Vgl. die weiteren Nachweise bei *Kieninger*, Wettbewerb der Privatrechtsordnungen, S. 3 (Fn. 12 f.).

379 *Daines*, Journal of Financial Economics 62 (2001), 525 (529 ff.); *Cahery/Vermeulen*, Does the European Company Prevent the "Delaware-effect"?, S. 9 f.; *Greenfield*, Law and Contemporary Problems 67 (2004), 101 ff.

380 Hierzu *Daines*, Journal of Financial Economics 62 (2001), 525 (540).

381 So *Klausner*, Virginia Law Review 81 (1995), 757.

382 *Daines*, Journal of Financial Economics 62 (2001), 525 (541); diese Studie hat neben Zustimmung auch berechtigte Kritik erfahren. Hervorzuheben ist der Kritikpunkt, dass die Wertsteigerung der Delaware-Firmen keinen zwingenden Schluss auf das (Makro-) Phänomen zulasse, das durch den Begriff *race to the bottom* dargelegt werde. Der Staat verliere immer mehr an Kontrolle, da der Systemwettbewerb den Staat Delaware dazu veranlasse, den Firmen geringere Kosten für die rechtliche Infrastruktur aufzuerlegen, als sie durch die Inkorporation als Delaware-Firma abschöpften, vgl. *Subramanian*, The Journal of Law, Economics & Organisation 20 (2004), 32 (33 ff., 36, 57).

gebieten ein Wettbewerb der Systeme im EG-Binnenmarkt stattfindet.[383] Allerdings herrschen nicht in jedem Rechtsgebiet die Voraussetzungen, die dem Modell der (neoklassischen) Institutionenökonomik entsprechen. Weitgehend erfüllt sind diese jedoch auf dem Gebiet des europäischen Gesellschaftsrechts.

Infolge der Entscheidungen *Centros*[384] und *Überseering*[385] wurde es Gesellschaften aus EU-Mitgliedstaaten möglich, das Regelungsregime des Landes, in dem die Gesellschaft gegründet wurde, beizubehalten, auch wenn sie ihre Tätigkeit in einen anderen Mitgliedstaat verlagerten.[386] Bis dahin konnten Firmen ihre Rechtsform nicht stets beibehalten, wenn sie ihren Sitz in einen anderen Mitgliedstaat verlegten.[387] Diese Rechtsprechung wurde durch die Entscheidung *Inspire Art*[388] auf Fälle erweitert, in denen eine Gesellschaft im Land der Gründung zu keinem Zeitpunkt eine Geschäftstätigkeit entfaltete, sondern lediglich dort gegründet wurde.[389] Entgegenstehendes Kollisions-, Sach- oder Richterrecht der Mitgliedstaaten wurde damit weitgehend unzulässig.[390] Dies hat zu Reformdruck im kontinentaleuropäischen Kapitalgesellschaftsrecht geführt.[391] U.a. in Deutschland und Frankreich kam es zu Reformbewegungen, um ein massives Abwandern insbesondere zur englischen „Private Limited Company“ (Ltd.) zu verhindern. Schätzungen gehen davon aus, dass bis zum Dezember 2005 insgesamt 30.000 Ltds mit Verwaltungssitz in Deutschland existierten und diese Zahl (2008) mehr als 60.000 betragen dürfte.[392] In Deutschland

---

383 Hierzu ausführlich *Müller*, Systemwettbewerb, S. 23 ff.; *Kieninger*, Wettbewerb der Privatrechtsordnungen, S. 45 ff.

384 EuGH vom 9.3.1999, Rs. C-212/97 „*Centros*“, Slg. 1999, I-1459 (Rn. 11, 20 ff.).

385 EuGH vom 5.11.2002, Rs. C-208/00 „*Überseering*“, Slg. 2002, I- 9919.

386 Diese „Gründungstheorie“ wurde im 18. Jahrhundert in England entwickelt. Nach ihr bemisst sich das Recht einer Gesellschaft ausschließlich nach dem Recht des Staats, in dem die Gesellschaft gegründet wurde, d.h. dem Recht, das nach der Satzung der Gesellschaft als maßgeblich bestimmt wird. Der tatsächliche Verwaltungssitz bleibt hingegen für das anwendbare Recht der Gesellschaft ohne Bedeutung. Dieser Theorie folgten bereits vor den Entscheidungen des EuGH z.B. England, die Niederlande und Italien, vgl. *Bicker*, Gläubigerschutz, S. 30.

387 Dem entgegen standen die Mitgliedstaaten, die der sog. Sitztheorie folgten. Diese schreibt vor, dass das Gesellschaftsstatut zwingend dem tatsächlichen Sitz der Hauptverwaltung einer Gesellschaft folgen muss. Eine Sitzverlegung ins Ausland konnte nicht ohne Änderung des Gesellschaftsstatuts vorgenommen werden.

388 EuGH vom 30.9.2003, Rs. C-167/01 „*Inspire Art*“, Slg. 2003, I-10155 (Tenor 2).

389 EuGH „*Inspire Art*“ (Rn. 105).

390 Die Sitztheorie war in mehreren Mitgliedstaaten der EU gesetzlich vorgeschrieben, so u.a. in Frankreich in Art. 1837 Code de Commerce; in Belgien in Art. 197 Code de Commerce, in Luxemburg mit Art. 159 des Gesetzes vom 10.8.1915 betreffend die Handelsgesellschaft, in Österreich in § 10 des Bundesgesetzes vom 15.6.1978 über das Internationale Privatrecht. In der BRD galt die Sitztheorie infolge der st. Rspr. des BGH, vgl. die Nachweise bei *Bicker*, Gläubigerschutz, S. 29. Der BGH geht mittlerweile sogar so weit, die Gründungstheorie auf Gesellschaftsregime anzuwenden, die aus Nicht-EU-Mitgliedstaaten stammen, vgl. BGH vom 13.10.2004, I ZR 245/01, ZIP 2004, 2230.

391 Zur Reformdiskussion in Deutschland, vgl. *Westermann*, ZIP 2005, 1849 (1851).

392 Schätzungen für die Jahre 2003 (7.500 Ltd.-Neugründungen in Deutschland), 2004 (15.000 Ltd.-Neugründungen) und 2005 (ca. Ltd.-18.000 Neugründungen) bei *Lawlor*, NZI 2005, 432 (433) und bei *Niemeier*, ZIP 2006, 2237 ff.

wird der Anteil von Schein-Auslandsgesellschaften auf ein Zehntel der Neugründungen bei Kapitalgesellschaften geschätzt.[393]

Ob ein Systemwettbewerb auf dem Gebiet des Gesellschaftsrechts innerhalb des EG-Binnenmarkts ein ähnliches Ausmaß erreichen kann, wie im US-amerikanischen Gesellschaftsrecht, ist bislang nicht klar. Kritiker weisen darauf hin, dass ein Systemwettbewerb des europäischen Kapitalgesellschaftsrechts nicht die Bedeutung erreichen kann, wie der US-amerikanische *Delaware-Effekt*.[394] Diese Gründe lassen sich auch auf andere Systemwettbewerbe innerhalb der EU übertragen.

Gründe hierfür seien u.a. die Sprachbarriere zwischen den Mitgliedstaaten (insbesondere zwischen Ländern, deren Gerichtssprache nicht Englisch ist);[395] das Nebeneinander des kontinentaleuropäischen Rechtssystems mit dem *common law*-System (u.a. verschiedenartige Prozessordnungen und fehlende Kenntnis über andersartige Rechts- und Prozessordnungen);[396] Schwierigkeiten im Zusammenhang mit der Anerkennung ausländischer Urteile und der Lösung von Konflikten fremder Rechtsordnungen.[397]

Bei einer Übertragung der Prämissen und Folgen des US-amerikanischen *Delaware-Effekts* auf vergleichbare Phänomene im EG-Binnenmarkt ist deshalb Vorsicht geboten. Es ist zu berücksichtigen, dass ein Systemwettbewerb im EG-Binnenmarkt unter anderen Gesichtspunkten erfolgt, als im Paradebeispiel des *Delaware-Effekts*. Im EG-Binnenmarkt muss, bevor das Verhaltensmodell der neoklassischen Institutionenökonomik auf die Regelungszusammenhänge und Schlussfolgerungen angewendet wird, vorab geklärt werden, ob und in wieweit dies angesichts der verbleibenden Unterschiede im EG-Binnenmarkt für das jeweilige Regelungsgebiet möglich ist.

c) Übertragung des Begriffsfelds Delaware-Effekt in den Diskurs des europäischen Strafrechts

Mittels des Verweises auf das Phänomen des *Delaware-Effekts* spricht der Diskurs des europäischen Strafrechts mehrere Bedeutungsebenen an. Zum einen geht es dabei um die örtliche Massierung bestimmter Aktivitäten (über 50 Prozent der US-Firmen haben ihren Sitz im Staat Delaware). Zum anderen geht es hierbei um einen normativen, d.h. auf den Systemwettbewerb bezogenen Effekt (Wettbewerb

---

393 *Westhoff*, GmbHR 2006, 525 (526).

394 *Armour*, Current Legal Problems, 48 (2005), 369 (370); *Kirchner/Painter/Kaal*, European Company and Financial Law Review 2 (2005), 159 (165, 176 f.); *Westermann*, ZIP 2005, 1849 (1850).

395 Ein Anwachsen weit über diese Schwelle hinaus dürfte, insbesondere angesichts der mit der Sprachbarriere und dem englischen Recht verbundenen Schwierigkeiten, wohl nicht zu erwarten sein; hierzu *Westhoff*, GmbHR 2006, 525 (527 f.).

396 *Kirchner/Painter/Kaal*, European Company and Financial Law Review 2 (2005), 159 (177 ff.).

397 *Stoll*, L'Etat du droit communautaire, S. 17 (37); *Kirchner/Painter/Kaal*, European Company and Financial Law Review 2 (2005), 159 (180 ff.).

der Gesellschaftsrechtssysteme), sowie um Folgewirkungen beider Effekte (Sog- und Spiralwirkungen).

Für eine mögliche Übertragung auf (wirtschafts-)strafrechtliche Sachverhalte spricht, dass örtliche Massierung von Verhalten bzw. Wirtschaftsaktivitäten sich in vielen Lebensbereichen feststellen lässt, insbesondere als Ergebnis einer gezielten (Industrie-)Steuerpolitik.

Solche Bewegungen lassen sich national und international nachweisen. In Deutschland konnten die Gemeinden bis 2004 die Hebesätze für die Gewerbesteuer frei festlegen. Einige Gemeinden setzten daraufhin einen Gewerbesteuerhebesatz von 0 an. In den 1990er Jahren führte dies dazu, dass auch Dax-Unternehmen formal ihren Firmensitz in kleine Ortschaften verlegten.[398] Auch in der internationalen Steuerpolitik treten ähnliche Effekte auf. So kann im Bereich der Kapitalanlagegesellschaften das Phänomen der IFSC-Gesellschaft in den Dublin-Docks beobachtet werden.[399] Gleiches gilt für die Firmensitze der Online-Spielkasinos mit sog. „off shore"-Lizenzen.[400] Auch in diesen Fällen spielen die steuerlichen Vergünstigungen die entscheidende Rolle für die Ansammlung dieser Gesellschaften in Malta und Gibraltar.[401]

Wenn die h.L. die örtliche Häufung krimineller Verhaltensweisen durch den Begriff „Delaware-Effekt" beschreibt, bezieht sie sich auf ein *kriminologisches* Phänomen, da sie die Ursachen einer Massierung von Straftaten oder Straftätern an einem Ort zu erklären versucht.[402]

Eine geografische Konzentration lässt sich auch bei kriminellen Verhaltensweisen feststellen. Bestimmte Delikte treten – vergleichsweise – gehäuft in bestimmten Ländern auf.[403] Ein Beispiel ist der Anteil, den chinesische Ware an der aufgedeckten globalen Markenpiraterie erreicht hat. In den letzten Jahren hat die Herstellung solcher Produkte im

---

398 Belegt ist dies insbesondere für die Gemeinde Norderfriedrichskoog, vgl. nur deren namentliche Erwähnung in der Verfassungsbeschwerde gegen die Festlegung eines Mindesthebesatzes bei der Gewerbesteuer, BVerfG vom 25.1.2005 – 2 BvR 2185/04, DStER 2005, 771. Der anhaltende Protest von durch die Abwanderung betroffenen Kommunen hat schließlich dazu geführt, dass mit Wirkung zum 1.1.2004 in § 16 Abs. 4 Satz 2 GewStG ein Mindestgewerbesteuerhebesatz von 200 % eingeführt wurde. In der Verfassungsbeschwerde wurde der Gewerbesteuerausfall, den allein Norderfriedrichskoog verursacht habe, auf 400 Mio. Euro geschätzt, vgl. DStR 2005 771 (772).

399 Vgl. nur die Entscheidung des BFH vom 25.2.2004, I R 42/02, DStR 2004, 1282; ferner die Tatsachenschilderung in der Entscheidung EuGH „*Parmalat*". Diese Kapitalanlagegesellschaften verfügen über besondere steuerliche Vergünstigungen, die auch für ausländische Kapitalgesellschaften unter bestimmten Voraussetzungen anerkannt werden, siehe *BMF-Schreiben* vom 28.12.2004 - IV B 4 – S. 1300 - 362/04, DStR 2005, 67 (68); vgl. zur Initiative der OECD gegen „schädlichen Steuerwettbewerb" *Eimermann*, IStR 2001, 81 (83 f.).

400 *Postel*, EuR 2007, 317 (324 f.); *Steegmann*, ZfWG 2008, 26 (30).

401 *Steegmann*, ZfWG 2008, 26 (30); *Stein*, in: FS-G. Hirsch, S. 185 (195).

402 Vgl. *Gröblinhoff*, Schutz der Interessen der EG, S. 97 ff. (102 ff.); *Sevenster*, CMLRev 1992, 29 (54); *Johannes*, ZStW 83 (1971), 531 (543); *Zuleeg*, JZ 1992, 761 (766 f.); *Tiedemann*, NJW 1993, 23 (24) m.w.N.; *Satzger*, Europäisierung, S. 425 f.

403 *Vogel*, in: Zieschang (Hrsg.), Strafrecht und Kriminalität in Europa, S. 37, spricht von einem „wirtschaftskriminologischen […] Umstand".

Hoheitsgebiet der Volksrepublik China (VRC) stark zugenommen. Derzeit stammen ca. 60 Prozent der Waren, die weltweit von Zollbehörden sichergestellt werden, aus der VRC.[404] Als weiteres Beispiel kann die Entwicklung des Kokainzwischenhandels auf dem Hoheitsgebiet von Guinea-Bissau angeführt werden. Der afrikanische Staat Guinea-Bissau hat sich zu einer Drehscheibe des kolumbianischen Kokainhandels mit dem Absatzziel Europa entwickelt.[405]

Bezieht sich die h.L. auf den Wettbewerb der Rechtsordnungen, beschreibt sie hingegen ein *strafrechtliches* Phänomen. Es geht in diesem Zusammenhang um einen Systemwettbewerb auf dem (Rechts-)Gebiet des Strafrechts bzw. die Auswirkungen eines umfassenden wirtschaftlichen Systemwettbewerbs auf die nationalen Strafrechtsordnungen.

Die Übertragung des Begriffs „Delaware-Effekt" auf kriminologische und strafrechtliche Zusammenhänge ist jedoch kritisch zu sehen. Insbesondere kriminologische Phänomene, d.h. die Verlagerung und Massierung kriminellen Verhaltens in bestimmten geografischen Regionen, hängen – im Gegensatz zum *Delaware-Effekt* – gerade nicht mit dem effektiven Funktionieren von Kriminalitätsbekämpfung zusammen. Sie beruhen vielmehr gerade auf dem Gegenteil, dem „effizienten" Versagen von Verhaltensgeboten einschließlich der auf ihre Einhaltung abzielenden Sanktionsmechanismen.[406] Um den Bezug zur Terminologie der h.L. aufrechtzuerhalten, wird das kriminologische Phänomen der Massierung von kriminellen Handlungen hier als „kriminologischer *Delaware-Effekt*" bezeichnet. Die Auswirkungen eines (potentiellen) Wettbewerbs zwischen strafrechtlichen Regelungssystemen werden unter dem Begriff „strafrechtlicher *Delaware-Effekt*" diskutiert. Auch bei der Darstellung der Sog- und Spiralwirkungen wird diese Anknüpfung aufrechterhalten.

---

404 Vollständige Statistik der EU-Zollbehörde für das Jahr 2003, S. 7; die Studie der OECD, The Economic Impact of Counterfeiting and Piracy 2007, S. 11, Erwägungsgrund 17 führt aus, dass der Anteil asiatischer Piraterieware am Welthandel derzeit 69,7 % beträgt. In Asien sind 12 der Top-20-Volkswirtschaften beheimatet, die Piraterieware herstellen.

405 Vgl. Cocaine Trafficking in West Africa – The Threat to Stability and Developement (with special reference to Guinea-Bissau), Dez. 2007, S. 5; download unter: http://www.unodc.org/documents/data-and-analysis/west_africa_cocaine_report_2007-12_en.pdf. [letzter Zugriff: 26.10.2009]; vgl. ferner die Erklärung des UN-Sicherheitsrats vom 19.10.2007, Az: S/PRST/2007/38.

406 Dass dieser Grundsatz auch für die Kompetenzen der EG nicht außer Betracht bleiben kann, hat der EuGH in seiner Entscheidung „*Griechischer Mais*" (Rn. 29 ff.) ausgeführt.

3. Rational choice-Ansatz der h.L.

Die ökonomische Analyse des Rechts hielt, maßgeblich infolge des Aufsatzes von *Becker*, Ende der 1960er Jahre Einzug in den strafrechtlichen Diskurs.[407] Über die Rezeption in den nationalen Rechtsordnungen fand sie auch Eingang in die aufkommende europastrafrechtliche Literatur.

Der *rational choice*-Ansatz versteht sich als universale Kriminalitätstheorie,[408] d.h. als Ansatz, der die Entstehung von delinquentem menschlichem Verhalten allgemeingültig beschreiben und vorhersehbar machen kann.[409] Seine Wurzeln liegen im verhaltensökonomischen Ansatz,[410] der versucht, individuelles und kollektives Verhalten anhand der ökonomischen Prinzipien der Knappheit und des Entscheidungszwangs zu erklären.[411] Sein methodischer Ansatz unterscheidet ihn von anderen gängigen Kriminalitätstheorien.[412] Er stellt nicht die gesellschaftlichen und sozialisationsbedingten Faktoren des Verhaltens eines Menschen in den Vordergrund, wie dies die sogenannten Makrotheorien tun.[413] Er ist eine Mikrotheorie, die kriminelles Verhalten als Ausdruck einer bewussten Entscheidung des Individuums ansieht, ohne dass Krankheit oder Sozialisation hierbei eine entscheidende Rolle spielen.[414]

Der *rational choice*-Ansatz hat ein diversifiziertes Verständnis des Anreizsystems für kriminelle Handlungen.[415] Er geht nicht davon aus, dass der Einzelne auf legales oder illegales Handeln festgelegt ist.[416] Vielmehr wird unterstellt, dass er zwischen beiden Verhaltensweisen wechselt, je nachdem, ob legal oder illegal zu handeln größeren „Nutzen" für ihn bringt.[417] Das Verständnis des Begriffs „Nutzen" berücksichtigt hierbei nicht nur materielle, sondern auch immaterielle Anreize

---

407 Hinsichtlich der allgemeinen Anfänge der ökonomischen Analyse des Rechts vgl. *Baumann*, RNotZ 2007, 279; zur Diskussion im Strafrecht vgl. *Curti*, Abschreckung durch Strafe, S. 27 ff.; *Otto*, Generalprävention und externe Verhaltenskontrolle, S. 80.

408 *v. Danwitz*, Kriminologie, S. 49; *Wittig*, MschrKrim 76 (1993), 328 (331).

409 *Wittig*, MschrKrim 76 (1993), 328 (333).

410 *Adams/Shavel*, GA 1990, 337 (344).

411 *Wittig*, MschrKrim 76 (1993), 328 (329).

412 *v. Danwitz*, Kriminologie, S. 49; *Otto*, Generalprävention und externe Verhaltenskontrolle, S. 78 f., 80 ff.

413 *Curti*, Abschreckung durch Strafe, S. 9, 13 ff.; *Otto*, Generalprävention und externe Verhaltenskontrolle, S. 89 f.; *Wittig*, MschrKrim 76 (1993), 328 (331).

414 *Curti*, Abschreckung durch Strafe, S. 27; *Otto*, Generalprävention und externe Verhaltenskontrolle, S. 78 f.

415 *Ehrlich,* Participation in Illegitimate Activities, S. 68 (70 f.).

416 Vgl. *Ehrlich*, Participation in Illegitimate Activities, S. 68 (71); *Lüderssen*, in: Ott/Schäfer (Hrsg.), Die Präventivwirkung zivil- und strafrechtlicher Sanktionen, S. 25 (30 f.).

417 *Ehrlich*, Participation in Illegitimate Activities, S. 68 (71); zusammenfassend *Curti*, Abschreckungswirkung strafrechtlicher Sanktionen, S. 71 (72 f.); krit. *Hefendehl*, ZStW 119 (2007), 816 (820 ff.).

(z.B. Nervenkitzel)[418] sowie materielle und immaterielle Kosten (z.B. Furcht vor Strafe, Reputationsverlust u.Ä.).[419]

In die europastrafrechtliche Diskussion hat der *rational choice*-Diskurs in einer modifizierten Konzeption Eingang gefunden.[420] Angesichts der wirtschaftspolitischen Zielsetzung des EG-Vertrags – insbesondere auch des Binnenmarkts –[421] wird der *rational choice*-Ansatz im europarechtlichen Kontext auf die Anreizstruktur eines *homo oeconomicus* reduziert.[422] Es wird ein Verhaltensmodell zugrunde gelegt, das ausschließlich ökonomische Anreize als entscheidungsrelevante Faktoren ansieht und berücksichtigt.[423] Ausreichend ist hierfür, dass ein Entscheidungsfaktor sich in einen Kosten- bzw. Nutzenposten konvertieren lässt,[424] auch wenn seine ökonomischen Auswirkungen nur mittelbar sind. Diese Modifizierung sei geeignet, das menschliche Verhalten im geschäftlichen Verkehr zu erklären, da es dort einem *homo oeconomicus* „noch am nächsten komme".[425] Kriminelle Verhaltensmuster werden hierbei maßgeblich auf ökonomische Anreize zurückgeführt, aber zugleich auch reduziert.[426] Unwägbarkeiten, die durch Unzulänglichkeiten des Menschen (kognitive Defizite, Ungleichheit des Informationsstandes) sowie durch nicht-materiell orientierte Verhaltensdeterminanten (Ideologien, Emotionen u.a.) gesetzt werden, bleiben außer Betracht.[427]

4. Quantitativ-qualitativer Überprüfungsmaßstab

Die Untersuchung möchte die Prämissen und Schlussfolgerungen der h.L. kritisch überprüfen. Dies soll mittels des unter § 5 IV. entwickelten Maßstabs geschehen. Deshalb gilt es in einem ersten Schritt, diesen Ansatz mit den beiden

---

418 Siehe hierzu *v. Danwitz*, Kriminologie, S. 49; *Curti*, Abschreckung durch Strafe, S. 53 ff.

419 Der *rational choice*-Ansatz ist dabei nicht mit einer Interpretation im Sinn eines ausschließlich durch materielle Werte determinierten Verhaltensmusters zu verstehen, vgl. *Wittig*, MschrKrim 76 (1993), 328 f.

420 Zum Teil wird dies nicht explizit ausgeführt, wohl aber der Sache nach zugrunde gelegt, vgl. nur *Gröblinghoff*, Schutz der Interessen der EG, S. 98 ff.; *Tiedemann*, NJW 1993, 23 (24).

421 Hierzu *Baumann*, RNotZ 2007, 297 (301).

422 *Satzger*, Europäisierung, S. 426.

423 *Satzger*, Europäisierung, S. 427.

424 *Satzger*, Europäisierung, S. 426.

425 *Satzger*, Europäisierung, S. 426.

426 Vgl. *Becker*, Crime and punishment, S. 1 (4, 13, 31 ff.); zur Kritik vgl. *Curti*, in: Ott/Schäfer (Hrsg.), Die Präventivwirkung zivil- und strafrechtlicher Sanktionen, S. 71 (73 f.).

427 Dies entspricht den Rahmensetzungen, die *Tiebout* im Jahr 1956 seiner grundlegenden Untersuchung zum horizontalen Wettbewerb von Jurisdiktionen auf lokaler Ebene zugrunde gelegt hat, vgl. *ders.*, Journal of Political Economy 64 (1956), 416 (419 f.).

methodischen Grundlagen der h.L. zu vergleichen, um festzustellen, ob und welche relevanten Abweichungen hier bestehen. Die methodischen Grundlagen der h.L. bilden der qualitative Ansatz zur Bestimmung der Wettbewerbsrelevanz menschlichen Verhaltens im Rahmen von Art. 95 EGV und der modifizierte *rational choice*-Ansatz.

a) Kritik am qualitativen Ansatz der h.L.

Die h.L. legt ihrer Beurteilung ein stark vereinfachtes wirtschaftliches Handlungsmodell zugrunde. Dies gilt sowohl hinsichtlich des menschlichen Verhaltens als auch hinsichtlich des Verhaltens der staatlichen Entscheidungsorgane.[428] Die h.L. zieht ihre Schlüsse induktiv,[429] da sich die Menschen ihres Modells nach dem *rational choice*-Ansatz verhalten, einem allgemeingültigen Verhaltensmodell. Schlüsse von allgemeiner Tragweite können aus dem Verhalten einzelner Personen gezogen werden, die sich repräsentativ verhalten.[430] So gewinnt man hinreichende Anhaltspunkte darüber, ob die konkrete Möglichkeit besteht, dass bestimmte rechtliche Regelungen zu einem Verhalten Anlass geben, das – in relevantem Ausmaß ausgeführt – spürbare Wettbewerbsverzerrungen im Binnenmarkt hervorruft.[431]

Dieser Ansatz lässt sich nur vertreten, wenn man den Begriff „spürbare Wettbewerbsverzerrungen" „qualitativ" interpretiert.[432] Diese qualitative Bestimmung führt dabei, in Kombination mit dem modifizierten *rational choice*-Ansatz, zu einer sehr niedrigen Eingriffsschwelle für die EG. Denn der *rational choice*-Ansatz erfordert lediglich, dass sich eine Person – in einem Modell oder in der Realität – entsprechend verhält. Wegen des Modellcharakters kann dieses Verhalten dann generalisiert werden.[433] Lässt man es zudem ausreichen, dass durch die qualitative Bestimmung des Spürbarkeitscharakters mehr oder weniger geringe materielle Anreize als ausreichend angesehen werden können, um Verzerrungen im Binnenmarkt auszulösen, ist der potentielle Anwendungsbereich der Zielsetzung nahezu unbegrenzt. Es ist, wenn man mittelbare materielle Anreize miteinbezieht, sogar kaum ein Regelungsunterschied denkbar, der nicht irgendwelche materiellen Anreize bietet. Dies würde die Eingriffsschwelle auf das Maß einer abstrakten Gefährdung der

---

428 Hierzu unten § 6 V.

429 Zum Induktionsschluss vgl. *Schneider/Schnapp*, Logik für Juristen, S. 48; zu den Voraussetzungen einer präventiven Rechtsangleichung im Rahmen von Art. 95 EGV vgl. oben § 5 II.2.a).

430 Vgl. *Gröblinghoff*, Schutz der Interessen der EG, S. 98 ff.

431 Die h.L. vertritt einen qualitativen Ansatz, vgl. *Gröblinghoff*, Schutz der Interessen der EG, S. 98 ff.

432 Hierzu oben § 5 IV.2.

433 Vgl. *Satzger*, Europäisierung, S. 429, der darauf verweist, dass infolge des Modells des situativen Nutzenmaximierers keine grundlegenden Fragen mehr bestehen und alles eine Frage des Subsidiaritäts- und Verhältnismäßigkeitsgrundsatzes sei.

Wettbewerbsordnung herabsetzen.[434] Nahezu alle wirtschaftsstrafrechtlichen Regelungen wären hiervon erfasst.[435] Durch die qualitative Bestimmung des Spürbarkeitskriteriums wird dem Gesetzgeber zugleich ein sehr weiter Beurteilungsspielraum dahingehend eingeräumt, wann eine (potentielle) Beeinträchtigung hinreichend konkret ist. Dies hätte zur Folge, dass die Einschränkungen, die aus dem Prinzip der begrenzten Einzelermächtigung folgen,[436] keinen Bestand mehr hätten.

Der hier vertretene quantitativ-qualitative Ansatz lässt ein derartiges Vorgehen nicht zu. Insbesondere das quantitative Kriterium erfordert, dass ein Verhalten aus einer repräsentativen Anzahl gleich gelagerter Fälle abgeleitet werden kann.[437] Denn erst wenn bestimmte Verhaltensweisen zu einem quantitativ-relevanten Phänomen anwachsen, können sie (konkret) Wettbewerbsverzerrungen hervorrufen. Der Gesetzgeber hat somit höheren Begründungsanforderungen zu genügen. Die Schlüssigkeit in einem abstrakten Verhaltensmodell reicht jedenfalls nicht aus, um die tatsächliche Relevanz bestimmter (strafrechtlicher) Normunterschiede zu begründen. Vielmehr muss jedes Phänomen einzeln seine empirische Validität erweisen.

b) Kritik am rational choice-Ansatz der h.L.

Die Herangehensweise der h.L., als relevante Faktoren nur materielle Werte bzw. in materielle Werte umwandelbare Faktoren zu berücksichtigen, setzt sich bewusst der Kritik aus, sie vereinfache.[438] Sie argumentiert jedoch, dass dies eine dem zu untersuchenden Feld angemessene und deshalb zulässige Vereinfachung darstelle. Der Untersuchungsgegenstand, die (internationale) Wirtschaftsdelinquenz, folge einem Verhalten, das diesem vereinfachten Modell sehr nahe komme.[439] Auch dem Gesetzgeber sei es deshalb im Anwendungsbereich von Art. 95 EGV erlaubt, dieses Verhaltensmodell bei der Beurteilung der Frage, ob strafrechtliche Norm(-teile) zu spürbaren Wettbewerbsverzerrungen führen, zugrunde zu legen.[440]

Die Schlussfolgerung der h.L., dass auch strafrechtliche Vorschriften zu Verhalten führen könne, das geeignet sei, spürbare Wettbewerbsverzerrungen hervor-

---

434 Hierzu oben § 5 II.2.a)

435 I.d.S. aber *Tiedemann*, NJW 1993, 23 (24).

436 Vgl. oben § 5 II.

437 Hierzu oben § 5 IV.2.a)

438 Vgl. zur Kritik am *rational choice*-Ansatz *Hefendehl*, ZStW 119 (2007), 816 (820 ff., 826 ff.).

439 *Satzger*, Europäisierung, S. 426 ff. (428).

440 *Satzger*, Europäisierung, S. 423.

zurufen,[441] ist dabei so folgerichtig wie zirkulär. Denn die Untersuchungsanordnung indiziert das Ergebnis. Ein Verhaltensmodell, das sowohl hinsichtlich des Untersuchungsgegenstands (Rechtsordnungen der Mitgliedstaaten) als auch der Motive für das untersuchte Verhalten lediglich ökonomische Anreize als Messgrößen verwendet, findet als Ergebnis – wenig überraschend –, dass in (fast) allen Konstellationen ökonomische Anreize bestehen können. Unter Zugrundelegung einer solchen Untersuchungsanordnung dürfte es nahezu unmöglich sein, eine Regelung zu finden, der *a priori* keine Relevanz zukommt.

c) *Quantitativ-qualitativer Begründungsansatz*

Der hier vertretene quantitativ-qualitative Ansatz versucht jedoch, diese Logik aufzubrechen und Ergebnisse zu finden, die Auskunft auch über die tatsächlichen Auswirkungen des untersuchten Verhaltens geben.[442] Die Untersuchung steht deshalb vor der Aufgabe, die Relevanz der Phänomene gegebenenfalls anhand ihres Ausmaßes zu bestimmen. Hierbei werden nur solche Daten berücksichtigt, welche zugleich dem qualitativen Begrenzungskriterium entsprechen,[443] d.h. die der geografischen und thematischen Beschränkung des Binnenmarkts gerecht werden.[444]

Der soeben skizzierte Begründungsweg erfordert ein zweigleisiges Vorgehen. In einem ersten Schritt werden die unterschiedlichen dogmatischen Prämissen der h.L. auf ihre Tragfähigkeit analysiert. Erweisen sich deren Annahmen als grundsätzlich tauglich, um relevante Phänomene zu erklären, folgt in einem weiteren Schritt die Untersuchung der quantitativen Relevanz. Die quantitative Untersuchung der Phänomene wird anhand einer Sekundäranalyse vorgenommen.[445] Diese Methode wurde gewählt, da eine eigenständige empirische Untersuchung der Vielzahl der

---

441 *Satzger*, Europäisierung, S. 429.

442 Zu kurz greift deshalb die Untersuchung *Gröblinghoffs*, Schutz der Interessen der EG, S. 101, der seiner Untersuchung als Hypothese zugrunde legt, dass bestehende Regelungen auch angewandt werden. Er blendet hierdurch die Probleme aus, die im Zusammenhang mit der Durchsetzung von Normen in den verschiedenen Mitgliedstaaten entstehen und ob dies Einfluss auf den wettbewerbsverzerrenden Charakter einer Vorschrift hat, vgl. hierzu § 7 III.2.

443 Vgl. oben § 5 IV.2.b).

444 So werden z.B. solche Fallkonstellationen nicht berücksichtigt, die sich aus einem Verhältnis von einem EU-Land zu einem Nicht-EU-Land ergeben (z.B. Verlegung des Firmensitzes aus einem EU-Land in ein Nicht-EU-Land), wie dies z.B. *Gröblinghoff*, Schutz der Interessen der EG, S. 102 als relevanten Fall aufführt. Gleiches gilt für die vielfach in diesem Zusammenhang als Beispiel aufgeführten Außenhandelsverbote, z.B. das deutsche Kriegswaffenkontrollgesetz u.Ä., die nicht den Binnenmarkt der EG betreffen, sondern den Außenhandel (vgl. Art. 130 EGV). Nach dem hiesigen Ansatz stellen Letztere lediglich Gewinnchancen dar, die grundsätzlich keine Relevanz für den Binnenmarkt haben; zudem fehlt es an der spezifischen Binnenmarktbezogenheit der Wettbewerbsverzerrungen, die hierdurch entstehen würden; vgl. § 5 IV.2.b).

445 Vgl. *Schnell/Hill/Esser*, Methoden der empirischen Sozialforschung, S. 251 ff.

relevanten Fallkonstellationen den Umfang dieser Arbeit weit überschreiten würde. Die Auswahl der Datenbestände für die Sekundäranalyse erfolgt nach der Maßgabe, dass die relevanten Fallkonstellationen möglichst repräsentativ und systematisch erfasst werden. Ein wichtiges Kriterium ist hierbei die Normativität des untersuchten Phänomens, d.h. es werden nur solche Phänomene untersucht, deren determinierende Faktoren empirisch zugänglich sind und möglichst wenig durch außerrechtliche Einflüsse (z.B. klimatische oder geografische Besonderheiten eines Gebiets, kulturelle Besonderheiten bestimmter Regionen o.Ä.) bestimmt werden.

Die Vorgehensweise bestimmt sich hierbei anhand der oben aufgeführten Unterteilung der Phänomene in drei Gruppen. Die Untersuchung beginnt mit der Fallgruppe der örtlichen Verlagerung von Personen, Waren und Produktionsstätten *(kriminologischer Delaware-Effekt)*. Anschließend wird die Fallgruppe des Systemwettbewerbs auf dem Gebiet des Strafrechts untersucht *(strafrechtlicher Delaware-Effekt)*. Es folgt die Untersuchung der *Spiral- und Sogwirkungen*.

IV. Örtliche Verlagerung von Kriminalität

Der wohl älteste Argumentationsstrang im Rahmen dieser Diskussion befasst sich mit der örtlichen Verlagerung krimineller Personen. In die Debatte wurde der *kriminologische Delaware-Effekt* über das Beispiel eines Bankräubers eingeführt. Der Bankräuber des realen Falls beging einen Bankraub in den Niederlanden statt in seinem Heimatstaat. Sein Hauptmotiv für die Verlegung des Tatorts in die Niederlande waren die dort vermeintlich niedrigeren Strafen für Banküberfälle.[446]

Orientiert man sich an der strafrechtlichen Unterscheidung zwischen Subjekten (natürliche und juristische Personen) und Objekten (hier insbesondere kriminelle Waren) einer Straftat,[447] kann man zwei Grundformen differenzieren,[448] in denen sich Kriminalität örtlich verlagert: zum einen die Täter (natürliche oder juristische Personen), zum anderen die kriminellen Güter oder Waren.[449]

---

446 Zit. nach *Sevenster*, CMLRev 1992, 29 (59 f.); in einer empirischen Untersuchung wurde diese Motivation bei Bankräubern in den Niederlanden nicht festgestellt, vgl. *Kruize*, Choices of Commercial Robbers, S. 83 ff.

447 Zu dieser grundlegenden Unterscheidung *Jakobs*, AT, 2. Abschnitt (Rn. 3); *Merle/ Vitu*, Traité de droit criminel, S. 22 f.; *Smith/Hogan*, Criminal Law, S. 29.

448 Auf die spezifischen Zusammenhänge, die mit der Verlagerung der kriminellen Handlungen ins Internet zusammenhängen, soll an dieser Stelle nicht eingegangen werden. Hierdurch wird die Möglichkeit geschaffen, dass zwischen dem Ort der kriminellen Handlung und dem Erfolgsort große Entfernungen liegen, ohne dass es zu einer örtlichen Verlagerung auch nur einer Person kommt.

449 *Sieber/Bögel*, Logistik der Organisierten Kriminalität, S. 43 ff. unterteilen trotz abweichender Zielsetzung vergleichbar. Sie unterscheiden vier Bereiche, und zwar zwischen Beschaffungs-, Herstellungs-, Absatz- und Entsorgungslogistik. Für die hiesige Zielsetzung der Wettbewerbsverzerrungen im Binnenmarkt sind jedoch die zwei Wirtschafts-

1. Kritik der theoretischen Grundlagen des Modells der h.L.

Die h.L. beruft sich darauf, dass Unterschiede in strafrechtlichen Normen zu geografischen Verlagerungseffekten von Kriminalität führen, die von Relevanz für den Binnenmarkt sind.[450] Sie verweist auf die Zusammenhänge des *Delaware-Effekts*.[451] Dieser enthält jedoch keinen direkten Bezug zur örtlichen Verlagerung von Personen oder Firmen. Macht man sich aber bewusst, dass der *Delaware-Effekt* dem Modell eines neoklassischen Systemwettbewerbs entspricht,[452] kann hierfür ergänzend auf die Zusammenhänge der Institutionenökonomik zurückgegriffen werden.[453] Diese beschäftigt sich aus einer wirtschaftswissenschaftlichen Perspektive mit dem Verlagerungsverhalten von Personen und Kapital. Der Kontext der hiesigen Diskussion ist jedoch ein kriminologischer. Deshalb werden hier anschließend die kriminologischen Zusammenhänge erörtert, in denen die Verlagerung von Kriminalität diskutiert wird.[454]

a) Exit-Option des wirtschaftswissenschaftlichen Diskurses

Im wirtschaftswissenschaftlichen Diskurs werden Verlagerungseffekte als Folge eines horizontalen Wettbewerbs der Jurisdiktionen/Institutionen thematisiert. Der *Delaware-Effekt* entspricht dabei einem Modell, das die Rolle der staatlichen Institutionen auf eine wohlfahrtsökonomische Rolle festlegt.[455]

Das grundlegende Modell entwarf *Tiebout*.[456] Es enthält eine klare Rollenverteilung zwischen Nachfragenden und Anbietenden. Die Nachfrager verhalten sich nach dem Rollenbild des nutzenmaximierenden Nachfrage-Bürgers („situativer Nutzenmaximierer"), der sich am Idealbild des *homo oeconomicus* orientiert.[457] Der öffentlichen Hand bzw. einer ihrer Institutionen wird die Rolle des Anbieters zugewiesen, der das (jeweilige) öffentliche Gut bereitstellt.[458] Die Anbieter konkur-

---

abläufe der Herstellung und des Absatzes von primärer Bedeutung. Deren Ergebnisse können auch auf die beiden anderen Bereiche übertragen werden.

450 *Gröblinghoff*, Schutz der Interessen der EG, S. 103; *Sevenster*, CMLRev 1992, 29 (59 f.); nicht eindeutig unter Verweis auf die geografische Verlagerung, *Satzger*, Europäisierung, S. 423 f.

451 Siehe oben § 6 III.2.

452 Zur Definition des Systemwettbewerbs, vgl. § 6 III.1.

453 Vgl. hierzu nur *Erlei/Leschke/Sauerland*, Neue Institutionenökonomik, S. 490 f.; *Gerken*, Wettbewerb der Staaten, S. 3 f.

454 *Kaiser*, Kriminologie, § 31 Rn. 13 ff.

455 Zust. *Kieninger*, Wettbewerb der Privatrechtsordnungen, S. 4.

456 *Tiebout*, The Journal of Political Economy 64 (1956), 416 (419 f.).

457 *Erlei/Leschke/Sauerland*, Neue Institutionenökonomik, S. 410; krit. *Lüderssen*, Ökonomische Analyse des Strafrechts und Alternativen zum Strafrecht, S. 25 (30 f.).

458 Dieses Modell hat zwei Funktionsvoraussetzungen: Zum einen müssen die Gebietskörperschaften die relevanten Parameter autonom festlegen können und zum anderen müs-

rieren um die Ansiedlung der Nachfrager. Hierfür spezialisieren sie ihr Angebot, um in Konkurrenz zu den anderen Institutionen treten zu können und sich im Angebot von ihnen abzusetzen.

Verlagerungseffekte entstehen dadurch, dass die Nachfrager die Institution wählen, die ihren persönlichen Präferenzen am meisten entspricht. Dort lassen sie sich nieder. Verändert eine Institution ihr Angebot, hat der Nachfrager zwei Möglichkeiten, um darauf zu reagieren. Er wählt entweder die *Exit*-Option, d.h. die Abwanderung, oder die *Voice*-Option, d.h. er bringt seine Präferenz in den politischen Prozess ein, um das Angebot entsprechend seiner Präferenz zu verändern.[459] Dieses Modell unterstellt zwei Dinge. Es fingiert einen Entscheidungszwang, d.h. es besteht nur die Wahl zwischen *Voice* oder *Exit*. Eine *Null*-Option, d.h. die Möglichkeit, keine Entscheidung zu treffen, besteht nicht. Ferner unterstellt es, dass die Ausübung einer der Optionen keine Kosten verursacht,[460] d.h. insbesondere die *Exit*-Option nicht mit Kosten (Verlust sozialer Kontakte, unmittelbare Kosten für Umzug u.a.) verbunden ist.

In dem wohlfahrtsökonomischen Modell ist es ausschließliches Ziel der Gebietskörperschaften, das Wohl ihrer Einwohner zu mehren, und es begründet damit den Regulierungsmechanismus der „Abstimmung mit den Füßen“.[461] Ausgangspunkt ist hier die Frage, wie aus wohlfahrtsökonomischer Sicht eine effiziente Versorgung mit der relevanten öffentlichen Leistung sichergestellt werden kann. *Oates/ Schwab* haben dieses Modell auf das Verhalten von Unternehmen übertragen:[462] Sie fingieren die Unternehmen als vollkommen mobile Akteure.[463] Dies kommt dem *Delaware-Effekt* sehr nahe.[464]

b) Örtliche Verlagerungseffekte im kriminologischen Diskurs

Der kriminologische Diskurs untersucht Verlagerungseffekte insbesondere im Kontext mit technischen bzw. situativen Präventionsmaßnahmen.[465] Maßnahmen der situativen Prävention sind, nach *Clarke*, solche, die die Anreize für die Bege-

---

sen die Normadressaten mit den Nutznießern der Regelung identisch sein, vgl. *Erlei/ Leschke/Sauerland*, Neue Institutionenökonomik, S. 410.

459 *Erlei/Leschke/Sauerland*, Neue Institutionenökonomik, S. 410 f.

460 *Erlei/Leschke/Sauerland*, Neue Institutionenökonomik, S. 411.

461 *Tiebout*, The Journal of Political Economy 64 (1956), 416 (419).

462 So unterstellt *Tiebout* z.B., dass alle Bürger hinreichend Kapitalvermögen besitzen, um ausschließlich von Kapitaleinkünften leben zu können, Fragen des Wohnraumangebots werden ausgeschlossen und alle Personen verfügen über vollständige Informationen, vgl. *Tiebout*, The Journal of Political Economy 64 (1956), 416 (419).

463 *Oates/Schwab*, The Allocative and Distributive Implications of Local Fiscal Competition, S. 127 ff.

464 Siehe oben § 6 III.2.a)bb).

465 *Clarke*, Introduction, in: ders. (Hrsg.), Situational Crime Prevention, S. 1 (4).

hung von Straftaten reduzieren, indem sie sich gegen spezifische Formen von Delinquenz richten, die durch die Ausgestaltung der örtlichen Umgebung eines begrenzten Raums in möglichst lückenloser und dauerhafter Art das Begehen von Straftaten in diesem Bereich schwieriger, riskanter bzw. weniger lohnend und entschuldbar machen.[466] Diese Maßnahmen zielen darauf ab, die Tatanreize für bestimmte kriminelle Verhaltensweisen an bestimmten Orten zu senken. Dies geschieht, indem die Entdeckungswahrscheinlichkeit erhöht (wie z.B. durch die Installation von Videokameras)[467] oder die Tatbegehung erschwert wird (durch technische Vorrichtungen wie z.B. Wegfahrsperren u.Ä.).[468] Die situative Prävention setzt weniger bei den Tätern, als bei den (örtlichen) Tatanreizen für Kriminalität an.[469] Ihr Ziel besteht nicht darin, die Verbrechensrate an sich zu senken, sondern den Einzelnen davor zu schützen, Opfer einer kriminellen Handlung zu werden.[470] Die Wirkung der Maßnahmen ist örtlich und hinsichtlich der Deliktsarten stark begrenzt.[471] Der Ansatz bezieht sich im Wesentlichen auf den Einsatz und die Wirkung technischer (Überwachungs-)Vorrichtungen,[472] er ist Teil der sekundären Kriminalprävention.[473]

Der Einsatz von Mitteln der situativen Prävention hat zum Teil bewirkt, dass die beobachteten Deliktszahlen stark zurückgingen.[474] Als eine (Neben-)Folge situativer Präventionsmaßnahmen wird das Auftreten verschiedener Formen von Krimi-

---

466 *Clarke*, Introduction, in: ders. (Hrsg.), Situational Crime Prevention, S. 1 (4); ferner *Hefendehl*, StV 2000, 270 (271); *Puschke*, Informationsbeschaffungsmaßnahmen, S. 175.

467 Hierzu *Hefendehl*, StV 2000, 270 (271 f.); *Stolle/Hefendehl*, KrimJ 2002, 257 (259 f.); eine detaillierte Auswertung insbesondere der Ergebnisse der British Crime Survey (BCS) findet sich bei *Gras*, Kriminalprävention, S. 132 ff.

468 *Hefendehl*, StV 2000, 270 (271 f.); *Stolle/Hefendehl*, KrimJ 2002, 257 (259 f.).

469 *Clarke*, Introduction, in: ders. (Hrsg.), Situational Crime Prevention, S. 1 (2 f.).

470 *Clarke*, Introduction, in: ders. (Hrsg.), Situational Crime Prevention, S. 1 (3).

471 *Clarke*, Introduction, in: ders. (Hrsg.), Situational Crime Prevention, S. 1 (2).

472 Vgl. *Gras*, Kriminalprävention, S. 16 f.

473 *Stolle/Hefendehl*, KrimJ 2002, 257 (260); *Schneider*, in: Göppinger/Bock (Hrsg.), Kriminologie, § 25 Rn. 3; § 30 Rn. 17 ff.; *Kaiser*, Kriminologie, § 31 Rn. 3 f., 6; hingegen verspricht die von *Clarke* vorgeschlagene Dreiteilung von Maßnahmen in formelle (d.h. staatliche und durch das Rechtssystem inkl. des Strafrechtssystems veranlasste), informelle (d.h. durch die Zivilgesellschaft und die Sozialisierung veranlasste) und „Routine-Vorsichtsmaßnahmen" keinen Erkenntnisgewinn für die hiesige Untersuchung. Eine strikte Unterteilung ist wohl auch nur noch begrenzt durchführbar, da situative Präventionsmaßnahmen in zunehmendem Maße von staatlichen bzw. gemischt staatlich-privaten Stellen vorgenommen werden; hierzu *Puschke*, Informationsbeschaffungsmaßnahmen, S. 176 f.; krit. *Stolle/Hefendehl*, KrimJ 2002, 257 (261 f.).

474 Vgl. die Einzelstudien, in denen ein Rückgang der Kriminalität festgestellt werden konnte, *Clarke* (Hrsg.), Situational Crime Prevention, S. 41 ff., 46 ff.; ein Beispiel für einen nur partiell erfolgreichen Einsatz von Videoüberwachung findet sich bei *Gras*, Kriminalprävention durch Videoüberwachung, S. 178 ff. (184 f.); insgesamt krit. hinsichtlich Verlagerungseffekten infolge von Videoüberwachung *Stolle/Hefendehl*, KrimJ 2002, 257 (262 ff.).

nalitätsverlagerung diskutiert.[475] Erörtert wird, ob es überhaupt zu solchen Effekten kommt und welcher Art diese sind.[476] Man unterscheidet hierbei u.a. die örtliche, die funktionale, die methodische und die substituierende Verlagerung von Kriminalität.[477] Auch mögliches Ausweichverhalten wird diskutiert:[478] die zeitlichen oder geografischen Verlagerungs-, Umstellungs-, Ausweich- sowie Eskalationseffekte.[479] Z.T. werden auch noch weitere Effekte wie z.B. ein Substitutionseffekt angeführt.[480] Die Varianten stehen dabei nicht in einem Ausschließlichkeitsverhältnis nebeneinander, sondern können sich überschneiden.[481]

Die Diskussion der situativen Prävention ging lange Zeit davon aus, dass der erfolgreiche Einsatz von situativen Präventionsmaßnahmen zur Entstehung (örtlicher) Verlagerungseffekte führt.[482] Es konnte nicht erklärt werden, warum Verlagerungseffekte nicht in allen Fällen und bei jeder Art von Kriminalität festgestellt werden konnten.[483] Dieses Dilemma konnte durch die Synthese von *situational crime prevention*- und *rational choice*-Ansatz behoben werden. Der *rational choice*-Ansatz macht erklärbar, dass eine Präventionsmaßnahme keinen Verlagerungseffekt hervorruft.[484] Nicht erklären kann diese modifizierte Theorie die tatsächliche Unsicherheit, die besteht, wenn es keine sichtbaren Verlagerungseffekte gibt. Hier ist stets offen, ob kein Effekt besteht oder ob dies lediglich der Tatsache geschuldet ist, dass man ihn nicht festgestellt hat.[485]

---

475 Vgl. *Clarke*, Introduction, in: ders. (Hrsg.), Situational Crime Prevention, S. 1 (28).

476 *Clarke*, Introduction, in: ders. (Hrsg.), Situational Crime Prevention. S. 1 (29); zust. *Gras*, Kriminalprävention, S. 173.

477 Unter Verlagerung kann man eine Vielzahl von Ausweichverhalten verstehen. *Gras*, Kriminalprävention, S. 174 unterscheidet in diesem Zusammenhang im Anschluss an *Clarke* sechs unterschiedliche Formen der Verlagerung: die funktionale (d.h. Änderung der Deliktsart); die geografische; die taktische (d.h. die Tatmethode; so z.B. das Umstellen der Transportmethode von Flugzeugen oder Schiffen auf U-Boote, mit denen Drogen geschmuggelt werden; vgl. http://www.spiegel.de/panorama/justiz/0,1518,561866,00.html [letzter Zugriff: 26.10.2009]; die Verlagerung des Zieles (z.B. nur noch ungesicherte Tatobjekte) und die Verlagerung der Täter (Substitution einer Tätergruppe durch eine andere).

478 Die verwendete Terminologie ist dabei nicht einheitlich, vgl. nur *Clarke*, Introduction, in: ders (Hrsg.), Situational Crime Prevention, S. 1 (28); ihm folgend *Gras*, Kriminalprävention, S. 174.

479 *Kaiser*, Kriminologie, § 31 Rn. 27.

480 *Gras*, Kriminalprävention, S. 174.

481 Vgl. *Gras*, Kriminalprävention, S. 172, 178 ff.

482 *Clarke*, Introduction, in: ders (Hrsg.), Situational Crime Prevention, S. 1 (28).

483 *Clarke*, Introduction, in: ders (Hrsg.), Situational Crime Prevention, S. 1 (28); *Hempel*, Zur Evaluation von Videoüberwachung, S. 117 (126).

484 Die Zusammenführung beider Ansätze liefert eine Erklärung für eine Vielzahl möglicher Reaktionen, vom vollständigen Ablassen bis hin zum Verhalten, das keine Veränderungen zeigt.

485 *Clarke*, Introduction, in: ders (Hrsg.), Situational Crime Prevention, S. 1 (29): "In such an event, the optimist would speculate about why the unmeasured areas or types of

c) Kritik des Modells der h.L. anhand kriminologischer und wirtschaftswissenschaftlicher Modelle

Es soll nunmehr untersucht werden, in welcher Weise das Modell der h.L. im Hinblick auf die kriminologische und wirtschaftswissenschaftliche Forschung einer Ergänzung bedarf, um als Grundmodell des Gesetzgebers fungieren zu können.

aa) Gegenüberstellung mit dem *situational crime prevention*-Ansatz

Die h.L. geht davon aus, dass sich (zwischenstaatliche) örtliche Verlagerungseffekte dann zeigen, wenn Unterschiede auf normativer Ebene bestehen, d.h. auf Ebene der Strafrechtscodices der Mitgliedstaaten. Resultierten hieraus ökonomische Anreize, drohten konkret Verlagerungseffekte.

Die h.L. weicht hierdurch in doppelter Hinsicht vom Ansatz der situativen Prävention ab. Zum einen bleibt sie den Vereinfachungen des Verhaltensmodells der Institutionenökonomik verhaftet, die als Reaktion auf Nachfragerseite die *Exit*- oder die *Voice*-Option, nicht aber eine *Null*-Option kennt. Zum anderen entkoppelt sie den Eintritt dieses Verlagerungseffekts von den Voraussetzungen, unter denen er in kriminologischen Zusammenhängen beobachtet und untersucht wurde.

Erstens verändert sie den Blickwinkel der kriminologischen Betrachtung, indem sie (implizit) die *Exit*-Option als einzige Reaktionsmöglichkeit auf Präferenzunterschiede unterstellt. Der vom kriminologischen Diskurs erarbeitete „Fächer" möglicher und zu beachtender Verlagerungseffekte wird verkürzt. Es wird ferner angenommen, dass diese (Exit-)Option in jedem Fall ein relevantes Ausmaß erreicht. Dabei wird – vergleichbar den wirtschaftswissenschaftlichen Modellen – davon ausgegangen, dass Entscheidungszwang vorliegt, d.h. in jedem Fall eine Reaktion durch die betroffenen Personen stattfindet. Anders als im *situational crime prevention*-Ansatz spielt die *Null*-Option, d.h. die Möglichkeit, dass evtl. überhaupt kein (örtlicher) Verlagerungseffekt eintritt oder dass lediglich andere Verlagerungseffekte auftreten, keine Rolle.[486]

Zweitens löst sie das Auftreten der Verlagerungseffekte aus dem Kontext der sekundären Prävention und verlagert ihn in den Bereich der primären Prävention vor. Sie postuliert, dass bereits der abstrakte (strafrechtliche) Normunterschied, d.h. die generalpräventive Wirkung des Strafrechts, zu einem relevanten Verlagerungseffekt führe. Die h.L. verlegt den Eintritt der Effekte in Richtung primäre Prävention vor,[487] indem sie unterstellt, dass die Effekte bereits infolge der negativ-

---

crime probably escaped displaced crime, while the pessimist would speculate about why they probably did not."; krit. *Stolle/Hefendehl*, KrimJ 2002, 257 (262 f.).

486 Vgl. *Clarke*, Introduction, in: ders. (Hrsg.), Situational Crime Prevention, S. 1 (29 f.).

487 Zur primären Prävention vgl. *Kaiser*, Kriminologie, § 31 Rn. 5.

generalpräventiven Wirkung strafrechtlicher Vorschriften einträten.[488] Sie entkoppelt das Auftreten der Effekte von konkreten Kontrollmaßnahmen und behauptet, dass im zwischenstaatlichen Bereich abstrakte Normunterschiede ausreichten, um Verlagerungseffekte hinreichend wahrscheinlich werden zu lassen.

bb) Abweichungen vom Modell der Institutionenökonomik

Aber auch gegenüber der wirtschaftswissenschaftlichen Modellbildung weicht die h.L. ab. Sie nimmt an, dass bereits ein (abstrakter) Normunterschied eine ins Gewicht fallende Anzahl von Personen dazu veranlassen wird, die *Exit*-Option zu wählen. Sie versäumt es, das Verhältnis der *Exit*-Option zu zumindest einer relevanten *Voice*-Option zu erklären, die es als möglich erscheinen lässt, dass keine *Exit*-Option in größerem Ausmaß gewählt wird. Denn es ist denkbar, dass überhaupt keine *Exit*-Option eine Bedeutung hat, auch wenn die Bürger nach Maßgabe eines situativen Nutzenmaximierers handeln. Es wäre eine modellkonforme *Voice*- oder *Null*-Option, dass die Kriminellen nicht durch eine Veränderung des Ortes, sondern des Preises auf sämtliche Veränderungen der strafrechtlichen Systeme reagieren, d.h. das gestiegene oder gefallene Risiko nicht durch Abwandern beantworten, sondern durch eine veränderte Preispolitik. Es wäre nicht auszuschließen, dass alle Personen in diesem Modell so handeln. Die Erhöhung einer Strafdrohung oder Veränderung der Strafrechtsordnung würde dann durch den Marktpreis geregelt. Eine erhöhte Strafdrohung führte zu einer Erhöhung der Preise, da die „Kosten“ der Kriminalität gestiegen sind und umgekehrt.[489] Eine Reaktion, die in der räumlichen Verlagerung der kriminellen Aktivität besteht, wäre in diesem Modell erst dann eine zu erwartende Handlung, wenn die gestiegenen Kosten nicht in Form von gestiegenen Preisen am Markt weitergegeben werden können. Das Modell der h.L. müsste deshalb zumindest das Verhältnis zu dieser *Voice*-Option klären, bevor sie als bewiesen unterstellt, dass Verlagerungseffekte stets in hinreichendem Ausmaß eintreten.[490]

---

488 Zur positiven und negativen Generalprävention vgl. *Kaiser*, Kriminologie, § 31 Rn. 32.

489 *Curti*, Abschreckung durch Strafe, S. 37.

490 Diese Preisveränderung kann als *Voice*-Option angesehen werden, da sie mittelbar Einfluss auf die politische Gestaltung nimmt. Möchte man diese Option nicht als *Voice*-Option ansehen, da sie sich nicht unmittelbar an den politischen Diskurs, sondern an den Markt richtet, wäre sie jedenfalls als relevante *Null*-Option anzusehen, die bei den Überlegungen zu berücksichtigen wäre.

cc) EU-Realität: Die Abhängigkeit der *Exit*-Option von Kosten

In dem Modell der h.L. spielen Kosten einer Verlagerung des Aufenthaltsorts keine Rolle.[491] Es wird sogar unterstellt, dass die geografische Mobilität ohne Kosten zu haben ist, da diese im gängigen Untersuchungsmodell der neoklassischen Wettbewerbstheorie als Parameter ausgeblendet werden.[492]

Dass diese Annahmen kein realistisches Bild der Verhältnisse innerhalb der EU zeichnen, belegen mehrere Faktoren. Gegen den Anreiz zur Verlagerung des (individuellen) Aufenthaltsorts sprechen Barrieren tatsächlicher (z.B. die Sprachunterschiede), institutioneller (z.B. Unterschiede in den berufsqualifizierenden Voraussetzungen) oder sonstiger Art (soziale, psychische etc.).[493] Eine aktuelle Studie zeigt, dass 20 Prozent der Bevölkerung in der EU keinen Anreiz kennt, der sie dazu bewegen könnte, für eine Arbeitsstelle ins Ausland zu gehen.[494] Laut dieser Studie vom September 2008 sind für 60 Prozent der Bevölkerung die Sprachbarriere und für 47 Prozent das Wegbrechen sozialer Beziehungen (z.B. Freunde und Familie) ein (absolutes) Hindernis, ihren dauerhaften Aufenthaltsort ins Ausland zu verlegen.[495] D.h. die (sozialen) Kosten spielen eine bedeutende Rolle. Möchte man also die Situation in der EU realistisch abbilden, kann man kein Modell zugrunde legen, das die individuellen Kosten der *Exit*-Option nicht berücksichtigt.[496] Die Wahrscheinlichkeit, dass sie zu falschen Ergebnissen führt, wäre zu groß.

Dass diese Faktoren tatsächlich bei der Wahl eines *(Exit-)*Landes eine Rolle spielen, zeigt sich u.a. auf dem italienischen Arbeitsmarkt. In Italien leben derzeit ca. 600.000 rumänische Staatsbürger zuzüglich ca. 60.000 Angehörige der Roma, die rumänischer Abstammung sind. Die Beliebtheit Italiens bei rumänischsprachigen Personen wird v.a. darauf zurückgeführt, dass die Sprachprobleme gering sind, da beide Sprachen romanische Wurzeln aufweisen.[497]

Ob und welche Kosten anfallen, ist jedoch eine Frage des Einzelfalls. Bestimmte Kosten sind nicht fest an einen wirtschaftlichen Kontakt mit einem anderen Mit-

---

491 Vgl. zu dem Grundmodell des neoklassischen Wettbewerbs der Systeme *Streit/Kiwitt*, Zur Theorie des Systemwettbewerbs, S. 13 (18 ff., 21).

492 Grundlegend *Tiebout*, Journal of Political Economy 64 (1956), 416 (419 ff.).

493 I.d.S. *Ambrosius*, Regulativer Wettbewerb, S. 17; *Gerken*, Wettbewerb der Staaten, S. 11 f.; a.A. *Gröblinghoff*, Schutz der Interessen der EG, S. 103.

494 EU-Kommission „Worker's mobility in the EU" vom September 2008, bislang unveröffentlicht, zit. nach SZ vom 11.9.2008, 17.

495 EU-Kommission „Worker's mobility in the EU" vom September 2008, zit. nach SZ vom 11.9.2008, 17.

496 Zu Bindungen, die eine Mobilität einschränken, zählen nach *Gerken*, Wettbewerb der Staaten, S. 11 f.: soziale Bindungen, Immobilieneigentum, bestehende Arbeitsverhältnisse; vgl. ferner *Ambrosius*, Regulativer Wettbewerb, S. 17. Es lässt sich sogar eine allgemeine Aussage dahingehend treffen, inwieweit die zurückzulegende Entfernung die Neigung zur Migration beeinflusst, vgl. *Schwartz*, Journal of Political Economy 81 (1973), 1153.

497 SZ vom 22.7.2008, 2.

gliedstaat geknüpft. So ist z.B. die Sprachbarriere kein relevanter Kostenfaktor für Straftäter, wenn die Straftat keine kommunikative Kontaktaufnahme mit dem Opfer erfordert.[498] Da die Wirtschaftskriminalität jedoch grundsätzlich auf eine soziale Verwurzelung in einem Land und seiner Wirtschaft angewiesen ist,[499] werden diese Kosten in der Regel eine Rolle spielen, wenn es darum geht, ob sich wirtschaftskriminelles Verhalten verlagert.

Die Möglichkeit des Systemwettbewerbs hat deshalb nicht automatisch zur Folge, dass sich dies in einer erhöhten örtlichen Mobilität der betroffenen Firmen niederschlägt. So ist etwa die Scheinauslandsgesellschaft (wie z.B. eine in Deutschland tätige, aber nach britischem Recht gegründete und firmierende PLC) und ihre Geschäftstätigkeit nicht von inländischen Gesellschaften zu unterscheiden.[500]

dd) Zwischenergebnis

Es bestehen Zweifel, ob der h.L. ein realistisches Abbild der kriminologischen Zusammenhänge in der EU zugrunde liegt. Zentrales Argument sind Verlagerungseffekte, die sowohl im (wirtschaftswissenschaftlichen) Diskurs der Institutionenökonomik als auch im (kriminologischen) Diskurs der *situational crime prevention* diskutiert werden.

Das Modell der h.L. bedarf der Ergänzung, da es unterstellt, dass eine *Exit*-Option (d.h. örtliche Verlagerung) bei allen Normunterschieden in relevantem Maße auftritt. Folgt man jedoch dem wirtschaftlichen Blickwinkel des *rational choice*-Ansatzes, wäre hier eine Ergänzung notwendig, um gültige Aussagen treffen zu können. Sie müsste eine *Voice*- bzw. *Null*-Option berücksichtigen, die darin besteht, dass sich Unterschiede in der strafrechtlichen Sanktionierung in Preis-, nicht jedoch in Ortsveränderungen niederschlagen. Diese Alternative drängt sich bei einem rein materiellen Anreizsystem auf. Die h.L. müsste klären, in welchem Verhältnis die beiden Optionen zueinanderstehen. Veränderungen der strafrechtlichen Ordnungen könnten sich sogar ausschließlich in Preisveränderungen niederschlagen, sodass die *Exit*-Option ohne Relevanz bliebe.

Das Modell der h.L. vermag auch nicht im Hinblick auf den kriminologischen Diskurs zu überzeugen. Es verkürzt die Zusammenhänge, indem es unterstellt, dass sich – entgegen der kriminologischen Forschung – der Effekt bereits in relevantem Ausmaß zeigt, wenn abstrakte Normunterschiede (d.h. auf generalpräventiver Ebene) bestehen. Ferner geht es davon aus, dass die örtliche Verlagerung in jedem Fall ein relevantes Maß erreicht. Die gesicherte kriminologische Forschung hat diese

---

498 So z.B. manche Eigentumsdelikte wie der Diebstahl bestimmter Gegenstände aus Kfz bzw. von Kfz selbst (vgl. hierzu § 6 IV.3.) oder gewisse Formen der Gewaltkriminalität.

499 Vgl. *Schwind*, Kriminologie, § 21 Rn. 17; *Sutherland*, American Sociological Review 5 (1940), 1 (2 ff.).

500 Hierzu *Leuring*, ZRP 2008, 73 (76 f.).

Effekte bislang jedoch nur beobachtet, wenn konkrete Überwachungsmaßnahmen getroffen wurden. Ihr Eintritt konnte zudem auch nicht in jedem Fall festgestellt werden. Nicht jede Überwachungsmaßnahme rief Verlagerungseffekte hervor, und wenn sich diese zeigten, waren es nicht immer örtliche Verlagerungseffekte.

Hieraus ergibt sich, dass das Modell der h.L. teilweise unvollständig ist, teilweise auf unzutreffenden Prämissen aufbaut. Seine Tauglichkeit, zu realitätsnahen Aussagen zu kommen, ist deshalb stark eingeschränkt.

d) Quantitativ-qualitative Überprüfung kriminologischer Delaware-Effekte

Zur Verifizierung der Hypothesen der h.L. wird ein abgestuftes Überprüfungsmodell entworfen.[501] Anhand dessen soll untersucht werden, ob sich ökonomisch motivierte Mobilitätsphänomene innerhalb der EU nachweisen lassen, und wenn ja, in welchen Regelungskontexten dies der Fall ist. Dies erfolgt mittels eines Systems von Sekundäranalysen.[502] Hierfür werden drei unterschiedliche Konstellationen untersucht, in denen erhebliche ökonomische Anreize bestehen, die auf die unterschiedliche rechtliche Normierung der Staaten zurückgehen.

In der ersten Fallkonstellation wird das Auftreten von Verlagerungseffekten unter der Prämisse analysiert, dass das Verhalten in beiden Ländern legal ist, aber unterschiedliche ökonomische Anreize bestehen, es in dem einen oder anderen Land abzuwickeln. Die zweite Fallkonstellation bildet die für die Untersuchung zentrale Fragestellung, da sie in der EG am häufigsten anzutreffen ist. Sie befasst sich mit örtlichen Verlagerungseffekten, die durch eine unterschiedlich starke Pönalisierung eines (vergleichbaren) Verhaltens hervorgerufen werden. Die dritte Fallkonstellation ist in der EU nur noch selten anzutreffen. Es geht um die Frage, ob sich Verlagerungseffekte zeigen, wenn ökonomische Anreize bestehen, ein Verhalten in ein Land zu verlagern, in dem eine Handlung legal ist, während sie in einem anderen Land unter Strafe gestellt ist. Die Auswahl der repräsentativen Datensätze erfolgt nach der Maßgabe, den notwendigen grenzüberschreitenden Charakter des Sachverhalts möglichst weitgehend berücksichtigen zu können.[503] Dass dies nicht in vollem Umfang durchgehalten wird, ist dem Stand der europäischen Kri-

---

501 Es würde den Umfang der Untersuchung sprengen, ein eigenständiges Verhaltensmodell zu konstruieren, das dem Modell der h.L. gegenübergestellt wird. Zudem bestehen Zweifel, ob sich ein solches, allgemeines Handlungsmodell überhaupt konstruieren lässt, ohne dass es dazu kommt, dass es nicht mehr handhabbar ist, vgl. *Ambrosius*, Regulativer Wettbewerb, S. 11 f.

502 Hierzu allgemein bereits oben § 6 III.4.

503 Es gelten zudem die oben bereits erwähnten quantitativ-qualitativen Maßgaben dieses Ansatzes, siehe oben § 6 III.4.c).

minologie geschuldet.[504] Der Rückgriff auf genuin europäische Quellen ist derzeit noch nicht möglich.

Eine der wenigen Quellen für statistische Erhebungen in der EU ist das *European Sourcebook*. Doch diese Kriminalstatistik liefert nur in sehr begrenztem Umfang Daten der Mitgliedstaaten, die miteinander verglichen werden können. Zum einen sind Erhebungen thematisch begrenzt und lassen deshalb bislang nur einen Vergleich der Rohdaten zu,[505] ein Vergleich unterschiedlicher Kriminalitätsentwicklungen aber noch nicht.[506] Für die relativ spezielle Fragestellung der örtlichen Verlagerung von Kriminalität lassen sich hieraus keine Schlussfolgerungen ziehen. Ohne wissenschaftlichen Wert sind die *Annual Reports* von Europol, die gänzlich auf statistische Unterfütterungen ihrer Ergebnisse und Schlussfolgerungen verzichten.[507] Dies macht sie für diese Arbeit unbrauchbar.[508]

Es werden fünf Untergruppen gebildet. Zuerst wird untersucht, ob sich örtliche Verlagerungseffekte bei (natürlichen) Personen zeigen, wenn es sich um erlaubtes Verhalten handelt (2.). Danach wird erörtert, ob sich solche Folgen zeigen, wenn ein Verhalten in zwei Ländern unterschiedlich kriminalisiert ist (3.) sowie, ob dies feststellbar ist, wenn das Verhalten in einem Land nicht kriminalisiert wird (4.). Hieran schließt sich die Analyse an, ob sich solche Effekte auch bei der Verlagerung von Waren (5.) oder der Verlagerung des Produktionsorts krimineller Ware zeigt (6.).

2. Verlagerung von Personen bei erlaubtem Verhalten

Ökonomische Faktoren spielen bei der Mobilität von Personen eine große Rolle. Viele Migrationsbewegungen sind zwar eher von diffusen Hoffnungen (z.B. auf ein besseres Leben) gekennzeichnet, als von konkreten Anreizen, die von bestimmten rechtlichen Regelungen ausgehen. In vielen Fällen gründet diese Hoffnung aber auf Zusammenhängen, die sich allgemein benennen lassen, wie z.B. die unterschiedliche (durchschnittliche) Lohnhöhe zweier Länder.[509] Eine numerisch bedeutsame

---

504 *Meier*, in: Zieschang (Hrsg.), Strafrecht und Kriminalität in Europa, S. 129 (131).

505 Vgl. European Sourcebook of Crime and Criminal Justice Statistics – 2006, S. 94, Punkt 3.1.6: "All countries applied some form of written rules to regulate the method used to collect data on both convictions. This included some form of 'principal offence rule', so that an offender convicted of more than one offence at the same time will only be counted once."

506 Vgl. European Sourcebook of Crime and Criminal Justice Statistics – 2006, S. 21 (Rn. 28 ff.).

507 Vgl. Europol, Annual Report 2006, S. 6 ff.

508 Krit. *Meier*, in: Zieschang (Hrsg.), Strafrecht und Kriminalität in Europa, S. 129 (139).

509 So verdiente z.B. ein polnischer Arbeiter Ende der 1980er Jahre in Deutschland etwa das 60-fache des in Polen gezahlten Lohns. 2008 war es noch das 3,5-fache; zit. nach *Jonczy*, Prof. der Ökonomischen Hochschule Wroclaw, Interview im Deutschlandfunk, Europa heute, 1.8.2008, download unter: http://www.dradio.de/dlf/sendungen/europaheute/825084/ [letzter Zugriff: 26.10.2009].

Anzahl an zwischenstaatlicher Migration findet vor allem zwischen den ehemaligen Ostblockstaaten und den „alten" EU-Mitgliedstaaten statt.[510]

Die Konturen der Binnen-EU-Migration sind darüber hinaus nicht klar.[511] So war etwa die Migration aus Polen bis zum Jahr 2004 insbesondere von Menschen geprägt, die als Saisonkräfte wie z.B. als Erntehelfer oder anderweitig vorübergehend in die alten EU-Mitgliedstaaten gingen. Nach dem Beitritt zur EU ist zu beobachten, dass es immer mehr Angestellte und Akademiker werden, die nach dem Ende ihrer Ausbildung – meist auf Dauer – ihren Wohnsitz verlegen.[512] Es zeigt sich jedoch die Besonderheit, dass die Anzahl derer, die aus Mitgliedstaaten auswandern, nach einem EU-Beitritt schnell und stark zurückgeht.[513] Zwischen den „alten" Mitgliedsländern der EU wurde bislang kein relevantes Maß an Binnenmigration festgestellt.[514]

Möchte man die örtlichen Verlagerungen gezielt daraufhin untersuchen, ob sich bestimmte Bewegungen auf konkrete ökonomische Anreize zurückführen lassen, ist zu differenzieren. Die durch ökonomische Faktoren hervorgerufene Mobilität kann in unterschiedlicher Form in Erscheinung treten. Es sollen zwei Möglichkeiten untersucht werden, die sich in ihren (sozialen) Kosten unterscheiden.[515] Die kurzzeitige örtliche Verlagerung, wie dies z.B. beim Grenznahverkehr die Regel ist (sog. Mitnahmeeffekte), kann nahezu ohne Kosten realisiert werden (b). Die dauerhafte bis langfristige Verlagerung des primären Aufenthaltsorts, wie z.B. der Wohnsitzwechsel in ein anderes Mitgliedsland (a), ist demgegenüber in der Regel mit hohen Kosten verbunden.

---

[510] EU-Kommission „Worker's mobility in the EU" vom September 2008, zit. nach SZ vom 11.9.2008, 17; vgl. ferner SZ vom 22.7.2008, 2.

[511] So wies ein Bericht des Aktionsbündnisses Europäischer Bürger (ECAS) vom 16.1.2008 aus, dass die befürchtete Ausreisewelle aus Bulgarien und Rumänien nach deren Beitritt zur EU nicht eingetreten ist, vgl. http://www.euractiv.com/de/soziales-europa/bericht-arbeiter-bulgarien-rumnien-bleiben-lieber-hause/article-169580 [letzter Zugriff: 26.10.2009].

[512] *Jonczy*, Prof. der Ökonomischen Hochschule Wroclaw, Interview im Deutschlandfunk, Europa heute, 1.8.2008, download unter: http://www.dradio.de/dlf/sendungen/europaheute/825084/ [letzter Zugriff: 26.10.2009].

[513] So geht die Bereitschaft polnischer Bürger, im EU-Ausland zu arbeiten, kontinuierlich zurück, vgl. die Reportagen in Spiegel http://www.spiegel.de/international/europe/0,1518,569906,00.html [letzter Zugriff: 26.10.2009] und im Economist vom 5.8.2008, dass die Hälfte der osteuropäischen Arbeiter, die seit dem Beitritt im Jahr 2004 nach England ausgewandert sind, wieder in ihre Heimatländer zurückgekehrt sind http://www.economist.com/blogs/certainideasofeurope/2008/08/what_happens_when_the_polish_w.cfm [letzter Zugriff: 26.10.2009].

[514] Vgl. *Gerken*, Wettbewerb der Staaten, S. 12, der als Ausnahme die wirtschaftlichen Eliten nennt, die aus steuerlichen Gründen ihren Wohnsitz verlegen; vgl. ferner EU-Kommission „Worker's mobility in the EU" vom September 2008, zit. nach SZ vom 11.9.2008, 17.

[515] Hierzu oben § 6 IV.1.c)cc).

a) Migration aufgrund bestimmter ökonomischer Anreize

Angesichts der Vielzahl ausschlaggebender Faktoren für eine Migrationsentscheidung ist es schwierig, gezielt einzelne Beweggründe herauszuarbeiten, die zu einer dauernden Veränderung des Aufenthaltsorts führen. Die politische Lage in der EU erleichtert ein Aufbrechen dieses Fächers ökonomischer Anreize kaum, da innerhalb Europas ein aktiver Wettbewerb um Arbeitskräfte aus den Mitgliedstaaten bislang nicht stattfindet.[516]

Zwar nimmt die Zahl der Werbekampagnen der EU-Mitgliedstaaten um gut ausgebildete (Fach-)Arbeiter und Angestellte zu, da trotz eines hohen Sockels an Dauerarbeitslosen ein Mangel an gut ausgebildeten Arbeitskräften in den Mitgliedstaaten droht.[517] Die Einwanderungspolitik besteht jedoch aus einem ganzen Bündel von Maßnahmen, aus denen sich nur schwer einzelne ökonomische Anreize herausarbeiten lassen.

Aus einem Beispiel, das infolge einer historischen Besonderheit existiert, lassen sich jedoch Anhaltspunkte finden, welchen Einfluss spezifische ökonomische Motive dabei haben können, einen grenzüberschreitenden Wohnsitzwechsel in der EU durchzuführen. Es handelt sich um Verlagerungseffekte, die durch das elsässisch-lothringische Restschuldbefreiungsprogramm hervorgerufen werden. Die ökonomischen Anreize bestehen darin, um ein Vielfaches schneller eine Privatinsolvenz durchführen zu können, als es das deutsche Recht zulässt. Der wirtschaftliche Anreiz ist deshalb u.U. sehr groß, insbesondere wenn eine geschäftliche Tätigkeit anschließend wieder aufgenommen werden soll.

Das Elsass verfügt aufgrund seiner historischen Gegebenheiten über ein eigenständiges Insolvenzrecht. Dieses sieht vor, dass ein Verfahren der Restschuldbefreiung innerhalb von ca. sechs Monaten durchgeführt werden kann. Der BGH hat im Jahr 2002 entschieden, dass dieses der deutschen Restschuldbefreiung gleichwertig ist und, wenn es von Deutschen durchgeführt wurde, in Deutschland (Rechtskraft-)Wirkung entfaltet.[518] Es kann deutschen Gläubigern entgegengehalten werden. Das deutsche Verfahren gemäß § 287 Abs. 2 Satz 1 InsO dauert hingegen sieben Jahre. Während dieser Wohlverhaltensperiode sind sämtliche pfändbaren Einkünfte an einen Treuhänder abzutreten.[519]

Es setzt jedoch voraus, dass der erste Wohnsitz während der Dauer des Verfahrens (mindestens sechs Monate) im Gebiet Elsass-Lothringens liegt. Auch ist nicht

---

516 I.d.S. *Gerken*, Wettbewerb der Staaten, S. 11 f.

517 Vgl. hierzu nur Bundesregierung, in: Magazin für Soziales, Familie und Bildung der Bundesregierung 66 (2008), 1, 3 ff. mit dem Schwerpunkt „Wettbewerb um die klugen Köpfe", oder der Aufruf von Polens Präsident *Kaczynski* an im EU-Ausland arbeitende polnische Bürger, wieder nach Polen zurückzukommen, SZ vom 21.9.2007, 1. Derzeit richtet sich das Aufmerksamkeitsinteresse allerdings auf Arbeitskräfte aus EU-Drittstaaten, wie die Initiative der „Blue Card" im Rahmen der gemeinsamen Ausländerpolitik der EU im Jahr 2008 zeigt. Eine Darstellung des Verlaufs des Vorschlags bis zur Verabschiedung findet sich unter http://www.euractiv.com/de/soziales-europa/eu-blue-card-hochqualifizierte-einwanderer/article-171839 [letzter Zugriff: 26.10.2009].

518 BGH vom 18.9.2001 - IX ZB 51/00, NJW 2002, 960.

519 Stand der Gesetzgebung 1.1.2009.

sicher, dass jeder in die Gunst eines verkürzten Insolvenzverfahrens kommt, da dem Gericht ein Ermessen zusteht, die Eröffnung des Verfahrens abzulehnen, wenn es den Antrag für rechtsmissbräuchlich hält.[520] Hiervon machen die Gerichte auch in der Praxis Gebrauch.[521] Die Anzahl derer, die eine solche Art der Entschuldung in Anspruch nehmen, ist gering. Es wird geschätzt, dass ca. 1 Prozent der betroffenen Deutschen diese Möglichkeit nutzt.[522]

Allerdings fehlen weitere Daten, um die Auswirkungen auf den Binnenmarkt, insbesondere auf die Produktionskosten bemessen zu können.[523] Es ist unklar, wie groß die Summe der hiervon tangierten Insolvenzverbindlichkeiten ist, auch gibt es keine verlässlichen Aussagen über die örtliche Entfernung, die zwischen dem früheren Wohnsitz in der BRD und dem neuen Wohnsitz in Elsass-Lothringen durchschnittlich bzw. relativ zum ersparten Abführgewinn liegt.[524] Ebenso ist unklar, wie bekannt dieses Verfahren bei der infrage kommenden Zielgruppe ist.[525]

Auch wenn die Verlagerung des Aufenthaltsorts die Chance auf erhebliche ökonomische Vorteile verspricht, scheint dies also nicht automatisch einen hinreichenden Anreiz zu setzen, um eine erhebliche Anzahl von Personen zur Wahl der *Exit*-Option zu veranlassen.

b) Kurzfristige Verlagerung des Aufenthaltsorts („Mitnahmeeffekte")

Dass ökonomische Anreize zur vorübergehenden Verlagerung des Aufenthaltsorts führen können, zeigt beispielhaft eine Folgenabschätzung der EU-Kommission. Diese Folgenabschätzung untersucht das Phänomen des „Tanktourismus" und belegt, dass natürliche Personen ihre Mobilität in bestimmten Fallkonstellationen auch in größerem Maße nutzen, wenn dies keine erheblichen Kosten verursacht.

Unter „Tanktourismus" wird die gezielte Verlagerung des Einkaufsorts von Treibstoff für Kfz und Lkw verstanden. Die Verkehrsteilnehmer ändern bewusst und z.T. erheblich

---

520 Vgl. hierzu BGH vom 18.9.2001 - IX ZB 51/00, NJW 2002, 960 (961).

521 SZ vom 12./13.1.2008, 34.

522 Nach Angaben der Wirtschaftsauskunftei *Creditreform* wandern jährlich ca. 1.000 Deutsche zum Zweck der Restschuldbefreiung ins Elsass aus. Diese Zahl bewegt sich angesichts der 7,3 Mio. Insolvenzverfahren in Deutschland und ca. 100.000 Privatinsolvenzen pro Jahr bei ca. 1 %. Inwieweit es sich hierbei um grenznahen Verkehr handelt, wird nicht gesondert ausgewiesen. Dass dies aber keine unerhebliche Zahl sein dürfte, spiegelt sich bereits im Fall des BGH wider, vgl. aber auch die Einzelbeispiele aus der Reportage „Ab nach Straßburg" in der SZ vom 12./13.1.2008, 34; sowie FAZ vom 29.1.2008, 11.

523 Hierzu oben § 5 IV.1.b)bb).

524 Aus den Erhebungen geht nicht hervor, ob und in welchem Ausmaß es sich hierbei um Grenznahverkehr handelt und wie hoch die betroffenen Summen sind. Im Fall des BGH lag der bisherige Wohnsitz nur wenige Kilometer von der Grenze entfernt und die Insolvenzforderungen beliefen sich auf 134.813 FF [ca. 20.454 Euro].

525 Es kann jedoch auf die höchstrichterliche Rechtsprechung aus dem Jahr 2002 verwiesen werden sowie auf ausführliche Berichterstattung auch in der überregionalen Tagespresse wie z.B. der FAZ und der SZ sowie die Existenz spezifischer Seiten und Foren im Internet wie z.B. www.insolvenztourismus.de u.Ä.

die Route, um möglichst kostengünstig Treibstoff zu kaufen.[526] Dieses Phänomen lässt sich insbesondere im Güterkraftverkehr beobachten, wo die Treibstoffpreise ein bedeutender Kostenfaktor sind. Sie verursachen zwischen 20 und 30 Prozent der Betriebskosten bei Kraftfahrzeugspeditionen, das entspricht zwischen 11 und 38 Prozent der laufenden Kosten dieser Unternehmen.[527] Eine der Hauptdeterminanten des Kraftstoffpreises sind wiederum staatliche Steuern. Die Treibstoffpreise – insbesondere für Dieselkraftstoff – unterscheiden sich zwischen den Mitgliedstaaten derzeit um fast 100 Prozent, der Anteil der Verbrauchsteuern – ohne Mehrwertsteuer – am Kraftstoffpreis variiert zwischen 30 und 60 Prozent. Dies beeinflusst die Produktionskosten des einzelnen Wettbewerbers erheblich. Die abweichende Besteuerung wirkt sich auf die laufenden Kosten für die Betriebe im Kraftfahrzeuggewerbe aus, der Anteil der Verbrauchsteuer an den Betriebskosten schwankt zwischen 6 bis 18 Prozent.[528] Infolgedessen wird die Wettbewerbssituation der Speditionsunternehmer von der Steuerpolitik des Mitgliedstaats direkt beeinflusst.

Die Verkaufszahlen von Dieselkraftstoff legen nahe, dass viele internationale Transportbetriebe vor allem in grenznahen Regionen bestehende Preisunterschiede planmäßig und bewusst als Kostenvorteil ausnutzen.[529] Tanktourismus wird insbesondere bei der „gewerbliche[n] Nutzung“[530] (Omnibusse und Nutzfahrzeuge über 16 t) von Fahrzeugen betrieben.[531] Sie verantworten seit dem Ende der 1980er Jahre den Großteil des Verbrauchs an Dieselkraftstoff,[532] so im Jahr 2000 ca. 27 Prozent des in der EU verkauften Kraftstoffs insgesamt.[533]

---

526 Die Kommission geht dabei davon aus, dass bis zu 30 % der Verkehrsemissionen durch Fahrten hervorgerufen werden, die ausschließlich der Erzielung von niedrigeren Spritpreisen dienen, vgl. SEC(2007) 170/2, S. 8.

527 So die Folgenabschätzung KOM(2007) 52 endg., SEC(2007) 170/2, S. 6.

528 KOM(2007) 52 endg., SEC(2007) 170/2, S. 6.

529 Der durchschnittliche (Diesel-)Kraftstoffverbrauch pro Kopf in der EU beträgt 450 Liter. In Luxemburg, das die niedrigsten Steuersätze erhebt, beträgt die Abgabe 4.200 Liter pro Einwohner, ca. 2/3 des Treibstoffs werden von „Tanktouristen“ abgenommen. In Österreich werden 30 % der Verkehrsemissionen Tanktouristen zugerechnet, vgl. SEC(2007) 170/2, S. 7 f.

530 Hierzu zählen die ca. 2,2 Mio. zugelassenen Nutzfahrzeuge mit mehr als 16 t sowie die ca. 515.000 zugelassenen Omnibusse; nicht dazu zählen die ca. 13 Mio. Nutzfahrzeuge bis 3,5 t sowie die ca. 3,5 Mio. zugelassenen Nutzfahrzeuge zwischen 3,5 und 16 t, vgl. hierzu EU-Vorschlag gegen „steuerinduzierte Umwegfahrten“ von Lkw, in: Wuppertal Bulletin 6 (2003), 25 f.

531 EU-Vorschlag gegen „steuerinduzierte Umwegfahrten“ von Lkw, in: Wuppertal Bulletin 6 (2003), 25 (26).

532 Das Phänomen lässt sich seit Anfang der 1990er Jahre in vielen (grenznahen) Regionen Europas feststellen, vgl. hierzu nur die Grafik „Differenzen in der Kraftstoffbesteuerung zwischen Deutschland und seinen Nachbarstaaten, in: Wuppertal Bulletin 6 (2003), 25 (28); vgl. zu den Untersuchungen der EU-Kommission u.a. den Regelungsvorschlag KOM(2007) 52 endg. vom 13.3.2007, der die Richtlinie 2003/96/EG vom 27.10.2003 zur Restrukturierung der gemeinschaftlichen Rahmenvorschriften zur Besteuerung von Energieerzeugnissen und elektrischem Strom, veröffentlicht im ABl. L 283/51 vom 31.10.2003, zuletzt geändert durch die Richtlinie 2004/75/EG ABl., L 157/100 vom 30.4.2003.

533 EU-Vorschlag gegen „steuerinduzierte Umwegfahrten“ von Lkw, in: Wuppertal Bulletin 6 (2003), 25 f. Eine tatsächliche Voraussetzung für dieses Verhalten ist das Fassungs-

Als Ursache für das Auftreten dieser Verlagerungseffekte wird der zunehmende Wettbewerbsdruck im Transportgewerbe angeführt, der infolge der Angebots- und Nachfragestruktur nicht ermögliche, gestiegene Preise an die Auftraggeber weiterzugeben.[534] Voraussetzung für den Eintritt der Wettbewerbsverzerrung ist zudem, dass die EU-interne Internationalisierung des Transportsektors in den letzten Jahren ein hohes Ausmaß angenommen hat.[535] Durchschnittlich ca. 50 Prozent der Warenexporte und -importe jedes Mitgliedstaats werden mittlerweile von Spediteuren aus anderen EU-Mitgliedstaaten durchgeführt. Die unterschiedliche Besteuerung hat deshalb einen erheblichen Einfluss auf die nationalen Marktanteile. Veränderungen der Marktanteile im Transportgewerbe gehen zu 40 Prozent auf die unterschiedliche Besteuerung zurück.[536]

Einer Studie der CEBR zufolge hat die Steuerpolitik Großbritanniens (GB) dazu geführt, dass das Land zwischen den Jahren 1995 und 2001 20 Prozent an [relativen] Marktanteilen im internationalen Transportgeschäft verloren hat.[537] Hätte GB eine Steuerpolitik betrieben, die derjenigen des europäischen Festlands entsprochen hätte, wäre dieser Verlust um 15 Prozent geringer ausgefallen.[538]

Würde die steuerliche Gestaltung in den Anwendungsbereich von Art. 95 EGV fallen,[539] wäre dies ein Fall, der die Voraussetzungen der Tatbestandsalternative *spürbare Wettbewerbsverzerrungen* erfüllt.[540]

c) Zwischenergebnis

Die These der h.L., dass grenzüberschreitende Verlagerungseffekte eintreten, wenn Normunterschiede zwischen den Mitgliedstaaten ökonomische Anreize set-

---

vermögen der Lkw-Tanks. Eine Tankfüllung der Lkw-Größe über 30 t, die bei ca. 77 % des Gütertransports in der EU eingesetzt werden, reicht aus, um zwischen 1.500 und 3.000 km zurückzulegen. Dadurch ist es ihnen möglich, regionale/staatliche Preisunterschiede planmäßig und bewusst auszunutzen, vgl. SEC(2007) 170/2, S. 7.

534 SEC(2007) 170/2, S. 7 macht hierfür ein Ungleichgewicht zwischen Anbieter- und Nachfrageseite aus, da auf der Anbieterseite 95 % der Betriebe SME-Betriebe sind, mit weniger als 10 Mitarbeitern; und nur 1 % Speditionsunternehmen mit mehr als 50 Beschäftigten, die 42 % zur Wertschöpfung beitragen. Die Nachfrageseite werde hingegen von großen (Logistik-)Unternehmen bestimmt, die es den kleinen Firmen nicht ermöglichten, gestiegene Unkosten durch höhere Preise abzufangen.

535 Vgl. hierzu die detaillierte Liste „Share of the nationality of the hauliers undertaking international transports in 2005", Transport, Eurostat, Stand Dezember 2006, abgedruckt, in: SEC(2007) 170/2, S. 10.

536 SEK(2007) 171/2, S. 11.

537 CEBR, Assessing the competetiveness of the road haulage industry, zit. nach SEC(2007) 170/2, S. 12.

538 CEBR, Assessing the competetiveness of the road haulage industry, zit. nach SEC(2007) 170/2, S. 12.

539 Sie ist jedoch gemäß Art. 95 Abs. 2 EGV ausgenommen, vgl. hierzu § 7 III.4.b).

540 Vgl. hierzu § 5 IV.2.

zen, lässt sich in dieser Allgemeinheit nicht verifizieren. Rechtsunterschiede, aus denen sich ein ökonomischer Vorteil ergibt, können zwar zu Verlagerungseffekten führen. Die bisherigen Ergebnisse haben jedoch gezeigt, dass die Existenz ökonomischer Anreize allein kein hinreichender Indikator für den Eintritt von Verlagerungseffekten ist. Es müssen vielmehr weitere Faktoren hinzutreten. Das Phänomen des Tanktourismus zeigt, dass Verlagerungseffekte (*Exit*-Option) nur dort eine Rolle spielen, wo eine Regulierung über den Preis (*Voice*-Option) z.B. wegen harschen Wettbewerbs nicht möglich ist. Ferner legen die Beispiele nahe, dass auch die Planbarkeit des ökonomischen Gewinns bei der Bereitschaft der Menschen, ihre Mobilität zur Realisierung ökonomischer Anreize einzusetzen, eine Rolle spielt. Die Verlässlichkeit des möglichen (ökonomischen) Gewinns beeinflusst die Geneigtheit des Handelnden.[541] Beim Tanktourismus lässt sich der Gewinn sicher erzielen, hier ist auch eine Verlagerung in großem Umfang zu verzeichnen. Bei der elsässisch-lothringischen Privatinsolvenz ist hingegen nur ein geringer Verlagerungseffekt festzustellen. Hier ist auch unsicher, ob der angestrebte Gewinn überhaupt erreicht werden kann, da den Richtern ein Ermessen eingeräumt ist, ob sie die Durchführung des Restschuldbefreiungsverfahrens nicht für rechtsmissbräuchlich erachten.

3. Verlagerungseffekte infolge strafrechtlicher Regelungen

Verlagerungseffekte können auch als Folge von Anreizen eintreten, die von Unterschieden in strafrechtlichen Vorschriften hervorgerufen werden. Die h.L. argumentiert, dass Kriminelle infolge der Schengen-Erleichterungen ihren (vorläufigen) Aufenthaltsort nunmehr beliebig wählen und sich am Kriterium der geringsten Strafdrohung ausrichten könnten.[542] Es trifft zu, dass die Grenzöffnung durch das Schengen-Abkommen es Kriminellen erleichtert, ihr mögliches Operationsfeld auf den gesamten EG-Wirtschaftsraum auszudehnen, insbesondere im Zusammenhang mit Wirtschaftskriminalität. Unbestreitbar ist auch, dass Kriminelle bzw. kriminelle Banden von der örtlichen Bewegungsfreiheit innerhalb des Schengen-Raumes profitieren, um grenzübergreifend Straftaten zu begehen.

So gab es, wie *Sieber/Bögel* untersucht haben, nach dem Fall des Eisernen Vorhangs in den 1990er Jahren ein feststellbares Phänomen osteuropäischer Banden, die u.a. in Deutschland auf Kfz-Diebestour gingen.[543] Auch heutzutage existieren Tätergruppen, die nach einem ähnlichen Schema operieren.[544]

---

541 I.d.S. auch *Curti*, Abschreckung durch Strafe, S. 98.

542 Krit. hinsichtlich der sog. Organisierten Kriminalität *Kinzig*, Organisierte Kriminalität, S. 243 ff.

543 Vgl. die Studie der Kfz-Verschiebung nach dem Zusammenbruch des Ostblocks *Sieber/Bögel,* Logistik der Organisierten Kriminalität, S. 74 ff., 86 f.

544 Siehe hierzu die Pressemitteilung der Staatsanwaltschaft Köln und des LKA NRW, die Anfang 2008 eine Gruppe Litauer verhafteten, die in großem Stil und planmäßig Navi-

Hierbei nutzen die Täter z.T. bewusst die Unerfahrenheit ihrer Opfer im Zusammenhang mit internationalen Geschäftstätigkeiten aus. Die zunehmende internationale Verflechtung der Wirtschaftsbeziehungen macht es einfacher, glaubwürdige Szenarien für kriminelle Taten zu konstruieren. Es erscheint jedoch fraglich, ob die (Nicht-)Harmonisierung des Strafrechts neben der durch die Internationalisierung der (Wirtschafts-)Beziehungen geschaffenen Möglichkeit, neue Opfer zu finden und durch die internationalen Verflechtungen des Sachverhalts die Entdeckungswahrscheinlichkeit zu verringern, überhaupt eine Rolle spielt.

Viele Betrugsmaschen beruhen auf diesem Zusammenhang. Bei sog. „rip deals“ werden Menschen unter Vorspiegelung eines großen Gewinns[545] in einer ausländischen Lotterie oder der Kaufabsicht z.B. an einer Immobilie[546] durch eine ausländische (Geschäfts-) Person dazu veranlasst, in geschäftlichen Kontakt zu diesen Personen zu treten. Dabei wird von den Opfern eine Vorleistung verlangt, die nötig sei, um den späteren hohen Profit realisieren zu können. Um diese Vorleistung werden die Opfer betrogen. Ob es in diesen Fällen von Bedeutung ist, dass die betroffenen, z.B. die deutschen und italienischen Strafrechtsordnungen, nicht harmonisiert sind, bleibt offen.[547] Die Bedeutung ist jedenfalls nicht erkennbar. Auch beim Phänomen des Kfz- bzw. Navigationsgeräte-Diebstahls ist unklar, welche Rolle die Unterschiede in den betroffenen Strafrechtscodices haben.[548]

Es soll nunmehr untersucht werden, ob und inwieweit ökonomische Anreize, die Folge von Unterschieden in den Strafrechtsordnungen der Mitgliedstaaten sind, zu dauerhaften oder vorübergehenden Verlagerungseffekten führen.

---

gationsgeräte aus Kraftfahrzeugen in Deutschland gestohlen und anschließend nach Litauen gebracht hatten, vgl. http://www1.polizei-nrw.de/presseportal/Behoerden/lka/article/meldung-080218-065652-12-334.html [letzter Zugriff: 26.10.2009].

545 Vgl. die Mitteilung des Niedersächsischen LKA vom 18.1.2008 hinsichtlich einer Vielzahl von Fällen, in denen Personen bescheinigt wurde, sie hätten im spanischen Lotto gewonnen, http://www.lka.niedersachsen.de/aktuelles/archiv/2008/span_lotterie_170108.htm [letzter Zugriff: 26.10.2009].

546 Vgl. zu dieser Masche, die u.a. von italienischen Kriminellen angewendet wurde, die Information des Schweizer Bundesamts für Polizei http://www.fedpol.admin.ch/fedpol/de/home/aktuell/warnungen/geldwechselbetrug.html [letzter Zugriff: 26.10.2009].

547 Die Strafbarkeit des bandenmäßigen Betrugs ist in allen Mitgliedstaaten der EU geregelt, so z.B. in Deutschland mit einer Mindeststrafe von sechs Monaten bis zehn Jahre (§ 263 Abs. 3 Nr. 1 StGB) bzw. von einem Jahr bis zehn Jahre, falls sie sich zur fortgesetzten Begehung von Straftaten zusammengetan haben und dies gewerbsmäßig begehen (§ 263 Abs. 5 StGB). Das italienische Recht sieht für einen einfachen Betrug eine Mindeststrafe von sechs Monaten vor (Höchststrafe drei Jahre), vgl. Art. 640 Codice Penale. Sind strafschärfende Merkmale verwirklicht, vergleichbar den deutschen Regelbeispielen, steigt die Mindeststrafe auf ein Jahr (Höchststrafe sechs Jahre), Art. 640 Abs. 2 Codice Penale. Im Fall des bandenmäßigen Betrugs, der eine Mindestzahl von fünf Personen voraussetzt, erhöht sich das Strafmaß des Regelbeispiels (Art. 640 Abs. 2) um 1/3, vgl. Art. 112 Abs. 1 Satz 1 i.V.m. Art. 64 Codice Penale.

548 Unbestreitbar ist, dass ein Wohlstandgefälle zwischen Staaten ein wesentliches Motiv auch für die Verlagerung krimineller Aktivitäten sein kann, vgl. *Sieber*, ZStW 119 (2007), 1 (19). Auf die Anomietheorie greift in diesem Zusammenhang *Ortmann*, Abweichendes Verhalten und Anomie, S. V, zurück; hinsichtlich dieser *Merton*, in: Sack/König (Hrsg.), Kriminalsoziologie, S. 283.

a) *Verhindern Grenzkontrollen kriminologische Verlagerungseffekte?*

Es ist fraglich, ob der Wegfall von Grenzkontrollen die Verlagerung von kriminellen Aktivitäten in relevantem Maß beeinflusst bzw. zur Bekämpfung grenzüberschreitender Kriminalität einen zählbaren Beitrag leistet.[549]

So hatten die Grenzkontrollen bei der Bekämpfung des internationalen Kfz-Diebstahls, der überwiegend osteuropäischen Banden zugeschrieben wurde, keine messbare Wirkung. Dies belegen die vergleichbaren Zahlen der deutschen und der englischen Kriminalitätsstatistik. Osteuropäische (insbesondere rumänische) Tatverdächtige reisten zu Beginn der 1990er Jahre vielfach zur systematischen Beschaffung hochwertiger Kraftfahrzeuge in die BRD ein.[550] Die Diebstahlszahlen gingen erst signifikant zurück, als ab 1995 in Neuwagen verpflichtend elektronische Wegfahrsperren eingebaut werden mussten und die Versicherungen ihre Policen für Kfz-Diebstähle änderten. In Deutschland sanken daraufhin bis zum Jahr 2001 die Fallzahlen um 59 Prozent.[551] Obwohl Großbritannien nicht Teil des Schengen-Raums war,[552] entwickelte sich dort die Kfz-Diebstahlskriminalität vergleichbar. Die Kfz-Diebstähle erreichten dort ihren Höhepunkt ebenfalls 1995. Seitdem gingen die Zahlen um ca. 40 Prozent zurück.[553]

Die Kriminalstatistiken der Mitgliedstaaten lassen keine Anhaltspunkte erkennen, die auf eine Steigerung der grenzüberschreitenden Kriminalitätsaktivitäten infolge des Wegfalls der Binnengrenzen nach 1992 hinweisen.[554] So verringert sich z.B. in der BRD der Anteil Tatverdächtiger aus EU-Mitgliedstaaten im Verhältnis zu anderen Tatverdächtigen kontinuierlich.[555] Dieser Trend hält – trotz Osterweiterung der EU – seit 15 Jahren an.[556] Seit 1984 nimmt er stetig ab.[557] Wäre die These

549 So bereits *Bieber*, NJW 1994, 294 (295).

550 Vgl. hierzu *Sieber/Bögel*, Logistik der Organisierten Kriminalität, S. 74 ff., 86 f.

551 Vgl. hierzu die Analysen für den Zeitraum von 1993–1999 des ersten Periodischen Sicherheitsberichts des BMJ und des BMI vom 11.7.2001, S. 123 f.

552 Vgl. hierzu *Wahl/Schulz*, eucrim 2007, 66 (68, 71 f.).

553 British Crime Survey (BCS) 2006/07, Crime in England and Wales 2006/07, S. 6 (Crime over the last 25 years).

554 Vgl. hierzu die PKS, Berichtsjahre 1998–2006. Unter Tabelle 21 wird seit 1998 die „Tatort-Wohnsitz-Beziehung von Tatverdächtigen" untersucht. In der Rubrik „Wirtschaftskriminalität" (Schlüssel 8930) pendelt die Anzahl von Tatverdächtigen mit ausländischem Wohnsitz konstant auf relativ niedrigem Niveau: 2,5 % von 31.254 (1998); 3,1 % von 33.221 Tatverdächtigen (1999); 2,1 % von 33.201 Tatverdächtigen (2001); 2,6 % von 38.281 Tatverdächtigen (2004); 3,1 % von 35.749 Tatverdächtigen (2006).

555 Erläuterungen zu G 25, „Tatverdächtige aus EU-Mitgliedstaaten", PKS, Berichtsjahr 2006, S. 124; ebenso Erläuterungen zu G 26, „Anteil der Tatverdächtigen aus den EU-Mitgliedstaaten an den Tatverdächtigen ohne deutsche Staatsbürgerschaft insgesamt", PKS, Berichtsjahr 2000, S. 117. Allerdings ist nicht ermittelt, worauf der Rückgang zurückzuführen ist. Da insoweit jedoch ausgeschlossen werden kann, dass es sich um Delikte bezüglich des Asyl- und Aufenthaltsrechts handelt, die bei den nichtdeutschen Tatverdächtigen die größte Gruppe ausmacht, bleiben nur sonstige strafrechtliche Delikte übrig. Im Jahr 1984 hatte der Anteil von nichtdeutschen Tatverdächtigen aus EU-Mitgliedstaaten noch 25 % ausgemacht, vgl. G 27, PKS, Berichtsjahr 2000, S. 117.

556 Die Entwicklung von Tätergruppen aus einzelnen Mitgliedstaaten ist schwankend und steigt z.T. auch zwischenzeitlich – wenn auch schwach – an. So enthalten die Erläute-

der h.L. zutreffend, hätte hier zumindest in den Jahren nach 1992 ein signifikanter Anstieg festgestellt werden müssen. Gegen diese These spricht auch, dass die Makro-Kriminalitätsentwicklung in Großbritannien (GB) vergleichbar der bundesdeutschen Entwicklung verläuft,[558] obwohl GB nicht an den gemeinschaftlichen Grenzkontrollen der EU teilhat.[559] Hätten Grenzkontrollen eine wichtige Bedeutung, müsste sich zumindest in den Jahren nach 1992 eine unterschiedliche Entwicklung nachweisen lassen.

Es kann nicht festgestellt werden, dass – global betrachtet – die (Wirtschafts-) Kriminalität zugenommen hat. Zwar stieg in der BRD zwischen 1993 und 1996 die Anzahl der Tatverdächtigen in der Kategorie „Wirtschaftskriminalität" an. Jedoch ist der Trend seit 1996 nicht einheitlich; vielmehr pendelt er zwischen verschiedenen Werten.[560] Hinzu kommt, dass viele Tatbestände, die in dieser Statistik erfasst werden, erst in den letzten Jahren eingeführt wurden. Gleiches gilt für die British Crime Survey (BCS) in Großbritannien.[561]

b) Migration als Folge von Unterschieden in den strafrechtlichen Ordnungen

Es besteht kein bestimmter Zusammenhang zwischen Migration und Kriminalität. Es fehlt an Hinweisen, dass kriminelle Aktivitäten aus einem Mitgliedstaat der EU in ein anderes EU-Mitgliedsland verlagert werden. Zwar lässt sich feststellen, dass Migration auch zur Folge hat, dass einzelne Nationalitäten bei bestimmten Deliktsgruppen quantitativ überrepräsentiert sind.[562] So wechseln durch Zuwanderung

rungen zu den Grafiken G 26 und G 27 der PKS, Berichtsjahr 2000 (S. 117), die Aussage: „2000 wurden 71.526 Tatverdächtige registriert, 12,1 % aller nichtdeutschen Tatverdächtigen. 1984 hatte ihr Anteil in den alten Ländern noch 25 % betragen." Obwohl aufgrund des Beitritts neuer Mitgliedstaaten im Jahr 2004 die Daten der PKS ab dem Jahr 2005 nicht mit den Angaben vorheriger PKS-Berichtsjahre vergleichbar sind, zeigt sich dieser Trend auch in der PKS, Berichtsjahr 2006. Dort heißt es zur Erläuterung des Schaubilds T 73, S. 117 [Tatverdächtige aus EU-Mitgliedstaaten]: „2006 wurden im Bundesgebiet 123.161 nichtdeutsche Tatverdächtige aus den EU-Mitgliedstaaten erfasst. Dies entspricht einem Rückgang von 1,3 Prozent gegenüber 2005."

557 1984 betrug er 25 %, 1995 und 2000 noch ca. 12,1 %; im Jahr 2004 13, 7 %, vgl. T 74, „Anteil der Tatverdächtigen aus den EU-Mitgliedstaaten an den Tatverdächtigen ohne deutsche Staatsbürgerschaft insgesamt", PKS-Berichtsjahr 2006, S. 115.

558 Vgl. BCS 2006/07, summary of the main figures, Crime in England and Wales 2006/07, S. 6 (Crime over the last 25 years). Abgesehen von einem steigenden Trend in den Jahren 1991–1995 verzeichnet Großbritannien seit 1995 eine kontinuierlich sinkende Kriminalitätsrate. Dies kontrastiert mit der Zuwanderung nach Großbritannien. Zwischen den Jahren 2000–2004 wanderten über eine Million osteuropäischer Gastarbeiter nach Großbritannien ein, vgl. http://www.timesonline.co.uk/tol/news/uk/article4583630.ece [letzter Zugriff: 26.10.2009].

559 Zum Status von England im Schengen-Abkommen vgl. *Wahl/Schultz*, eucrim 2007, 66 (69).

560 Vgl. die Tabelle 1 der PKS (Schlüssel 8930) der angegebenen Jahre; zust. *v. Danwitz*, Kriminologie, S. 215.

561 Vgl. BCS 2006/07, summary of the main figures, S. 6 f., 26 (Box 2.4).

562 So z.B. die Tabelle T 214 „Nichtdeutsche Tatverdächtige nach Staatsangehörigkeit", PKS, Berichtsjahr 2006, S. 222, die den Anteil nichtdeutscher Tatverdächtiger nach ver-

z.T. auch die Volksgruppen, die überproportional mit der Begehung bestimmter Straftaten in Zusammenhang gebracht werden.[563] Es fehlen jedoch Nachweise, dass durch Zuwanderung allgemein die Kriminalitätsrate steigt oder die Kriminalität aus einem Land in ein anderes auswandert.[564] So legen die Zahlen u.a. aus Deutschland nahe, dass durch Zuwanderung bestehende Kriminalität in der Regel substituiert wird.[565] Aus einem gestiegenen Anteil an Tätern mit Migrationshintergrund lässt sich jedenfalls nicht ableiten, dass ökonomische Anreize – einer eventuellen späteren kriminellen Tätigkeit – in quantitativ relevantem Maß Migrationsentscheidungen hervorrufen.

Ob durch Migration wirklich eine geografische Verlagerung von Kriminalität stattfindet, lässt sich demnach nicht schlüssig belegen.[566] Die Zahlen lassen darauf schließen, dass keine örtliche Verlagerung, sondern eine Verdrängung oder Substitution der Täter die Regel ist.[567]

c) Mitnahmeeffekte als Folge von Unterschieden in den Strafrechtsordnungen

Eine konkrete Regelungslage, die den normativen Rahmensetzungen des Modells der h.L. nahekommt, herrscht bei der Strafverfolgung hinsichtlich bestimmter Delikte der Betäubungsmittelkriminalität in der BRD. Hier wird eine Reihe von Tathandlungen im Zusammenhang mit geringen Mengen (weicher)[568] Drogen unterschiedlich strafrechtlich verfolgt,[569] abhängig von dem Bundesland, in dem die

---

schiedenen Nationalitäten aufschlüsselt. So sind z.B. Tatverdächtige aus Nigeria verstärkt an der Einfuhr von Kokain in nicht geringen Mengen (§ 30 Abs. 1 Nr. 4 BtMG) beteiligt. Tatverdächtige türkischer Abstammung sind bei der Kategorie der Verstöße gegen § 29 BtMG zu 26,1 % vertreten; zust. hinsichtlich des Drogenmarkts in Italien *Paoli*, Die unsichtbare Hand des Marktes, S. 356 (370 ff.).

563 Hierzu *v. Danwitz*, Kriminologie, S. 216 f.

564 Zust. *v. Danwitz*, Kriminologie, S. 212 f.

565 So hat die Migrationswelle, die nach dem Zusammenbruch des Ostblocks ab 1989 nach Westeuropa einsetzte, einen Wechsel der Tätergruppen in bestimmten Bereichen der Kriminalität verursacht. Dies führte aber – von einer Übergangsphase abgesehen – nicht zu einer dauerhaften Erhöhung der Kriminalitätszahlen. Gleiches gilt für die Migration, die nach dem Beitritt der zehn neuen Mitgliedstaaten in die EU im Jahr 2004, in deren Rahmen ca. 1 Mio Osteuropäer insbesondere nach GB einwanderten; vgl. IPPR, Migration Report, 2008, zit. nach BBC-Bericht vom 29.4.2008, http://news.bbc.co.uk/2/hi/uk_news/7371180.stm [letzter Zugiff: 26.1.2009].

566 *v. Danwitz*, Kriminologie, S. 213 f.

567 Vgl. hierzu *Clarke*, Introduction, in: ders. (Hrsg.), Situational Crime Prevention, S. 1 (28).

568 Die Einschränkung auf weiche Drogen wird nicht von allen Bundesländern durchgehalten. Die Listen der Länder enthalten z.T. auch explizit Angaben für „harte" Drogen wie Kokain und Heroin; vgl. *Kotz*, in: MünchKommStGB, Anh. § 31a BtMG, S. 1169 f.

569 Eine Übersicht der erfassten Tathandlungen bietet *Zeller*, Einstellungspraxis der Staatsanwaltschaften, S. 30.

Tat begangen wird. Diese Praxis geht auf eine unterschiedliche Handhabung des Opportunitätsprinzips, insbesondere § 31a BtMG,[570] zurück.[571]

Diese Ausdifferenzierung beruht auf den Vorgaben der BRD an die Bundesländer, wie das Wiener Suchtstoffübereinkommen umzusetzen ist. Die Umsetzungsvorgaben nahmen die Möglichkeit bewusst in Kauf, dass die Strafverfolgungspraxis der Länder voneinander abweicht.[572] Die meisten Bundesländer haben daraufhin zwischen 1993 und 1995 entsprechende divergierende Verwaltungsvorschriften erlassen.[573] Diese Praxis der Ermittlungsbehörden hat das Bundesverfassungsgericht für zulässig erachtet.[574]

Hierdurch wird es insbesondere für Konsumenten kleiner Mengen Rauschgifts planbar, ob ein Verstoß eine strafrechtliche Sanktionierung nach sich zieht. Ihnen wird die Möglichkeit gegeben, sich rational zu verhalten und ihre Nachfrage an anderen Orten zu befriedigen, um das Strafbarkeitsrisiko zu minimieren. Hierauf können sich auch die Anbieter einstellen, da auch sie z.T. von diesen Regelungen erfasst werden.[575] Für die hiesige Untersuchung wird auf die Daten der Kriminalitätsstatistiken des Bundes und der Länder zurückgegriffen.[576]

---

570 § 31a BtMG [Absehen von der Verfolgung] lautet: „(1) Hat das Verfahren ein Vergehen nach § 29 Abs. 1, 2 oder 4 zum Gegenstand, so kann die Staatsanwaltschaft von der Verfolgung absehen, wenn die Schuld des Täters als gering anzusehen wäre, kein öffentliches Interesse an der Strafverfolgung besteht und der Täter die Betäubungsmittel *lediglich zum Eigenverbrauch in geringer Menge anbaut, herstellt, einführt, ausführt, durchführt, erwirbt, sich in sonstiger Weise verschafft oder besitzt.* Von der Verfolgung soll abgesehen werden, wenn der Täter in einem Drogenkonsumraum Betäubungsmittel lediglich zum Eigenverbrauch, der nach § 10a geduldet werden kann, in geringer Menge besitzt, ohne zugleich im Besitz einer schriftlichen Erlaubnis für den Erwerb zu sein. (2) Ist die Klage bereits erhoben, so kann das Gericht in jeder Lage des Verfahrens unter den Voraussetzungen des Absatzes 1 mit Zustimmung der Staatsanwaltschaft und des Angeschuldigten das Verfahren einstellen. […].“ [Hervorhebungen durch den Verfasser].

571 Z.T. wird daneben die Handhabe der §§ 153 ff. StPO generell für zulässig erachtet, z.B. in Brandenburg; in Bayern und Thüringen z.T. nur in sehr geringem Umfang; Baden-Württemberg sieht den Einsatz des § 153a StPO nur in grenznahen Gebieten vor, vgl. *Kotz*, in: MünchKommStGB, Anh. § 31a BtMG, S. 1149.

572 *Kotz*, in: MünchKommStGB, § 10a BtMG Rn. 6.

573 Abgedruckt bei *Kotz*, in: MünchKommStGB, Anh. § 31a BtMG, S. 1147 ff.

574 Das Urteil des BVerfG vom 9.3.1994 – 2 BvL 34/92, BVerfGE 90, 145 (196 f.) =, NJW 1994, 1577 (1582 f.), das diese Entwicklung billigte, befasste sich jedoch lediglich mit dem Umgang mit Cannabisprodukten (Leitsatz 3) in Abgrenzung zu anderen sog. „weichen“ Drogen wie Alkohol und Nikotin.

575 Vgl. *Zeller*, Einstellungspraxis der Staatsanwaltschaften, S. 30.

576 Krit. hinsichtlich Daten aus Kriminalstatistiken als Grundlage empirischer Untersuchungen *Curti*, Abschreckung durch Strafe, S. 132 ff. (134 ff.).

aa) Bestehende Unterschiede in der bundesdeutschen BtM-Strafverfolgung

Die Verwaltungsvorschriften, welche die Handhabe des § 31a BtMG betreffen, wurden in den Bundesländern unterschiedlich ausgestaltet.[577] Die Bundesländer lassen sich vier Regelungsstufen zuteilen.[578]

Die restriktivsten Vorschriften finden sich in Bayern,[579] Baden-Württemberg,[580] Brandenburg[581] und Sachsen-Anhalt.[582] Sie setzen die Schranke beim Besitz von drei Konsumeinheiten, was angesichts des allgemein steigenden THC-Gehalts von Cannabis derzeit i.d.R. an der Untergrenze bei drei Gramm Cannabis anzusiedeln sein dürfte.[583] Weitere Drogenarten werden hiervon in diesen Ländern zum Großteil nicht erfasst,[584] zum Teil der individuellen Handhabe der StA ohne konkrete Vorgaben überlassen.[585]

Auf der zweiten Stufe finden sich Bundesländer, die regelmäßig bei ca. sechs Gramm Cannabis/Marihuana (Thüringen,[586] Hessen,[587] Berlin,[588] Niedersachsen[589]) die Strafverfolgung einstellen und darüber hinaus fakultative Einstellungsmöglichkeiten bis zur Menge von 15 Gramm Cannabis vorsehen.[590] Andere Drogenarten (Kokain und Heroin) werden

---

577 Grafische Übersichten, welche die Unterschiede deutlich machen, finden sich bei *Zeller*, Einstellungspraxis der Staatsanwaltschaften, S. 30, 38, 45 ff., 96, 101 ff. Im Vergleich schreiben die Regelungen der südlichen und die östlich gelegenen Bundesländer deutlich restriktivere Mengenangaben vor, als die westlichen und nördlichen Bundesländer.

578 Bremen, Sachsen und Mecklenburg-Vorpommern haben bislang keine Verwaltungsvorschriften erlassen.

579 Abgedruckt bei *Kotz*, in: MünchKommStGB, Anh. § 31a BtMG, Obergrenze bei drei Konsumeinheiten; je nach Qualität von drei bis max. sechs Gramm; vgl. S. 1151 f. Auch wird darauf abgestellt, dass dies nur Gelegenheitstätern zugute komme, d.h. solchen, die im letzten Jahr nicht auffällig geworden sind.

580 Abgedruckt bei *Kotz*, in: MünchKommStGB, Anh. § 31a BtMG, Punkt 2.4.2.1: max. drei Konsumeinheiten, mit Verweis auf die Rspr. des BayOblG, S. 1150.

581 Abgedruckt bei *Kotz*, in: MünchKommStGB, Anh. § 31a BtMG, S. 1155.

582 Abgedruckt bei *Kotz*, in: MünchKommStGB, Anh. § 31a BtMG, S. 1168 mit der Präzisierung, dass hiervon i.d.R. bei einer Menge von bis zu sechs Gramm ausgegangen werden kann; im Fall anderer Betäubungsmittel (namentlich Kokain und Heroin) ist das Vorgehen – ohne konkrete Grammangaben – der StA überlassen.

583 Dieser bereits Ende der 1980er Jahre beobachtete Trend hält nach Angaben der Polizei an; vgl. *Wehr/Maier*, Zeitschrift für Rechtsmedizin (1989), 509.

584 Baden-Württemberg, abgedruckt bei *Kotz*, in: MünchKommStGB, Anh. § 31a BtMG, S. 1150; Bayern, a.a.O., S. 1152.

585 Brandenburg, a.a.O., S. 1155;

586 In Thüringen kann eine Wiederholungstat innerhalb eines Jahres erneut eingestellt werden, vgl. *Kotz*, in: MünchKommStGB, Anh. § 31a BtMG, S. 1170.

587 Vgl. *Kotz*, in: MünchKommStGB, Anh. § 31a BtMG, S. 1168, mit der Präzisierung, dass dies max. zehn Konsumeinheiten à 1,5 % THC umfasse.

588 Abgedruckt bei *Kotz*, in: MünchKommStGB, Anh. § 31a BtMG, S. 1153.

589 Vgl. *Kotz*, in: MünchKommStGB, Anh. § 31a BtMG, S. 1160; das Ermessen umfasst auch die Verfahrenseinstellung bei Besitz von einem Gramm Heroin oder Kokain.

590 Ausnahme ist Thüringen, vgl. bei *Kotz*, in: MünchKommStGB, Anh. § 31a BtMG, S. 1171.

hiervon nicht (Hessen, Berlin, Thüringen) bzw. in begrenztem Umfang von einem Gramm erfasst (Niedersachsen).[591]

Die Länder der dritten Stufe haben wiederum einen höheren Schwellenwert (zehn Gramm) bei Cannabis festgelegt. Diese Gruppe enthält die Bundesländer Nordrhein-Westfalen,[592] Rheinland-Pfalz,[593] Hamburg,[594] Saarland,[595] wobei andere Drogenarten grundsätzlich ebenfalls von der Einstellungsmöglichkeit erfasst werden.[596]

Eine Spitzenstellung nimmt Schleswig-Holstein ein, sowohl hinsichtlich der Menge Cannabis/Marihuana (30 Gramm) als auch hinsichtlich Kokains (5 Gramm), Amphetamin (3 Gramm), Ecstasy und Heroin (jeweils 1 Gramm).[597] Zugleich räumt Schleswig-Holstein auch explizit die Möglichkeit ein, mehrere (straffreie) Wiederholungstaten begehen zu können.[598]

Insgesamt bietet Schleswig-Holstein deshalb die rational höchste Wahrscheinlichkeit, eine (regelmäßige) Nachfrage nach BtM befriedigen zu können, ohne eine strafrechtliche Sanktionierung befürchten zu müssen.[599]

bb) Auswertung der Statistik: Vereinbarkeit mit dem Verhaltensmodell der h.L.?

Legt man den Ansatz der h.L. zugrunde, müsste die Nachfrage nach (weichen) Drogen dort steigen, wo eine Strafverfolgung – vorhersehbar – nicht oder nur in begrenztem Umfang stattfindet. Zu einer steigenden Nachfrage müsste beitragen, dass (ortsansässige) Personen Drogen nachfragen, die zuvor durch eine rigide Strafdrohung abgeschreckt wurden. Ferner müsste die Nachfrage durch Verlage-

---

591 Präzisiert wird diese Vorgabe dadurch, dass eine Einstellung nach § 153 StPO i.d.R. nur dann stattfinde, wenn eine Person zum ersten oder zweiten Mal aufgegriffen werde bzw. bei größerem zeitlichem Abstand zwischen zwei Taten, vgl. *Kotz*, in: MünchKommStGB, Anh. § 31a BtMG, S. 1160.

592 Abgedruckt bei *Kotz*, in: MünchKommStGB, Anh. § 31a BtMG, S. 1162 mit der Präzisierung 10 Gramm Haschisch und Marihuana, sowie jeweils 0,5 Gramm Heroin, Kokain und Amphetamin. Einschränkend wird hier angeführt, dass nur beim ersten oder zweiten Antreffen i.d.R. von der Einstellung Gebrauch gemacht werden kann.

593 Abgedruckt bei *Kotz*, in: MünchKommStGB, Anh. § 31a BtMG, S. 1164.

594 Vgl. *Kotz*, in: MünchKommStGB, Anh. § 31a BtMG, S. 1156; dies entspricht i.d.R. der Größe einer Streichholzschachtel.

595 Abgedruckt bei *Kotz*, in: MünchKommStGB, Anh. § 31a BtMG, S. 1166.

596 Im Saarland und Rheinland-Pfalz wurde kein genereller Messwert festgelegt, sondern eine Einzelfallprüfung angeordnet; Hamburg gibt Bruttomengen vor von ca. 1 Gramm oder 5 bis 8 Briefchen Heroin; Kokain in einer Bruttomenge von ebenfalls 1 Gramm oder 5 bis 8 Kügelchen sowie Ecstasy im Umfang von ca. 10 Tabletten.

597 Vgl. *Zeller*, Einstellungspraxis der Staatsanwaltschaften, S. 102 f.

598 Vgl. den Überblick bei *Zeller*, Einstellungspraxis der Staatsanwaltschaften, S. 130 ff. (133).

599 Abgedruckt bei *Kotz*, in: MünchKommStGB, Anh. § 31a BtMG, S. 1169 f. mit dem expliziten Zusatz, dass auch Wiederholungsfälle unter die Regelung fielen, dass aber das wiederholte Antreffen „ein Anhaltspunkt für fremdgefährdendes Verhalten darstellen könne.“

rungseffekte steigen, da – wie aus dem Bsp. des Tanktourismus[600] ersichtlich – in gewissem Umfang „Mitnahmeeffekte“ entstehen müssten, die durch den „straffreien“ Einkauf von Betäubungsmittel erzeugt werden.[601] Unterstellt man weiterhin, dass der Verfolgungsdruck im gesamten Bundesgebiet – relativ gesehen –[602] gleich geblieben ist, müsste sich aus der Statistik ergeben, dass sich die Drogenkriminalität in das Gebiet mit der niedrigsten Sanktionsdrohung und Strafverfolgungswahrscheinlichkeit verlagert.[603]

Die Auswertung der PKS der Jahre 1995–2007 weist jedoch keine entsprechende Verschiebung der Kriminalität nach.[604]

Die Entwicklung der BtM-Kriminalität deutet nicht auf eine systematische Verschiebung der Kriminalität hin. Begutachtet man die Kriminalitätsentwicklung auf Ebene der Landkreise innerhalb Deutschlands, gleicht das Bild einem bunten Flickenteppich. Kontinuierlich hohe Sicherstellungsquoten finden sich lediglich an den Außengrenzen, insbesondere an der Grenze zu den Niederlanden.[605] Darüber hinaus lassen sich keine systematischen Verlagerungen feststellen. Die Sicherstellungsquoten variieren vielmehr kontinuierlich.[606] So zeigt z.B. die grafische Darstellung der Häufigkeitszahlen bei Rauschgiftdelikten im Jahr 2000 zwar eine Häufung in den Bundesländern Nordrhein-Westfalen, Rheinland-Pfalz sowie den Stadtstaaten Bremen, Hamburg und Berlin.[607] Vergleicht man diese Zahlen z.B. mit den Zahlen aus dem Jahr 2006,[608] zeigt sich keine Veränderung, die auf ein rationales (Verlagerungs-)Handeln schließen lässt.

Die örtliche Verteilung der festgestellten Drogenkriminalität blieb zwischen 1995 und 2007 bis auf kleine Schwankungen konstant.[609] Dabei wäre – nimmt man

---

600 Siehe oben § 6 IV.2.b).

601 Eine nennenswerte Strafverfolgung an den Grenzen der einzelnen Bundesländer lässt sich nicht feststellen, vgl. PKS, Berichtsjahr 2006, Exkurs: Kriminalitätsbetrachtung auf Kreisebene „7300“ [Rauschgiftdelikte], S. 262; ferner PKS, Berichtsjahr 2007, S. 262.

602 Hinweise darauf, dass in den einzelnen Bundesländern eine Verschiebung des Verfolgungsdrucks stattgefunden hat, ergeben sich nicht. Krit. hinsichtlich Ungenauigkeiten, die durch eine uneinheitliche Datenerhebung – wie hier durch die Bundesländer – entstehen können, vgl. *Curti*, Abschreckung durch Strafe, S. 143 ff.

603 Es besteht die Möglichkeit, dass eine großzügige Handhabe der Einstellungspraxis durch den Gesetzgeber zu einer nachlässigen Meldepraxis der Strafverfolgungsorgane führt. Ob und in welchem Umfang dies jedoch tatsächlich stattfindet, ist nicht sicher feststellbar. Deshalb wird hier unterstellt, dass jede Sicherstellung auch ordnungsgemäß erfasst wird.

604 Seit 1997 werden die Daten grafisch aufbereitet wiedergegeben, in der Grafik „G 89“; vgl. nur anstelle vieler PKS, Berichtsjahr 2006, Tabelle T 218, S. 225 „Sicherstellungsmengen und Drogentote“.

605 Hierzu unten § 6 IV.4.

606 Vgl. hierzu PKS, Berichtsjahr 2006, Kriminalitätsbetrachtung auf Kreisebene „7300“, S. 263.

607 PKS, Berichtsjahr 2000, Verteilung nach Häufigkeitszahlen bei Rauschgiftdelikten, G 89, S. 229.

608 PKS, Berichtsjahr 2006, Kriminalitätsbetrachtung auf Kreisebene „7300“, S. 262.

609 Dies ist das Ergebnis der Hellfeldanalyse der PKS der Jahre 1995–2007. So weist z.B. die PKS, Berichtsjahr 2006, Exkurs: Kriminalitätsbetrachtung auf Kreisebene „7300“

die oben herausgearbeiteten Erkenntnisse des Phänomens des Tanktourismus als Grundlage – der Eintritt zumindest regionaler Verlagerungseffekte zu erwarten gewesen. Es lässt sich jedoch weder eine Verlagerung der Kriminalität von Süd- oder Ostdeutschland nach Nord-Westen noch nach Schleswig-Holstein feststellen.[610] Auch grenznahe Mitnahmeeffekte in Regionen mit großem (Sanktions-)Gefälle lassen sich nicht nachweisen.[611] So hat sich z.B. in den Grenzbezirken Schleswig-Holsteins die registrierte BtM-Kriminalität nicht erhöht.[612] Die (relative) Zahl der sichergestellten Drogen hat sich seit dem Jahr 1995 in Schleswig-Holstein nicht verändert; die BtM-Kriminalität entwickelt sich hier vergleichbar der Baden-Württembergs.[613]

Eine Umstellung des (rationalen) Nachfrageverhaltens wäre jedoch insbesondere bei Personen zu erwarten, die in Regionen leben, die näher an Schleswig-Holstein liegen als an den Niederlanden. Dies ist z.B. der Fall bei Hamburg, Mecklenburg-Vorpommern, Brandenburg oder auch Sachsen-Anhalt. Schleswig-Holstein wäre insbesondere auch deshalb eine Alternative zum Grenzverkehr mit Holland,[614] da dieser traditionell stark kontrolliert wird,[615] was in den angrenzenden Regionen zu Schleswig-Holstein nicht der Fall ist. Die „Attraktivität" des Einkaufs in Schleswig-Holstein besteht – etwa im Vergleich zum Einkauf in den Niederlanden – weiter darin, dass auch der Erwerb „harter" Drogen – wie Kokain oder Ecstasy – in nicht unerheblichem Ausmaß umfasst ist.[616] Auch dies müsste die Nachfrage steigern.

Demgegenüber kann m.E. nicht eingewandt werden, der Verlagerungseffekt sei vorhanden, jedoch nicht festgestellt worden.[617] Die Überwachung, d.h. insbesonde-

---

[Rauschgiftdelikte], S. 262 in Baden-Württemberg (verglichen insbesondere mit Schleswig-Holstein) eine höhere Zahl an Kreisen mit einer hohen Sicherstellungszahl an Drogen auf.

610 Auch eine relative Verschiebung in den (Nord-)Westen ist nicht feststellbar. Zwar weisen Niedersachsen, Rheinland-Pfalz und Nordrhein-Westfalen traditionell eine erhöhte Sicherstellungsmenge auf. Betrachtet man die Zahlen der jeweiligen Bundesländer aber auf Kreisebene, zeigt sich, dass diese insbesondere auf Beschlagnahmungen an der Grenze zu Holland zurückzuführen sind, vgl. PKS, Berichtsjahr 2006, Kriminalitätsbetrachtung auf Kreisebene „7300", S. 263.

611 Ein solcher lässt sich nur in den Grenzregionen zu Holland feststellen, vgl. PKS, Berichtsjahr 2007, Kriminalitätsbetrachtung auf Kreisebene „7300", S. 262; hierzu sogleich § 6 IV.4.b).

612 Vgl. PKS, Berichtsjahr 2007, Kriminalitätsbetrachtung auf Kreisebene „7300", S. 262.

613 Vgl. PKS, Berichtsjahr 2007, G 89 [Verteilung der Häufigkeitszahlen bei Rauschgiftdelikten], S. 223.

614 Hierzu *Paoli*, Die unsichtbare Hand des Marktes, S. 356 (374 f.).

615 Dieser entspricht einer konstanten Entwicklung, vgl. hierzu die Darstellung der Sicherstellungsmenge in der geografischen Darstellung der PKS, Berichtsjahr 2006, Kriminalitätsbetrachtung auf Kreisebene „7300", S. 263.

616 Zu den erfassten Tathandlungen im Einzelnen vgl. *Zeller*, Staatsanwaltliche Einstellungsverfügungen, S. 30.

617 Vgl. zur Diskussion im Rahmen der sekundären Prävention oben § 6 IV.1.b).

re die Verfolgungsintensität, hat in dem Überwachungszeitraum nicht nachgelassen.[618] Die PKS weist eine zwischen 1993 und 2004 kontinuierlich, z.T. sogar stark steigende, seit 2004 leicht fallende Anzahl an Rauschgiftdelikten aus.[619] Jedoch sinkt seit 1998 die Gesamtmenge des sichergestellten Cannabis über das langjährige Mittel z.T. erheblich.[620] Dies lässt darauf schließen, dass die Kontrollfrequenz nicht nachlässt. Es spricht für einen höheren absoluten Verfolgungsdruck innerhalb Deutschlands.

Dies lässt sich u.a. anhand der Zahlen des LKA Niedersachsen belegen. Das LKA Niedersachsen hat im Zeitraum 1997–2006 festgestellt, dass der Anteil an BtM-Delikten, der auf das Handeltreiben von BtM entfällt, an der registrierten Kriminalität zurückgeht. 1997 stellten diese Arten noch 34 Prozent der BtM-Delikte dar, wohingegen dieser Anteil im Jahr 2006 auf 26,3 Prozent der Delikte geschrumpft war. Gleiches gilt für die Einfuhr von BtM, bei der ebenfalls ein kontinuierliches Herabsinken des prozentualen Anteils seit 1997 festzustellen ist.[621] Setzt man hierzu in Relation, dass die absoluten Fallzahlen der BtM-Kriminalität in Niedersachsen gleichzeitig stark gestiegen sind,[622] deutet dies darauf hin, dass die Zunahme der registrierten Delikte und der Tatverdächtigen nicht mit einer Steigerung der sichergestellten Drogenmenge einhergeht.[623] Die registrierte Zunahme individueller Rauschgiftdelikte spiegelt keine größere Gesamthandelsmenge an Rauschgift wider. Diese Sichtweise wird von der Interpretation der schleswig-holsteinischen Kriminalstatistik des Jahres 2007 gestützt.[624]

Man kann deshalb davon ausgehen, dass eine Verlagerung der BtM-Kriminalität ihren Niederschlag in den offiziellen Statistiken gefunden hätte. Es lässt sich ausschließen, dass eine Verlagerung nur deshalb nicht registriert wurde, weil sie vollständig im Dunkelfeld verblieben ist.[625]

---

618 Gegen ein Abwandern ins Dunkelfeld bzw. ein Ausweichen auf die Ersatzdroge Amphetamin spricht, dass die Menge an sichergestellten Ersatzstoffen (wie z.B. Amphetamine) zwar kontinuierlich, nicht aber im Verhältnis zum Rückgang der sichergestellten Marihuanamenge wächst, vgl. PKS, Berichtsjahr 2006, Tabelle T 218, S. 225, „Sicherstellungsmengen und Drogentote".

619 PKS, Berichtsjahr 2006, Grafik G 87, S. 222 „Rauschgiftdelikte".

620 So weist die PKS, Berichtsjahr 1998 sogar in Schleswig-Holstein eine geringere sichergestellte Menge aus als in Baden-Württemberg, vgl. PKS, Berichtsjahr 1998, G 89 „Verteilung nach Häufigkeitszahlen bei Rauschgiftdelikten", S. 221.

621 Vgl. LKA Niedersachsen, Polizeiliche Rauschgiftbekämpfung in Niedersachsen 2006, Rubrik „Illegaler Handel/Schmuggel mit/von BtM, S. 21 f.

622 Vgl. LKA Niedersachsen, Polizeiliche Rauschgiftbekämpfung in Niedersachsen 2006, S. 20, 25.

623 Vgl. LKA Niedersachsen, Polizeiliche Rauschgiftbekämpfung in Niedersachsen 2006, S. 20, 25.

624 Vgl https://www.polizei.schleswig-holstein.de/internet/DE/Organisation/PDLuebeck/Aktuell/PksLuebeck__2007.html [letzter Zugriff: 26.10.2009].

625 Hierzu *v. Danwitz*, Kriminologie, S. 15 f. *passim*.

d) Zwischenergebnis

Anhaltspunkte, dass Unterschiede in den strafrechtlichen Ordnungen zur Verlagerung kriminellen Verhaltens führen, hat die Untersuchung bislang nicht ergeben. Unterschiede in den mitgliedstaatlichen Strafrechtsordnungen sind kein hinreichender Anhaltspunkt, um die Entstehung krimineller Verlagerungseffekte vorhersagen zu können.

Ein verstärktes Auftreten von Verlagerungseffekten kann nicht als Folge der Öffnung der Binnengrenzen innerhalb der EU im Jahr 1992 festgestellt werden.[626] Es fand sich kein Beleg dafür, dass sich seitdem kriminelle Phänomene nach anderen Maßstäben verlagern als im Vergleich zu Staaten, die weiterhin Grenzkontrollen durchführen.

Unterschiede in strafrechtlichen Vorschriften haben keine feststellbare Relevanz für Migrationsentscheidungen.[627] Anreize durch unterschiedliche Strafverfolgung lösen auch nicht stets Mitnahmeeffekte aus. Auch wenn Normunterschiede existieren, bei denen kriminelle Mitnahmeeffekte zu erwarten wären, bleiben diese aus. Es lässt sich nicht feststellen, dass unterschiedliche Kriminalisierung Menschen dazu veranlasst, entsprechende Tätigkeiten in feststellbarem Maße örtlich zu verlagern. Die empirisch nachweisbaren Daten lassen darauf schließen, dass abstrakte Unterschiede in den Strafrechtsordnungen – alleine – nicht als Anreiz ausreichen, um kriminelle Verlagerungseffekte hervorzurufen.[628]

Hieraus folgt, dass Normunterschiede nicht als Grundlage dafür ausreichen, um zuverlässig den Eintritt von kriminellen Verlagerungseffekten prognostizieren zu können. Dass Normunterschiede alleine dazu führen, dass sich die Kriminalität in das Gebiet mit der niedrigsten Sanktionsdrohung verlagert, bleibt eine unbewiesene Hypothese.

4. Verlagerungseffekte als Folge von Nicht-Kriminalisierung

Die Verlagerungsanreize können größer werden, wenn ein bestimmtes Verhalten in einem Land erlaubt, in einem anderen hingegen verboten ist. In diesem Zusammenhang gilt es, zwei Fragen zu beantworten. Zum einen, ob die Existenz eines strafrechtlichen Verbots – per se – geeignet ist, einen Verlagerungseffekt hervorzurufen. Zum anderen, in welchem Maße sich eine Verlagerung von Verhalten feststellen lässt, wenn in dieser Fallkonstellation zugleich starke ökonomische Anreize bestehen.

---

626 § 6 IV.3.a).

627 § 6 IV.3.b).

628 § 6 IV.3.c).

a) Führt Nicht-Kriminalisierung zu Verlagerungseffekten?

Entsprechende Verlagerungseffekte lassen sich u.a. im Zusammenhang mit der sog. Spätabtreibung in den Niederlanden feststellen. Ein Gegenbeispiel findet sich in Schweden. Dort hat man das Verbot der Prostitution geändert und bestraft nunmehr nicht mehr das Anbieten, sondern den Kauf und das Vermitteln von Prostitution.

aa) Beispiel: Schwangerschaftsspätabbruch in den Niederlanden

Verlagerungseffekte lassen sich u.a. beim Schwangerschaftsabbruch und bei der Sterbehilfe nachweisen.[629] Beim Schwangerschaftsabbruch führen die unterschiedlichen Fristen, innerhalb derer ein Abbruch straflos vorgenommen werden kann, dazu, dass Schwangere u.a. aus Deutschland in die Niederlande reisen, da dort ein Abbruch länger als in Deutschland legal vorgenommen werden kann.

In den Niederlanden sind Schwangerschaftsabbrüche bis in die 24. Schwangerschaftswoche möglich (sog. Spätabbrüche). Diese sind nach § 296 Strafgesetzbuch (NL) zulässig, wenn sie von einem Arzt in einem Krankenhaus oder einer Klinik durchgeführt werden. In Holland wurden im Jahr 2003 1.232 Abtreibungen von Frauen mit Wohnsitz in Deutschland durchgeführt.[630] Die genaue Anzahl der Spätabbrüche, d.h. solche nach der zwölften Schwangerschaftswoche, werden in der Statistik nicht gesondert nach Nationalitäten aufgeschlüsselt. Der Anteil der Spätabbrüche variiert zwischen 6,3 Prozent (2003) und 8 Prozent (2004); 2002 waren es 6,6 Prozent.[631]

bb) Beispiel: Erstkriminalisierung des Kaufs von Prostitution in Schweden

Nicht immer verlagert sich jedoch ein bestimmtes kriminalisiertes Verhalten in ein Nachbarland. Die Kriminalisierung eines bestimmten Verhaltens kann auch dazu führen, dass dieses statt ins Ausland ins Dunkelfeld (desselben Landes) abwandert. Dies zeigt nicht nur die Untersuchung von *Clarke* hinsichtlich der Videoüberwachung.[632] Auch Studien, welche die Umstellung der Kriminalisierung der

---

629 In einer Studie, die in den Jahren 2000–2003 in sechs europäischen Ländern die Sterbehilfe untersuchte, bezifferte die Anzahl der sog. passiven Sterbehilfe auf ca. 300 Fälle pro Jahr. Dies entspricht ca. 41 % der Sterbehilfefälle, vgl. hierzu die Studie, Medical End-of-Life Decisions in Six European Countries (MELS), von EURELD, hierzu *Boshard/ Fischer/Faisst*, Primary Care 2005 (Nr. 39), 799 f.

630 Landelkijke abortus registratie 2004, S. 25 (Figuur 7.1).

631 Nicht in die Betrachtung einfließen kann hier die Zahl der Schwangerschaftsabbrüche, die in der 12 bis 13 Woche vorgenommen werden, da sich diese aufgrund der Zulässigkeit der Abtreibung bis zum Ablauf der 12. Woche in § 218a Abs. 1 Nr. 3 StGB überschneiden. In diese Zeitspanne fielen im Jahr 2002 4,8 %, im Jahr 2003 4,6 % und im Jahr 2004 5,2 % der Abbrüche, vgl. Landelkijke abortus registratie 2004, S. 21 (Tabel 5.4).

632 Hierzu oben § 6 IV.1.b).

Prostitution in Schweden im Jahr 1999 untersuchten, kamen zu diesem Ergebnis.[633] Seit dieser Gesetzesänderung ist nicht mehr der Verkauf, d.h. das Anbieten von sexuellen Diensten kriminalisiert, sondern der Kauf und die Vermittlung.[634] Die Studie kann nicht klären, ob die Nachfrage nach Prostitution durch die (Erst-) Kriminalisierung wirklich zurückgeht oder primär vom Hell- ins Dunkelfeld verbannt wird.[635]

Trotz nachlässiger Umsetzung durch die Strafverfolgungsbehörden und sehr hoher Anforderungen an die Beweisführung hat das Gesetz zu einem signifikanten Rückgang der Präsenz im öffentlichen Raum (Straßenprostitution und Internetannoncen) geführt.[636] Ob dies auf einem tatsächlichen Rückgang der Prostitution beruht oder ob die Prostitution sich nur ins Dunkelfeld verlagert, konnte bislang nicht geklärt werden.[637] Eingeräumt wird, dass 2/3 des Marktes von vornherein nicht erreicht worden seien, da dieser Markt nicht im öffentlichen Raum stattfinde.[638]

Eine Kriminalisierung muss also nicht per se zu einem Ausweichverhalten in Nachbarländer führen, in denen dieses Verhalten nicht kriminalisiert ist. Auch eine flächendeckende Kriminalisierung (in einem Land) muss nicht dazu führen, dass sich entsprechendes Verhalten in messbarem Ausmaß ins Ausland verlagert. Es kann auch sein, dass, neben einem tatsächlichen Rückgang, das Verhalten sich primär ins nationale Dunkelfeld verlagert.

b) Verlagerungseffekte, wenn Nicht-Kriminalisierung wirtschaftliche Anreize verstärkt

Empirisches Datenmaterial, das den hiesigen Untersuchungsgegenstand abdeckt und genau wiedergibt, ist kaum vorhanden. Der Grund dafür ist der, dass statistische Erhebungen über die Verlagerung in dem Land nicht geführt werden, in dem das Verhalten erlaubt ist. In den Ländern, die dieses Verhalten kriminalisieren, liegen wiederum nur Schätzungen über die Größenordung der Umgehungen vor. Einschränkend wirkt weiter, dass diese Fallkonstellation nur selten vorkommt, da die Rechtsordnungen der EU-Mitgliedstaaten weitgehend angeglichen sind. Zwei Beispiele finden sich dennoch. So existierte lange ein *(de facto)* legaler Drogenverkauf in den Niederlanden. Ein anderes Beispiel ist das Phänomen der Steueroasen. Hier bestehen ökonomische Anreize, Finanzkapital zu verlagern. Die Anreize werden

---

633 Zur vergleichenden Untersuchung „Auswirkungen des Prostitutionsgesetzes“, Abschlussbericht des Bundesministeriums für Familie, Senioren, Frauen und Jugend, Nov. 2005, S. 238 ff.; zur Diskussion in Deutschland vgl. *Merk*, ZRP 2006, 250.

634 Abschlussbericht, Auswirkungen des Prostitutionsgesetzes, S. 241 ff.

635 Vgl. ferner *v. Danwitz*, Kriminologie, S. 14 f.

636 Abschlussbericht, Auswirkungen des Prostitutionsgesetzes, S. 242 f.

637 Abschlussbericht, Auswirkungen des Prostitutionsgesetzes, S. 243.

638 Abschlussbericht, Auswirkungen des Prostitutionsgesetzes, S. 243.

dadurch verstärkt, dass ausländischen Strafverfolgungsbegehren in diesen Angelegenheiten keine Folge geleistet wird.

aa) Mitnahmeeffekte infolge der liberalen Drogenpolitik der Niederlande

Die Drogenpolitik in den Niederlanden hat Bereiche des Drogenverkaufs entkriminalisiert. Insbesondere weiche Drogen können legal in staatlich lizenzierten Koffieshops erworben werden.[639] Manche Artikel in den Koffieshops werden vor allem von nicht-niederländischen Käufern nachgefragt.[640] Allerdings ist das Land gleichzeitig auch Transitland für den Drogenschmuggel nach Europa. U.a. der Hafen von Rotterdam und der Flughafen von Amsterdam gelten als zentrale Umschlagplätze für Drogenimporte nach ganz Europa.[641] Von dort aus werden die Drogen dann in ihre Bestimmungsländer verbracht. Welcher Anteil des Drogenverkaufs und -schmuggels auf den Verlagerungseffekt und welcher auf den „normalen“ Schmuggel zurückgeht, lässt sich nicht exakt bestimmen. Es kann jedoch nicht ausgeschlossen werden, dass ein relevanter Anteil des Drogengrenzverkehrs auch durch Verlagerungseffekte hervorgerufen wird.

bb) Steuerflucht und Steueroasen

Dass Verlagerungseffekte eintreten, die auch mit der Umgehung strafrechtlicher Verbote zusammenhängen, zeigt sich ferner auf dem Kapitalmarkt. Verlagerungsbewegungen in erheblichem Umfang lassen sich in Steueroasen wie Liechtenstein, der Schweiz, Luxemburg, Belgien oder *off shore*-Finanzplätzen wie den Cayman-Inseln feststellen.[642] Die globalen Finanzströme werden wesentlich durch die unterschiedliche steuerliche Gestaltung der einzelnen Staaten hervorgerufen. In den Steueroasen unterliegen Kapitalerträge oder sonstige Erträge aus wirtschaftlicher Tätigkeit keiner oder nur einer geringen Steuerpflicht. Wird durch diese Handlung zugleich ein ausländisches strafrechtliches Verbot übertreten (z.B. § 370 AO des deutschen Rechts), wird von den Steueroasen in der Regel keine Amtshilfe bei der

---

639 Dies ist Folge der Liberalisierung der niederländischen Drogenpolitik im Jahr 1976. Allerdings ist in den Niederlanden weder der Anbau noch die Verarbeitung, die Bevorratung oder der Einkauf von Cannabis legal. Lediglich der Verkauf von Cannabis und Haschisch in den ca. 1.000 staatlich-lizenzierten Koffieshops wird nicht strafrechtlich verfolgt (sog. Vordertür). Der anderweitig stattfindende Markt (sog. Hintertür) wurde bislang jedoch nur nachlässig kontrolliert; hierzu EMCDDA, The Netherlands – drug situation 2005, S. 13 f., 18; ferner *Scholten*, in: Meyer (Hrsg.), Betäubungsmittelstrafrecht in Westeuropa, S. 445 (457 ff.; 470 f.); LKA Nordrhein-Westfalen, Lagebild Rauschgift 2007, S. 8.

640 So geht nach (nicht näher zitierten) niederländischen Erhebungen z.B. 90 % des Umsatzes an „Magic Mushrooms“ (Pilze, die den Wirkstoff Psilocin enthalten) auf Käufer aus Deutschland, Belgien oder Frankreich zurück, vgl. SZ vom 2.12.2008, 10.

641 EMCDDA, The Netherlands – drug situation 2005, S. 17 f.

642 Hierzu oben § 6 IV.2.

Durchsetzung ausländischer Strafverfolgungsbegehren gewährt. Diese nahezu vollständige Abschirmung vor Strafverfolgungsansprüchen mag einen Verlagerungseffekt verstärken, welchen exakten Beitrag sie zum Entstehen eines solchen Effekts leistet, lässt sich jedoch nicht beziffern.

Insbesondere die Verweigerung notwendiger Informationen,[643] der Rechtshilfe und das Aussetzen des Europäischen Auslieferungsübereinkommens in Fiskalsachen führen dazu, dass Verbote anderer Mitgliedstaaten der EU in ihrer generalpräventiven Wirkung erheblich beeinträchtigt werden. Die Steueroasen bedienen sich bestimmter (Finanz-)Vehikel, mit denen Anleger aus anderen Staaten die Existenz von Kapitalvermögen u.Ä. in diesen Ländern verschleiern können, wie z.B. durch Nummernkonten (Schweiz) oder Stiftungen (Liechtenstein).[644] Zentraler Baustein zur Unterminierung ausländischer strafrechtlich bewehrter Verbote ist jedoch die Verweigerung der Rechtshilfe in Fiskalstrafsachen (Art. 2 lit. a EuRhÜbk).[645] Zudem wird z.B. das Europäische Auslieferungsübereinkommen des Europarats von einer Reihe von Staaten (u.a. der Schweiz, Liechtenstein, Monaco u.a.) nicht auf fiskalische Straftaten angewendet.[646]

Durch diese Abschirmung wird die (materiell-)strafrechtliche Drohung in anderen Ländern – von der Signalwirkung von Ausnahmefällen wie der sogenannten Zumwinkel-Affäre[647] abgesehen – nahezu vollständig wirkungslos.

Dieses Beispiel gibt jedoch nur mittelbar Auskunft über die hier zu untersuchende Fallgestaltung. Zum einen handelt es sich nicht um ein Phänomen, das maßgeblich durch strafrechtliche Unterschiede hervorgerufen wird. Zum anderen hätte die EG auch nicht die Kompetenz, die strafrechtlichen Regelungslücken zu schließen. Denn eine Kompetenz im Rahmen von Art. 95 EGV setzt voraus, dass die grundlegenden strafrechtlichen Sanktionsmechanismen greifen und nicht durch internationale Übereinkommen ausgeschlossen werden.[648] Dies ist jedoch bei Fiskalstrafsachen nicht der Fall. Das EuRhÜbk fällt in den Regelungsbereich des EU-Vertrags, Kompetenzgrundlage ist Art. 34 EUV.[649] Auch die bewussten Aus-

---

643 Vgl. zur Rechtslage in der EU nach Erlass der EU-Zinsrichtlinie (2003/48/EG), *Schmitz/Brilla* IStR 2004, 73 (74 ff.), die ein Informationssystem installierte, das die Banken verpflichtete, die Einkünfte aus Kapitalerträgen direkt an die zuständige staatliche Stelle zu melden. An diesem System beteiligen sich nicht: Luxemburg, Belgien und Österreich.

644 *Bielefeld/Prinz*, DStR 2008, 1122.

645 *Bielefeld/Prinz*, DStR 2008, 1122 (1124).

646 *Bielefeld/Prinz*, DStR 2008, 1122 (1125).

647 Diese Affäre begann, nachdem das deutsche Finanzamt die Datensätze von ca. 2.400 Personen – auf rechtsstaatlich umstrittenem Wege – erworben hatte, um Auskünfte über die Personen und die Höhe der hinterzogenen Steuern deutscher Staatsbürger zu erlagen, vgl. *Sieber*, NJW 2008, 881; *Kölbl*, NStZ 2008, 241 ff.; krit. *Schünemann*, NStZ 2008, 305 ff.

648 Vgl. EuGH „*Griechischer Mais*" (Rn. 24).

649 Vgl. Übereinkommen gemäß Artikel 34 des Vertrags über die Europäische Union – vom Rat erstellt – über die Rechtshilfe in Strafsachen zwischen den Mitgliedstaaten der Europäischen Union – Erklärung des Rates zu Artikel 10 Absatz 9 – Erklärung des Vereinigten Königreichs zu Artikel 20, veröffentlicht im ABl. L 197/3 vom 12.7.2000.

nahmen der EU-Zinsrichtlinie könnten nicht über eine Harmonisierung rückgängig gemacht werden. Die durch den EU-Vertrag oder anderweitige EG-Regelungen bewusst geschaffenen Regelungslücken in Fiskalstrafsachen könnte die EG nicht mittels des *effet utile* oder einer Harmonisierung der materiell-strafrechtlichen Regelungen (mittels Art. 95 EGV) schließen.

cc) Wettbewerbsverzerrender Charakter dieser Verlagerungseffekte

Führen Regelungsunterschiede zu Verlagerungseffekten, wäre ferner festzustellen, ob diese auch Wettbewerbsverzerrungen im Binnenmarkt hervorrufen. Ob und wie dies der Fall sein kann, soll hier anhand der beiden oben genannten realen Entwicklungen (Drogenmarkt in den Niederlanden und Phänomen der Steueroasen) illustriert werden.[650]

Im Fall der Steueroasen liegt eine Konstellation zugrunde, die den Zusammenhängen gleicht, über die der EuGH in seinem Urteil *Keck u. Mithouard* entschieden hat.[651] Für die Banken – in den Steueroasen – ist die Möglichkeit, das Geld ausländischer Steuerflüchtlinge anzulegen, eine den „Verkaufsmodalitäten" vergleichbare Geschäftschance. Ihnen wird die Erlaubnis gewährt, Geld verwalten zu können, dessen Existenz ausländischen Steuerbehörden verschwiegen wird. Diese Fallgruppe scheidet aus dem Anwendungsbereich von Art. 95 EGV aus. Die Möglichkeit, diese Art von Geschäften abzuschließen, ist eine bloße Gewinnchance, der keine Relevanz für das Tatbestandsmerkmal Wettbewerbsverzerrungen zukommt.[652]

Die Verlagerungseffekte, die auf den quasi-legalen Drogenverkauf in den Niederlanden zurückgehen, haben infolge anderer Zusammenhänge keine Auswirkung auf den Binnenmarkt (Art. 95 EGV). Das Verbot des Drogenhandels ist ein allgemeines Verbot, das in allen Mitgliedstaaten – außer in den Niederlanden – eine wirtschaftliche Betätigung im Bereich des Drogenhandels vollständig untersagt. Ein legaler Markt für dieses Produkt, dessen Rahmen über rechtliche Regelungen beeinflusst wird, existiert deshalb nicht.[653] Es fehlt an einem Markt, der durch rechtliche Regelungen determiniert wird. Die staatlichen Regelungen – mit Ausnahme der Niederlanden – beschränken sich darauf, den Markt vollständig zu untersagen. Es besteht also nicht die Möglichkeit, dass staatliche Regelungen auf die relevante Fallgruppe der „Produktionskosten" Einfluss ausüben.[654] Insoweit weist

---

650 Außen vor bleibt an dieser Stelle, dass steuerrechtliche Gestaltungsfragen *a priori* aufgrund Art. 95 Abs. 2 EGV von der Harmonisierung ausgeschlossen sind.

651 Siehe hierzu § 5 IV.1.b)aa).

652 Siehe hierzu § 5 IV.1.b)aa).

653 Hierzu § 5 III.; hinsichtlich Art. 30 EGV vgl. *Becker*, in: Schwarze (Hrsg.), EU-Kommentar, Art. 30 EGV Rn. 11.

654 Vgl. § 5 IV.1.b)bb).

auch der Drogenhandel keinen hinreichenden Bezug zum Anwendungsbereich von Art. 95 EGV auf.

dd) Zwischenergebnis

Verlagerungseffekte, die auf der Umgehung strafrechtlich bewehrter Verbote beruhen, lassen sich in manchen Fällen feststellen,[655] wenn ein bestimmtes Verhalten in einem Land legal ist und in einem anderen verboten. Eine Kompetenz gemäß Art. 95 EGV wäre in den hier untersuchten Fällen jedoch dennoch nicht begründet. Die Unterminierung der Strafdrohung für Steuerhinterziehung wird maßgeblich durch ein Übereinkommen begründet, das in die Zuständigkeit des EU-Vertrags fällt. Diese Auswirkungen können nicht dadurch beseitigt werden, dass die materiell-strafrechtlichen Regelungen dieses Bereichs auf der Grundlage von Art. 95 EGV harmonisiert werden.[656] Der Verlagerungseffekt, der auf den quasi-legalen Drogenverkauf in den Niederlanden zurückgeht, ist bereits *a priori* ohne Relevanz für den Binnenmarkt. Denn infolge des EU-weiten Verbots von Drogen existiert kein Markt, der durch staatliche Regelungen determiniert wird. Eine Regelungskompetenz wäre demnach bereits nicht eröffnet.

5. Verlagerungseffekte bei krimineller Ware

Verlagerungseffekte können auch im grenzüberschreitenden Warenverkehr auftreten. Die weitgehende Realisierung des Prinzips des freien Warenverkehrs hat dazu geführt, dass Waren im Binnenmarkt nahezu ohne Begrenzung und Kontrolle zirkulieren können.[657] Auch in diesem Zusammenhang wird zwischen legalem (a) und illegalem Handel unterschieden (b).

a) Verlagerungseffekte bei legalem Handel: der Parallelhandel mit Arzneimitteln

Beim sogenannten Parallelhandel mit Arzneimitteln lässt sich ein Verlagerungseffekt feststellen.[658] Dieser geht maßgeblich auf das Preisgefälle zurück, das auf den verschiedenen nationalen Medikamentenmärkten der Mitgliedstaaten herrscht.[659]

---

[655] Vgl. § 6 IV.4.a).

[656] Vgl. § 6 IV.4.b)bb).

[657] *Hatje*, in: Schwarze (Hrsg.), EU-Kommentar, Art. 14 EGV Rn. 18 f.

[658] Zu den verschiedenen Arten des Parallelhandels, wie z.B. Parallelimport, Parallelvertrieb oder Reimport, vgl. *Douglas*, Parallelimport von Arzneimitteln, S. 5 f.

[659] Vgl. *Douglas*, Parallelimport von Arzneimitteln, S. 6 f., 39 f.; *Lieck*, Parallelhandel mit Arzneimitteln, S. 1.

aa) Rahmenbedingungen des Parallelhandels mit Arzneimitteln

Der Parallelhandel von Arzneimitteln wird maßgeblich durch zwei Besonderheiten bestimmt, die atypisch für den EG-Binnenmarkt sind.[660] Die Arzneimittelmärkte sind zum einen nationale Märkte geblieben, die zum anderen staatlich streng reglementiert sind.[661] Die Preise für Medikamente werden in einer Art planwirtschaftlichem Verfahren festgelegt,[662] nicht durch einen marktwirtschaftlichen Mechanismus. Jeder Staat bestimmt seine Preispolitik. Die Staaten haben in den letzten Jahren ihre jeweilige Preispolitik beibehalten. Dies hat dazu geführt, dass sich ein festes Gefüge mit Hoch- und Niedrigpreisländern etabliert hat.[663] Der Parallelhandel im Bereich der Arzneimittel wird zum anderen nicht nur von privaten Akteuren bestimmt, sondern insbesondere durch staatliche bzw. institutionelle Nachfrager, die den Parallelhandel gezielt zur Senkung ihrer (Einkaufs-)Kosten einsetzen.[664] Die Struktur des Parallelhandels ist geprägt von dem Handel mit einigen wenigen Medikamenten; diese werden jedoch in sehr großem Umfang gehandelt. Bei manchen Medikamenten erreicht er ein Volumen von 50 Prozent der in einem Mitgliedstaat gehandelten Medikamente dieses Typs.[665]

Um ökonomisch attraktiv zu sein, setzt der Parallelhandel eine Preisdifferenz von ca. 15 bis 20 Prozent zwischen zwei Märkten voraus.[666] Der Marktanteil von parallel importierten Arzneimitteln in den Hochpreisstaaten ist im Lauf der Jahre stark gestiegen.[667] In Deutschland betrug er 2001 ca. 4,9 Prozent, in Großbritannien 19,8 Prozent, in den Niederlanden 17,3 Prozent, in Schweden 10,1 und in Dänemark 11,3 Prozent.[668]

Beim Handel mit Medikamenten fehlt es jedoch an einem relevanten Binnenmarkt, auf dem dieses Phänomen zu Wettbewerbsverzerrungen führen kann. Durch die staatliche Abschottung der nationalen Märkte fehlt es bereits an dieser Voraussetzung des Art. 95 EGV.

---

660 *Daumann/Oberender*, in: Dehlhaes/Fehl (Hrsg.), Dimensionen des Wettbewerbs, S. 237; *Douglas*, Parallelimport von Arzneimitteln, S. 5 ff.; *Lieck*, Parallelhandel mit Arzneimitteln, S. 1 ff.

661 *König/Engelmann/Sander*, GRUR-Int 2001, 919 f.

662 *Lieck*, Parallelhandel mit Arzneimitteln, S. 2 f.; *Douglas*, Parallelimport von Arzneimitteln, S. 7.

663 *Lieck*, Parallelhandel mit Arzneimitteln, S. 1.

664 *Douglas*, Parallelimport von Arzneimitteln, S. 59 f., 61 f.

665 Vgl. *Douglas*, Parallelimport von Arzneimitteln, S. 61 m.w.N.

666 *Douglas*, Parallelimport von Arzneimitteln, S. 7.

667 *Douglas*, Parallelimport von Arzneimitteln, S. 59 f.

668 Gutachten der University of New York, Health Economics Consortium, "Benefits to payers and patients from parallel trade", May 2003, S. 15, 31, 48, 69, zit. nach *Lieck*, Parallelhandel mit Arzneimitteln, S. 2.

bb) Parallelhandel stets Folge ökonomischer Anreize?

Allerdings zeigt sich, wenn man auf andere Waren blickt, dass wirtschaftliche Anreize allein keine hinreichende Bedingung für die Entstehung von Verlagerungseffekten sind. Dennoch hat das Grünbuch über Produktpiraterie aus dem Jahr 1998 dieses Konzept zugrunde gelegt.[669] Es wurde von anderer Seite anhand empirischer Beispiele kritisiert, die sich mit den bisherigen Erkenntnissen dieser Untersuchung decken:[670]

> „Für die einzelnen […] Sektoren wird […] untersucht, welche Preisdifferenzen innerhalb der EU bestehen und welchen Umfang der Parallelhandel innerhalb der EU hat. Bei großen Preisdifferenzen müsste dann erwartet werden, dass der Parallelhandel entsprechend umfangreich ist. Bei Autos, Verbraucherelektronik, Haushaltsartikeln und alkoholischen Getränken liegen die Preise weit auseinander, der Handel über die Grenzen ist aber in der EU ziemlich gering.“

Diese Kritik stimmt mit dem hiesigen Untersuchungsergebnis im Bereich der Verlagerung von Personen überein. Auch dort ließen sich ökonomische Anreize nicht als hinreichender Indikator feststellen, aus dem das Auftreten relevanter Verlagerungseffekte gefolgert werden könnte. Ökonomische Anreize bestehen zwar in einer Vielzahl der Fälle, in denen sich Verlagerungseffekte zeigen. Der Umkehrschluss gilt jedoch nicht; ökonomische Anreize indizieren nicht den Eintritt von Verlagerungseffekten. In den Fällen, in denen sich solche Effekte nachweisen lassen, treten weitere Bedingungen hinzu, die maßgeblichen Einfluss ausüben.[671] Verlagerungseffekte lassen sich deshalb nicht auf eine einheitliche Formel zurückführen bzw. anhand einer solchen vorhersagen. Es kommt vielmehr auf das jeweilige Gut und den Markt an.

b) Verlagerungseffekte beim illegalen Handel

Der Handel mit illegaler Ware hat keine einheitliche Relevanz für Wettbewerbsverzerrungen. Bestimmten kriminellen Waren fehlt bereits der Bezug zu einem Markt, der durch die staatliche Wirtschaftspolitik geregelt wird. Bestimmte Produkte haben keinen Konnex zum staatlichen Markt, weil alle Produktions- und Handelsstufen vollständig verboten sind (aa). Es existieren jedoch auch kriminelle Waren, deren Warenströme eng mit denen der legalen wirtschaftlichen Tätigkeit zusammenhängen (bb).

---

[669] Grünbuch vom 15.10.1998, EG/98/569.

[670] Stellungnahme des Fachausschusses für Wettbewerbs- und Warenzeichenrecht der Deutschen Vereinigung für gewerblichen Rechtsschutz und Urheberrecht zum Grünbuch der Kommission über Produktpiraterie, GRUR 1999, 318.

[671] Vgl. § 6 IV.5.a)aa).

aa) Offen illegaler Markt

Ob Verlagerungseffekte auch auftreten, wenn es um den Handel mit krimineller Ware geht, ist bislang wenig diskutiert.[672] Diese Frage kann an dieser Stelle dahingestellt bleiben, soweit der Handel – z.B. bei Drogen – in keinem Zusammenhang mit einer legalen Wirtschaftstätigkeit steht. Diesem Handel fehlt der Bezug zur legalen, d.h. durch Vorschriften geregelten Wirtschaftstätigkeit, der Bezugspunkt für Art. 95 EGV ist. Nur eine wirtschaftliche Tätigkeit, die von staatlichen Rechts- und Verwaltungsvorschriften geregelt wird, fällt unter den Anwendungsbereich des Art. 95 EGV. Ist eine Wirtschaftstätigkeit (wie z.B. der Drogenanbau und -handel) vollständig illegitim, dann werden seine (Markt-)Regeln lediglich von den staatlichen Strafrechtsregeln mitbestimmt. Dies ist jedoch kein hinreichender Bezug zum Binnenmarkt und Art. 95 EGV.[673] Deshalb fallen solche illegalen Märkte grundsätzlich aus dem Anwendungsbereich des Art. 95 EGV heraus.[674]

bb) Verdeckter illegaler Markt

Es gibt jedoch auch Märkte, auf denen sich legaler und illegaler Handel unter dem Schein der legalen Tätigkeit mischen. Die illegale Ware wird beispielsweise als legale Ware deklariert und erscheint nach außen regulär. Dies ist z.B. bei falsch deklariertem Müll oder bei Produktpirateriewaren der Fall. Warenfälschungen oder falsch deklarierte Mülllieferungen können z.T. nur noch sehr schwer von legalem Müll oder Originalprodukten der Rechteinhaber unterschieden werden.[675] Diese Warenströme folgen dem Warenfluss der legalen Wirtschaftsgüter. Diese Tatsache spricht dafür, dass der Handel mit solchen Waren Verlagerungseffekte hervorruft, da sich die durch die verringerte Kontrollmöglichkeit bietenden ökonomischen Anreize leicht realisieren lassen.

Die Frage, ob Verlagerungseffekte – und hierauf aufbauend Wettbewerbsverzerrungen – entstehen, muss beim illegalen Handel jedoch eine weitere Tatsache berücksichtigen. Die Illegalität der Waren prägt auch die Funktionsweise des hiervon

---

672 „Neuland" betritt insoweit die explorative Studie von *Risch/Windolph/Hühner*, in: Hecker/Heine (Hrsg.), Abfallwirtschaftskriminalität, S. 1. Allerdings ermitteln sie keine konkreten Zahlen, sondern nur allgemeine Thesen und Prognosen für die Entwicklung dieses Kriminalitätsfelds.

673 Vgl. § 5 II.1.; IV.1.

674 Hierzu § 6 III., IV.4.b)cc).

675 So das Ergebnis der Expertenbefragung von *Risch/Windolph/Hühner*, in: Hecker/Heine (Hrsg.), Abfallwirtschaftskriminalität, S. 137.

betroffenen Marktes.[676] Kriminelle (Teil-)Märkte weisen Charakteristika auf, die aus der Illegalität der angebotenen Produkte folgen.[677]

Diese Illegalität zwingt dem Handel bestimmte restriktive Bedingungen auf. Die Illegalität begrenzt die wirtschaftliche Expansionskraft dadurch, dass sie die Kräfte der Beteiligten auf Prozesse lenkt, die legal Wirtschaftende nicht aufwenden müssen. Hierzu gehören die Organisation des Schutzes ihrer Personen und ihres Vermögens. Staatliche Schutzmechanismen greifen bei illegalem Handeln nicht.[678] Ferner kommt hinzu, dass Mehraufwendungen entstehen, da kontinuierlich gegen den Staat gewirtschaftet werden muss, um seiner Verfolgung zu entgehen.[679] So haben Untersuchungen herausgefunden, dass es den Beteiligten weitgehend verwehrt ist, effizienzsteigernde Unternehmenskonzentrationen zu vollziehen, eine bürokratische Verwaltungsstruktur auf- und auszubauen, ihre Geschäftsaktivitäten räumlich auszudehnen sowie eine groß angelegte Logistik bzw. Lagerhaltung zu betreiben.[680] Eine Erklärung für das Funktionieren illegaler Märkte kann demnach nicht alleine aus einer Analogie zu den legalen Marktmechanismen (und in diesem Fall den Verlagerungseffekten) hergeleitet werden.[681] Stets müssen die Besonderheiten des jeweiligen illegalen Gutes berücksichtigt werden. Diese Besonderheiten gelten auch, wenn sich die illegale Tätigkeit – wie im Rahmen des illegalen Müllhandels – im Schatten der legalen Wirtschaftstätigkeit vollzieht.

Die explorative Studie von *Hecker/Heine* hat u.a. den „Markt“ für Müllexporte nach Osteuropa untersucht.[682] Die Studie benennt einige kriminogene Faktoren, die dafür sprechen, dass kriminelle Abfallexporte nach Osteuropa stattfinden.[683] Auf der materiell-rechtlichen Seite sind dies: die komplexe Rechtslage, die in zentralen Fragen nicht eindeutig ist, sowie die unterschiedlichen Umweltstandards innerhalb der EU. Auf der Rechtsdurchsetzungsseite führen sie an: Vollzugsdefizite, fehlende Entsorgungskapazitäten in Deutschland, staatliche Steuerungsverluste durch Privatisierung öffentlicher Aufgaben sowie die Gefahr kartellrechtlicher Absprachen

---

676 *Paoli*, Die unsichtbare Hand des Marktes, S. 356 (376, 378); *Reuter*, Disorganised Crime, S. 113 f.

677 *Reuter*, Disorganised Crime, S. 113 ff.

678 *Paoli,* Die unsichtbare Hand des Marktes, S. 356 (376 f.); *Reuter*, Disorganised Crime, S. 114.

679 *Paoli,* Die unsichtbare Hand des Marktes, S. 356 (377 ff.); *Reuter*, Disorganised Crime, S. 114.

680 *Paoli,* Die unsichtbare Hand des Marktes, S. 356 (378 f.); *Reuter*, Disorganised Crime, S. 115.

681 *Paoli,* Die unsichtbare Hand des Marktes, S. 356 (376).

682 Eine „marktspezifische Betrachtungsweise“ legen *Risch/Windolph/Hühner*, in: Hecker/Heine (Hrsg.), Abfallwirtschaftskriminalität, S. 1 ihrem Ansatz zugrunde. In der Abfallwirtschaft haben sich im Lauf der Jahre viele Kriminalitätsfelder entwickelt. *Risch/Windolph/Hühner*, in: Hecker/Heine (Hrsg.), Abfallwirtschaftskriminalität, S. 9 f. machen hier vier relevante Kriminalitätsfelder aus: Straftaten im Zusammenhang mit gewerblichen Entsorgungsvorgängen; Straftaten im Zusammenhang mit kommunalen Pflichtenübertragungen; Straftaten im Zusammenhang mit dem Entsorgungsanlagenbau und Straftaten im Zusammenhang mit kartellrechtlichen Verstößen.

683 *Risch/Windolph/Hühner*, in: Hecker/Heine (Hrsg.), Abfallwirtschaftskriminalität, S. 17.

durch Konzentrationsprozesse und die Korruptionsproblematik in Deutschland und in Osteuropa.

Auch diese Untersuchung zeigt, dass Verlagerungseffekte infolge komplexer Zusammenhänge entstehen. Wird eine Variable verändert, muss die Lage neu beurteilt werden. So tritt z.B. eine der wesentlichen Grundannahmen der Studie von *Hecker/ Heine* nicht ein. Ein *race to the bottom* der umweltstrafrechtlichen Vorschriften innerhalb der EU ist derzeit nicht abzusehen, eher im Gegenteil.[684] Die Studie geht jedoch davon aus, dass die Europäisierung des Umweltstrafrechts eine Sogwirkung hervorrufen werde, welche die (hohen) deutschen Standards abschwächen werde. Bis Ende 2008 war diese Prognose jedoch nicht eingetreten. Die EU-Kommission intensivierte ihre Umweltschutzbemühungen, gerade auch im Bereich des strafrechtlichen Umweltschutzes.[685]

c) Zwischenergebnis

Verlagerungseffekte beim Handel mit legaler Ware lassen sich in manchen Bereichen nachweisen.[686] Solche Effekte treten jedoch auch beim zwischenstaatlichen Warenverkehr nicht bereits dann auf, wenn ökonomische Anreize bestehen.[687] Hieran anschließend kann die Illegalität einer Ware als Faktor bezeichnet werden, der den Eintritt eines Verlagerungseffekts nicht erhöht. Die Illegalität verhindert, dass ein Handel mit der Ware sich vollständig nach den Gesetzmäßigkeiten des legalen Wirtschaftens richten kann. Sie erlegt den Händlern bestimmte Beschränkungen auf, welche die Anreize verringern, Mitnahmeeffekte zu realisieren. Denn wenn illegale Ware verlagert wird, ist sie nicht wie legale Ware geschützt. Die örtliche Verlagerung krimineller Güter birgt die Gefahr, dass ein wirtschaftlicher (Total-)Verlust eintritt, da die illegale Ware während der Verlagerung entdeckt und beschlagnahmt wird.[688] Für diese Fallgruppe lässt sich deshalb ein Ergebnis mittels eines Erst-Recht-Schlusses bilden. Die örtliche Verlagerung krimineller Waren

---

684 Zeitpunkt des Abschlussberichts der Studie war der 1.6.2005, *Risch/Windolph/ Hühner*, in: Hecker/Heine (Hrsg.), Abfallwirtschaftskriminalität, S. 1 Fn. 1.

685 *Hefendehl*, ZIS 2006, 161 (162 f.); *Heger*, JZ 2006, 310 (311); der für nichtig erklärte Rahmenbeschluss 2003/80/JI des Rates vom 27.1.2003 über den Schutz der Umwelt durch das Strafrecht, ABl. L 29/55 vom 5.2.2003. Dieser wurde nach der Nichtigkeit durch das Urteil Rs. *C-176/03* nunmehr als Richtlinie mit identischem Inhalt auf den Weg gebracht (Vorschlag für eine Richtlinie des Europäischen Parlaments und des Rates über den strafrechtlichen Schutz der Umwelt KOM(2007) 51 endg. vom 9.2.2007); vgl. die Änderungsanträge des EP vom 15.4.2008, Dok. A6-0154-2008.

686 Vgl. § 6 IV.5.a)aa).

687 Vgl. § 6 IV.5.a)bb).

688 *Paoli*, Die unsichtbare Hand des Marktes, S. 356 (378) nennt hierfür als maßgebliche Gründe die steigenden Risiken durch örtliche Entfernung, die durch die Notwendigkeit zur Kommunikation, des Warentransports und der Kontrolle der Mitarbeiter entsteht.

mindert die ökonomischen Anreize des kriminellen Handels, wenn nicht die Verlagerung – wie z.B. beim illegalen Müllexport – gerade sein Zweck ist.

6. Verlagerung des Produktionsorts krimineller Ware

Verlagerungseffekte können auch darin bestehen, dass der Ort verändert wird, an dem kriminelle Waren hergestellt werden.[689] Nach der h.L. müssten ökonomische Anreize alleine ausreichen, um einen solchen Verlagerungseffekt hervorzurufen. Würden Kriminelle nach dem Modell der h.L. handeln, dürften sich keine empirischen Beispiele finden, in denen eine Produktionsstätte in ein Land ausgelagert wurde, das ein punitiveres Sanktionssystem für diese Handlung bereithält.

Ein Gegenbeispiel findet sich im Bereich des gewerbsmäßigen Anbaus von Cannabis und Marihuana. Seit dem Jahr 2002 stellt u.a. das Landeskriminalamt Nordrhein-Westfalen (LKA NRW) fest, dass gewerbsmäßig betriebene Drogenplantagen von den Niederlanden nach Deutschland abwandern. Ziel sind die unmittelbar angrenzenden Bundesländer NRW und Niedersachsen. Zwischen 2003 und 2006 wurde dort ein kontinuierlicher Anstieg von Cannabisplantagen registriert.[690] Im Jahr 2007 wurden in NRW 11 sogenannte Profi-Plantagen[691] sichergestellt (21 im Jahr 2006), 35 Großplantagen (35 im Jahr 2006) sowie 36 Kleinplantagen (18 im Jahr 2006).[692] Diese Entwicklung wird maßgeblich darauf zurückgeführt, dass der Verfolgungsdruck gegenüber dem Drogenanbau in den Niederlanden gestiegen ist.[693]

Das strafrechtliche Regime der BRD ist jedoch nicht so ausgestaltet, dass es für einen kriminellen *homo oeconomicus* Anreize bietet, seine BtM-Produktion aus den Niederlanden auszulagern. Nach dem Modell der h.L. dürfte diese Verlagerung nicht stattfinden. Der Verfolgungsdruck innerhalb der BRD im Bereich der Betäubungsmittelkriminalität ist hoch.[694] Auch das materiell-rechtliche Sanktionsniveau ist nicht niedriger als in den Niederlanden.[695] Zugleich können die Hintermänner,

---

689 Auf dieses Beispiel soll an dieser Stelle nur kurz eingegangen werden, da diese Zusammenhänge primär eine Frage der Wirtschaftspolitik sind, welche sogleich unter § 6 V. eingehend untersucht werden.

690 LKA Nordrhein-Westfalen, Lagebild Rauschgift 2007, S. 8.

691 Nach der bundeseinheitlichen Definition sind dies Plantagen mit mehr als 1.000 Pflanzen, Großplantagen sind solche mit 100 bis 1.000 Pflanzen, Kleinplantagen solche mit 20 bis 100 Pflanzen, vgl. LKA Nordrhein-Westfalen, Lagebild Rauschgift 2007, S. 8 (Fn. 6).

692 LKA Nordrhein-Westfalen, Lagebild Rauschgift 2007, S. 8.

693 SZ vom 29.1.2008, 12.

694 Vgl. § 6 IV.3.c)bb).

695 Vgl. hierzu EMCDDA, Netherlands – drug situation 2005, S. 13 ff.; zu den Grundzügen des niederländischen Betäubungsmittelstrafrechts *Scholten*, in: Meyer/Eser (Hrsg.), Betäubungsmittelstrafrecht in Westeuropa, S. 445 (457 ff.), und zu den prozessualen Besonderheiten und Regelungen, S. 445 (464 ff.).

sofern es sich bei ihnen um Niederländer handelt, nicht darauf hoffen, sich ihrer strafrechtlichen Verantwortlichkeit zu entziehen. Verstöße gegen das Betäubungsmittelstrafrecht unterliegen dem vereinfachten Verfahren des Europäischen Haftbefehls.[696]

7. Zwischenergebnis

Das Modell der h.L., mit dem sie das Auftreten von wettbewerbsverzerrenden (kriminologischen) Verlagerungseffekten zu begründen versucht, beruht auf Prämissen, die im Binnenmarkt der EU nicht verwirklicht sind.[697] Ökonomische Anreize erweisen sich nicht als zuverlässiger Indikator dafür, ob Verlagerungseffekte bei Personen oder Produkten eintreten werden.[698] Die Untersuchung ergab, dass der Verweis hierauf keine ausreichende Begründung ist, um das Eintreten von Verlagerungseffekten vorhersagen zu können.[699] Solche Vorteile rufen nicht immer (Verlagerungs-)Effekte hervor und auch nicht jeder Verlagerungseffekt führt zu Wettbewerbsverzerrungen im Binnenmarkt.[700] Vielmehr hat sich gezeigt, dass weitere Voraussetzungen hinzutreten müssen, die je nach Fallgestaltung verschieden sein können.[701]

Dies gilt auch für kriminologische Verlagerungseffekte. Das Modell der h.L. hält einer empirischen Überprüfung nicht stand. Geografisches Ausweichverhalten von Personen lässt sich nicht bereits dann feststellen, wenn unterschiedliche materiellstrafrechtliche Regulierungsniveaus existieren.[702] Verlagerungseffekte können zwar auch darauf beruhen, dass – neben ökonomischen Anreizen – ein bestimmtes Verhalten in einem Land erlaubt ist, das in einem anderen Land verboten ist.[703]

---

696 Der Rahmenbeschluss 2002/584/JI des Rates vom 13. Juni 2002 über den Europäischen Haftbefehl und die Übergabeverfahren zwischen den Mitgliedstaaten, veröffentlicht im ABl. L 190/1 vom 18.7.2002, unterwirft die Straftaten im Zusammenhang mit dem Drogenanbau dem vereinfachten Verfahren, das auf das Erfordernis der gegenseitigen Strafbarkeit verzichtet, vgl. Art. 2 Abs. 2 („illegaler Handel mit Drogen und psychotropen Stoffen"). In diesen Fällen kann ein Auslieferungsgesuch deutscher Strafverfolgungsbehörden nicht aus zwingenden Gründen abgelehnt werden, vgl. Art. 3. Es existieren auch keine Sonderbestimmungen, die niederländische Staatsbürger generell von der Anwendbarkeit des Europäischen Haftbefehls ausnehmen (vgl. Art. 33 hinsichtlich Österreich und Gibraltar). Auch aufgrund fakultativer Auslieferungshindernisse – insbesondere mit Bezug auf den *ordre public*-Vorbehalt (Art. 4) – könnte eine Vollstreckung in den Niederlanden nicht abgelehnt werden, da auch die Niederlande infolge des Wiener Suchtstoffübereinkommens in ihrer rechtlichen Einschätzung der Tat gebunden sind.

697 § 6 IV.1.

698 § 6 IV.2., 5.a)bb).

699 § 6 IV.2.

700 Vgl. § 6 IV.2.a), 4.b)cc).

701 Vgl. § 6 IV.2.b), 5.a)bb).

702 Vgl. § 6 IV.3.

703 § 6 IV.4.

Einer Harmonisierung im Rahmen von Art. 95 EGV wären die hier aufgezeigten Fälle, in denen sich Verlagerungseffekte nachweisen lassen, dennoch nicht zugänglich. Insbesondere wenn es sich um kriminalisierte Ware handelt, fehlt es bereits an einem relevanten Bezug zum Binnenmarkt.[704] Der theoretisch mögliche Profit ist auch kein hinreichender Indikator, aus dem auf das Auftreten von Verlagerungseffekten bei verbotener Ware geschlossen werden kann.[705] Die Illegalität verringert sogar grundsätzlich den Anreiz, die Ware örtlich zu verlagern.[706] Auch im Hinblick auf die Verlagerung des Herstellungsorts konnte das Modell der h.L. widerlegt werden.[707]

V. Systemwettbewerb der EU-Mitgliedstaaten (Strafrechtlicher Delaware-Effekt)

Diese Fallgruppe betrifft Wettbewerbsverzerrungen, die durch die zwischenstaatliche Wirtschaftspolitik hervorgerufen werden. Die h.L. geht davon aus, dass der Systemwettbewerb der EU-Mitgliedstaaten konkreten Einfluss auf die nationalen Strafrechtsordnungen ausübt.[708] Ihre These ist, dass die Attraktivität eines (Investitions-)Standorts auch durch die generalpräventive Wirkung einzelner strafrechtlicher Regelungen (mit-)beeinflusst wird.[709] Im Systemwettbewerb komme der generalpräventiven Wirkung einzelner Regelungen eine eigenständige Bedeutung zu.[710] Es finde ein aktiver Wettbewerb um bestimmte strafrechtliche Vorschriften statt. Folge sei, dass einzelne Mitgliedstaaten versucht sein könnten, ihr Wirtschaftsstrafrecht zu deregulieren bzw. ihre wirtschaftsstrafrechtlichen Regelungen bewusst nachlässig durchzusetzen.

Dieser Vorwurf wird z.B. im Bereich der Rechte des geistigen Eigentums regelmäßig gegenüber Staaten wie Tschechien oder Polen erhoben.[711] Anderen Staaten wird vor-

---

704 § 6 IV.c).

705 § 6 IV.5.

706 § 6 IV.5.b)bb).

707 § 6 IV.6.

708 I.d.S. *Sevenster*, CMLRev, 1992, 29 (54).

709 *Bertenrath/Fuest/Kervian/Welter*, Wirtschaftliche Freiheit in den Bundesländern 2007, S. 7.

710 Krit. *Weigend*, in: Zieschang (Hrsg.), Strafrecht und Kriminalität in Europa, S. 57 (65).

711 Diese Behauptung wird immer wieder im Zusammenhang mit Produktpiraterie erhoben, z.B. hinsichtlich illegaler Märkte mit nachgeahmten Waren an der tschechischen Grenze, vgl. nur SZ vom 18.12.2007, 21; vgl. ferner die „Polenmärkte“ und „Vietnamesischen Märkte“ an der Ostgrenze Deutschlands im Produktpiraterieatlas der V.B.P. e.V. http://www.vbp.org/atlas/atlas.html [letzter Zugriff: 26.10.2009].

geworfen, dass sie die Nichtverfolgung bestimmter Straftaten als Mittel zur Ankurbelung ihrer Wirtschaft einsetzten.[712]

Durch eine Angleichung der Strafrechtsvorschriften könne verhindert werden, dass die Mitgliedstaaten in einen (ruinösen) Deregulierungswettbewerb auf dem Gebiet des Strafrechts eintreten. Begründet wird dies wie folgt:[713] Eine Angleichung sei notwendig, um einem Unterbietungswettbewerb der Mitgliedstaaten vorzubeugen bzw. entgegenzutreten, der zu einem *race to the bottom* des strafrechtlichen Rechtsgüterschutzes führe.[714] Die Angleichung der strafrechtlichen Tatbestände und Sanktionen verhindere, dass eine Abwärtsspirale entstehe.[715]

Für diese Sichtweise spricht, dass im Rahmen des Wettbewerbs der Systeme mittlerweile nicht mehr nur von der möglichen Folge eines *race to the bottom*, sondern eines „race *below* the bottom" gewarnt wird.[716] Betroffene Bereiche seien insbesondere die staatliche Infrastruktur, sozialstaatliche Einrichtungen und die Umweltstandards.[717] Auch der strafrechtliche Rechtsgüterschutz könnte zu diesen Bereichen zu zählen sein.

Die These der h.L. fußt auf folgender Parallele zum klassischen Modell des Systemwettbewerbs: Sie überträgt die Modellkonstellation (unterschiedliche Mobilität der Faktoren Arbeit und Kapital) auf die Ebene der Straftäter und der Strafverfolgungsorgane. Aus ihrer Sicht hat der Wegfall der Grenzkontrollen dazu geführt, dass die Strafverfolgung im Vergleich zum Nationalstaat unter veränderten Voraussetzungen stattfindet.[718] Das Schengen-Abkommen[719] und das Schengen-Durchführungsabkommen (SDÜ)[720] hätten den Straftätern zu gestiegener Mobilität verholfen, wohingegen die Strafverfolgungsbehörden – trotz des SDÜ – nur über unzureichende Maßnahmen verfügten, grenzüberschreitende Maßnahmen zu er-

---

712 Hierzu *Vogel*, in: Zieschang (Hrsg.), Strafrecht und Kriminalität in Europa, S. 37.

713 Vgl. *Dieblich*, Strafrechtlicher Schutz, S. 280 f.; *Sevenster*, CMLRev 1992, 29 (54); *Gröblinghoff*, Schutz der Interessen der EG, S. 104; *Satzger*, Europäisierung, S. 431; *Pache*, Finanzielle Interessen der EG, S. 330; *Zuleeg*, JZ 1992, 761 (766).

714 *Dieblich*, Strafrechtlicher Schutz, S. 281; *Gröblinghoff*, Schutz der Interessen der EG, S. 103; *Satzger*, Europäisierung, S. 429; *Sevenster*, CMLRev 1992, 29 (54, 59 f.).

715 Vgl. *Cary*, Yale Law Journal 83 (1974), 663 (692).

716 *Sinn*, Perspektiven der Wirtschaftspolitik 4 (2002), 391 (402).

717 *Sinn*, Perspektiven der Wirtschaftspolitik 4 (2002), 391 (402).

718 In diese Richtung *Weyembergh*, L'harmonisation des législations, S. 180; *Stiebig*, EuR 2005, 466 (478); die Eingliederung des Schengen-Abkommens in den EU-Vertrag erfolgte durch Protokoll Nr. 2 zum EUV-Vertrag, „Protokoll zur Einbeziehung des Schengen-Protokolls", vgl. hierzu *Wiedmann*, in: Schwarze (Hrsg.), EU-Kommentar, Art. 61 EGV Rn. 18 ff.; ferner *Wahl/Schultz*, eucrim 2007, 66 (68 f.).

719 Übereinkommen betreffend den schrittweisen Abbau der Kontrollen an den gemeinsamen Grenzen vom 14.6.1985, GMBl. 1986, 79, „Schengen I", hierzu *Wahl/Schulz*, eucrim 2007, 66 (67 f., 71 f.).

720 Übereinkommen zur Durchführung des Übereinkommens von Schengen, BGBl. II 1993, 1010 „Schengen II".

greifen.[721] Die Öffnung der Binnengrenzen ermögliche es Kriminellen, die Orte, an denen sie Straftaten begehen, nahezu beliebig zu verlagern. Privatpersonen und Unternehmen hätten kaum noch Hindernisse zu überwinden, um den Ort zu wählen, der die günstigsten wirtschaftlichen und politischen Rahmenbedingungen für ihre kriminellen Aktivitäten biete.[722] Die Gesetzmäßigkeiten und möglichen Folgen des *Delaware-Effekts* könnten deshalb auf den Regelungsbereich des Straf- und Strafverfolgungsrechts übertragen werden.

Die hiesige Untersuchung möchte die These der h.L. darlegen und anschließend kritisch untersuchen. In einem ersten Schritt wird der theoretische Unterbau der These der h.L. herausgearbeitet (1.). Hierauf aufbauend erfolgt eine kritische Überprüfung dieser theoretischen Grundlagen (2.), die abschließend empirisch verifiziert werden (3.).

1. Die h.L. als positive Theorie mit normativem Element

Die h.L. folgt einem normativ-positiven Ansatz.[723] Sie nimmt hierbei Bezug auf die wohlfahrtstheoretischen Wurzeln des Ansatzes von *Becker*.[724] Es ist ein positiver Ansatz, durch den ein allgemeingültiges (Verhaltens-)Modell aufgestellt werden soll.[725] Er knüpft an das tatsächliche Entscheidungsverhalten der Menschen an; das Verhaltensmodell, auf das sich die h.L. hier stützt, ist das Verhaltensmodell des *homo oeconomicus*.[726] Das normative Element besteht aus dem Verweis auf die Folgen des *Delaware-Effekts*.[727] Der Wettbewerb ende in einem *race to the bottom*, d.h. einer Unterbietungsschlacht der staatlichen Wettbewerbsteilnehmer, die dazu führen könne, dass bestimmte Faktoren – im Extremfall – vollständig dereguliert werden.[728]

---

721 Vgl. *Klein/Haratsch*, DÖV 1993, 785 (786); *Albishausen* [Stellvertretender Bundesvorsitzender des Bundes Deutscher Kriminalbeamten], Interview im Deutschlandfunk am 29.1.2008; a.A. *Bieber*, NJW 1994 294 (295); vgl. § 6 IV.3.a).

722 Hierzu *Sevenster*, CMLRev 1992 29 (59).

723 Es ist nicht unüblich, dass einzelne Modelle nach Art eines Baukastensystems bestimmte (Argumentations-)Teile verschiedener Theorien kombinieren, vgl. *Ambrosius*, Regulativer Wettbewerb, S. 11 f.; zust. *Schmidtchen*, in: Ott/Schäfer (Hrsg.), Die Präventivwirkung zivil- und strafrechtlicher Sanktionen, S. 22 (23 f.).

724 *Becker*, Crime and punishment, S. 1 (2); *Kunz*, Ökonomik individueller und organisierter Kriminalität, S. 2.

725 *Streit*, Theorie der Wirtschaftspolitik, S. 367.

726 *Behrens*, Die ökonomischen Grundlagen des Rechts, S. 30 f.; vgl. ferner *Fezer*, JZ 1986, 817 (821); *Kunz*, Ökonomik individueller und organisierter Kriminalität, S. 2 f.

727 Allgemein zu den Zielsetzungen normativer Theorien *Pies*, Wettbewerb und Demokratie, S. 357 (359); *Streit*, Theorie der Wirtschaftspolitik, S. 366.

728 *Streit/Kiwitt*, Zur Theorie des Systemwettbewerbs, S. 13 (14);

Die h.L. orientiert sich an einem Modell der neoklassischen Wohlfahrtstheorie.[729] Diese begründet örtliche Verlagerungseffekte als Folge der unterschiedlichen Mobilität der Produktionsfaktoren Arbeit und Kapital. Sie führe dazu, dass Gebietskörperschaften um verschiedene Faktoren in einen Systemwettbewerb eintreten, insbesondere um den mobileren Faktor Kapital.[730] Das wohlfahrtstheoretische Element beschränkt die Rolle der staatlichen Institutionen darauf, das (ökonomische) Wohl der mobilen Faktoren zu steigern (d.h. Bürger oder Unternehmen), um deren Ansiedlung sie sich in ihrer Gebietskörperschaft bemühen. Hier bezieht sie sich auf das Modell der „wohlwollenden Diktatur der Politiker“,[731] welche das staatliche Interesse als gleichlaufend mit dem Interesse der betroffenen (Nachfrage-) Bürger definiert. Das neoklassische Theorienelement beruht auf dem Verweis der h.L. auf den *rational choice*-Ansatz *Beckers*.[732] Dieser fußt auf einem neoklassischen Wirtschaftsverständnis.[733] Er entwirft ein (Verhaltens-)Modell des Durchschnittsmenschen aus wohlfahrtsökonomischer Perspektive.[734] Ziel dieses Ansatzes ist es, die optimalen Rahmenbedingungen zu finden, um die Vielzahl an individuellen Handlungen so zu steuern,[735] dass die effizienteste Allokation der gesamtwirtschaftlichen Güter gewährleistet wird.[736] Das Wettbewerbsideal dieses neoklassischen Modells ist die vollständige Konkurrenz.[737] Der Ansatz der h.L. verbleibt eng diesem individualistischen, auf innerstaatliche Regulierung angelegten Modell *Beckers* verhaftet.[738] Die h.L. unterstellt dabei, dass Privatpersonen und Unternehmen ihre Handlungen weitgehend nach der Maßgabe eines *homo oeconomicus* ausrichten.[739]

---

729 Zum Teil wird dies thematisiert, vgl. *Satzger*, Europäisierung, S. 426 ff., zum Teil stillschweigend vorausgesetzt, vgl. *Tiedemann*, NJW 1993, 23 (24); *Gröblinghoff*, Schutz der Interessen der EG, S. 100.

730 *Oates/Schwab*, The Allocative and Distributive Implications of Local Fiscal Competition, S. 127 ff.; *Erlei/Leschke/Sauerland*, Neue Institutionenökonomik, S. 410.

731 *Erlei/Leschke/Sauerland*, Neue Institutionenökonomik, S. 410.

732 Hierzu oben § 6 III.3.

733 *Ambrosius*, Regulativer Wettbewerb, S. 11 f.

734 *Becker*, Crime and punishment, S. 1 (2); zum Durchschnittscharakter des zugrunde gelegten Menschenbildes *Kirstein*, German Working Paper in Law and Economics 2005 (Paper 15), S. 3.

735 *Curti*, Abschreckung durch Strafe, S. 79.

736 *Becker*, Crime and punishment, S. 1 (2).

737 Zur neoklassischen Theorie *North*, Institutionen, institutioneller Wandel und Wirtschaftsleistung, S. 13; ferner *Streit/Kiwit*, Zur Theorie des Systemwettbewerbs, S. 13 (18).

738 Zum Ansatz *Beckers*, vgl. *Haris*, The Journal of Political Economy 78 (1970), 165; zur Unterscheidung zwischen mikrotheoretischer Ebene (d.h. dem Entscheidungsverhalten von Einzelpersonen) und makrotheoretischer Ebene (Entscheidungsverhalten kollektiver Einheiten), vgl. *Streit*, Theorie der Wirtschaftspolitik, S. 367.

739 Zur Kritik an diesem Ansatz im europarechtlichen Kontext, vgl. *Satzger*, Europäisierung, S. 428.

2. Kritik der theoretischen Grundlagen der h.L.

Dieses Modell der h.L. wird nunmehr alternativen Theorien gegenübergestellt (a). Anschließend wird genauer betrachtet, ob die h.L. die ordnungspolitische Bedeutung des Strafrechts in der internationalen Wirtschaftspolitik zutreffend beurteilt, wenn sie davon ausgeht, dass der generalpräventiven Wirkung des Strafrechts eine eigenständige Bedeutung im Systemwettbewerb zukommt (b). Abschließend wird die rechts- und fiskalpolitische Bedeutung des Strafrechts analysiert. Es wird die These untersucht, dass es für einen Mitgliedstaat politisch und ökonomisch sinnvoll sein kann, seine (wirtschafts-)strafrechtlichen Vorschriften zu deregulieren (c).

a) Neoklassischer-wohlfahrtsökonomischer Ansatz vs. public choice

Die h.L. verwendet ein marktwirtschaftliches Ordnungsmodell, um die politischen Entwicklungen zwischen den Mitgliedstaaten der EU zu erklären. Dies begegnet keinen grundsätzlichen Bedenken.[740] Dieses Modell, das individuelles und kollektives Handeln nach Knappheit und Entscheidungszwang zu erklären versucht,[741] ist taugliches Mittel, um das interinstitutionelle Verhalten staatlicher Entscheidungsträger exemplifizieren zu können.[742] Allerdings ist fraglich, ob die h.L. dieses Erklärungsmodell zutreffend ausgestaltet hat.

aa) Der *homo oeconomicus* als Nachfragebürger

Die h.L. erhebt das Verfolgen ökonomischer Anreize zum „natürlichen" Streben der Akteure auf Seite der Nachfragebürger. Die ökonomische Analyse des Strafrechts ist jedoch von dieser Sichtweise abgerückt, zutreffend, da sie als zu starke Vereinfachung gilt.[743] Erkenntnisse, u.a. aus der Spieltheorie, legen nahe, dass der situative Nutzenoptimierer einer Korrektur durch soziale Faktoren bedarf.[744] Es muss berücksichtigt werden, dass Menschen durch ihre Sozialisation eine Kooperationsmoral erwerben, die sie in vielen Belangen dazu veranlasst, nicht automatisch

---

740 *Streit/Kiwit*, Zur Theorie des Systemwettbewerbs, S. 18.

741 *Wittig*, MschrKrim 76 (1993), 328 (329).

742 *Ambrosius*, Regulativer Wettbewerb, S. 15; *Behrens*, Die ökonomischen Grundlagen des Rechts, S. 30; *Kerber*, Die EU-Beihilfenordnung als Wettbewerbsordnung, S. 37 (41); *Streit*, Theorie der Wirtschaftspolitik, S. 1.

743 So im Jahr 1998 *Lüderssen*, Ökonomische Analyse des Strafrechts und Alternativen zum Strafrecht, S. 25 (30): „Die *alte* ökonomische Welt […] war ausschließlich bewohnt von situativen Nutzenmaximierern im Sinne des Modells des homo oeconomicus"; zust. *Entorf*, Ökonomische Theorie der Kriminalität, S. 1 (18 f.).

744 Vgl. zur Spieltheorie, insbesondere dem „Gefangenendilemma" *Leipold*, Entstehung und Wettbewerb von Ordnungen, S. 397 (402 f.).

und ausschließlich das ökonomisch vorteilhafteste Ergebnis zu suchen.[745] Das Erklärungsmodell der h.L. müsste deshalb in diesem Punkt ergänzt werden.

bb) Das neoklassisch-wohlfahrtsökonomische Staatsverständnis

Die h.L. geht von einem wohlfahrtsökonomischen Staatsverständnis[746] aus.[747] Die Aufgabe des Staates ist hierbei, Regelungen zu erlassen, die das materielle Wohl seiner Bürger mehren.[748] Das neoklassische Verständnis reduziert die Rolle des Staates auf Bereiche, für die kein privater Markt rentabel etabliert werden kann, und sieht das Ziel der vollkommenen Konkurrenz als Wettbewerbsideal an.[749]

Einen anderen Ansatz verfolgt z.B. die *public choice*-Theorie.[750] Der *public choice*-Ansatz erklärt vom *rational choice*-Ansatz abweichende Entscheidungen staatlicher Entscheidungsträger durch ihre demokratische Legitimation, und er versteht sie als Mediatoren der unterschiedlichen gesellschaftlichen Interessen. Sie seien nicht altruistisch (i.S.e. wohlmeinenden Diktators), sondern von Eigeninteressen getrieben, die mit der demokratischen Legitimierung ihrer Ämter zusammenhängen. Solche spezifischen Eigeninteressen der demokratisch legitimierten Amtsträger sind u.a. Entscheidungen, die aus Gründen der persönlichen Macht, Prestige, Wiederwahl und aus politischen Abhängigkeiten von den Politikern getroffen werden.[751] Die hierdurch entstehenden Verfälschungen werden von der *public choice*-Theorie als Staatsversagen bezeichnet.[752]

Alle wesentlichen staatlichen Entscheidungen in den Mitgliedstaaten der EU gehen auf demokratisch legitimierte Entscheidungsträger zurück, sei dies in Form des direkt gewählten Regierungschefs (wie z.B. in Frankreich), der mittelbaren Demokratie (Parlament und/oder Regierungschef) oder der unmittelbaren Demokratie. Diese geben die Leitlinien der administrativen Entscheidungen vor. Nahezu alle politischen Entscheidungen werden maßgeblich durch Interessen beeinflusst, die als Staatsversagen i.S.d. *public choice*-

---

745 *Lüderssen*, Ökonomische Analyse des Strafrechts und Alternativen zum Strafrecht, S. 25 (30); *Pies*, Wettbewerb und Demokratie, S. 357 (369).

746 Vgl. *Streit/Kiwitt*, Zur Theorie des Systemwettbewerbs, S. 13 (14).

747 Die wohlfahrtsökonomische Rolle reduziert die Funktion der Nationalstaaten auf eine eher passive Rolle im Wettbewerb der Staaten, da ihr Handeln von dem Agieren der Nachfragebürger und anderer Institutionen abhängt.

748 Diese werden als Modell des „wohlmeinenden Diktators" bezeichnet i.d.S. *Sinn*, Perspektiven der Wirtschaftspolitik 4 (2002), 391 (398); hierzu allgemein *Erlei/Leschke/Sauerland*, Neue Institutionenökonomik, S. 410; *Pies*, Wettbewerb und Demokratie, S. 357 (368); oder auch als „benevolente politische Akteure", vgl. *Streit/Kiwitt*, Zur Theorie des Systemwettbewerbs, S. 13 (19).

749 Vgl. *Sinn*, Perspektiven der Wirtschaftspolitik 4 (2002), 391 (398).

750 Vgl. *Cullis/Jones*, Public Finance and Public Choice, S. 273 ff.; *Mueller*, Public Choice III, S. 9 ff., 209 ff., 657 ff.

751 *Ambrosius*, Regulativer Wettbewerb, S. 13; *Erlei/Leschke/Sauerland*, Neue Institutionenökonomik, S. 517; *Mueller*, Public Choice III, S. 429 ff. (466 ff.).

752 *Erlei/Leschke/Sauerland*, Neue Institutionenökonomik, S. 482 f., 514 f.

Theorie eingeordnet werden können: etwa als (parteipolitische) Ideologien,[753] nationale Besonderheiten[754] oder mehr oder weniger populistische Motive,[755] d.h. als schlicht irrationales Verhalten.[756]

cc) Stellungnahme

M.E. ist es notwendig, diese Einflüsse des demokratischen Willensbildungsprozesses zu berücksichtigen, um bestimmte Politikentwicklungen innerhalb der EU und ihrer Mitgliedstaaten beurteilen und realistisch prognostizieren zu können.[757] Es lässt sich nicht ausmachen, dass – gerade im von rivalisierenden Nationalstaaten geprägten Politikbetrieb der europäischen Staatengemeinschaft –[758] die Mitgliedstaaten einen wohlfahrtsökonomischen Kurs einschlagen, der nicht maßgeblich von *public choice*-Irrationalitäten beeinflusst wird.

Ferner beschreibt der neoklassische Aspekt des Modells nicht treffend das Staatsverständnis, das der politischen Regulierung in den EU-Mitgliedstaaten zugrunde liegt. Die Staatsfunktion ist weder ausschließlich durch staatliche Eigeninteressen oder die ihrer Amtsträger geprägt i.S.e. Strebens nach dem größten finanziellen (Eigen-)Vorteil,[759] noch sind die Staaten rein altruistische Wesen i.S.e. wohlmeinenden Diktators.

Das westeuropäische Staatsverständnis ist vom Idealbild der Aufklärung geprägt.[760] Die Staaten schützen jedoch nicht nur ausschließlich individuelle Interessen, wie es einem neoklassischen Staatsverständnis entspräche. Die Rechtsordnungen der Mitgliedstaaten schützen auch kollektive Rechtsgüter,[761] die nach einem neoklassischen Staatsverständnis

---

753 Bspw. die Forderung nach Einführung eines Mindestlohns von 7,50 Euro für bestimmte Branchen in der deutschen Politik im Jahr 2007/08; vgl. SZ vom 27.12.2008, 6.

754 Bspw. die Frage der Verstaatlichung von Betrieben in der französischen Politik. Diese Besonderheit hat sich auch im EG-Vertrag niedergeschlagen. Durch den EG-Vertrag werden staatseigene Betriebe und auch die Verstaatlichung von Betrieben nicht ausgeschlossen, vgl. nur *Brinker*, in: Schwarze (Hrsg.), EU-Kommentar, Art. 295 EGV Rn. 3; ein weiteres Beispiel ist die 35-Stunden-Woche in Frankreich.

755 Bspw. die Ablehnung des EU-Verfassungsvertrags in Frankreich im Jahr 2005 infolge primär innenpolitischer Unzufriedenheit der Bevölkerung mit der Regierungspolitik; d.h. es kam nicht zu einer Abstimmung über den neuen EU-Vertrag selbst, sondern über die französische Innenpolitik, hierzu oben § 4 III.7.

756 I.d.S. *Gerken*, Wettbewerb der Staaten, S. 7 f.

757 Hierzu *Gerken*, Wettbewerb der Staaten, S. 7 f.; krit. *Pies*, Wettbewerb und Demokratie, S. 356 (360).

758 Hierzu *Leipold*, Kulturvergleichende Institutionenökonomik, S. 121 ff. (145 f.), 268 ff.

759 *Becker*, Crime and punishment, S. 1 (36).

760 Vgl. *Leipold*, Kulturvergleichende Institutionenökonomik, S. 138 f.

761 I.d.S. *Erlei/Leschke/Sauerland*, Neue Institutionenökonomik, S. 491 f.; *Olson*, Logik kollektiven Handelns, S. 97 f.; aus strafrechtlicher Sicht *Hefendehl*, Kollektive Rechtsgüter, S. 147 ff.

nicht notwendig zu seinem Aufgabenbereich gehören.[762] Die Verfassungen der kontinentaleuropäischen Mitgliedstaaten haben dieser Funktionspluralität allesamt Verfassungsrang eingeräumt.[763] Die staatliche Funktion wird in ihren Verfassungen nicht lediglich darauf beschränkt, Funktionen wahrzunehmen, die durch Privatpersonen nicht rentabel durchgeführt werden können.

Auch das Prinzip der vollkommenen Konkurrenz, das Ausfluss des neoklassischen Staatsverständnisses ist, findet keinen Niederschlag in der Wirtschaftsverfassung der EU. Der Binnenmarkt folgt diesem Konzept ausdrücklich nicht.[764]

dd) Zwischenergebnis

Das neoklassisch-wohlfahrtsökonomische Modell der h.L. beruht auf Annahmen, welche die beteiligten Akteure des Systemwettbewerbs der EU (Staaten und Nachfragebürger) nicht in wirklichkeitsgetreuer Art widerspiegeln. Zum einen ist das Rollenverständnis der privaten Akteure überholt, da die Figur des *homo oeconomicus* einer Ergänzung durch soziale Komponenten bedarf. Zum anderen sind auch die anderen – staatlichen – Akteure nicht den Gegebenheiten der europäischen Politik angepasst. Die h.L. berücksichtigt nicht, dass die demokratische Ausgestaltung der mitgliedstaatlichen Verfassungen in allen wesentlichen Bereichen Marktversagen erwarten lässt, d.h. Entscheidungen, die sich nur bedingt mit dem *rational choice*-Ansatz begründen lassen. Auch das Wettbewerbsideal der vollkommenen Konkurrenz ist kein Maßstab, der in die Wirtschaftsverfassung der EU Eingang gefunden hat und der deshalb dem Verständnis des Binnenmarkts zugrunde gelegt werden kann.

b) Ordnungspolitische Bedeutung des Strafrechts im Systemwettbewerb

Es soll nunmehr untersucht werden, ob dem Rechtsgebiet des Strafrechts im allgemeinen Systemwettbewerb eine eigenständige Bedeutung zukommt. Hierfür wird in einem ersten Schritt analysiert, welche Bedeutung dem Strafrecht in verschiedenen ordnungsökonomischen Studien beigemessen wird (aa). Anschließend werden die gefundenen Ergebnisse anhand eines realen Beispiels der europäischen Strafrechtspolitik überprüft (bb).

---

762 Grundlegend *Mazzola*, The Formation of the Prices of Public Goods, S. 37; *Erlei/Leschke/Sauerland*, Neue Institutionenökonomik, S. 479.

763 Eine vergleichende Untersuchung hinsichtlich der unterschiedlichen wohlfahrtsstaatlichen Modelle der Mitgliedstaaten findet sich bei *Gerhards/Hölscher*, Kulturelle Unterschiede in der Europäischen Union, S. 175 ff.; vgl. ferner *Erlei/Leschke/Sauerland*, Neue Institutionenökonomik, S. 491 f.

764 Hierzu oben § 5 IV.1.a).

aa) Das Ergebnis ordnungsökonomischer Studien

Die Ordnungsökonomik unterteilt die maßgeblichen politischen Gestaltungsinstrumente im Systemwettbewerb in fünf Bereiche:[765] die Ordnungspolitik, die Prozesspolitik bzw. den Verzicht hierauf, die (Außen-)Handels- und die Steuerpolitik.[766] Die Ausgestaltung der rechtlichen Rahmenbedingungen eines Staates fällt in den Bereich Ordnungspolitik.[767] *Gerken* umreißt die Relevanz der Rechtsordnung für den Wettbewerb der Staaten wie folgt:[768]

> „Die Attraktivität eines Staates als Standort für ausländisches Kapital wird nicht zuletzt von den gesetzlichen Rahmenbedingungen – Privatrechtssystem, System des öffentlichen Rechts – und von der Qualität der allg. öffentlichen Infrastruktur – Verkehrssystem, Bildungssystem – bestimmt. Denn das Rechtssystem und die öffentlich bereitgestellte Infrastruktur fließen in die Kapitalrendite ein, indem sie an der Wertschöpfung indirekt oder sogar direkt beteiligt sind. [...] Ob und in welchem Umfang Rechtsnormen tatsächlich allg. Parameter in einem Wettbewerb der Staaten darstellen, lässt sich nicht allgemeingültig sagen. [...] Es ist zu beachten, dass Rechtsnormen gerade aufgrund ihrer Allgemeinheit nicht allein zu dem Zweck gestaltet werden können, international mobiles Kapital anzuziehen, sondern auch – häufig sogar vorrangig – der Regelung des alltäglichen Lebens im Inland dienen."

Andere Untersuchungen kommen zu dem Ergebnis, dass dem Rechtsgebiet des Strafrechts im Wettbewerb der Systeme keine spezifische Relevanz zukommt.[769] Auch Studien, die ein neoklassisches Staatsverständnis zugrunde legen, messen dem Strafrecht keine besondere Bedeutung bei.

Das kanadische *Fraser-Institut* hat einen Katalog mit Kriterien herausgearbeitet, der aus neoklassischer Perspektive einen internationalen Vergleich der Wettbewerbsfähigkeit von Staaten vornimmt.[770] Dieser Katalog enthält 38 Kriterien (sog. EFW-Index), nach denen

---

[765] Diese Sichtweise berücksichtigt die gegen die klassische Lehre vorgebrachte Kritik, dass sich einige strategische Instrumente der staatlichen Wirtschaftspolitik nicht in die Rubrik „ordnungs- oder prozesspolitische Maßnahmen" unterteilen lassen, vgl hierzu *Hoppmann*, Soziale Marktwirtschaft, S. 27 (S. 38 f.).

[766] *Gerken*, Wettbewerb der Staaten, S. 26 ff.

[767] Unter *Prozesspolitik* werden industriepolitische und sonstige „selektive" Fördermaßnahmen für bestimmte Wirtschaftsteilnehmer verstanden (wie z.B. Subventionsgewährung oder Steuervergünstigung für ausgesuchte Wirtschaftsbereiche oder einzelne Teilnehmer), vgl. *Gerken*, Wettbewerb der Staaten, S. 27 f.; der Bereich der (Außen-)Handelspolitik, der protektionistische Maßnahmen zum Schutz inländischer Unternehmen beinhaltet, ist grundsätzlich kein Mittel im Wettbewerb der Staaten – insbesondere nicht mehr im Binnenmarkt, vgl. hierzu *ders.*, a.a.O., S. 28 f.; unter Steuerpolitik wird der Gestaltungsspielraum verstanden, der einzelnen Staaten bei der Besteuerung von im Inland eingesetztem Kapital offensteht, wie z.B. durch spezielle Steuererleichterungen oder -nachlässe.

[768] *Gerken*, Wettbewerb der Staaten, S. 27.

[769] *Mueller*, Public Choice 124 (2005), 57 (59).

[770] *Gwartney/Larson* (Hrsg.), Economic Freedom of the World; vgl. ferner *Bertenrath/Fuest/Kervian/Welter*, Wirtschaftliche Freiheit in den Bundesländern 2007, S. 11.

die wirtschaftliche Freiheit bestimmt wird.[771] Hervorgehobene Bedeutung erlangt unter der Rubrik 2 die Kategorie „legal structure and security of property rights“.[772] Wichtige Punkte sind hierin die Rechtssicherheit und Unabhängigkeit der Gerichte sowie die Möglichkeit, Verträge und Privateigentum durchzusetzen.[773] Die Bedeutung des Strafrechts im Hinblick auf den Bereich der Rechtssicherheit oder „legal structure“ führt der Bericht nicht gesondert auf. Der Bereich „Strafrecht“ wird in der Liste mit immerhin 38 Einzelkriterien nicht separat aufgeführt. Dies rechtfertigt den Schluss, dass dem Strafrecht auch in einem neoklassischen Wettbewerbsumfeld keine herausgehobene Rolle im Systemwettbewerb zukommt.

Eine weitere Untersuchung, welche die Determinanten der EU-Direktinvestitionen in den neuen Beitrittsländern der EU untersucht hat,[774] kommt zu einem vergleichbaren Ergebnis. Sie enthält ebenfalls keine Anhaltspunkte für die „revolutionäre“[775] These, dass Strafrecht wahrnehmbaren Einfluss auf die Wettbewerbsbedingungen in einem Staat haben könnte. Die Untersuchung konnte ebenfalls keinen messbaren Einfluss des Strafrechts feststellen.[776]

Es wäre zu kurz gegriffen, den Untersuchungen vorzuwerfen, dass sie das Strafrecht nicht hinreichend berücksichtigen, da sie ihm gegenüber betriebsblind gewesen seien.[777] Die verschiedenen Ansätze waren ergebnisoffen formuliert. Sie zielten darauf ab, die relevanten Faktoren zu bestimmen, schlossen aber keinen Bereich *a priori* aus ihren Betrachtungen aus.[778] Zwar lassen die Untersuchungen nicht erkennen, welche Faktoren aus welchem Grunde irrelevant sind. Das einheitliche Ergebnis der verschiedenen Methoden lässt jedoch den Schluss zu, dass dieses Ergebnis nicht auf unbewussten Auslassungen beruht.

Die einheitlichen Ergebnisse dieser völlig verschiedenen Untersuchungen zeigen, dass beim Vergleich der Mitgliedstaaten – gerade aus einer primär wirtschaftlichen Sichtweise – zwar dem Aspekt der Rechtssicherheit eine bestimmte Bedeutung im Systemwettbewerb zukommt. Die Ergebnisse legen jedoch nahe, dass dem Strafrecht lediglich eine theoretische bzw. allgemeine Bedeutung im Wettbewerb der Staaten zukommt. Dieser findet in Bereichen statt, die es erlauben, Privaten

---

771 Vgl. *Gwartney/Larson* (Hrsg.), Economic Freedom of the World, S. 10.

772 *Gwartney/Larson* (Hrsg.), Economic Freedom of the World, S. 5.

773 *Gwartney/Larson* (Hrsg.), Economic Freedom of the World, S. 5.

774 *Resmini*, Economics of Transition 8 (2000), 665.

775 *Tiedemann*, NJW 1993, 23 (24).

776 *Resmini*, Economics of Transition 8 (2000), 665 (666).

777 Einen solchen Vorwurf könnte man aus der Formulierung *Tiedemanns* ableiten, der in NJW 1993, 23 (24) ausführt, dass die Idee, dass strafrechtliche Vorschriften zu Wettbewerbsverzerrungen im Binnenmarkt führen könnten, „auf den ersten Blick fast revolutionär erscheint“.

778 Vgl. den länderübergreifenden Vergleich der Systeme über Jahrhunderte hinweg bei *North/Thomas*, The rise of the western world, S. 91 ff. (120 ff.); ferner *Sinn*, Perspektiven der Wirtschaftspolitik 4 (2002), 391 (392).

konkret berechenbare Vergünstigungen einzuräumen,[779] insbesondere mittels steuerlicher Anreize oder direkter Zuwendungen.[780] Dieser Regulierungsbereich wird durch die Wettbewerbsregeln des Art. 81 ff. EGV sowie die Beihilfevorschriften (insbes. Art. 87 EGV) abgedeckt.[781] Den strafrechtlichen Regelungen, die unter Art. 95 EGV fielen, käme demgegenüber keine wahrnehmbare Steuerungsfunktion im Wettbewerb der Staaten zu. Es scheint als zu weitgehende Hypothese der h.L., der spezifischen Ausgestaltung eines innerstaatlichen Straf- oder Sanktionssystems, d.h. der generalpräventiven Wirkung des Strafrechts, eine konkrete Bedeutung für die Wettbewerbsfähigkeit eines Staates beizumessen.[782]

Als Zwischenergebnis lässt sich festhalten, dass in der ordnungsökonomischen Lehre das Strafrecht kein Parameter ist, dem im Wettbewerb der Staaten spezifische Bedeutung zuzumessen ist.[783]

bb) Exemplifizierung: Die Entkriminalisierung von Verstößen gegen italienische Buchhaltungsregelungen

Diese These soll anhand eines Beispiels illustriert werden. Eine rechtspolitische Veränderung, die der Konstellation der hiesigen Fallgruppe entspricht, fand in Italien statt. Im Jahr 2003 hat das italienische Parlament auf Initiative des Ministerpräsidenten *Berlusconi* die strafrechtliche Flankierung der italienischen Buchhaltungsregeln nahezu vollständig dereguliert.[784] Wäre der Ansatz der h.L. zutreffend, müsste das Aufweichen der strafrechtlichen Bewehrung der Buchhaltungsregelungen – positive oder negative – Auswirkungen auf die Wettbewerbsfähigkeit Italiens haben.[785] Keines von beiden ist jedoch bislang feststellbar.

---

[779] *Gerken*, Wettbewerb der Staaten, S. 9: „Entsprechend bestehen die Wettbewerbshandlungen im Wettbewerb der Staaten in aller Regel unmittelbar oder zumindest mittelbar – Stichwort: Steuerfinanzierung von Subventionen – aus hoheitlichen Handlungen."

[780] Vgl. *Sinn*, Perspektiven der Wirtschaftspolitik 4 (2002), 391 (393).

[781] Vgl. *Bär-Bouyssière*, in: Schwarze (Hrsg.), EU-Kommentar, Art. 87 EGV Rn. 1 f., 5.

[782] An dieser Stelle kann an das obige Beispiel der Steueroasen angeknüpft werden. Hier bestehen nicht lediglich Unterschiede im materiellen Recht. Vielmehr existieren ein ganzes System von Regelungen und eine entsprechende kollussive Praxis der Bankinstitute, welche darauf abzielte, die generalpräventive Wirkung der strafrechtlichen Verbote anderer Länder wirkungslos werden zu lassen. So blockte Liechtenstein nicht nur die Rechtshilfe in Finanzsachen vollständig ab, seine Bankinstitute leisteten zudem systematisch Hilfe, Steuern in den Nachbarländern zu hinterziehen. Vgl. SZ vom 12.11.2008, 4, 7; sowie SZ vom 21.1.2009, 26 hinsichtlich der finanzpolitischen Neuausrichtung des Fürstentums Liechtenstein hin zu einer „legalen" Steueroase.

[783] Vgl. *Eucken*, Grundsätze der Wirtschaftspolitik, S. 242.

[784] *Löhr*, FoR 2003, 101.

[785] Diese Veränderung hat potentiell große Auswirkungen, da von ihr alle Investitionen in Italien betroffen sind, die Unternehmen betreffen, die ihre Buchführung nach den italienischen Buchführungsregeln vornehmen.

Die Strafbewehrungen der italienischen Buchhaltungsregelungen wurden im Jahr 2003 in zweifacher Weise verändert. Sie wurden zum einen von einer Straftat zu einer Ordnungswidrigkeit herabgestuft und derart akribisch mit einer Vielzahl (ca. 300) von Ausnahmetatbeständen versehen, dass die Einhaltung der Regelungen nunmehr fast der Beliebigkeit anheimgestellt ist.[786] Allerdings nennen italienische Geschäftsleute Anfang des Jahres 2008 nicht diese Regelung als wichtigen Grund, warum Italien in den letzten Jahren – gerade im Verhältnis zu anderen EU-Staaten – eine unterdurchschnittliche Entwicklung beim Gewinn ausländischer Direktinvestitionen genommen hat.[787] Diese wird u.a. von der Welthandelskonferenz (UNCTAD) bei der Bemessung der Wettbewerbsfähigkeit einer Volkswirtschaft als wichtige Komponente herangezogen.[788] Als Gründe, warum Italien hinter den anderen Mitgliedstaaten zurückbleibt, werden die strafrechtlichen Regelungen oder die hiermit zusammenhängenden Problemstellungen nicht genannt.[789] Relevant sind nach Angabe der Befragten neben politischen Gründen (hohe Staatsverschuldung) v.a. die verkrusteten Wettbewerbsstrukturen, die auf eine Vielzahl kleiner staatlicher Monopole zurückgehen sowie im Rahmen der rechtlichen Strukturelemente der Wirtschaft insbesondere die lange Verfahrensdauer zivilrechtlicher Verfahren und die Unübersichtlichkeit der Gesetzeslage und föderalen Organisationsstruktur.[790]

cc) Zwischenergebnis

Das Modell der h.L. geht von einer zu starken Steuerungsfunktion des Strafrechts im Wirtschaftsverkehr aus.[791] Ordnungsökonomische Ansätze und empirische Untersuchungen belegen hingegen die fehlende Relevanz der generalpräventiven Wirkung des Strafrechts im Wettbewerb der Systeme der EU. Dem Strafrecht kommt lediglich eine allgemeine (generalpräventive) Wirkung im Hinblick auf den Wirtschaftsverkehr und damit den Binnenmarkt zu. Dies reicht jedoch nicht aus, um legitimieren zu können, dass durch Unterschiede in den strafrechtlichen Rege-

786 *Löhr*, FoR 2003, 101.

787 Vgl. hierzu UNCTAD, World Investment Report 2006, S. 84 f.; diese Entwicklung geht auch im Jahr 2007 weiter, wie die grafische Umsetzung der Zahlen des – noch unveröffentlichten World Investment Report 2007 – in dem Artikel von *Michaels*, FT vom 22.1.2008, zeigt. Hier lässt sich der Trend ablesen, dass Italien gerade im Verhältnis zu den anderen westeuropäischen EU-Mitgliedstaaten deutlich zurückfällt.

788 Ein historischer Überblick über die Entwicklung des Messinstruments der FDI findet sich bei *Fredriksson*, Transnational Corporations 12 (2003), 1 (5, 13); zur Rolle der FDI im Verhältnis zum Wirtschaftswachstum, Wettbewerbsfähigkeit und Entwicklung *ders.*, a.a.O., 1 (16, 21).

789 So *Alessandro Daffina*, Geschäftsführer der Privatbank Rothschild in Italien: "The system is unfortunately never that attractive. Excessive bureaucracy and a slow judiciary weigh heavily. Above all, high taxes make [investors] worry.", zit. nach *Michaels*, FT vom 22.1.2008.

790 So *Paolo Gentiloni*, Telekommunikationsminister Italiens, zit. nach *Michaels*, FT vom 22.1.2008; vgl. in diesem Zusammenhang auch *Barber*, FT vom 25.5.2004.

791 Krit. hinsichtlich des Bereichs des Wirtschaftsstrafrechts allgemein *Hefendehl*, ZStW 119 (2007), 816 (826 ff.).

lungen der Mitgliedstaaten konkrete Wettbewerbsverzerrungen hervorgerufen werden, die einen Harmonisierungsbedarf mittels Art. 95 EGV auslösen.[792]

c) Rechts- und fiskalpolitische Aspekte eines strafrechtlichen Systemwettbewerbs

Des Weiteren soll untersucht werden, ob ein aktiver Wettbewerb der Systeme auf dem Gebiet des Strafrechts stattfindet und ob die normative Folge *(race to the bottom)* beobachtet werden kann, welche die h.L. annimmt. Es geht hierbei um die politische Bedeutung des Strafrechts in den EU-Mitgliedstaaten und in einem potentiellen strafrechtlichen Systemwettbewerb.

aa) Der fiskalpolitische Nutzen einer Deregulierung des Wirtschaftsstrafrechts

Ein Anzeichen für einen aktiven Systemwettbewerb wäre es, wenn festgestellt werden könnte, dass es für die Mitgliedstaaten finanzielle Anreize gibt, auf dem Gebiet des Strafrechts in einen aktiven Systemwettbewerb einzutreten. Allerdings unterliegen m.E. die fiskalpolitischen Zusammenhänge eines Wettbewerbs auf dem Gebiet des Gesellschaftsrechts anderen Voraussetzungen, als ein Systemwettbewerb im Bereich des strafrechtlichen Rechtsgüterschutzes.

Ein Systemwettbewerb auf dem Gebiet des Gesellschaftsrechts bringt z.B. für den Staat Delaware unmittelbare ökonomische Vorteile, insbesondere in Form von Steuereinnahmen.[793] Demgegenüber verursachen die Ausgestaltung und die Pflege ihres Gesellschaftsrechts nur geringe Kosten, etwa für die gerichtliche Infrastruktur u.Ä. Auch für die Nachfragerseite ist eine Sitzverlegung ohne großen (finanziellen) Aufwand oder Risiko zu tätigen. Die Ansiedlung erfordert – abgesehen von mindestens einem Briefkasten – keine physische Präsenz.[794] Das Rechtsgebiet, auf dem dieser Systemwettbewerb stattfindet, zeichnet sich dadurch aus, dass die realen Folgen der rechtlichen Regelung(en) örtlich von dem Gebiet entkoppelt sind, in dem sie gelten. Veränderungen der Firmenstruktur, die Verlagerung von Produktionsstätten u.ä. Prozesse haben nur geringe fiskalpolitische Auswirkungen auf den Staat Delaware. Dort werden Dienstleistungen erbracht, die von ihren realen Folgen weitgehend unabhängig sind, solange diese keine Auswirkungen auf den Firmengewinn haben. Ein *race to the bottom* der Schutzstandards ist deshalb für Delaware fiskalpolitisch neutral.

---

792 Ob dies unter Geltung des Art. 83 Abs. 2 AEUV ausreichen würde, ist nicht abzusehen, vgl. hierzu oben § 4 III.10.; krit. auch *Kretschmer*, in: Vedder/Heintschel v. Heinegg (Hrsg.), EVV, Art. III-271 Rn. 21.

793 Hierzu *Cary*, Yale Law Journal 83 (1974), 663 (692).

794 Etwa in Form von Kosten für die justitielle Infrastruktur u.Ä., die sich jedoch weitgehend durch die Gerichtskosten amortisieren; *Kirstein*, German Papers in Law and Economics 2005 (Paper 15), 1 (19), spricht von der „Wertschöpfungskette der Justiz".

Vergleicht man dies mit einem Wettbewerb auf dem Gebiet des Strafrechts, gilt es die (hypothetischen) fiskalpolitischen Auswirkungen einer strafrechtlichen Deregulierung zu analysieren. Der Eintritt in einen Wettbewerb der Strafrechtssysteme wäre für die Mitgliedstaaten volkswirtschaftlich nur sinnvoll, wenn dies die Effizienz des gesamten Wirtschaftssystems steigern würde, d.h. ein solcher Wettbewerb mehr Einnahmen bringt, als er kostet.[795] Die Folge steigender Kriminalität ist in der Regel jedoch eine höhere Belastung der Sozialsysteme,[796] ohne dass dies durch mehr Steuereinnahmen kompensiert wird. Denn kriminelle Verhaltensweisen wirken sich – trotz einer steigenden Nutzung des Internet – zum Großteil immer noch dort aus, wo die Täter physisch präsent sind, d.h. an dem Ort, wo sie ihre Geschäfte abwickeln oder ihr Produkt herstellen.[797] Dort treten auch die sozialen Folgekosten von Kriminalität ein. Geht man davon aus, dass eine Absenkung der Sanktionshöhe in der Regel zu einer Zunahme an Kriminalität führt,[798] zieht das Absenken von Schutzstandards einen Anstieg der sozialen Folgekosten nach sich.[799]

Gerade die Vermeidung sozialer Folgekosten ist jedoch eines der Hauptmotive des Wettbewerbs der Staaten innerhalb der EU. Als einer der entscheidenden Bestandteile des europäischen Systemwettbewerbs hat sich im Zuge der zunehmenden Globalisierung die Zielsetzung entwickelt, Arbeitsplätze zu schaffen, die es ermöglichen, die sozialen Transferleistungen des europäischen Wirtschaftsmodells zu erwirtschaften und damit die Sozialkassen zu entlasten.

Gleichzeitig führt die Ansiedlung krimineller (Schatten-)Wirtschaft nicht dazu, dass die staatlichen Einnahmen steigen. Illegale (Wirtschafts-)Tätigkeit erfolgt nahezu ausschließlich in der Schattenwirtschaft,[800] die typischerweise weder Steuer-

---

795 So auch die Intention des wohlfahrtsökonomischen Ansatzes *Beckers*, hierzu oben § 6 V.1.

796 Diese sind nicht identisch mit den direkten und indirekten Kosten von Kriminalität für das Individuum, hierzu *Curti*, Abschreckung durch Strafe, S. 147. Unmittelbare Kosten fallen für den Staat in anderer Weise an. Die Belastung der Sozialkassen ist ein Fall der mittelbaren Kosten der Kriminalität. Diese wären, z.B. – je nach Ausprägung – steigende Belastung der öffentlichen Haushalte durch höhere Aufwendungen für die Infrastruktur (Gefängnisse oder Strafverfolgungsbehörden), insbesondere jedoch eine steigende Belastung der sozialen Systeme (z.B. der Wegfall der Steuereinnahmen oder die Abhängigkeit von sozialen Transferleistungen als Folge des Verlusts von Vermögen oder der Gesundheit).

797 Zust. *Nuotio*, in: Delmas-Marty (Hrsg.), L'Harmonisation des sanctions pénales en Europe, S. 465 (468).

798 Vgl. *Wittig*, MschrKrim 76 (1993), 328 (332).

799 *Curti*, Abschreckung durch Strafe, S. 30 f.; *Schneider*, Perspektiven der Wirtschaftspolitik 2 (2001), 425.

800 Dem Strafrecht kommt bei der Verhinderung von Schattenwirtschaft hingegen (wiederum) keine spezifische Funktion zu vgl. *Torgler/Schneider*, CREMA working paper 2007-01, S. 2 f.

noch Abgabenordnung respektiert.[801] Auch wenn diese Abwärtsspirale letztlich dazu führen würde, dass die strafrechtlichen Regelungen nahezu vollständig dereguliert wären, im Extremfall das Verhalten sogar legal würde, wäre nicht damit zu rechnen, dass die Personen, die sich aufgrund der Wirtschaftspolitik angesiedelt haben, die Steuer- und Abgabenordnung nunmehr respektierten und so dem Staat Einnahmen zuflössen.

Ein Staat hat, aus einer fiskalpolitischen Perspektive, primär Interesse daran, die Zufriedenheit und Identifikation seiner Bürger mit seinen Regelungen sicherzustellen.[802] Dies lässt sich erreichen, indem der Anreiz der Bürger gering gehalten wird, in die Schattenwirtschaft auszuweichen.[803] Sie tun dies dann nicht, wenn ein Staat durch sein Rechtssystem die Erfüllung (zivilrechtlicher) Verträge gewährleistet und dafür sorgt, dass die Arbeitsleistungen effektiv geschützt werden.[804] Ein Umkehrschluss ist jedoch nicht zulässig. Die Deregulierung, d.h. die *de facto*-Legalisierung eines Bereichs der Schattenwirtschaft hat nicht zwingend zur Folge, dass nunmehr die ehemals in der Schattenwirtschaft tätigen Personen – infolge dieser Legalisierung – beginnen, die Steuer- und Abgabenordnung zu respektieren.

Die staatliche Kosten-Nutzen-Bilanz einer Deregulierung der strafrechtlichen Schutzstandards wäre negativ.[805] Eine Zunahme an Kriminalität führt – im Unterschied zum *Delaware-Effekt* – zu einer Erhöhung der sozialen Folgekosten im Inland und kann auch dem Goodwill eines Mitgliedstaats im Ausland schaden, sodass obendrein auch ausländische Direktinvestitionen ausbleiben.[806]

Auch der Goodwill eines Staates würde durch einen strafrechtlichen Wettbewerb der Systeme leiden. Dieser Goodwill ist kein zu unterschätzender (materieller) Wert, der ebenfalls fiskalpolitische Anreize setzt, nicht in einen strafrechtlichen Wettbewerb der Systeme einzusteigen. Er kann zwar bei einzelnen Absenkungen der strafrechtlichen Schutzstandards u.U. unberührt bleiben,[807] hätte aber mit hoher Wahrscheinlichkeit sinkende Staatseinnahmen zur Folge, wenn dieser dauerhaft und großflächig aufgeweicht würde.[808]

---

801 Vgl. Hierzu die internationale Studie von *Torgler/Schneider*, CREMA working paper 2007-01, S. 3; vgl. auch *Schneider*, Perspektiven der Wirtschaftspolitik 2 (2001), 425 (425, 435 f.).

802 *Torgler/Schneider*, CREMA working paper 2007-01, S. 3; *Schneider*, Perspektiven der Wirtschaftspolitik 2 (2001), 425 (437 f.).

803 *Torgler/Schneider*, CREMA working paper 2007-01, S. 4 f.

804 *Torgler/Schneider*, CREMA working paper 2007-01, S. 2 f., 5 ff.

805 Zust. *Curti*, Abschreckung durch Strafe, S. 30, 31 f.

806 Vgl. hierzu nur die Maßnahmen, die das Fürstentum Liechtenstein als Konsequenz aus der sog. Zumwinkel-Affäre zog, bei der es um den Ankauf von Daten deutscher Staatsbürger ging, die mit Hilfe Liechtensteiner Banken u.a. Kapitalertragsteuern in Deutschland hinterzogen. Diese Ereignisse führten dazu, dass – infolge des internationalen Drucks und eines einbrechenden Geschäftsbetriebs – Liechtenstein sich entschloss, sein Geschäftsmodell hin zu einer „legalen" zu Steueroase wandeln, vgl. SZ vom 12.11.2008, 7.

807 Vgl. § 6 V.2.b)bb).

808 Vgl. *Leonardi*, Dep. Capital Markets, WestLB, London, FT vom 12.7.2008: "It would seem therefore that Mr Berlusconi is either not really serious about tackling crime in society or finds it subservient to his personal interests. The freeze on trials will do incalcu-

Es kann deshalb festgehalten werden, dass die fiskalpolitischen Auswirkungen eines gesellschaftsrechtlichen und strafrechtlichen Systemwettbewerbs sich signifikant unterscheiden. Den Staaten fehlt der ökonomische Anreiz, in einen Systemwettbewerb der strafrechtlichen Schutzstandards einzutreten. Eine Herabsetzung der strafrechtliche Sanktionsdrohungen oder ein vollständige Deregulierung des (Wirtschafts-)Strafrechts würden Personen ansprechen, die ihre wirtschaftlichen Aktivitäten vornehmlich in der Schattenwirtschaft entfalten. Diese Politik würde überdies den (internationalen) Goodwill des Staates beschädigen. Gleichzeitig würden die Sozialkassen stärker belastet. Die Staaten würden an Wettbewerbsfähigkeit verlieren. Zudem wird eine hohe Kriminalitätsrate primär als Standortnachteil im Wettbewerb der Staaten gesehen.[809] Es fehlt deshalb der fiskalpolitische Anreiz, in einen Wettbewerb der Strafrechtssysteme einzusteigen.

bb) Strafrechtspolitik als Bereich des Staatsversagens i.S.d. *public choice*-Theorie

Gegen einen aktiven Systemwettbewerb auf dem Gebiet des Strafrechts spricht ferner, dass sich im Politikbetrieb der EU eine bestimmte Haltung gegenüber Kriminalität und insbesondere ausländischer Kriminalität etabliert hat. Kriminalität gilt als Problemgröße.[810] Vor allem straffällig gewordene Ausländer werden als unerwünschte Personen betrachtet. Der Aufenthalt von (potentiellen) Kriminellen im eigenen Hoheitsgebiet ist bei vielen Einwohnern unerwünscht. Mit der Ankündigung, eine Politik verfolgen zu wollen, durch die kriminelle Ausländer ins Land gelockt werden, lässt sich in der EU auf absehbare Zeit keine Wahl gewinnen. Die stetig steigende Kriminalitätsfurcht zwingt den Politikern einen unnachgiebigeren Kurs auf, insbesondere gegenüber straffällig gewordenen Ausländern.[811] Mit Kri-

---

lable damage to the Italian judicial system and to Italian democracy by undermining the rule of law, the functioning of state institutions and the division of powers [...]."

809 Dies belegt u.a. ein Vorgang, der sich im Jahr 2007 im Bundesland Sachsen-Anhalt abgespielt hat. Es ging um Statistikschönungen hinsichtlich rechtsradikal motivierter Gewalttaten. Die Landesregierung von Sachsen-Anhalt befürchtete, dass eine hohe Anzahl an rechtsradikal motivierten Gewalttaten ausländische Investoren abschrecken könnte. Statistiken hatten ergeben, dass ein ausländerfeindliches Klima sich nachteilig auf Investitionen im Land auswirken würde; vgl. SZ vom 12.12.2007, 6.

810 Zur Kategorisierung von Ziel- und Problemgrößen im Wettbewerb der Staaten, vgl. *Gerken*, Wettbewerb der Staaten, S. 12.

811 So schaffte es z.B. der französische Politiker *Le Pen* im Jahr 2002 primär mit ausländerfeindlichen und rechtsradikalen Parolen in die zweite Runde der Präsidentenwahlen, in der er dann *Jacques Chirac* unterlag, vgl. SZ vom 23.4.2002, 1. Zuvor feierte der von *Le Pen* geführte Front National jahrelang beachtliche Erfolge in den Parlamentswahlen in Frankreich. Er gewann in der Regel um die 10 % der Sitze in der Assemblée Nationale, vgl. SZ vom 3.7.1998, 6. Vergleichbare Erfolge feierte die ebenfalls rechtsradikale FPÖ, die unter der Führung von *Jörg Haider* jahrelang die österreichische Bundespolitik mitbestimmte und sogar im Jahr 2000 mit einer kurzzeitigen Regierungsbeteiligung endete. *Jörg Haider* verdankte seinen Wahlerfolg gerade auch der Furcht vieler Österreicher vor dem EU-Beitritt Polens, auf den er seinen Wahlkampf ausgerichtet hatte, vgl. SZ vom 8.3.2000, 6.

minalpolitik lässt sich in Wahlkämpfen nur punkten, wenn eine Politik der „harten Hand“ propagiert wird.[812]

Diesen Aspekt der Kriminalitätsfurcht lässt sich anhand eines Beispiels aus der englischen Presse belegen. Einer Boulevardzeitung versuchte, den Verbleib von ausländischen Tatverdächtigen in England als politischen Skandal zu brandmarken. In der Sache handelte es sich um ca. 40 polnische Staatsbürger, die mittels europäischen Haftbefehls in England festgenommen worden waren. Sie mussten wieder freigelassen werden, da Polen nicht fristgerecht für ihre Auslieferung nach Polen sorgen konnte.[813]

Die Existenz von Kriminalität wird von den Bürgern in der EU nicht als wünschenswert empfunden.[814] Der Forderung, den Aufenthalt ausländischer Straftäter, z.T. ganzer Volksgruppen, denen eine Häufung von Straftaten unterstellt wird, zu beenden oder zu erschweren, geben die Politiker nach.

In den alten EU-Mitgliedstaaten zeigt sich vielfach eine Tendenz, gegen kriminell gewordene Ausländer rigide vorzugehen, unabhängig davon, ob diese EU-Bürger sind oder nicht. So hat u.a. die italienische Regierung den Willen bekundet, straffällig gewordene Rumänen aus Italien abzuschieben. Dies geht auf den Druck der Bevölkerung zurück, die sich zu ca. 70 Prozent gegen die Anwesenheit von Rumänen ausspricht.[815] Als weiteres Beispiel kann hier auf die Diskussion über die Behandlung ausländischer Haftinsassen in einigen Mitgliedstaaten verwiesen werden sowie auf den Rahmenbeschluss über die Europäische Vollstreckungsübernahme.[816] In Österreich wurde offen diskutiert, ob die Strafvollstreckung rumänischer Strafgefangener exterritorialisiert werden soll.[817] Eine entsprechende Idee wurde auch in Bayern thematisiert.[818]

Der öffentliche Diskurs gibt eine bestimmte (strafschärfende) Richtung vor, insbesondere wenn es um Kriminalität geht, die mit Ausländern zusammenhängt. Diese Tendenz prägt die europäische Politik. Diese Entwicklung lässt sich als Staatsversagen i.S.d. *public choice*-Theorie einstufen. Die wachsende Kriminalitätsfurcht

---

812 Vgl. die erfolgreichen Kampagnen *Roland Kochs* in Hessen in den Jahren 1999 und 2008, in denen er mit jeweils unterschiedlichen kriminalpolitischen Themen Stimmen sammelte, indem er sich als Hardliner propagierte, vgl. den Artikel im Spiegel vom 2.1.2008 http://www.spiegel.de/politik/deutschland/0,1518,526239,00.html [letzter Zugriff: 26.10.2009].

813 Vgl. The Sun vom 2.2.2008 unter http://www.thesun.co.uk/sol/homepage/news/article754347.ece [letzter Zugriff: 26.10.2009].

814 Vgl. hierzu allgemein *Schwind*, Kriminologie, §§ 24 f.; *v. Danwitz*, Kriminologie, S. 214 ff.

815 SZ vom 22.7.2008, 2.

816 Rahmenbeschluss 2002/584/JI des Rates vom 13.6.2002 über den Europäischen Haftbefehl und die Übergabeverfahren zwischen den Mitgliedstaaten, veröffentlicht im ABl. L 190/1 vom 18.7.2002.

817 Pressemitteilung des Österreichischen Bundeskanzleramts vom 19.1.2004, http://bkacms.bka.gv.at/DesktopDefault.aspx?TabID=3397&Alias=BKA&infodate=19.01.2004 sowie das Absehen von der Verwirklichung dieses Plans am 2.5.2006 in der Presseaussendung durch den Bundespräsidenten http://hofburg.at/show_content2.php?s2id=516 [letzter Zugriff: 26.10.2009].

818 *Morgenstern*, ZIS 2008, 76 (78); gerade in der Stellungnahme der bayrischen Staatskanzlei vom 26.5.2006 tritt dabei der monetäre Aspekt deutlich hervor.

der Bürger gibt diese Richtung vor. Ein Wettbewerb der Strafrechtssysteme, der darauf abzielte, die Delinquentenzahlen in dem jeweiligen Land steigen zu lassen oder bislang als kriminell angesehenes Verhalten auf breiter Front zu legalisieren, hätte auf absehbare Zeit keine Chance auf Umsetzung.

cc) Zwischenergebnis

Ein aktiver strafrechtlicher Systemwettbewerb wäre darauf gerichtet, kriminelle Personen oder Aktivitäten in einem Mitgliedstaat anzusiedeln. Es ist jedoch eine unbewiesene Behauptung, dass Mitgliedstaaten dazu bereit sind, auf die Einhaltung *ihrer* strafrechtlichen Standards zu verzichten. Gegen einen aktiven Wettbewerb auf dem Gebiet des Strafrechts sprechen fiskalpolitische Erwägungen sowie die ablehnende Einstellung der Bevölkerung gegenüber einer hohen Kriminalitätsrate. Den politischen Akteuren wird derzeit ein Kurs der „harten Hand“ aufgezwungen, insbesondere gegenüber kriminellen Ausländern. Die Voraussetzungen für einen aktiven Systemwettbewerb auf dem Gebiet des Strafrechts existieren demnach derzeit nicht.

3. Tatsächliche Entwicklung der Strafrechtspolitik in den Mitgliedstaaten der EU

Nunmehr soll das normative Element der Theorie der h.L. überprüft werden, das davon ausgeht, dass die Strafrechtsordnungen der Mitgliedstaaten sich in einem *race to the bottom* befinden. Es wird überprüft, ob die Politik der Mitgliedstaaten sich dahingehend entwickelt hat, dass der Eintritt eines normativen Systemwettbewerbs und seiner Folgen wahrscheinlich wird. Hierfür soll auch auf einzelne repräsentative qualitative Veränderungen der Strafrechtspolitik der Mitgliedstaaten eingegangen werden.

a) Strafrechtlicher Systemwettbewerb zwischen den Mitgliedstaaten?

Die normative Folge der h.L. setzt voraus, dass zwischen den Strafrechtsordnungen der Mitgliedstaaten ein Systemwettbewerb stattfindet (aa). Ferner müsste auch die normative Folge, ein *race to the bottom* der strafrechtlichen Ordnungen, ausgemacht werden können (bb).

aa) Rahmenbedingungen eines strafrechtlichen Systemwettbewerbs

Ein strafrechtlicher Systemwettbewerb[819] würde voraussetzen, dass den privaten Akteuren die Möglichkeit eingeräumt wird, die staatlichen Institutionen, deren

[819] Vgl. § 6 V.

Regelungen sie sich unterwerfen (wollen), frei wählen zu können.[820] Dies ist die Prämisse, welche die institutionellen Akteure dazu zwingt, um möglichst gute Bedingungen für die Individuen zu wetteifern, damit sich die mobilen Nachfragebürger bei ihnen ansiedeln.[821] An dieser fehlt es jedoch bereits. Weder folgen die beteiligten staatlichen Institutionen der Prämisse, dass sie miteinander in Konkurrenz treten, um die günstigsten Bedingungen für Kriminelle zu bieten, noch sind die kriminellen Akteure in der Lage, sich vollständig frei zwischen den staatlichen Institutionen entscheiden zu können.

Den politischen Institutionen der Mitgliedstaaten ist – wie soeben gezeigt – nicht daran gelegen, dass sich die „mobilen" Kriminellen in ihr Hoheitsgebiet verlagern.[822] Ihnen fehlt das Interesse, diesen möglichst günstige Bedingungen zu gewähren und zu diesem Zweck mit anderen Staaten zu konkurrieren. Ziel der Mitgliedstaaten ist es vielmehr, dass kriminelles Handeln in ihrem Land aufhört bzw. solches nicht in der Öffentlichkeit wahrgenommen wird. Es lässt sich vielmehr ausmachen, dass die Strafverfolgungsinstitutionen nach der Art eines Kartells zusammen agieren. Das Verhalten der (staatlichen) Anbieter im strafrechtlichen Systemwettbewerb unterscheidet sich deshalb grundsätzlich von der Prämisse des Wettbewerbs der Systeme.

Auch bei der Übertragung des Modells auf die anderen Akteure, die Nachfragebürger, gerät die Analogie zum *Delaware-Effekt* zu einem schiefen Bild.[823] Es bleibt unberücksichtigt, dass die vollständige Mobilität der Nachfragebürger in diesem „Wettbewerb" nicht erreicht werden kann, d.h. eine „Abstimmung mit den Füßen" nur begrenzt möglich ist. Es verbleibt ihnen hinsichtlich ihrer strafrechtlichen Verantwortlichkeit nur in sehr engen Grenzen die Möglichkeit, sich durch die örtliche Entfernung (aus einem Hoheitsgebiet) der strafrechtlichen Verantwortlichkeit zu entziehen. Das aktive und passive Personalitätsprinzip und insbesondere das Territorialitätsprinzip des Strafrechts setzen dem engere Grenzen als die Gründungstheorie des Gesellschaftsrechts.[824] Die „Nachfrager" können sich also mittels einer Umsiedlung ins Ausland nur bedingt dem Einfluss der Rechtsordnung entziehen, deren staatlicher Autorität sie kraft Nationalität unterliegen. Auch das Territo-

---

820 *Streit/Kiwit*, Zur Theorie des Systemwettbewerbs, S. 13.

821 Hierzu oben § 6 IV.1.a).

822 Vgl. § 6 V.2.

823 In diese Richtung auch *Kaiafa-Gbandi*, ZIS 2007, 537 f.; *Schünemann*, ZStW 119 (2007), 945 (945 ff., 955 f.); *ders.*, ZIS 2007, 528 (533 f.).

824 Zur strafrechtlichen Verantwortlichkeit allgemein *Eser*, Harvard International Law Journal 31 (1990), 117 (118 f.); ferner *Oehler*, Internationales Strafrecht, S. 156; eine fast ausschließlich dem Territorialitätsprinzip verhaftete Rechtsordnung ist die des Commonwealth, vgl. *ders.*, Internationales Strafrecht, S. 161 f., 164 f.; *Hirst*, Jurisdiction and the ambit of criminal law, S. 3 ff.; zum Territorialitätsprinzip ferner *Ambos*, Internationales Strafrecht, § 3 Rn. 4 ff.; *Satzger*, Europäisches Strafrecht, § 4 Rn. 5; *Oehler*, Internationales Strafrecht, S. 152 ff.; *Hein*, Zuständigkeitskonflikte, S. 31 ff.; zum aktiven und passiven Personalitätsprinzip *Wessels/Beulke*, § 2 Rn. 63.

rialitätsprinzip setzt der Wahlmöglichkeit der individuellen Akteure Grenzen. Im Gesellschaftsrecht ist es, wenn man der Gründungtheorie folgt, unerheblich, in welchem Land die unternehmerische Tätigkeit stattfindet.[825] Im Strafrecht ist es infolge des Territorialitätsprinzips nicht unerheblich.

bb) Eintritt der normativen Folge eines strafrechtlichen Systemwettbewerbs?

Untersucht man das Rechtsgebiet des Strafrechts, kann man zwei funktionale Ebenen unterscheiden. Einerseits dient das Strafrecht dem Rechtsgüterschutz. Die Funktion besteht darin, den Schutz der Rechte und Güter *durch* Strafrecht sicherzustellen (d.h. die strafrechtliche Flankierung des Rechtsgüterschutzes). Hier geht es um den Schutz *durch* Strafrecht, z.B. des Eigentums vor unberechtigten Wegnahmehandlungen (gemäß § 242 StGB oder Art. 311-1 Code pénal). Andererseits hat die Strafrechtsordnung auch die Funktion, den Einzelnen vor der Inanspruchnahme durch strafrechtliche Institutionen zu schützen. Diese Ebene kann man als Schutz *vor* Strafrecht bezeichnen. Auf dieser Regelungsebene werden dem Einzelnen Rechte gegenüber den Strafverfolgungsbehörden bzw. dem staatlichen Strafanspruch gewährt. [826] Es geht um das Schutzniveau, das dem individuellen Beschuldigten in einer konkreten Verfahrenssituation gegenüber den Strafverfolgungsorganen des Staats gewährleistet wird, z.B. durch den Grundsatz des *nemo tenetur* oder das Folterverbot.[827]

Differenziert man auf diese Weise, lässt sich lediglich letzterer Bereich ausmachen, in dem sich die normativen Folgen eines strafrechtlichen Systemwettbewerbs zeigen. Ein *race to the bottom* findet sich nur bei den (strafprozessualen) Beschuldigten- und Verteidigungsrechten.[828] Dies geht darauf zurück, dass die Mitgliedstaaten ihre Kooperation auf dem Gebiet des Strafrechts z.B. in Form des Europäischen Haftbefehls oder seines Komplementärs, dem *principle of free availability of information*,[829] stark ausgeweitet haben. Das Prinzip der gegenseitigen Anerkennung,[830] das diesen Instrumenten zugrunde liegt, hat Mechanismen im

---

825 Hierzu oben § 6 III.2.a), b).

826 Gerade dass dem Einzelnen die Disposition über seine wesentlichen Verfahrensrechte – zu seinem Schutz – entzogen ist, gehört zu den Errungenschaften der Aufklärung und des Rechtsstaats, vgl. *Leipold*, Kulturvergleichende Institutionenökonomik, S. 138 f.

827 Zu diesen allgemeinen Prinzipien des Europäischen Strafrechts, siehe oben § 3 II., III.

828 *P.A. Albrecht*, KritV 2008, 39 (53); *Sieber*, ZStW 119 (2007), 1 (30 f., 33 f. 36 f.) m.w.N.

829 Das Prinzip betrifft den unmittelbaren Zugang zu sämtlichen ermittlungsrelevanten Daten eines Landes, vgl. hierzu ausführlich *Böse*, Grundsatz der Verfügbarkeit; *Braum*, KritV 2008, 82 (85 ff.); *Nuni*, Revue internationale de droit pénal 2007, 143; *Meyer*, NStZ 2008, 188 f.

830 Vgl. Nr. 33 der Schlussfolgerungen des Europäischen Rates von Tampere vom 15./16.10.1999, das unter Geltung des Vertrags von Lissabon in den Status eines der Leit-

Straf(-prozess-)recht etabliert, die der Funktionsweise des Systemwettbewerbs ähneln.[831] Dennoch funktioniert dieser „Systemwettbewerb" diametral entgegengesetzt dem klassischen Systemwettbewerb. Dieser Mechanismus wird nicht durch die erhöhte Mobilität der Nachfragebürger geprägt; er wird durch mehr Zugriffsmöglichkeiten, d.h. gesteigerte Mobilität der institutionellen Akteure bestimmt.[832]

Dies lässt sich insbesondere anhand des Instruments des Europäischen Haftbefehls[833] aufzeigen.[834] Er bewirkt, dass der Strafanspruch der Staaten einfacher über Landesgrenzen hinweg durchgesetzt werden kann. Dies wirkt sich auf die Schutzrechte des Einzelnen u.U. negativ aus,[835] jedenfalls erhöht es die Möglichkeiten eines Mitgliedstaats, seinen Strafanspruch auch dann geltend zu machen, wenn sich der Beschuldigte mittlerweile in einem anderen Mitgliedstaat aufhält.[836] Der im Zusammenhang mit dem Europäischen Haftbefehl vielfach beschriebene *race to the bottom* kann darauf zurückgeführt werden, dass die Mitgliedstaaten eine kartellartige Absprache getroffen haben, die zu Lasten der nachfragenden Bürger und Unternehmen geht.[837]

---

prinzipien des Politikbereichs „Raum der Freiheit, der Sicherheit und des Rechts" erhoben wird, vgl. Titel V „Raum der Freiheit, der Sicherheit und des Rechts", Art. 67 Abs. 3 EUV.

831 *Schünemann*, ZIS 2007, 528 (530 f., 533 f.)

832 Krit. *Schünemann* ZRP 2003, 185 (186 ff.).

833 Vgl. Rahmenbeschluss des Rates vom 13.6.2002 über den Europäischen Haftbefehl und die Übergabeverfahren zwischen den Mitgliedstaaten (2002/548/JI), veröffentlicht im ABl. L 190/1 vom 18.7.2002.

834 Krit. *P.A. Albrecht*, KritV 2008, 39 (53).

835 Krit. *Hefendehl*, ZIS 2006, 229 (234); *Schünemann*, ZIS 2007, 528 (533 f.). Die hierdurch u.a. ermöglichte Internationalisierung des Erlasses und Vollzugs eines Haftbefehls wurde etwa von den Verfassungsgerichten in Deutschland und in Polen mit großen Bedenken gesehen und nur unter hohen Auflagen genehmigt. Das BVerfG hat in seiner Entscheidung vom 18.7.2005, 2 BvR 2236/04, BVerfGE 113, 273 (300) = NJW 2005, 2289 (2292 f.) das erste Umsetzungsgesetz der BRD für mit wesentlichen Rechten des GG unvereinbar gehalten. Das unter Beachtung der Maßgaben des BVerfG neu erlassene EuHbG wurde am 25.7.2006 im Amtsblatt veröffentlicht und trat am 2.8.2006 in Kraft. In Polen war eine Verfassungsänderung notwendig, um das Vorhaben überhaupt zulässig zu machen; hierzu *Nalewajko*, ZIS 2007, 113 (115).

836 Krit. *Schmitts*, NStZ-RR 2005, 161 (162): „Die inhaltlichen Anforderungen, die an einen Europäischen Haftbefehl zu stellen sind, […] davon auszugehen haben, dass die Oberlandesgerichte sich im Anwendungsbereich des Europäischen Haftbefehls den Text der maßgeblichen Bestimmungen des ersuchenden Staats in jedem Fall selber zu beschaffen haben, um die hier vorzunehmende Prüfung durchführen zu können, ob der geschilderte Sachverhalt die Voraussetzungen der angegebenen Straftatbestände erfüllt." Auch in Polen schreibt die Umsetzung des Rahmenbeschlusses – entgegen dessen Art. 2 Abs. 2 – weiterhin eine eigenständige Prüfung bei der Übergabe polnischer Staatsangehöriger vor, vgl. *Nalewajko*, ZIS 2007, 113 (116). Diese Vorbehalte beschränken sich nicht auf Stimmen in Deutschland und Polen, sondern werden – zumindest hinsichtlich der eigenen Staatsangehörigen – in vielen Mitgliedstaaten geäußert, vgl. die Nachweise bei *Nalewajko*, ZIS 2007, 113 (116, Fn. 32). Der EuGH hat diese nunmehr in seinem Urteil *„Kozlowski"* anerkannt, EuGH vom 7.7.2008, Rs. C-66/08 *„Kozlowski"*, Slg. 2008 I-6041 (Rn. 47 ff.); hierzu *Böhm*, NJW 2008, 3183 f.

837 Vgl. *Sieber*, ZStW 119 (2007), 1 (42); daher fordern die Autoren des „Alternativentwurfs Europäische Strafverfolgung" in Art. III-174a Abs. 1 die Einrichtung eines „Eurodefensors", um die Verfahrensrechte der Beschuldigten wirkungsvoll zu schützen, vgl.

Die hier gestellte Frage einer Harmonisierung der Strafvorschriften auf der Grundlage von Art. 95 EGV wirkt sich jedoch primär auf die andere Fallgruppe aus, vor allem die des (Rechtsgüter-)Schutzes *durch* Strafrecht. Ziel der strafrechtlichen Initiativen ist es bislang ausschließlich, den strafrechtlichen Schutz bestimmter Rechte und Rechtsgüter auszudehnen und zu verstärken. In dieser Frage zeichnet sich eine Entwicklung ab, die für ein *race to the top* spricht.[838] Das Handeln der Mitgliedstaaten lässt sich als ein konzertiertes Vorgehen beschreiben, sei es beim internationalen Terrorismus oder der grenzüberschreitenden Wirtschaftsdelinquenz.[839] Ihre Strafcodices wachsen – auch auf Initiative der EU – seit Jahren kontinuierlich an,[840] Sanktionsdrohungen werden verschärft,[841] gerade im Wirtschaftsstrafrecht. Die (originäre) Strafrechtsangleichung auf Initiative der EU hatte dabei bislang in keinem Fall zur Folge,[842] dass ein Mitgliedstaat die Reichweite eines Tatbestands oder eine Sanktionsdrohung hat reduzieren müssen.[843]

Es hat sich – wie bereits oben angedeutet – eine Art „Strafrechtspopulismus"[844] eingebürgert. *Hefendehl* spricht in Übereinstimmung mit obiger These davon, dass eine Politik des „governing through crime" vorherrscht, und eine allgemeine Tendenz, missbilligtes Verhalten durch Kriminalisierung zu ahnden, ohne dass die Strafwürdigkeit dieses Verhaltens genau geprüft wird.[845]

Hintergrund ist, dass die Gesellschaften Westeuropas sich zunehmend als „high crime"-Gesellschaften wahrnehmen.[846] Kriminalität wird verstärkt zu einem Symbol für die Unsicherheit und die Lebensrisiken der modernen Gesellschaft.[847] Zugleich steht Kriminalität für die Gefährdungen, denen sich eine Gesellschaft durch die Abschaffung des (National-)Staats traditioneller Prägung ausgesetzt sieht. Wesentliche Pfeiler des Nationalstaats, die den Bürgern das Gefühl vermittelten, dieser könne die wesentlichen Probleme der Gesellschaft lösen, sind aus ihrer Sicht bereits gefallen oder würden geschleift. Nach *Karstedt/*

---

hierzu *Schünemann* (Hrsg.), Alternativentwurf Europäische Strafverfolgung, S. 5 f., 14 ff.; sowie in *ders.* (Hrsg.), Gesamtkonzept für die europäische Strafrechtspflege, S. 50 ff., vgl. *Nestler*, a.a.O., S. 166 ff.; *Szwarc*, a.a.O., S. 181 ff.; krit. *Mitchell*, a.a.O., S. 191 ff.

838 Hierzu oben § 6 III.2.a)bb).

839 Hierzu ausführlich *Sieber*, ZStW 119 (2007), 1 (66).

840 *Park*, NStZ 2007, 369 (370).

841 *Schünemann*, ZIS 2007, 528; *Weyembergh*, CMLRev 2005, 1576 (1588 f.); *Kilchling* (Hrsg.), Die Praxis der Gewinnabschöpfung, S. 10.

842 Vgl. oben § 4 III.1.a).

843 *Ambos*, Internationales Strafrecht, § 12 Rn. 7; *Schünemann*, ZIS 2007, 528.

844 Der französische Politologe *Olivier Duhamel* spricht davon, dass das Strafrecht von demokratisch gewählten Machthabern „in einer Weise benutzt, angepasst und kommentiert [wird], die einzig und allein darauf abzielt, der öffentlichen Meinung zu schmeicheln und verlorene Popularität zurückzugewinnen". Zit. nach Deutschlandfunk, Europa heute, Sendung vom 26.2.2008 http://www.dradio.de/dlf/sendungen/europaheute/745014/ [letzter Zugriff: 26.10.2009].

845 Vgl. *Hefendehl*, ZStW 119 (2007), 816 (830 f.).

846 *Karstedt/Oberwittler*, Neue Perspektiven der Kriminalsoziologie, S. 1 (19).

847 *Karstedt/Oberwittler*, Neue Perspektiven der Kriminalsoziologie, S. 1 (19).

Oberwittler zählen hierzu: die nationalstaatlichen Grenzen, der Verlust von Lebenssicherheit und Arbeitsplätzen sowie der Abbau des Sozialstaats und der Rückzug des Staates aus der kollektiven Sicherung von Lebensrisiken.[848] Die unmittelbare Nachbarschaft der westeuropäischen Länder zu den Transformationsgesellschaften der ehemaligen Ostblockländer mag diesen Eindruck noch verstärkt haben.[849] In diesen Ländern ging der soziale und wirtschaftliche Umwandlungsprozess mit einer „Welle der Kriminalität" einher,[850] deren Auswirkungen auch im Westen zu spüren war.[851] Diese gefühlte Bedrohung führe zu einer moralischen Unordnung, die sich in allen sozialen Schichten der westeuropäischen Gesellschaften zeige, sei dies in Form von „incivilities" im öffentlichen Raum oder von Skandalen der gesellschaftlichen „Eliten",[852] die in Korruption und anderen Formen der Wirtschaftskriminalität verwirklicht seien. An dieser Entwicklung haben die neuen Mitgliedstaaten teil. Auch Staaten mit anfänglich liberalen Strafrechtskodifikationen in der postkommunistischen Ära – wie z.B. Ungarn und Polen – haben zwischenzeitlich ihre Codices verschärft.[853]

cc) Zwischenergebnis

Als Zwischenergebnis lässt sich festhalten, dass die Voraussetzungen für einen strafrechtlichen Systemwettbewerb in der EU derzeit nicht vorliegen. Es lässt sich nicht ausmachen, dass die staatlichen Akteure in einen Systemwettbewerb eintreten, in dessen Folge sie ihr Strafrecht deregulieren. Zwar lässt sich die behauptete Folge des Systemwettbewerbs, ein *race to the bottom*, in manchen Regelungsbereichen des Strafrechts feststellen, insbesondere bei den strafprozessualen Schutzrechten des Einzelnen vor staatlicher Strafverfolgung. Dies beruht jedoch nicht auf einem Wettbewerb der Systeme, sondern dem Gegenteil. In dem für Art. 95 EGV bedeutsamen Regulierungsbereich des Schutzes *durch* Strafrecht, d.h. beim Schutz der Rechte des Einzelnen durch staatliche Strafverfolgung, findet sich die Folge eines *race to the top*, da die Strafrechtsordnungen der Mitgliedstaaten punitiver werden.

---

848 *Karstedt/Oberwittler*, Neue Perspektiven der Kriminalsoziologie, S. 1 (19).

849 Vgl. *Sieber/Bögel*, Logistik der Organisierten Kriminalität, S. 74 ff.

850 *Karstedt/Oberwittler*, Neue Perspektiven der Kriminalsoziologie, S. 1 (19).

851 In den 1990er Jahren wurden vermehrt Vorschriften erlassen, die gezielt dieses Phänomen bekämpfen sollten. Als Beispiel hierfür sei nur die „verdachtsunabhängige Polizeikontrolle" genannt, die sich ganz konkret gegen die „grenzüberschreitende Kriminalität" richtet. U.a. die Bundesländer Baden-Württemberg und Brandenburg haben Änderungen ihrer Polizeigesetze vorgenommen, um eine Ermächtigungsgrundlage für „verdachtsunabhänige Kontrollen" zu schaffen. Die Gesetzesbegründung Brandenburgs führt den Zweck „grenzüberschreitender Kriminalität" explizit auf, vgl. Drs. 2/6123, Landtag Brandenburg, S. 1 [zur Änderung der §§ 12, 22 des Brandenburgischen Polizeigesetzes].

852 *Hefendehl*, ZStW 119 (2007), 816 (826 ff.).

853 Hinsichtlich Bulgarien vgl. *Gruev*, ZStW 120 (2008), 153; ferner *Nagy*, in: Eser u.a. (Hrsg.), Strafrechtsentwicklung in Osteuropa, S. 250 (251); *Stando-Kawecka*, a.a.O., S. 318 (328 ff.).

b) Veränderungen der rechtlichen Rahmenbedingungen: Anpassung an das Verhaltensmodell des kriminellen situativen Nutzenoptimierers

Die Nachfragebürger im Modell der h.L. agieren nach der Maßgabe eines situativen Nutzenoptimierers, entsprechend dem Modell *Beckers*, auf das die h.L. verweist.[854] Sie übernimmt damit gleichzeitig eine weitere Prämisse *Beckers*. Dieser geht davon aus, dass die Staaten bestimmte Verstöße mit optimalen, aber feststehenden Strafsätzen sanktionieren.[855] Die Strafhöhe bleibt in diesem Modell auch bei wiederholter Überschreitung gleich.[856] Legt man diese Regulierungssituation zugrunde, ist ein Verhalten möglich oder gar zu erwarten, das auf einer kontinuierlichen Übertretung von Vorschriften aufbaut.

Allerdings wird diesem Modell – wie sogleich anhand zweier exemplarischer Entwicklungen gezeigt werden soll – durch die qualitativen Veränderungen der Strafrechtsordnungen der Mitgliedstaaten in den letzten Jahren zunehmend der Boden entzogen.[857] Diese machen verstärkt von Steuerungsinstrumenten Gebrauch, die sich gegen Verhalten richten, das sich an dem Menschenbild des situativen Nutzenoptimierers orientiert. Ihre Sanktionierung zielt verstärkt darauf ab, bewusst die wirtschaftlichen Anreize für delinquentes Verhalten zu beseitigen.

Diese Entwicklung auf dem Gebiet des Strafrechts wird durch entsprechende Veränderungen in angrenzenden Rechtsgebieten unterstützt. In den letzten Jahren wurden in immer mehr Bereichen des Rechts punitive Sanktionselemente eingefügt,[858] um die ökonomischen Anreize für rechtswidriges wirtschaftsbezogenes Handeln – auch unterhalb der Schwelle eines kriminellen Verhaltens – zu verringern.[859] Beispielhaft genannt seien hier nur das Kartellrecht und das Schadensersatzrecht im Bereich der Rechte des geistigen Eigentums.[860]

---

854 Hierzu oben § 6 III.3.

855 Besonders deutlich wird dies bei *Johannes*, EuR 1968, 63 (108).

856 *Becker*, Crime and punishment, S. 1 (29 f.); *Johannes*, EuR 1968, 63 (108).

857 Nur am Rande erwähnt sei das Bemühen der Mitgliedstaaten, die Höhe der Sanktion stets der wirtschaftlichen Entwicklung anzupassen. Sie haben die Strafhöhen der Geldbußen im Lauf der wirtschaftsstrafrechtlichen Reformbewegung seit Ende der 1960er Jahre stark erhöht, vgl. hierzu nur *Achenbach*, Die wirtschaftsstrafrechtliche Reformbewegung, S. 47 (56); vgl. ferner die Begründung des Regierungsentwurfs für ein Gesetz, das die Höchstgrenze der Tagessätze des deutschen Strafrechts von 5.000 auf 20.000 Euro anhebt, BR-Drs. 758/08 vom 17.10.2008. Diese Veränderung wird damit begründet, dass der derzeitige Spitzensatz von 5.000 Euro aus dem Jahr 1975 stamme und den aktuellen Spitzeneinkommen nicht mehr gerecht werde (a.a.O., S. 2). Auch Täter mit sehr hohem Einkommen sollen angemessen bestraft und ihnen solle wieder ein vergleichbares finanzielles Opfer abverlangt werden können wie dem einkommensschwachen Täter (a.a.O., S. 2 f.).

858 Hierzu *Hefendehl*, ZStW 119 (2007), 816 (825 f., 839 f.); *Sieber*, ZStW 119 (2007), 1 (33 f., 41); vgl. zu den Forderungen im Zivilrecht *Ebert*, Pönale Elemente im deutschen Privatrecht, S. 247 ff., 576.

859 Vgl. *Hefendehl*, ZStW 119 (2007), 816 (839).

860 Zum Kartellrecht vgl. das Grünbuch vom 19.12.2005, KOM(2005) 672 endg. S. 4; zur Zielsetzung im US-amerikanischen Recht *Buxbaum*, in: Basedow (Hrsg.), Private en-

Die Mitgliedstaaten haben ihre Sanktionsmodelle seit Ende der 1960er Jahre so verändert, dass die Grundannahme *Beckers* – und damit der h.L. – für die Handlungsbedingungen der Nachfragebürger nicht mehr mit den tatsächlichen Gegebenheiten übereinstimmt.[861] Die Mitgliedstaaten veränderten – insbesondere im Bereich der Wirtschafskriminalität – die Stoßrichtung ihrer Sanktionierung: weg von den Tätern, hin auf die (individuellen) Tatgewinne.[862] Zudem sehen die Strafrechtsordnungen mittlerweile – wenn dieser Fall nicht sogar im Allgemeinen Teil des Strafgesetzbuchs generell geregelt wird –[863] EU-weit strafschärfende Regelbeispiele oder Qualifikationstatbestände vor, wenn ein Straftäter mit Gewinnerzielungsabsicht und/oder zur fortgesetzten Tat (z.B. als Mitglied einer Bande) handelt.[864] Kein Mitgliedstaat verfolgt mehr ein statisches Sanktionssystem, wie es dem Modell *Beckers* entspricht. Die Strafcodices der Mitgliedstaaten sehen vor, dass wiederholte Übertretungen schärfer geahndet werden als die erste Tat.[865] Diese dynamische Komponente des Strafausspruchs macht es schwieriger, die konkrete Strafhöhe einer dauerhaften Übertretung *ex ante* zu berechnen. Sie erschwert die Berechnung der möglichen Kosten eines solchen Gesetzesverstoßes.

Auf zwei exemplarische Veränderungen in den Strafrechtsordnungen der Mitgliedstaaten soll nunmehr vertieft eingegangen werden. Die individuelle wirtschaft-

---

forcement of EC Competition Law, S. 41 (43 f.); hinsichtlich des Stands der Dinge im deutschen Kartellrecht *Roth*, a.a.O., S. 61 (72 ff.; 79 f.); aus Sicht des französischen Rechts *Idot*, a.a.O., S. 85 (103, 104 f.); Ansatz der italienischen Gerichte *Castronovo*, a.a.O., S. 107 (111 f.); *Böge*, a.a.O., S. 217 (218 f., 220); hinsichtlich des Bereichs geistiges Eigentum *Lehman* GRUR-Int 2004, 762 f.; *Dreier*, Kompensation und Prävention, S. 157 ff.; hinsichtlich des deutschen Zivilrechts allgemein *Körner*, NJW 2000, 241 (246).

861 Eine Zusammenfassung der wirtschaftsstrafrechtlichen Reformbewegungen in Deutschland mit einer Darstellung der institutionellen und prozessualen Veränderungen findet sich bei *Achenbach*, Die wirtschaftsstrafrechtliche Reformbewegung, S. 47 (48 ff.); eine Darstellung der finnischen Strafgesetzreformen von 1973 bis 2003 findet sich bei *Lahti*, Das Wirtschaftsstrafrecht in der Gesamtreform des Strafrechts, S. 61 (62 ff., 71 ff.); zur Einwirkung strafschärfender Merkmale, die auf EU-Recht zurückgehen, *Vogel*, GA 2003, 314 (330).

862 *Jekewitz*, in: Herzog/Mühlhausen (Hrsg.), GwHdB, § 8 Rn. 1.

863 Einen solchen Weg haben u.a. das polnische, das französische und das dänische Recht gewählt, vgl. nur Art. 33 § 2 pol. StGB *(Kodeks karny)*. Dieser sieht vor, dass bei festgestellten wirtschaftlichen Zielsetzungen einer Tat bzw. bei der Erzielung eines Vermögensvorteils durch eine Tat neben einer Freiheitsstrafe auch eine Geldstrafe verhängt werden kann. Im dänischen Recht ist die wirtschaftliche Gewinnerzielungsabsicht ebenfalls nach § 50 Abs. 2 dän. StGB *(Straffeloven)* bei der Strafzumessung zu berücksichtigen

864 Die scheinbare Unterpriorisierung der wirtschaftlichen Motive im Allgemeinen Teil des StGB ist der unterschiedlichen Regelungstechnik des deutschen Gesetzgebers zu verdanken. Er hat diese Motive in Form von Regelbeispielen oder Qualifikationstatbeständen bestimmt, vgl. nur § 263 Abs. 3 Satz 2 Nr. 1, 2 StGB; § 243 Abs. 1 Satz 2 Nr. 3 StGB sowie den Qualifikationstatbestand des § 263 Abs. 5 StGB oder des § 244a Abs. 1 StGB. Diese Regelungstechnik wird in gleichem Maße auch bei Tatbeständen des Nebenstrafrechts angewandt, vgl. *Tiedemann*, Wirtschaftsstrafrecht AT, S. 41 ff.

865 Vgl. hierzu die explizite Regelung in Art. 131-13 § 5 Code Pénal: „[…] dieser Betrag kann bei Rückfall bis auf […] erhöht werden […].“

liche Situation des einzelnen Straftäters wird als maßgebliches Kriterium für den Strafausspruch herangezogen, seit die Höhe der Geldstrafe nach dem Tagessatzmodell berechnet wird.[866] Ferner haben die Mitgliedstaaten neuartige Sanktionsinstrumente eingeführt, welche die ökonomischen Anreize fortgesetzten kriminellen Verhaltens verringern sollen: die Geldwäschevorschriften und die Gewinnabschöpfung.[867]

aa) Ökonomisierung des Strafausspruchs: Das Tagessatzmodell

Die Mitgliedstaaten stellten in den 1970er Jahren die Geldstrafe auf das Tagessatzsystem um.[868] Seitdem wird beim Strafausspruch die individuelle wirtschaftliche Situation des einzelnen Straftäters stärker berücksichtigt.[869] Die Umstellung der Geldstrafe auf das Tagessatzsystem trägt Erwägungen des *rational choice*-Ansatzes Rechnung und orientiert sich an Prämissen eines ökonomisch motivierten

---

866 Vgl. zum Tagessatzsystem allgemein *Albrecht*, Strafzumessung und Vollstreckung bei Geldstrafen; zu den Zielsetzungen des Tagessatzsystems vgl. *Maurach/Gössel/Zipf*, Strafrecht AT II, § 59 Rn. 26; *v. Selle*, Gerechte Geldstrafe, S. 27; nicht alle Länder haben ein reines Tagessatzmodell eingeführt. So hat z.B. Frankreich zwar grundsätzlich das Tagessatzsystem eingeführt (vgl. Art. 131-5 Code pénal), allerdings nur, wenn das Gesetz die Strafdrohung der Gefängnisstrafe ausspricht. Ergänzend sieht Art. 131-13 Code pénal ein Fünfstufenmodell vor, das die Bemessung von reinen Geldstrafen in fünf verschiedene Gruppen unterteilt, die einen – ansteigenden – Rahmen für die Geldstrafe festsetzen. Dem Gesetzgeber obliegt es in diesem Bereich, die jeweiligen individuellen Übertretungsvorschriften in das fünfstufige Modell einzupassen. Die höchste Stufe dieser Art der Geldstrafe ermöglicht wiederum die Verhängung zusätzlicher Sanktionen, vgl. nur Art. 131-14 Code pénal.

867 Die Forderung u.a. des BKA geht dahin, das Instrument der Gewinnabschöpfung noch stärker einzusetzen, so BKA-Präsident *Ziercke* anlässlich der Präsentation der BKS 2007, vgl. http://www.spiegel.de/panorama/justiz/0,1518,574792,00.html [letzter Zugriff 26.10.2009].

868 Es wurde in der BRD durch das Zweite Gesetz zur Reform des Strafrechts vom 4.7.1969, BGBl. I S. 717 mit dem für die Änderungen des Geldstrafensystems maßgeblichen Änderungsgesetz vom 30.7.1973, BGBl. I S. 909 eingeführt; zur Entwicklung in ausgewählten europäischen Ländern (Belgien, England und Wales, Frankreich und Italien), hierzu allgemein *Jescheck/Grebing* (Hrsg.), Die Geldstrafe im deutschen und ausländischen Recht.

869 Vgl. im polnischen Recht Art. 33 §§ 1–3 Kodeks karny. Gemäß Art. 33 § 3 sind bei der Bemessung der Tagessätze die „Einkünfte des Täters“ sowie seine „Vermögensverhältnisse“ zu berücksichtigen; im dänischen Recht richtet sich gemäß § 51 Abs. 1 Straffeloven die Tagessatzhöhe nach den wirtschaftlichen Verhältnissen des Angeklagten („durchschnittliche Tageseinkünfte“); im deutschen Recht können beide Motive bei der Strafzumessung berücksichtigt werden. Das wirtschaftliche Motiv kann zumindest über die allgemeine Rubrik in § 46 Abs. 2 Satz 2 „[…] die Beweggründe und die Ziele […]“ berücksichtigt werden, die wirtschaftlichen Verhältnisse gemäß § 46 Abs. 2 Satz 2: „[…] seine persönlichen und wirtschaftlichen Verhältnisse […]“; hierzu *Franke*, in: MünchKommStGB, § 46 StGB, Rn. 47, Fn. 227; im deutschen Recht finden sich jedoch daneben mehrere Instrumente der Abschöpfung von Tatgewinnen, wie z.B. der Verfall (§§ 73 ff. StGB) oder die Gewinnabschöpfung gemäß § 17 Abs. 4 OWiG; zu ihrer Funktion *Tiedemann*, Wirtschaftsstrafrecht AT, S. 156 ff.

Verhaltensmodells. Die Mitgliedstaaten haben überdies ihr Sanktionssystem einem Modell angepasst, das die ökonomischen Anreize kriminellen Verhaltens bei der Strafzumessung in den Vordergrund rückt.[870] Angesichts der großen kriminalpolitischen Bedeutung des Instituts der Geldstrafe in den Mitgliedstaaten der EU wurde die Möglichkeit wesentlich eingeschränkt, als rational-gewinnorientiert kalkulierender Krimineller grenzüberschreitend zu handeln.[871] Die Umstellung auf das Tagessatzsystem erschwert eine Berechnung der verwirkten Strafe, erst recht, wenn es sich um transnationales kriminelles Verhalten handelt. Die Planbarkeit wird durch die Individualisierung erheblich eingeschränkt, auch wenn man nur einen reduzierten Vorhersehbarkeitsmaßstab annimmt, wie z.B. *Curti*.[872]

bb) Aktuelle Kriminalitätsbekämpfungsdevise: *crime must not pay*

Die Mitgliedstaaten haben überdies Sanktionsinstrumente eingeführt, die den Anreiz der Gewinnerzielung durch fortgesetzte kriminelle Tätigkeit unterbinden sollen.[873] Die aktuelle kriminalpolitische Debatte wird von der Forderung dominiert, dass „Verbrechen sich nicht lohnen" dürfe.[874] Mit dieser Politikströmung folgt die EU seit Ende der 1980er Jahre den USA.[875] Prominentestes Ergebnis die-

---

[870] Krit. *Piliavin/Gartner/Thornton/Matsueda* American Sociological Review 51 (1986), 101 (115).

[871] Mehr als 80 % der strafrechtlichen Verurteilungen in der BRD haben den Ausspruch einer Geldstrafe zur Folge, vgl. *Radtke*, in: MünchKommStGB § 40 Rn. 10; zur kriminalpolitischen Bedeutung der Geldstrafe in England und Wales, vgl. *Huber*, in: Jescheck/Grebing (Hrsg.), Die Geldstrafe im deutschen und ausländischen Recht, S. 341 (349 f.); zur Bedeutung in Frankreich vgl. *Teufel/Pradel*, a.a.O., S. 397 (404); *Bosch*, a.a.O., S. 457 (465 f.). Auch die strafrechtspolitischen Entwicklungen innerhalb der EU laufen – wie Art. 14 Ziff. 1 des Corpus Juris 2000 zeigt – auf eine allgemeine Anerkennung des Tagessatzprinzips bei natürlichen Personen hinaus.

[872] *Curti*, Abschreckung durch Strafe, S. 82.

[873] Die Gewinnabschöpfung „forfeiture" war Teil des erstmals 1986 in den USA eingeführten Programms zur Bekämpfung der Geldwäsche, vgl. hierzu *Frank*, Die Bekämpfung der Geldwäsche in den USA, S. 18.

[874] Unter diesem Motto stand das Treffen des *Candem Asset Recovery Inter-Agency Network* (CARIN) vom 22. bis 24.5.2006 in Salzburg, vgl. hierzu nur die Pressemitteilung der Luxemburger Polizei vom 23.5.2006, http://www.police.public.lu/actualites/bulletin_presse/2006/05/20060523/index.html [letzter Zugriff: 26.10.2009]; CARIN wurde im September 2004 ins Leben gerufen, als Netzwerk von Wissenschaftlern und Praktikern, die Empfehlungen erarbeiten sollen, um illegale Vermögenswerte besser aufspüren, einfrieren und beschlagnahmen zu können. Sie sind organisatorisch Europol zugeordnet. Zu den weiteren Bemühungen der Kommission im Rahmen des AGIS-Programms, insbesondere zum Zweck der Terrorismusfinanzierung illegal erwirtschaftete Profite in noch weitergehendem Maße aufdecken, einfrieren und beschlagnahmen zu können, vgl. die Mitteilung der Kommission über die Prävention und Bekämpfung der Terrorismusfinanzierung […] vom 20.10.2004, KOM(2004) 700 endg. S. 6 ff.; zur Verstärkung der Bemühungen in Deutschland ab dem Jahr 2007, vgl. *Greeve*, NJW 2007, 14.

[875] *Reich*, in: Wabnitz/Janovsky (Hrsg.), HdB des Wirtschaftsstrafrechts, Kapitel 5, Rn. 1.

ser Devise ist die „Doppelstrategie“ aus Geldwäschekontrolle und Gewinnabschöpfung, deren Ziel darin besteht, straftatübergreifend die wirtschaftlichen Vorteile aus fortgesetztem kriminellem Verhalten abzuschöpfen.[876]

Das Sanktionsinstrument der Gewinnabschöpfung zielt auf die klassisch-repressive Bekämpfung von Kriminalität ab.[877] Sie wurde als „dritte Dimension“[878] der Bekämpfung des Rauschgifthandels eingeführt und nach und nach als allgemeine Sanktionsfolge in die Strafcodices eingegliedert.[879] So hat sie sich zum etablierten Instrument der europäischen Strafverfolgung entwickelt.[880] Der Tatbestand der Geldwäsche ist ein Bekämpfungsinstrument, das präventiv ausgerichtet ist und versucht, bestimmte Vermögenswerte (unabhängig von konkreten Straftaten) abzuschöpfen.[881] Sein Ziel ist es, den Fluss von Geldmitteln aus illegal erlangten Vermögenswerten zu bekämpfen.[882] Der Tatbestand war als Instrument konzipiert, mit dem die Legalisierung von Geldern aus Drogenstraftaten verhindert werden sollte.[883] Auch sein Anwendungsbereich wurde in den letzten Jahren kontinuierlich erweitert.[884] Die Mitgliedstaaten der EU haben diesen Straftatbestand immer mehr zu einem allgemeinen Kriminalitätsbekämpfungsmittel umgestaltet, mit dem möglichst alle illegalen Vermögensbewegungen aufgedeckt und unterbunden werden sollen.[885] Damit hat sich auch sein mittelbarer Zweck generalisiert.[886] Er besteht nunmehr darin, die

---

[876] *Kilchling* (Hrsg.), Die Praxis der Gewinnabschöpfung in Europa, S. 5.

[877] *Kilchling* (Hrsg.), Die Praxis der Gewinnabschöpfung in Europa, S. 5.

[878] *Meyer* (Hrsg.), Gewinnabschöpfung bei Betäubungsmitteldelikten, S. 465.

[879] Einen Überblick gibt *Kilchling* (Hrsg.), Die Praxis der Gewinnabschöpfung in Europa, S. 10 ff.

[880] Vgl. hierzu nur *Schily* Eröffnungsansprache, in: BKA (Hrsg.), Wirtschaftskriminalität und Korruption, S. 7 (9): „Zentraler Ansatzpunkt zur Bekämpfung der Wirtschaftskriminalität ist und bleibt die Abschöpfung der Tatgewinne.“ Zur Praxis der Gewinnabschöpfung in ausgewählten europäischen Ländern vgl. die Studie von *Meyer/ Dessecker/Smettan* (Hrsg.), Gewinnabschöpfung bei Betäubungsmitteldelikten, 1989; sowie die rechtsvergleichende Untersuchung von *Kilchling* (Hrsg.), Die Praxis der Gewinnabschöpfung in Europa, 2002; ferner *Sieber*, ZStW 119 (2007), 1 (31 f.).

[881] *Kilchling* (Hrsg.), Die Praxis der Gewinnabschöpfung in Europa, S. 5.

[882] RL 91/308/EWG vom 10.6.1991, abgelöst und erweitert durch die RL 2005/60/EG des Europäischen Parlaments und des Rates vom 26.10.2005, zur Verhinderung der Nutzung des Finanzsystems zum Zwecke der Geldwäsche und der Terrorismusfinanzierung, ABl. L 309/15 vom 25.11.2005. Primäre Zielsetzung ist dabei die Bekämpfung der organisierten Kriminalität, vgl. *Stree*, in: Schönke/Schröder/Eser, § 261 Rn. 1.

[883] Vgl. den Erwägungsgrund 3 der Richtlinie 91/308/EWG vom 10.6.1991: „Das Waschen der Erlöse aus illegalen Tätigkeiten hat einen offenkundigen Einfluss auf die Zunahme des organisierten Verbrechens im allgemeinen und des Rauschgifthandels im besonderen.“

[884] Hierzu *Vogel* GA 2003, 314 (323); *Reich*, in: Wabnitz/Janovsky (Hrsg.), HdB des Wirtschaftsstrafrechts, Kapitel 5, Rn. 1 ff.

[885] Erwägungsgrund (7) der RL 2005/60/EG; vgl. hierzu nur die Liste der Straftatbestände, die in Art. 3 Nr. 5 aufgezählt werden.

[886] Er ist zugleich aktuellen gesellschaftspolitischen Einflüssen unterworfen, vgl. am Bsp. des Titels der RL 2005/60/EG im Vergleich zur RL 91/308/EWG. Letztere hatte den Drogenhandel zum Hauptziel, Erstere dann das aktuelle kriminalpolitische Topthema der Terrorismusbekämpfung.

Nutzung fast sämtlicher illegal erwirtschafteter Profite zu erschweren.[887] Das Kontrollnetz, das die EU hierfür spannt, verengt sich ebenfalls zunehmend.[888]

Zwar besteht hinsichtlich der Umsetzung der Geldwäscherichtlinie und der Gewinnabschöpfung z.T. ein erhebliches Vollzugsdefizit.[889] Dieser Aspekt soll und muss hier jedoch außer Betracht bleiben, da der Vollzug der Regelungen nicht über eine Harmonisierung gemäß Art. 95 EGV geregelt werden kann.[890]

cc) Exemplifizierung anhand des Siemens-Korruptionsskandals

Die Veränderungen lassen sich exemplarisch an dem Beispiel der Korruptionsaffäre von *Siemens* im Jahr 2007/08 aufzeigen. Der Konzern hatte über Jahre hinweg ein System schwarzer Kassen aufgebaut, über das in eine Vielzahl von Ländern Schmiergelder zur Anbahnung geschäftlicher Beziehungen gezahlt wurden.

Der Konzern wurde deshalb am 4.10.2007 vom LG München für die Unregelmäßigkeiten – die nur das Geschäftsfeld Telekommunikation betrafen – zu einem Bußgeld von 1 Mio. Euro verurteilt.[891] Außerdem wurde *Siemens* zur Abführung von Unternehmensgewinnen i.H.v. 200 Mio. Euro sowie zur Rückzahlung von Steuervorteilen i.H.v. 179 Mio. Euro verurteilt, die für Bestechungsgelder gewährt wurden.[892] Hinzu treten die Kosten und die Geldbuße, welche *Siemens* an die SEC zahlen musste, da das Unternehmen an der New Yorker Börse notiert ist. Mit der SEC einigte man sich auf die historische Summe von 600 Mio. Euro, zuzüglich der Kosten für die Aufklärung des Verhaltens und des Aufbaus einer funktionierenden Korruptionsbekämpfung i.H.v. 900 Mio. Euro.[893]

Nimmt man alle Strafzahlungen zusammen, die *Siemens* infolge dieser kriminellen Vergehen hat leisten müssen, ist die Strafhöhe bislang unerreicht. Es wäre überraschend, wenn die Personen, die die schwarzen Kassen eingerichtet haben, diese Folgekosten *ex ante*, auch bei vereinfachtem Maßstab, nur annähernd richtig berechnet hätten. Zu Beginn oder Mitte der 1990er Jahre, als dieses System initiiert

---

[887] *Neuhäuser*, in: MünchKommStGB, § 261 Rn. 3; *Stree*, in: Schönke/Schröder/Eser, § 261 Rn. 1.

[888] Vgl. hierzu insbesondere Erwägungsgrund (18, 24, 28) der RL 2005/60/EG; sowie die Einrichtung einer zentralen Meldestelle (FIU) (Erwägungsgrund (29)), Art. 20 ff. (Art. 21 Abs. 1).

[889] *Kilchling* (Hrsg.), Die Praxis der Gewinnabschöpfung in Europa, S. 6.

[890] Siehe oben § 2 I.2.a), c); § 5 II.2.

[891] Vgl. zu den oben angegebenen Zahlen und hinsichtlich des genauen Ausmaßes der laufenden Ermittlungen den detaillierten Bericht der Compliance-Abteilung von *Siemens* vom 8.11.2007, download unter: http://w1.siemens.com/press/pool/de/events/jahrespk2007/legal-proceedings-q4-2007-d.pdf [letzter Zugriff: 26.10.2009].

[892] Nicht quantifiziert wurden bei der Berechnung die [weiteren] Folgeschäden wie etwa der Verlust von Aufträgen infolge des Imageverlustes. So hat z.B. Nigeria konkret mit Bezug auf die Korruptionsaffäre Aufträge mit *Siemens* gekündigt, vgl. die Meldung des Fernsehsenders N 24 vom 6.12.2007 unter http://www.n24.de/wirtschaft_boerse/unternehmen/article.php?articleId=173457 [letzter Zugriff: 26.10.2009].

[893] Vgl. SZ vom 6.11.2008, 29.

wurde, war nicht abzusehen, dass Strafzahlungen einmal in dieser Größenordnung fällig sein könnten. Dies zeigt, dass die strafrechtlichen Sanktionssysteme so verändert wurden, dass ihre Strafdrohung stets neuen Größenordnungen angepasst werden kann und damit einer exakten Berechnung entzogen bleibt.[894]

c) Zwischenergebnis

Es fehlen die Voraussetzungen, die einen strafrechtlichen *Delaware-Effekt* in Gang setzen würden. Die Nachfragebürger sind u.a. infolge ihrer Staatszugehörigkeit daran gehindert, ein Verlagerungsverhalten zu entwickeln, das einen strafrechtlichen *Delaware-Effekt* hervorrufen könnte.[895] Auch die Nationalstaaten treten – anders als im Gesellschaftsrecht – im Bereich des Strafrechts nicht miteinander in Konkurrenz. Zwar lassen sich die normativen Folgen eines strafrechtlichen *Delaware-Effekts*, ein *race to the bottom*, auch in Teilen der mitgliedstaatlichen Strafrechtsordnungen beobachten. Diese beruhen jedoch nicht auf einem Wettbewerb der Systeme, sondern auf dem Gegenteil, einer Art Kartell der Mitgliedstaaten.[896] Gegen die Möglichkeit eines strafrechtlichen *Delaware-Effekts* spricht ferner, dass sich die Strafrechtsordnungen der Mitgliedstaaten in den letzten Jahren immer weiter von den Grundlagen des Modells entfernt haben, auf dem die h.L. ihre Annahme eines drohenden *race to the bottom* der strafrechtlichen Schutzstandards getroffen hat. Die Mitgliedstaaten haben in dieser Zeit ihre Strafrechtsordnungen – qualitativ – dahingehend ausgestaltet, dass die materiellen Tatanreize für die Täter/ Nachfragebürger verringert wurden.[897] Die Strafrechtsordnungen zielen verstärkt darauf, die wirtschaftlichen Anreize für kriminelles Verhalten zu minimieren.[898] Auch haben die Mitgliedstaaten neue Sanktionsinstrumente eingeführt, wie die Geldwäsche und Gewinnabschöpfung, welche überdies gezielt die wirtschaftlichen Anreize einer auf Dauer angelegten kriminellen Tätigkeit abbauen sollen.[899]

4. Zwischenergebnis

Die Untersuchung hat zum Ergebnis, dass für das Gebiet des Strafrechts keine Anzeichen dafür vorliegen, die vermuten lassen, dass – wie es das Modell der h.L. nahelegt – ein eigenständiger Wettbewerb der (Strafrechts-)Systeme stattfindet oder konkret droht. Ein Systemwettbewerb, der sich auf die strafrechtliche Regulierung auswirkt, lässt sich derzeit nicht feststellen. Der Politikbetrieb der EU bildet

---

[894] Zur parallelen Entwicklung der europäischen Kartellbußgeldentscheidungen, siehe *Hefendehl*, ZStW 119 (2007), 816 (831 f.).

[895] § 6 V.3.a)aa).

[896] § 6 V.3.a)bb).

[897] § 6 V.3.b).

[898] § 6 V.3.b)aa).

[899] § 6 V.3.b)bb).

nicht die Voraussetzungen heraus, aufgrund deren sich ein strafrechtlicher Systemwettbewerb entwickelt.[900] Es besteht deshalb keine konkrete Möglichkeit, dass einzelne Mitgliedstaaten eine Strafrechtspolitik betreiben, durch die Wettbewerbsverzerrungen i.S.d. Art. 95 EGV hervorgerufen werden könnten.

Es lässt sich nicht feststellen, dass der allgemeine Wettbewerb der Systeme überhaupt das Regulierungsfeld des Strafrechts berührt. Die Untersuchung hat gezeigt, dass dem Strafrecht im Wettbewerb der Staaten keine ordnungspolitische Bedeutung zukommt.[901] Es ist vielmehr zweifelhaft, ob von einer (dauerhaft) deregulierenden Strafrechtspolitik überhaupt ein wirtschaftspolitischer Steuerungseffekt ausgeht.[902] Indem die h.L. dem Strafrecht eine im Einzelnen messbare Bedeutung für die Wettbewerbsfähigkeit eines Staates zuschreibt, überschätzt sie nach hiesiger Erkenntnis die verhaltenssteuernde Wirkung des Strafrechts.[903]

Es fehlt den Mitgliedstaaten an rechts- und fiskalpolitischen Anreizen, eine solche Politik zu betreiben. Im Gegensatz zum *Delaware-Effekt* hätte eine deregulierende Strafrechtspolitik steigende (soziale) Kosten zur Folge, die nicht durch steigende staatliche Einnahmen kompensiert würden.[904] Auch hat sich das Strafrecht im Politikbetrieb der EU zu einer Materie entwickelt, mit der sich lediglich dann Wahlen gewinnen lassen, wenn eine Politik der harten Hand propagiert wird.[905] Das Strafrecht ist ein Regulierungssektor, in dem „Staatsversagen“ i.S.d. *public choice*-Theorie eine *race to the top*-Entwicklung im Bereich des Schutzes *durch* Strafrecht vorgibt.[906]

Ein eigenständiger Systemwettbewerb auf dem Politikfeld des Strafrechts findet hingegen nicht statt.[907] Die Voraussetzungen dafür lassen sich nicht auf die Gesetzmäßigkeiten des Strafrechts übertragen. Der Nachfragebürger kann sich seiner (strafrechtlichen) Verantwortlichkeit nur bedingt durch einen Ortswechsel entziehen.[908] Auch treten die Staaten im Bereich der Strafverfolgung nicht miteinander in Konkurrenz. Sie schließen sich eher nach Art eines Kartells zusammen. Dies führt zu einem *race to the bottom* der Vorschriften, die den Einzelnen vor strafrechtlicher Inanspruchnahme durch den Staat schützen sollen.[909]

---

900 § 6 V.3.a).
901 § 6 V.2.b).
902 § 6 V.2.b).
903 § 6 V.2.b)cc); a.A. *Satzger*, Europäisierung, S. 425 f.
904 § 6 V.2.c)aa).
905 § 6 V.2.c)bb).
906 § 6 V.3.c)aa).
907 § 6 V.3.a).
908 § 6 V.3.a)aa).
909 § 6 V.3.a)bb).

Diese Ergebnisse werden durch die qualitativen Veränderungen der Strafrechtsordnungen der Mitgliedstaaten bestätigt.[910] Die Zielsetzung der Sanktionsinstrumente richtet sich in immer größerem Ausmaß darauf, die wirtschaftlichen Anreize kriminellen Verhaltens zu beseitigen. Überdies wurden neue Sanktionsinstrumente (wie die Geldwäsche und Gewinnabschöpfung) eingeführt, welche diese Zielsetzungen straftatübergreifend verfolgen. Es erscheint deshalb immer weniger realistisch, dass ein Krimineller sich nach dem Modell der h.L. verhalten kann und somit ein Systemwettbewerb überhaupt erst in Gang gesetzt wird.

Eine präventive Rechtsangleichung im Rahmen von Art. 95 EGV, die sich darauf beruft, einen konkret drohenden ruinösen (strafrechtlichen) Systemwettbewerb zu verhindern, ist derzeit deshalb nicht zulässig.

VI. Sog- und Spiralwirkungen im Binnenmarkt

Von der h.L. wird ferner vorgebracht, dass neben den kriminologischen und strafrechtlichen *Delaware-Effekten* auch bestimmte Folgeeffekte eintreten, welche die EG berechtigten, unter Berufung auf Art. 95 EGV präventiv rechtsangleichend tätig zu werden.[911] Diese Fallgruppe wird unter dem Begriff der Sog- oder Spiralwirkungen zusammengefasst. Im Zusammenhang mit dem strafrechtlichen *Delaware-Effekt* kann darunter verstanden werden, dass der Systemwettbewerb das Strafrecht in seiner Anwendung beeinträchtigt (1.). Im Rahmen des kriminologischen *Delaware-Effekts* wird als Folge diskutiert, dass kriminelles Verhalten von Marktteilnehmern Wettbewerbsdruck erzeugt, der andere Marktteilnehmer dazu veranlassen könne, dieses (kriminelle) Verhalten nachzuahmen (2.). Auch in diesen Fällen könne die EG über Art. 95 EGV die entsprechenden Strafrechtsnormen angleichen.

1. Sogwirkungen infolge des strafrechtlichen Delaware-Effekts?

Für einen solchen Effekt spräche, dass der Systemwettbewerb des europäischen Gesellschaftsrechts auch auf angrenzende Regelungsmaterien ausstrahlt.[912] Die Öffnung der Gesellschaftsregime für Kapitalgesellschaftsformen innerhalb der EU hat zur Folge, dass derzeit Gründungs- und Sitzland einer Gesellschaft dauerhaft verschieden sein können. Deshalb können bei einer Insolvenz einer Scheinauslandsgesellschaft das gesellschafts- und das insolvenzrechtliches Regelungsregime

[910] § 6 V.3.b).

[911] Vgl. *Gröblinghoff*, Schutz der Interessen der EG, S. 103 f.

[912] Hierzu *Eidenmüller*, ZGR 2006, 467.

auseinanderfallen.[913] Da diese Regelungssysteme in den EU-Mitgliedstaaten nicht aufeinander abgestimmt sind, bestehen derzeit Regelungslücken, die missbräuchlich ausgenutzt werden könnten. So kann z.B. die Insolvenz einer englischen Ltd. in Deutschland dazu führen, dass weder die deutsche Insolvenzverschleppungshaftung (§ 64 Abs. 2 GmbHG i.V.m. § 823 Abs. 2 BGB) noch die englische *wrongful trading*-Haftung eingreift.[914] Der Schuldner könnte sich also u.U. vollständig seiner Haftung entziehen.

Als Beispiel kann die Rechtslage angeführt werden, die derzeit u.a. für Konzerne mit abhängigen Tochtergesellschaften gilt. Nach Art. 3 Abs. 1 der VO Nr. 1346/2000 greift das Insolvenzregime des Landes, in dem eine Tochtergesellschaft ihren Sitz hat. Ohne Relevanz ist hierbei, ob die geschäftlichen Aktivitäten der Tochter eigenständig bestimmt wurden oder vollständig nach Weisungen des (EU-inländischen) Mutterkonzerns erfolgten.[915] Sollte diese Rechtsprechung zu Art. 3 Abs. 1 EuInsVO bestätigt werden, könnte die zivilrechtliche Haftung durch gezielte Verlagerung geschäftlicher Aktivitäten auf vollständig weisungsgebundene Töchter umgangen werden.[916] Hierdurch würde die Möglichkeit des „forum shoppings" für bestimmte geschäftliche Tätigkeiten insbesondere für grenzübergreifende Konzerne begründet.

Untersucht man allerdings, wie die nationalen Rechtsordnungen auf diese Situation reagieren, lässt sich feststellen, dass insbesondere die nationalen Gerichte bemüht sind, ein solches Auseinanderfallen des Regelungsregimes auf Ausnahmefälle zu begrenzen.

Dies zeigt sich anhand zweier neuerer Entscheidungen des Londoner *High Court*. Dieser hat die Möglichkeit eines „forum shoppings" zumindest für die praktisch relevanteste Gruppe der „Scheinauslandsgesellschaft" (der englischen Ltd.) für den Regelfall abgelehnt.[917] Auch die französischen und die deutschen Insolvenzrechtsordnungen enthalten

---

913 Die EuInsVO beruht auf der Verordnung (EG) Nr. 1346/2000 des Rates vom 29.5.2000 über Insolvenzverfahren, abgedruckt im ABl. L 160/1 vom 30.6.2000. Sie trat am 31.5.2002 in Kraft.

914 Vgl. hierzu *Bicker*, Gläubigerschutz, S. 48 f.

915 Vgl. EuGH vom 2.5.2006, Rs. C-341/04 „*Eurofood / Parmalat*" Slg. 2006, I-3813; krit. *Paulus* NZG 2006, 609 (611 f.).

916 Das Urteil entfaltet keine Bedeutung für den Regelfall der Scheinauslandgesellschaft, insbesondere der Ltd. Diese entfalten in der Regel keine nennenswerte geschäftliche Aktivität außerhalb eines Mitgliedstaats, weshalb der „Mittelpunkt seiner hauptsächlichen Interessen" i.S.v. Art. 3 Abs. 1 EuInsVO unproblematisch festgestellt werden kann.

917 Der Londoner High Court of Justice hat die Eröffnung jeglichen Insolvenzverfahrens hinsichtlich einer einfachen Auslandsgesellschaft abgelehnt, die zu keinem Zeitpunkt Geschäftsaktivitäten in dem Land ihres satzungsmäßigen Sitzes entfaltet und dort auch nicht ihre Personal- und Finanzverwaltung angesiedelt hatte, vgl. die Ablehnung der Eröffnung des Hauptverfahrens durch High Court of Justice London, Beschluss vom 15.8.2006 – No. 5618/06, abgedruckt in NZI 2007, 187; sowie die Ablehnung der Bestellung eines Sekundärinsolvenzverwalters, High Court of Justice London, Beschluss vom 8.12.2006 – No. 6211/06, abgedruckt in NZI 2007, 188; vgl. hierzu die korrespondierende Entscheidung des AG Nürnberg, Beschluss vom 1.10.2006 – 8034 IN 1326/06, NZI 2007, 186 f.; zur Abgrenzung von Haupt- und Sekundärinsolvenzverfahren in der EuInsVO *Beck*, NZI 2006, 609 (610).

ordre public-Klauseln, welche ein missbräuchliches „forum shopping" verhindern können.[918]

Dass ein Systemwettbewerb in der Rechtspraxis zu einer Sogwirkung auf benachbarte Regelungsbereiche führt, lässt sich derzeit in der EU nicht feststellen. Es fehlt an Anzeichen, dass die Einhaltung der strafrechtlichen Vorschriften hiervon eine Ausnahme bildet. Es kann somit davon ausgegangen werden, dass der Systemwettbewerb keine wahrnehmbaren Auswirkungen auf die strafrechtliche Praxis der Mitgliedstaaten ausübt. Die oben aufgestellten rechtspolitischen Zusammenhänge gelten auch in diesem Bereich.[919]

2. Sogwirkungen infolge kriminologischer Delaware-Effekte

Die h.L. beruft sich darauf, dass kriminelles Verhalten zu Kostenvorteilen führen könne, die Wettbewerbsverzerrungen im Binnenmarkt verursachten. Die Missachtung strafrechtlich bewehrter Verhaltensverbote/-gebote gewähre in manchen Fällen Kostenvorteile, die andere Wettbewerber dazu zwingen könnten, ebenfalls straffällig zu werden, um konkurrenzfähig zu bleiben.[920] Dann sei die EG berechtigt, die entsprechenden strafrechtlichen Vorschriften mittels Art. 95 EGV zu harmonisieren. M.E. kann dies in zwei Varianten eintreten.

Im ersten Fall kopiert ein Wettbewerber kriminelles Verhalten eines Mitbewerbers,[921] um die gleichen Kosten- und damit Wettbewerbsvorteile zu haben, die der Konkurrent durch die Missachtung der strafrechtlichen Ge- oder Verbote erzielt.[922]

Die h.L. nennt als Beispiel einen Fall, in dem Betrügereien um Eier-Subventionen den partizipierenden Wettbewerbern Kostenvorteile verschafften und diese illegalen Praktiken irgendwann ein Ausmaß erreichten, dem sich kaum ein Wettbewerber mehr entziehen konnte. Wettbewerber, die ausschließlich rechtmäßig handelten, gerieten unter einen derartigen Kostendruck, dass viele sich dazu genötigt sahen, die Kostenvorteile der kriminellen Praktiken ebenfalls zu realisieren.[923]

Hiervon zu unterscheiden ist die Fallkonstellation, in der die durch kriminelles Verhalten realisierten Kostenvorteile nicht auf dem Imitieren rechtswidriger Prak-

---

918 Zu diesen Klauseln des *ordre public*, vgl. BGH, NJW 2002, 960 f.

919 Hierzu oben § 6 V.2., 3.; vgl. zur strafrechtlichen Haftung der Geschäftsführer von Scheinauslandsgesellschaften *Richter*, „Scheinauslandsgesellschaften" in der deutschen Strafverfolgungspraxis, S. 1023 (1029 ff.).

920 Vgl. *Gröblinghoff*, Schutz der Interessen der EG, S. 102. Ebenso die Beispiele von *Tiedemann* (Hrsg.), Verbrechen in der Wirtschaft, S. 9 (11). Die von den Autoren aufgeführten Beispiele befassen sich mit der Wirkung von (abgeschlossenen) Subventionssystemen, d.h. dem Handel mit einer bestimmten Ware.

921 Unter Berufung auf die psychologische Lerntheorie *Zirpins/Terstegen*, Wirtschaftskriminalität, S. 32, 98 f.; *Tiedemann*, Wirtschaftsstrafrecht und Wirtschaftskriminalität I, S. 25 f.

922 *Gröblinghoff*, Schutz der Interessen der EG, S. 102.

923 *Zirpins/Terstegen*, Wirtschaftskriminalität, S. 98 ff. (100 f.).

tiken der (Mit-)Wettbewerber beruhen, sondern wirtschaftlicher Druck (allein) ein Unternehmen dazu veranlasst, strafrechtlich bewehrte Verbote zu missachten.

Dieser Zusammenhang lässt sich u.a. im Transportgewerbe beobachten, z.B. beim gewerblichen Busverkehr. In diesem Segment herrscht ein harter Preiskampf. Es wird berichtet, dass Busfahrer unter Androhung des Verlusts ihres Arbeitsplatzes dazu gezwungen werden, Lenkzeiten zu überschreiten.[924]

Die h.L. argumentiert, dass diesen Sogwirkungen durch die Angleichung der strafrechtlichen Sanktionsdrohungen entgegengewirkt werden könne.[925] Um diese Anreize zu unterbinden, müsste die EG berechtigt sein, gestützt u.a. auf Art. 95 EGV die betreffenden (strafrechtlichen) Regelungen anzugleichen.[926] Diese Begründung überzeugt jedoch aus drei Gründen nicht. Erstens verlässt die h.L. mit dieser Argumentation den gesicherten Boden kriminologischer Erkenntnis (a). Zweitens berücksichtigt sie nicht relevantes Alternativverhalten, das in der Zwischenzeit durch die EG eingeführt wurde (b), und drittens erscheint eine Rechtsharmonisierung ungeeignet, überhaupt Einfluss auf diese Entwicklung zu nehmen (c).

a) Sogwirkungen in allen Bereichen des EG-Binnenmarkts?

Die kriminologische Forschung beobachtet seit mehreren Jahrzehnten Sog- und Spiralwirkungen, hat sie aber bislang nur in bestimmten Konstellationen feststellen können. Ihr Auftreten hängt stark vom Einzelfall ab.[927] Am häufigsten sind sie im Bereich der Wettbewerbsdelikte i.e.S. vorzufinden,[928] insbesondere beim Kartellrecht.

Die h.L. generalisiert demgegenüber die Tatsachenbasis der Sog- und Spiralwirkungen. Sie unterstellt, dass die (Wirtschafts-)Sitten allgemein derart verroht sind, dass im gesamten Wirtschaftsverkehr entsprechende Sog- und Spiralwirkungen auftreten. Hierfür fehlt es jedoch an empirischen Nachweisen.[929] Ferner geht die h.L. davon aus, dass durch die Sog- und Spiralwirkung derart konkretisierbare Schäden eintreten, dass die Auswirkungen ausreichten, um eine Maßnahme nach Art. 95 EGV hierauf stützen zu können. Im kriminologischen Diskurs wird dieses Phänomen jedoch lediglich als Form des immateriellen Schadens bezeichnet, des-

---

924 Vgl. SZ vom 19.1.2008, http://www.sueddeutsche.de/jobkarriere/artikel/811/153419/ [letzter Zugriff: 26.10.2009].

925 Vgl. *Gröblinghoff*, Schutz der Interessen der EG, S. 102.

926 *Gröblinghoff*, Schutz der Interessen der EG, S. 102.

927 Vorsichtiger noch *Tiedemann*, Wirtschaftsstrafrecht und Wirtschaftkriminalität, S. 26 f.

928 *Dannecker*, in: Wabnitz/Janovsky (Hrsg.), HdB des Wirtschaftsstrafrechts, Kapitel 1 Rn. 17; *v. Danwitz*, Kriminologie, S. 152; *Eisenberg*, Kriminologie, § 47 Rn. 17; zust. *Tiedemann*, Wirtschafsstrafrecht und Wirtschafskriminalität, S. 25.

929 *Kaiser*, Kriminologie, § 72 Rn. 13.

sen Folgen nicht genau bezifferbar sind.[930] Dies reicht nach dem hier angelegten Maßstab nicht aus, um den Voraussetzungen des Art. 95 EGV zu genügen.[931]

b) Anreize nur für kriminelles Verhalten?

Das Modell der h.L. geht davon aus, dass ein Wettbewerber dem illegitimen Verhalten seiner Konkurrenten folgen wird, wenn starker Wettbewerb herrscht und sich durch das kriminelle Verhalten ökonomische Vorteile realisieren lassen. In der Zwischenzeit hat sich die rechtliche Lage jedoch verändert. Das Modell berücksichtigt nicht, dass durch die EG im Bereich des Kartellrechts, d.h. dort, wo Sogwirkungseffekte kriminologisch gesichert auftreten, zwischenzeitlich ein Regelungsinstrument eingeführt wurde, das das ökonomische Motiv für das Auftreten solcher Effekte infrage stellt. Durch die Kronzeugenregelung wird ein starker materieller Anreiz geschaffen, illegalem Verhalten der Mitwettbewerber nicht zu folgen oder diese illegale Praxis publik werden zu lassen. Dieses Instrument ist sehr erfolgreich.[932] Das Modell der h.L. müsste diese veränderte tatsächliche Situation berücksichtigen.

Die Kronzeugenregelung des europäischen Kartellrechts,[933] in der Fassung ab dem Jahr 2002,[934] gilt als höchst effizient. Ihre Zielsetzung besteht vor allem darin, Kartelle aufzudecken, die der Kommission noch unbekannt sind.[935] Außerdem soll sie die Bedingungen für den Erlass und die Höhe der Geldbuße berechenbarer und vorhersehbarer gestalten.[936] Gerade dies hat dazu geführt, dass sich die Anzahl der Anträge mehr als verdoppelt hat.[937]

---

930 *Eisenberg*, Kriminologie, § 47 Rn. 17; *v. Danwitz*, Kriminologie, S. 152.

931 Siehe oben § 5 II.2.a), IV.1.b)bb).

932 *v. Barlingen/Barennes* Competition Policy Newsletter, 2005, Heft 3, 6 f.; vgl. ferner XXXV. Wettbewerbsbericht der Kommission 2005, Rn. 174 ff.

933 Punkt 2.3.3 „Rechtsstellung von Antragstellern, welche die Vorteile eines Kronzeugenprogramms in Anspruch nehmen“ der Bekanntmachung der Kommission über die Zusammenarbeit innerhalb des Netzes der Wettbewerbsbehörden vom 1.5.2008, ABl. C 101/43.

934 Mitteilung der Kommission vom 14.2.2002 über den Erlass und die Ermäßigung von Geldbußen in Kartellsachen, veröffentlicht in ABl. C 45/3 vom 19.2.2002; vgl. hierzu *Polley/Seeliger*, EuZW 2002, 397, sowie *Weitbrecht*, EuZW 2002, 581 (588).

935 *Dannecker*, in: Wabnitz/Janovsky (Hrsg.), HdB des Wirtschaftsstrafrechts, Kapitel 16 Rn. 176.

936 *Dannecker*, in: Wabnitz/Janovsky (Hrsg.), HdB des Wirtschaftsstrafrechts, Kapitel 16 Rn. 177 ff.

937 Vgl. hierzu XXXV Wettbewerbsbericht der Kommission 2005 (Rn. 174 ff.); während der sechs Jahre der Vorgängerregelung (Kronzeugenregelung 1996) wurden ca. 80 Anträge gestellt. Unter der modifizierten Regelung wurden zwischen 2002 und 2006 insgesamt 165 Anträge gestellt, fast dreimal soviel wie zuvor.

c) Relevanz kriminologischer Sogwirkungen im Rahmen von Art. 95 EGV

Entscheidend ist jedoch, dass eine Harmonisierung der nationalen Strafrechtsvorschriften nicht geeignet wäre, diese Sogwirkungen zu beseitigen. Dies gilt sowohl hinsichtlich der ersten als auch der zweiten Fallgruppe. Es gibt keine Anhaltspunkte dafür, dass eine Harmonisierung der Tatbestände, der Strafhöhe oder der Sanktionen überhaupt das Entstehen oder die Entwicklung strafrechtlicher oder kriminologischer Sogwirkungen beeinflusst. Außerdem fehlen Hinweise darauf, dass dieses Phänomen auf Unterschiede in den strafrechtlichen Rechtsordnungen der Mitgliedstaaten zurückzuführen sein könnte. Hierbei handelt es sich nicht um eine Frage der Rechtsharmonisierung, sondern um die Steuerungsfunktion des Strafrechts im Allgemeinen.

3. Zwischenergebnis

Unter Berufung auf Sogwirkungen lässt sich keine Kompetenz der EG begründen, die strafrechtlichen Vorschriften der Mitgliedstaaten anzugleichen. Es lässt sich bereits kein Phänomen nachweisen, welches die Tatbestandsvoraussetzungen des Art. 95 EGV erfüllt. Im Bereich des strafrechtlichen *Delaware-Effekts* lassen sich keine Sogwirkungen feststellen.[938] Auch bei den kriminologischen Sogwirkungen finden sich keine Effekte, die mittels einer Rechtsangleichung gemäß Art. 95 EGV verhindert werden könnten. Eine Rechtsharmonisierung wäre auf diesem Sektor nicht geeignet, kriminologischen Sogwirkungseffekten entgegenzuwirken, da diese unabhängig von (nationalen) Rechtsunterschieden auftreten.[939]

VII. Ergebnis § 6

Die Untersuchung hat bislang keinen Fall ergeben, in dem der EG eine Kompetenz zukommt, strafrechtliche Vorschriften der Mitgliedstaaten unter Berufung auf Art. 95 EGV anzugleichen. Auf die Tatbestandsalternative der *Beseitigung von Hemmnissen für eine Grundfreiheit* kann sie sich nicht stützen.[940] Hierdurch würden keine Beeinträchtigungen einer Grundfreiheit beseitigt. Sollen strafrechtliche Regelungen, insbesondere verschärfend, vereinheitlicht werden, könnte dies nur über das Tatbestandsmerkmal der *Beseitigung spürbarer Wettbewerbsverzerrungen* erfolgen. Diese Tatbestandsalternative sieht die h.L. in einer Reihe von Fällen als erfüllt an.[941] Sie behauptet, dass relevante Effekte im Binnenmarkt existieren und

---

938 § 6 VI.1.

939 § 6 VI.2.

940 § 6 II.

941 § 6 III.1.

verweist hierfür pauschal auf die Zusammenhänge des *Delaware-Effekts* des US-amerikanischen Gesellschaftsrechts.

Die hiesige Untersuchung hat zum Ziel, nachzuprüfen, ob sich diese Funktionszusammenhänge tatsächlich nachweisen lassen und hat herausgearbeitet, dass es sich hier um verschiedene Phänomene handelt, die zum Teil kriminologischer, zum Teil strafrechtlicher Natur sind.[942] Diese werden hier als kriminologische und strafrechtliche *Delaware-Effekte* bezeichnet. Die h.L. behauptet, dass das Phänomen des *Delaware-Effekts* auch auf diese strafrechtlichen und kriminologischen Sachverhalte übertragen werden kann und dass deshalb bei bestimmten Normenkonstellationen davon ausgegangen werden könne, dass jeweils Effekte eintreten, die zu Wettbewerbsverzerrungen führen. Die These der h.L. ist, dass Normunterschiede in den strafrechtlichen Regelungen der Mitgliedstaaten Anreize für Kriminelle bieten, ihr Verhalten an den Ort zu verlagern, an dem das für sie günstigste strafrechtliche Regelungsregime gilt. Es drohe die konkrete Gefahr, dass Mitgliedstaaten sich hierdurch veranlasst sähen, in einen Wettbewerb um das niedrigste strafrechtliche Sanktionsniveau einzutreten, der zu einem *race to the bottom* der Schutzstandards führe. Dies würde zu Wettbewerbsverzerrungen auf dem Binnenmarkt führen, weshalb die EG berechtigt sei, die betreffenden strafrechtlichen Regelungen mittels Art. 95 EGV zu harmonisieren.

Die Untersuchung hat ergeben, dass diese Übertragung auf kriminologische und strafrechtliche Gegebenheiten zu schiefen Bildern führt.[943] Die Übertragung des Modells des *Delaware-Effekts* entspricht nicht der strafrechtlichen und kriminologischen Realität innerhalb des Binnenmarkts der EU. Die von der h.L. postulierten Funktionszusammenhänge lassen sich nur in Ausnahmekonstellationen nachweisen und in diesen Fällen vermögen sie eine Strafrechtsharmonisierungskompetenz der EG nicht zu begründen.

Eine Übertragung des *Delaware-Effekts* auf kriminologische Zusammenhänge ist deshalb nicht überzeugend möglich.[944] In dem Modell des Systemwettbewerbs konkurrieren die Gebietskörperschaften um die Gunst von mobilen Nachfragebürgern und Kapital in einem neoklassischen Wettbewerbsumfeld. Diese Voraussetzungen sind im US-amerikanischen Gesellschaftsrecht nahezu idealtypisch erfüllt;[945] Ansätze hierfür zeigen sich auch im europäischen Gesellschaftsrecht, seit dort ein Systemwettbewerb zugelassen ist. Hier lässt sich eine Massierung überall da feststellen, wo die Regelungen für die Gesellschaften am günstigsten sind. Die Untersuchung einer Vielzahl von Fallkonstellationen hat ergeben, dass kriminolo-

---

942 § 6 III.2.

943 § 6 III.2.c), 3., 4., IV.1.

944 § 6 IV.1.

945 § 6 III.2.

gische Verlagerungseffekte sich weder bei kriminellen Personen[946] noch illegalen Waren[947] oder illegalen Produktionsstätten[948] infolge von Anreizen einstellen, die auf Unterschieden in den (materiellen) Rechtsordnungen beruhen. Zwar lassen sie sich dann feststellen, wenn nicht nur Unterschiede in den strafrechtlichen Sanktionsniveaus bestehen, sondern bestimmtes Verhalten in einem Land erlaubt ist, in einem anderen hingegen – strafrechtlich bewehrt – verboten.[949] Im Hinblick auf kriminologische Verlagerungseffekte tritt jedoch hinzu, dass sie nicht in jedem Fall Wettbewerbsrelevanz entfalten.[950] So fehlt es z.B. bei einem kriminologischen Verlagerungseffekt im Zusammenhang mit Drogen an einem relevanten (legalen) Markt, auf dem es zu Wettbewerbsverzerrungen kommen könnte. Im Fall der Steueroasen führen nicht die (nicht harmonisierten) strafrechtlichen Vorschriften zu Verlagerung, sondern die unterschiedliche steuerliche Behandlung von Kapitalerträgen. Hier mangelt es überdies an einem Anknüpfungspunkt für relevante Wettbewerbsverzerrungen, da die Anlage von Geld, dessen Existenz dem Finanzamt verschwiegen wird, lediglich eine Geschäftsmodalität der ausländischen Bank darstellt, die nach der *Keck*-Rechtsprechung des EuGH nicht zu Wettbewerbsverzerrungen i.S.v. Art. 95 EGV führt.

Es lässt sich über die untersuchten Effekte hinaus nicht allgemein formulieren, wann (örtliche) Verlagerungseffekte eintreten. Das Bestehen ökonomischer Anreize (u.a. aus strafrechtlichen Normunterschieden) reicht nicht aus, um deren Eintreten zuverlässig prognostizieren zu können. Auch wenn sich (kriminelle) Verlagerungseffekte feststellen lassen, folgt hieraus noch nicht, dass in diesem Fall die Tatbestandsvoraussetzungen des Art. 95 EGV erfüllt sind. Keine festgestellte Verlagerung kriminellen Verhaltens erfüllte die Tatbestandsvoraussetzungen des Art. 95 EGV. Eine Kompetenz zur Harmonisierung mitgliedstaatlichen Strafrechts lässt sich deshalb insoweit nicht begründen.

Ein strafrechtlicher *Delaware-Effekt* lässt sich ebenfalls nicht feststellen.[951] Die rechtspolitische Entwicklung geht in eine andere Richtung.[952] Die Untersuchungsergebnisse zeigen, dass die fiskal- und rechtspolitischen Anreize für eine derartige Politik fehlen.[953] Die Mitgliedstaaten verändern ihre Strafrechtsordnungen im Sinne eines *race to the top*, da sie immer punitivere Strafrechtsordnungen schaffen. Dies ist nach der hiesigen Untersuchung darauf zurückzuführen, dass das Strafrecht ein Regelungsbereich ist, in dem dem politischen Betrieb eine punitive Grundhal-

946 § 6 IV.2.–4.
947 § 6 IV.5.
948 § 6 IV.6.
949 § 6 IV.4.
950 § 6 IV.4.c).
951 § 6 V.1.
952 § 6 V.2.a).
953 § 6 V.2.b), c).

tung durch Staatsversagen i.S.d. *public choice*-Theorie vorgegeben wird. Ein relevanter Zusammenhang zwischen einer konkreten strafrechtlichen Politik und der Wirtschaftspolitik eines Landes kann nicht nachgewiesen werden.[954] Die Untersuchung ergab, dass die Mitgliedstaaten den strafrechtlichen Rechtsgüterschutz, d.h. dort, wo ein Schutz *durch* Strafrecht stattfindet, kontinuierlich verschärfen. Lediglich im Bereich des Schutzes *vor* Strafrecht, d.h. bei den Beschuldigtenrechten u.Ä., findet – infolge des kartellartigen Zusammenwirkens der Mitgliedstaaten – ein *race to the bottom* statt.[955]

Auch finden sich keine Anhaltspunkte dafür, dass Sogwirkungen eintreten, die eine Folge des kriminologischen und des strafrechtlichen *Delaware-Effekts* sein könnten.[956] Es ist nicht festzustellen, dass die strafrechtliche Rechtsanwendung durch einen Systemwettbewerb in Mitleidenschaft gezogen wird. Auch kriminologische Sogwirkungseffekte lassen sich – außerhalb des gesicherten Bereichs des Kartellrechts – nicht ausmachen. In diesem Zusammenhang ist überdies die Rechtsharmonisierung nicht geeignet, eventuelle Sogwirkungen, die kriminelles Verhalten erzeugt, zu beseitigen.[957]

Die in § 6 durchgeführte Untersuchung hat deshalb insgesamt zum Ergebnis, dass weder die behaupteten Zusammenhänge zwischen Binnenmarkt und strafrechtlichen Normunterschieden nachgewiesen werden können noch dass konkrete Fälle existieren, in denen ein strafrechtlicher Normunterschied dazu führt, dass die Tatbestandsvoraussetzungen des Art. 95 EGV erfüllt sind.

---

954 § 6 V.2.b).

955 § 6 V.3.

956 § 6 VI.

957 § 6 VI.2.c).

§ 7 Strafrecht als Missbrauch des Art. 95 EGV

Auch wenn man aus dem Anwendungsbereich des Art. 95 EGV aufgrund seines funktionalen Ansatzes kein Rechtsgebiet *a priori* ausnimmt,[958] ließ sich noch kein Fall bilden, in dem ein strafrechtlicher oder kriminologischer Sachverhalt die Tatbestandsvoraussetzungen des Art. 95 EGV erfüllte.[959] Die bisherigen Ergebnisse unterstützen die These, dass der Binnenmarkt und das Politikfeld des Strafrechts keine hinreichend enge Beziehung aufweisen. Im nachfolgenden Abschnitt soll eine weitere Fallkonstellation diskutiert werden, in der eine Harmonisierungskompetenz der EG – gestützt auf Art. 95 EGV – in Betracht kommt (hierzu I. und II.). Es folgt eine abschließende Stellungnahme, in der die Argumente aufgeführt werden, die dafür sprechen, den Regelungsbereich des Strafrechts nicht in den Anwendungsbereich des Art. 95 EGV fallen zu lassen (III.).[960]

I. Offene Fragestellungen im Rahmen von Art. 95 EGV

Wie in Teil 1 dargestellt, kommen EG-Regelungen mit dem Gebiet des Straf- und Strafprozessrechts auf verschiedene Weise in Berührung.[961] Klassischerweise dreht sich die Diskussion um die Frage, ob die EG eine Regelung erlassen darf, welche die Mitgliedstaaten dazu zwingt, eine bestimmte nationale Norm einzuführen oder zu verändern, die unmittelbar dem Strafrecht zugeordnet werden kann.[962]

Dies sind Fälle, die einer Übertragung der Entscheidungen *C-176/03* und *C-440/05* auf Art. 95 EGV entsprechen.[963] Unstreitig ist hier, dass die zu erlassenden Tatbestände oder Maßnahmen (wie z.B. „unter Strafe zu stellen ist, [...]“ oder „mit Freiheitsstrafe von [...] ist zu bestrafen, wer [...]“) strafrechtlicher Natur sind. Umstritten ist jedoch, wie ausführ-

---

958 *Bock*, Rechtsangleichung, S. 173; *Gröblinghoff*, Schutz der Interessen der EG, S. 97 ff.; *Hugger*, Strafrechtliche Anweisungen, S. 59 ff.; *Tiedemann*, NJW 1993, 23 (24); *Satzger*, Europäisierung, S. 419 ff.; a.A. *Braum*, Europäische Strafgesetzlichkeit, S. 384 ff.

959 Hierzu oben § 6 IV.–VI.

960 A.A. die ganz h.M. *Delmas-Marty*, Droit pénal des affaires I, S. 29; *Gröblinghoff*, Schutz der Interessen der EG, S. 98 ff.; *Johannes*, ZStW 83 (1971), 531 (543); *Satzger*, Europäisierung, S. 421 ff.; *Sevenster*, CMLRev 1992, 29 (54 ff.); *Tiedemann*, NJW 1993, 23 (24); *Trüe*, Rechtssetzungskompetenzen, S. 100 f., 123 ff.; *Zuleeg*, JZ 1992, 766 f.; GA *Mazák* Schlussanträge „*C-440/05*“ (Rn. 90); KOM(2005) 583 endg. S. 7; *Moal-Nuyts*, Revue de droit international et de droit comparé 2006, 249 (274 f.); *Satzger*, Neue Kriminalpolitik 2007, 93 (94); *Weiß*, ZEuS 2006, 381 (405).

961 Vgl. oben § 3 III.

962 Vgl. hierzu oben § 4 III.1.; speziell zu Art. 95 EGV *Braum*, Europäische Strafgesetzlichkeit, S. 387 ff.; *Hugger*, Strafrechtliche Anweisungen, S. 59 ff.

963 Eine Sonderrolle nimmt hierbei die 1. Insiderhandelsrichtlinie ein, die weder eine bloße Vorbereitungsmaßnahme für eine (andere) strafrechtliche Maßnahme war noch eine konkrete Norm enthielt, welche eine (strafrechtliche) Umsetzungspflicht der Mitgliedstaaten nach sich zog, hierzu oben § 4 I.; vgl. ferner *Braum*, Europäische Strafgesetzlichkeit, S. 387 f.

lich in § 4 thematisiert,[964] ob diese Regelungstätigkeit der EG notwendigerweise eine (explizite) strafrechtliche Kompetenz erfordert.[965]

Im Rahmen von Art. 95 EGV wird darüber hinaus diskutiert, ob die EG eine Regelung verabschieden darf, deren Zielsetzung zwar strafrechtlicher Natur ist (z.B. Bekämpfung von Terrorismus und schwerer Straftaten), deren Normen aber keine Handlung oder Rechtsfolge ausspricht, die per se strafrechtlichen Charakter hat.[966] Beispiele für diese Fallgruppe enthalten zwei aktuelle Richtlinienvorschläge, die den Entscheidungen *Fluggastdaten*[967] und *Vorratsdatenspeicherung* zugrunde liegen.[968] Unterschiedlich beurteilt wird, ob diese (Vor-)Maßnahmen über eine hinreichende „strafrechtliche Konnotation"[969] verfügen, um selbst als strafrechtliche Vorschriften behandelt zu werden, insbesondere in kompetenzrechtlicher Hinsicht.

In der Entscheidung *Fluggastdaten*[970] und dem Verfahren über die *Vorratsdatenspeicherung*[971] geht es um die Pflicht privater Wirtschaftsteilnehmer wie Fluggesellschaften oder Telekommunikationsgesellschaften, Daten zu sammeln bzw. weiterzugeben,[972] welche zu einem späteren Zeitpunkt dazu benutzt werden sollen, Terrorismus zu bekämpfen oder schwere Straftaten aufzuklären.

II. Kompetenzrechtliche Sonderfigur: „strafrechtliche Konnotation"?

In diesem Abschnitt soll untersucht werden, ob diese Fälle der „strafrechtlichen Konnotation"[973] einen (kompetenzrechtlichen) Sonderfall bilden oder ob sie sich anhand der unter § 5 dargestellten allgemeinen Regeln beurteilen lassen. Regelun-

---

964 Siehe oben § 4 III.

965 Grundlegend zur Möglichkeit, Regelungen des Strafrechts als „Mittel" zur Durchsetzung europäischen Rechts anzusehen *Johannes*, EuR 1968, 63 (107); vgl. ferner *Crosby*, Journal of European Criminal Law 2006, 11 f.; *Ross*, E.L.Rev. 2006, 476 (477, 479 ff.); *Weiß*, ZEuS 2006, 381 (413); a.A. *Braum*, wistra 2006, 121 (122); *Cesoni*, Journal des tribunaux 2006, 365 (370); krit. *Hefendehl*, ZIS 2006, 161 (163); vgl. ferner oben § 4 III.; sowie nunmehr auch BVerfG „*Lissabon*" (Rn. 358).

966 Vgl. hierzu die unter § 3 II. aufgestellten Kriterien.

967 EuGH vom 30.5.2006, verb. Rs. C-317/04 und C-318/04 „*Fluggastdaten*", Slg. 2006, I-4721 (Rn. 56 ff., 69).

968 EuGH Rs. C-301/06; GA *Bot* Schlussanträge „*Vorratsdatenspeicherung*" (Rn. 92, 97 ff.).

969 GA *Bot* Schlussanträge „*Vorratsdatenspeicherung*" (Rn. 101).

970 EuGH vom 30.5.2006, verb. Rs. C-317/04 und C-318/04 „*Fluggastdaten*", Slg. 2006, I-4721 (Rn. 56, 69); vgl. hierzu *Gabel/Arhold*, EWS 2006, 363 f.; *Mariatte*, Europe 2006, Etude No. 8, 4 (5 f.); *Pahlawan-Sentilhes*, Recueil Dalloz 2006 IR, 1560 (1561); *Rijpma*, CMLRev 2007, 1081 (1091 ff.); *Schaar*, MMR 2006, 425 f.; *Simitis*, NJW 2006, 2011 f.; *Szczekalla*, DVBl 2006, 896 (897, 898 f.); *Westphal*, EuZW 2006, 555 (557 f.).

971 RL 2006/24/EG, KOM(2005) 438 endg. S. 8; hierzu *Leutheusser-Schnarrenberger*, ZRP 2007, 9 (11 f.).

972 EuGH „*Fluggastdaten*" (Rn. 4, 57).

973 GA *Bot* Schlussanträge „*Vorratsdatenspeicherung*" (Rn. 101).

gen, die eine „strafrechtliche Konnotation“[974] aufweisen, sind eng mit strafrechtlichen Regelungen verknüpft. Ihre inhaltliche Nähe zu einer strafrechtlichen Vorschrift spricht dafür, sie als strafrechtliche Vorschriften zu behandeln.

Der EuGH hat erstmals in seiner Entscheidung *Fluggastdaten* zu dieser Frage Stellung genommen. Das Urteil und die zugrunde liegenden Schlussanträge GA *Légers* werten das Übermitteln von Daten zu strafprozessualen Zwecken in allen Belangen als strafrechtliche Maßnahme.[975] Der EuGH ließ die Maßnahme am Hauptziel der Maßnahme teilhaben,[976] auf die sie sich bezog und folgerte dies auch hinsichtlich der Kompetenzgrundlage.[977]

Im Anschlussverfahren *Vorratsdatenspeicherung* hatte der EuGH darüber zu entscheiden, mittels welcher Kompetenzgrundlage Private verpflichtet werden können, Daten zu speichern, die anschließend an Strafverfolgungsorgane zu Strafverfolgungszwecken weitergegeben werden.[978] GA *Bot* votiert in seinen Schlussanträgen dafür, diese Pflicht rechtlich den strafrechtlichen bzw. strafprozessualen Maßnahmen unterzuordnen, auf die sie sich maßgeblich beziehen.[979] Dennoch habe dies nicht zur Folge, dass ihr Erlass eine strafrechtliche Kompetenzgrundlage benötige. Eine solche Regelung könne nicht nur mittels Art. 29 ff. EUV verabschiedet werden.[980] Es sei auch zulässig, sie auf eine Kompetenz der EG zu stützen, wenn deren Voraussetzungen vorliegen. Die Maßnahme der Datenspeicherung z.B. liege derart weit im Vorfeld der staatlichen Strafverfolgungstätigkeit, dass ihr wirtschaftlicher Zusammenhang noch überwiege und die Regelung deshalb auf Art. 95 EGV gestützt werden könne.[981]

Der EuGH unterscheidet demnach zwei Ebenen. Zum einen, wie der Rechtscharakter einer Vorschrift zu beurteilen ist und zum anderen, welche Folgen dies auf kompetenzrechtlicher Ebene hat. Die Vorschriften in den Verfahren *Vorratsdatenspeicherung* und *Fluggastdaten* haben strafrechtlichen Charakter,[982] da sie von strafrechtlichen Merkmalen derart stark geprägt werden,[983] dass sich eine ande-

---

[974] GA *Bot* Schlussanträge „*Vorratsdatenspeicherung*“ (Rn. 101).

[975] GA *Léger* Schlussanträge „*Fluggastdaten*“ (Rn. 145, 147 ff.).

[976] EuGH „*Fluggastdaten*“ (Rn. 56 ff., 69).

[977] GA *Léger* Schlussanträge „*Fluggastdaten*“ (Rn. 147).

[978] Diese getrennte Beurteilung nimmt auch die einstweilige Anordnung des BVerfG vom 11.3.2008, 1 BvR 256/08, NStZ 2008, 290 (291) vor.

[979] GA *Bot* Schlussanträge „*Vorratsdatenspeicherung*“ (Rn. 92).

[980] GA *Bot* Schlussanträge „*Vorratsdatenspeicherung*“ (Rn. 98 ff.).

[981] GA *Bot* Schlussanträge „*Vorratsdatenspeicherung*“ (Rn. 102).

[982] Zust. EuGH „*Fluggastdaten*“ (Rn. 56 ff., 69); GA *Léger* Schlussanträge „*Fluggastdaten*“ (Rn. 147 f.); GA *Bot* Schlussanträge „*Vorratsdatenspeicherung*“ (Rn. 92, 98).

[983] Auch wenn man die Kriterien, die unter § 3 I., II. entwickelt wurden, auf diese Regelungen anwendet, kommt man zu diesem Ergebnis. Insbesondere die Weitergabe der Daten zur Strafvollstreckung ist eine repressive Maßnahme, die typischerweise in einem Kodex (der Strafprozessordnung) enthalten ist. Auch die Speicherung der Telekommunikations-

re Wertung kaum vertreten lässt. Analysiert man, welche kompetenzrechtliche Behandlung dies nach sich zieht, vertreten die beiden Entscheidungen unterschiedliche Ansätze. Die Entscheidung *Fluggastdaten* folgt einer Wertung, wie sie den oben in § 4 III. getroffenen Feststellungen hinsichtlich originärer Strafrechtsetzung der EG entspricht. Sie greift hierfür auf eine Schwerpunktabgrenzung zurück,[984] die den strafrechtlichen Charakter der Vorschrift als Hauptziel einstuft und deshalb der EG eine Kompetenz abspricht. GA *Bot* hält es hingegen in seinen Schlussanträgen in der Rs. *Vorratsdatenspeicherung* für zulässig, die Akzessorietätslösung zugrunde zu legen.[985] Er begründet den akzessorischen (strafrechtlichen) Charakter damit, dass die strafrechtliche Zielsetzung im Zeitpunkt der Speicherung der Daten noch so weit entfernt sei,[986] dass sie sich als bloße „strafrechtliche Konnotation“[987] darstelle, die gegenüber den wirtschaftlichen Auswirkungen der Pflicht zurückträte.[988]

Als Zwischenergebnis lässt sich festhalten, dass die verbleibende offene Fallgruppe sich als Ausprägung der allgemeinen Frage darstellt, ob der EG eine strafrechtliche Kompetenz zusteht. Diese lässt sich anhand der Kriterien beurteilen, welche in § 4 bis § 6 entwickelt wurden.

III. Strafrecht als Kompetenzmissbrauch des Art. 95 EGV?

In einer abschließenden Einschätzung soll nun erörtert werden, ob es zulässig ist, mittels eines auf Art. 95 EGV gestützten Rechtsakts originären positiven Einfluss auf die Strafrechtsordnungen der Mitgliedstaaten zu nehmen.[989] Einleitend werden noch einmal kurz die Rechtsbereiche rekapituliert, welche bei der Einführung des gemeinsamen Marktes als relevante rechtliche Regulierungsfelder angesehen wurden. Anschließend wird das einzige Urteil des EuGH analysiert (Rs. *Hansen*), in dem sich das Gericht bislang zu der Frage geäußert hat, ob strafrechtliche Vorschriften geeignet sind, spürbare Wettbewerbsverzerrungen im Binnenmarkt hervorzurufen. Anschließend wird aus dem *ultima ratio*-Gedanken des europäischen Strafrechts ein Argument entwickelt, das gegen die Möglichkeit spricht, Regelun-

---

daten, die z.B. in Deutschland nicht im Rahmen der Strafprozessordnung geregelt ist, wäre nach diesen Kriterien als strafrechtliche Regelung einzuordnen. Denn ihre ausschließliche Zielsetzung besteht darin, die Strafverfolgung zu ermöglichen bzw. zu erleichtern, vgl. BVerfG vom 11.3.2008, 1 BvR 256/08, NStZ 2008, 290 ff.

984 Vgl. hierzu § 5 II.2.b).

985 GA *Bot* Schlussanträge „*Vorratsdatenspeicherung*“ (Rn. 101 f.); vgl. hierzu oben § 4 III.1.b).

986 GA *Bot* Schlussanträge „*Vorratsdatenspeicherung*“ (Rn. 103).

987 GA *Bot* Schlussanträge „*Vorratsdatenspeicherung*“ (Rn. 101).

988 GA *Bot* Schlussanträge „*Vorratsdatenspeicherung*“ (Rn. 106).

989 Vgl. zum Begriff der originären Strafrechtskompetenz der EG § 4 III.1.a).

gen mit dominanten strafrechtlichen Zielsetzungen auf Art. 95 EGV stützen zu können. Es folgt ein systematisches Argument, das das Regelungsgebiet des Strafrechts mit Regelungsgebieten vergleicht, die mittels der sogenannten Souveränitätsvorbehalte des Art. 95 Abs. 2 EGV einer substantiellen Regelung durch die EG entzogen sind. Abschließend wird kurz auf das Argument der h.L. eingegangen, dass auch eine Harmonisierung des Strafrechts möglich sein müsse, um das EG-Recht effizienter durchsetzen zu können.

1. Fehlende Relevanz des Strafrechts für das Funktionieren des Binnenmarkts

Der EEA lässt sich nicht entnehmen, ob es mit der Zielsetzung des Binnenmarkts und Art. 95 EGV für vereinbar gehalten wurde, strafrechtliche Vorschriften anzugleichen. Jedoch zeigt ein Blick auf das Vorgängerinstitut (der Gemeinsame Markt), das einen mit dem Binnenmarkt nunmehr deckungsgleichen Inhalt hat,[990] dass dem Strafrecht bei der Konzeption der Wirtschaftsräume der E(W)G keine individualisierbare Rolle zugemessen werden kann. *Von der Groeben* machte 1964 folgende Elemente als zentrale Hindernisse für den Gemeinsamen Markt aus:[991]

> „Wir stehen noch am Anfang der Wirtschaftsunion. […] Von binnenmarktähnlichen Verhältnissen kann wohl noch auf keinem Markt die Rede sein. Noch immer wird der Wettbewerb im Gemeinsamen Markt von zahlreichen Einzelfaktoren behindert, beschränkt oder verfälscht. Ich nenne nur die wichtigsten *Wettbewerbs- und Handelshindernisse*: Zollgrenzen, Steuergrenzen, Grenzen zugunsten staatlicher Handelsmonopole, Subventionen, Kartelle, Verkehrsgrenzen, Niederlassungsgrenzen, Kapitalverkehrsgrenzen, Patentgrenzen, Unterschiede im Gesellschaftsrecht, Lebensmittelrecht, Arzneimittelrecht, Warenbeschaffenheitsrecht, Wettbewerbsrecht."

Handels- und Wettbewerbshindernisse sind auch die beiden Binnenmarktziele, die von der EG im Rahmen des Art. 95 EGV beseitigt werden können.[992] Die 1964 getroffenen Feststellungen decken sich hinsichtlich der fehlenden Relevanz strafrechtlicher Vorschriften für diese Ziele mit den unter § 6 herausgearbeiteten Ergebnissen. Auch heute können keine strafrechtlichen oder kriminologischen Phänomene erkannt werden, welche Handels- oder Wettbewerbshindernisse hervorrufen.[993]

---

[990] Vgl. § 5 II.2.c)aa).

[991] *von der Groeben*, WuW 1964, 1001 (1002) [Hervorhebungen durch den Verfasser].

[992] Siehe § 5 II.2.c); III. und IV.

[993] Vgl. zu den verschiedenen Aspekten, siehe oben § 6 IV., V., VI.

2. Rs. *Hansen*: Wettbewerbsverzerrungen durch strafrechtliche Regelungsunterschiede?

Gegen eine Kompetenz der EG, die mitgliedstaatlichen strafrechtlichen Vorschriften harmonisieren zu können, sprechen weiterhin die Erwägungen, die der EuGH in der Entscheidung Rs. *Hansen* angestellt hat. Das Gericht hatte darüber zu urteilen, ob Unterschiede in den nationalen Strafrechtsordnungen zu Wettbewerbsverzerrungen führen können.[994] Es bejahte in seiner Entscheidung zwar, dass eine unterschiedliche Sanktionierung bestimmter Verstöße die Wettbewerbsbedingungen beeinträchtigen kann. Eine Beeinträchtigung könne jedoch nicht anhand der abstrakten Normunterschiede festgemacht werden. Dies begründet der EuGH m.E. zutreffend damit, dass die in einem strafrechtlichen Verfahren verhängte Sanktion stets das Ergebnis einer Vielzahl von Faktoren sei. Die gesetzliche Ausgestaltung einer Sanktion gebe noch keinen hinreichenden Anhaltspunkt dafür, ob hieraus spürbare Wettbewerbsverzerrungen erwachsen. Aus der gesetzgeberischen Entscheidung z.B. für ein bestimmtes Sanktionssystem könne deshalb nicht geschlossen werden, ob eine Regelung wettbewerbsverzerrend wirke:

> „Außerdem hängen die wirtschaftlichen Folgen einer Zuwiderhandlung […] nicht nur von der von dem betreffenden Mitgliedstaat eingeführten Regelung der strafrechtlichen Verantwortlichkeit ab, sondern auch von der Höhe der verhängten Geldbuße und dem Grad der Wirksamkeit der durchgeführten Kontrollen. *Daher bewirkt die Einführung eines Systems der objektiven strafrechtlichen Verantwortlichkeit als solche keine Verzerrung der Wettbewerbsbedingungen.*“[995]

Die überwiegende Meinung legt das Urteil in der Rs. *Hansen* entgegengesetzt aus.[996] Sie folgert, dass bereits Unterschiede in den gesetzlichen Regelungen „spürbare Wettbewerbsverzerrungen“ hervorrufen.[997] Der durch die typischen Bestandteile einer Strafnorm vorgegebene Rahmen (z.B. Strafdrohung, Art und Höhe der Strafe, Fragen der Täterschaft/Teilnahme, des Schuldprinzips usw.) enthalte die nötigen Festlegungen, um daraus folgern zu können, ob ein präventives Tätigwerden im Rahmen von Art. 95 EGV erlaubt sei.[998] Die aus der gesetzlichen Normierung folgende Prädisposition genüge, um die im Rahmen einer Zukunftsprognose notwendige *abstrakte* Möglichkeit einer Wettbewerbsverzerrung zu bejahen.[999] Er-

---

[994] EuGH vom 10.7.1990, Rs. C-326/88 „*Hansen*“, Slg. 1990, I-2911 (Rn. 14 f.).

[995] EuGH „*Hansen*“ (Rn. 15) [Hervorhebungen durch den Verfasser].

[996] In diese Richtung *Böse*, Strafe und Sanktionen, S. 70 f.; *Gröblinghoff*, Schutz der Interessen der EG, S. 101 ff.

[997] Zur Bestimmung des Spürbarkeitskriteriums, vgl. § 5 IV.2.

[998] *Böse*, Strafe und Sanktionen, S. 70 f.; *Johannes*, ZStW 83 (1971), 531 (543); *Satzger*, Europäisierung, S. 424, *Tiedemann*, NJW 1993, 23 (24) m.w.N. hinsichtlich älterer Literatur; *Zuleeg*, JZ 1992, 761 (766 f.); weitergehend *Satzger*, Europäisierung, S. 422 ff.

[999] *Böse*, Strafen und Sanktionen, S. 70 sieht den Schwerpunkt der Aussage in der prinzipiellen Feststellung, dass auch unterschiedliche strafrechtliche Regelungen grundsätzlich Wettbewerbsverzerrungen hervorrufen können. Diese Verallgemeinerung steht der Aussage der Entscheidung „*Hansen*“ diametral entgegen.

gänzend beruft sich die h.L. auf einen Vergleich zu Art. 96 EGV. Aus ihm leitet sie ab, dass dem Gesetzgeber im Rahmen von Art. 95 EGV ein größerer Einschätzungs- und Regulierungsspielraum zukomme.[1000]

M.E. findet die Auffassung der h.L. jedoch keine Grundlage in der Entscheidung *Hansen*. Der EuGH zieht als Bezugspunkt für die Verursachung von Wettbewerbsverzerrungen durch strafrechtliche Normen nicht die einzelne Norm, sondern den gesamten Normanwendungskontext heran. Dies entspricht einer *konkreten* Betrachtungsweise, d.h. einer Betrachtung, die sich nicht von der sozialen Realität abkoppelt und (abstrakt) einzelne Strafnormen miteinander vergleicht.[1001] Dies stimmt mit dem hier vertretenen qualitativ-quantitativen Ansatz überein,[1002] der fordert, dass festgestellt werden muss, wie eine Norm in der Praxis angewendet wird, bevor beurteilt werden kann, ob sie Wettbewerbsverzerrungen verursacht. Da im Rahmen der Strafanwendung in allen Rechtsordnungen stets vielfache Möglichkeiten eröffnet sind, wie eine abstrakte Strafdrohung in einen konkreten Strafausspruch umgemünzt wird, kann der wettbewerbsverzerrende Charakter strafrechtlicher Vorschriften nicht abstrakt festgestellt werden. Dieser Begründungszusammenhang gilt m.E. für alle strafrechtlichen Normen.[1003] Einzelnen Regelungselementen des Strafrechts fehlt aufgrund der Eigenheiten des Strafanwendungsrechts grundsätzlich die Eignung, *spürbare Wettbewerbsverzerrungen im Binnenmarkt* hervorzurufen.[1004]

Auch aus dem Vergleich von Art. 95 EGV mit Art. 96 EGV lässt sich kein schlüssiges Argument für die Sichtweise der h.L. ableiten. Denn beide Normen lassen sich – wie oben gezeigt – nicht mehr trennscharf abgrenzen,[1005] seit der Anwendungsbereich des Art. 95 EGV mittels des Spürbarkeitskriteriums wesentlich eingeschränkt wurde.[1006]

Die Auffassung der h.L. übergeht zudem bewusst ein begrenzendes Kriterium des Tatbestands. Sie stimmt zwar weitgehend darin überein, dass Unterschiede in existenten strafrechtlichen Vorschriften keine konkreten (Wettbewerbs-) Verzerrungen hervorrufen. Geht es um die Einschätzung, ob von geplanten nationalen Gesetzesänderungen hinreichend konkret Wettbewerbsverzerrungen zu erwarten sind, ändert sich jedoch ihr Maßstab. Hier lässt es die h.L. ausreichen, dass eine abstrakte Gefahr droht, dass diese Änderungen zu Wettbewerbsverzerrungen führen. Nahezu jede Änderung einer staatlichen Strafrechtsordnung würde

---

1000 A.A. *Böse*, Strafe und Sanktionen, S. 71; *Zuleeg*, JZ 1992, 761 (766 f.).

1001 Zust. *Sevenster*, CMLRev 1992, 29 (56 f.).

1002 Vgl. § 5 IV.2.

1003 In diese Richtung auch GA *Colomer* Schlussanträge „*C-176/03*“ (Rn. 86); zu den Kriterien, die einer Norm strafrechtlichen Charakter verleihen, siehe oben § 3 II., III.

1004 In diese Richtung – allgemein hinsichtlich des Sanktions- und Vollstreckungssystems – *Spannowsky*, JZ 1994, 326 (326, 332 f.).

1005 Vgl. *Herrnfeld*, in: Schwarze (Hrsg.), EU-Kommentar, Art. 96/97 EGV Rn. 2.

1006 Hierzu § 5 IV.1.a).

diese Voraussetzungen erfüllen. Anders die hiesige Sichtweise. Das Kriterium, dass eine ganz bestimmte Beeinträchtigung drohen muss, gilt es auch im Rahmen präventiver Rechtsangleichung unvermindert einzuhalten.[1007] Dabei kann lediglich von dem Erfordernis abgewichen werden, dass nur existente Vorschriften angeglichen werden können, nicht jedoch davon, wie konkret die zu befürchtende Beeinträchtigung sein muss. Andernfalls würde man der EG eine nahezu generelle Befugnis einräumen, mitgliedstaatliches Recht anzugleichen. Denn beinahe jede Änderung, die auf einer Initiative eines nationalen Gesetzgebers beruht, könnte der EG als Auslöser dienen, ihre präventive Kompetenz im Rahmen von Art. 95 EGV geltend zu machen. Eine abstrakte Gefahr, dass die Änderung einer wirtschaftsbezogenen Vorschrift zu Wettbewerbsverzerrungen führt, könnte praktisch bei jeder Regelung vorgebracht werden. Hierdurch würden die Tatbestandseinschränkungen unterlaufen, die auf das Prinzip der begrenzten Einzelermächtigung zurückgehen.[1008] Die Argumentation der h.L. in diesem Punkt kann deshalb nicht überzeugen.

Ein weiteres Argument tritt hervor, wenn man die Entscheidungsgründe der Rs. *Hansen* mit den Kriterien vergleicht, die vom *Spaak*-Bericht vorgeschlagen wurden, um den wettbewerbsverzerrenden Charakter einer nationalen Regelung zu bestimmen. Dieser stellte auf einen Gesamtkostenvergleich ab, der Kostenunterschiede auf verschiedenen nationalen Regelungsebenen aufzeigen sollte, um diese dann den entsprechenden Regelungen eines anderen Landes gegenüberzustellen.[1009] Er kam nie zur Anwendung, da seine Durchführung zu Recht als zu komplex angesehen wurde. In diese Richtung geht die Argumentation des EuGH in der Rs. *Hansen*. Er sieht sich im Urteil Rs. *Hansen* außerstande, den wettbewerbsverzerrenden Charakter einer strafrechtlichen Norm zu bestimmen, ohne einen Aufwand zu betreiben, der dem Gesamtkostenvergleich des *Spaak*-Berichts gleichkäme. Die Entscheidung enthält die implizite Aussage, dass ein Vergleich der strafrechtlichen Regelungsebenen zwischen mehreren Staaten zu komplex würde, um ihn auf praktikable Weise durchführen zu können. Auch GA *Colomer* weist in seinen Schlussanträgen Rs. *C-176/03* darauf hin, dass der EG derzeit kein (Mess-) Instrumentarium zur Verfügung stehe, um einen Vergleich der unterschiedlichen strafrechtlichen Sanktionsordnungen bewerkstelligen zu können.[1010]

Es lässt sich also festhalten, dass der EuGH es in der Rs. *Hansen* ablehnt, aus den abstrakten Unterschieden zwischen strafrechtlichen Vorschriften zu folgern, ob dies zu konkreten Wettbewerbsverzerrungen führt, die sich auf den Binnenmarkt auswirken. Um hierüber eine Aussage treffen zu können, muss vielmehr auch das jeweilige Strafanwendungsrecht berücksichtigt werden. Derzeit fehlt es jedoch an

---

[1007] Siehe oben § 5 II.2.a).

[1008] Vgl. § 5 II.

[1009] Siehe oben § 5 IV.1.a).

[1010] GA *Colomer* Schlussanträge „*C-176/03*" (Rn. 86).

einem geeigneten Messinstrument, mit dem ein solcher Vergleich auf dem Gebiet des Strafrechts durchgeführt werden kann.

3. Schwerpunktabgrenzung vs. ultima ratio-Funktion des Strafrechts

GA *Bot* hält in seinen Schlussanträgen in der Rs. *Vorratsdatenspeicherung* eine Schwerpunktabgrenzung auch dann für zulässig, wenn der untergeordnete Bereich dem Sachgebiet des Strafrechts angehört.[1011] Auch eine Maßnahme mit strafrechtlichem Charakter könne auf der Grundlage von Art. 95 EGV erlassen werden, wenn sie eine Pflicht betreffe, die zugleich einen Bezug zum Binnenmarkt habe.[1012] Werde z.B. ein Sachverhalt geregelt, der zeitlich weit vor dem strafrechtlichen Sachverhalt liege, der den Gesamtcharakter der Regelung präge, dann sei es in kompetenzrechtlicher Hinsicht nicht zu beanstanden, den strafrechtlichen Charakter nicht maßgeblich zu berücksichtigen.[1013] GA *Bot* spricht in diesem Zusammenhang von einer bloßen „strafrechtlichen Konnotation" der Maßnahme.[1014] Anders seien lediglich Regelungen zu behandeln, die genuin strafrechtliche Vorschriften enthielten.[1015]

Nach hiesiger Auffassung kommt eine Schwerpunktabgrenzung im Rahmen von Art. 95 EGV jedoch nicht in Betracht, wenn der EG die Kompetenz für eine der beiden Regelungsbereiche fehlt.[1016] Dies gilt gerade auch für den Fall, dass der EG lediglich die Kompetenz für die untergeordnete Zielsetzung des Rechtsakts nicht zusteht. Auch strafrechtliche Unter- oder Nebenziele eines komplexen Regelungszusammenhangs bleiben nach hiesiger Auffassung einer Regelung im Rahmen der dritten Säule vorbehalten.[1017]

Die Bedenken resultieren aus der Sonderstellung des Strafrechts im europäischen Recht, die wiederum aus dem besonderen Status des Strafrechts in den nationalen Rechtsordnungen folgt.[1018] Hieraus ergibt sich, dass strafrechtliche Regelungen nicht lediglich als Mittel eingesetzt werden können, die im Dienste einer (anderen)

1011 Legt man auch der Entscheidung des EuGH „*Fluggastdaten*" die Schwerpunktabgrenzung zugrunde, scheidet diese nach der Wertung des EuGH – zutreffend – dann aus, wenn lediglich die Weitergabe der Daten in Frage steht, da hier kein wirtschaftlicher Gesichtspunkt von Relevanz neben dem strafrechtlichen Ziel ins Feld geführt werden kann. Diese Wertung stimmt mit dem Ergebnis überein, das in § 5 II.2.b) erarbeitet wurde.

1012 GA *Bot* Schlussanträge „*Vorratsdatenspeicherung*" (Rn. 106 f.).

1013 GA *Bot* Schlussanträge „*Vorratsdatenspeicherung*" (Rn. 92, 97 ff.,102, 106).

1014 GA *Bot* Schlussanträge „*Vorratsdatenspeicherung*" (Rn. 101).

1015 GA *Bot* Schlussanträge „*Vorratsdatenspeicherung*" (Rn. 107); zust. EuGH „*Vorratsdatenspeicherung*" (Rn. 56 ff., 69); BVerfG NStZ 2008, 290 (291).

1016 Hierzu oben § 5 II.2.b).

1017 Hierzu oben § 5 II.2.b); zust. *Braum,* Europäische Strafgesetzlichkeit, S. 382; *Cesoni*, Journal des tribunaux 2006, 365 (370 f.).

1018 In diese Richtung nunmehr auch BVerfG „*Lissabon*" (Rn. 352 ff., 358).

Sachkompetenz stehen.[1019] Die Zugehörigkeit zum Strafrecht verleiht jeglicher Regelung ihr Gepräge und macht es deshalb erforderlich, dass hierfür eine spezielle Kompetenzgrundlage vorhanden ist. Dieser Grundgedanke hat auch in den EG-Vertrag Eingang gefunden.[1020] Zu den unter § 4 III. diskutierten Argumenten, die sich primär mit der formalen Berechtigung der EG zum Erlass von Rechtsnormen mit strafrechtlichem Charakter befassen,[1021] tritt ein materiell-rechtliches Argument, das speziell gegen die Zulässigkeit der Schwerpunktabgrenzung spricht, wenn hiervon strafrechtliche (Neben-)Regelungen betroffen sind und das sich aus dem *ultima ratio*-Gedanken des Strafrechts ableitet. Dieser Gedanke ist Ausdruck einer Funktion des Strafrechts, die es rechtfertigt, eine strafrechtliche Regelung nicht anderen (sach-)politischen Zielsetzungen unterordnen zu können.

Die *ultima ratio*-Funktion des Strafrechts ist ein allgemeiner Rechtssatz des europäischen Rechts.[1022] Sie ist in den mitgliedstaatlichen Rechtsordnungen nicht beliebig, das Strafrecht wird vielmehr als schärfstes Schwert der mitgliedstaatlichen Sanktionsordnung angesehen.[1023] Inhalt eines Strafausspruchs ist das Unwerturteil der (nationalen) Gesellschaft über das missbilligte Verhalten des Täters.[1024] Eine Abgrenzung zwischen Strafrecht und sonstigem Recht ist, etwa im Gegensatz zur Abgrenzung zwischen Strafrecht i.w.S. und dem Kriminalstrafrecht,[1025] in allen Mitgliedstaaten vorhanden.[1026] Aus dem *ultima ratio*-Gedanken

---

[1019] *Cesoni*, Journal des tribunaux 2006, 365 (370, 372 f.).

[1020] *Cesoni*, Journal des tribunaux 2006, 365 (370, 372 f.); *Braum*, Europäische Strafgesetzlichkeit, S. 381 ff.; in diese Richtung auch *Hefendehl*, ZIS 2006, 161 (163, Fn. 19); a.A. *Hugger*, Strafrechtliche Anweisung, S. 62.

[1021] Die (Gegen-)Argumente des strafrechtlichen Diskurses richten sich gegen eine strafrechtliche Kompetenz der EG primär aus einer (Souveränitäts-)Perspektive. Der Kanon der Argumente bleibt deshalb im Wesentlichen verfassungsrechtlichen Aspekten verhaftet, wie z.B. dem Prinzip des *nulla poena sine lege* oder der besonderen Bedeutung des Strafrechts für die Souveränität der Mitgliedstaaten, vgl. hierzu oben § 4 III.

[1022] *Herlin-Karnell*, European Public Law 13 (2007), 69 (76); House of Lords, 42nd Report of Session 2005-06, S. 10 (Rn. 13); *Schünemann*, KritV 2008, 6 (7 f.); *Spinellis*, EuConst 2 (2006), 293 (300); *Weiß*, ZEuS 2006, 381 (414 f.); ferner *Hefendehl*, ZIS 2006, 161 (167).

[1023] Vgl. § 3 II.; in diese Richtung auch BVerfG „*Lissabon*“ (Rn. 358).

[1024] Vgl. *Merle/Vitu*, Traité de droit criminel, S. 212; *Smith & Hogan*, Criminal Law, S. 17 ff.; ferner oben § 3 II.

[1025] Vgl. hierzu oben § 3 II.

[1026] Zwar scheint der aktuelle Umgang der nationalen wie internationalen Politik mit dem Strafrecht einen Verständniswandel bei der Inanspruchnahme der staatlichen Strafrechtskompetenz anzudeuten. Es wird mehr und mehr zu einem Instrument funktionaler (Verhaltens-)Steuerung degradiert und mithin von seiner ursprünglichen Funktion, dem Rechtsgüter- bzw. Interessenschutz, gelöst. Diese Praxis ändert jedoch nicht die gewachsene europäische Rechtstradition; krit. hinsichtlich dieser Entwicklung BVerfG „*Lissabon*“ (Rn. 358); *Hefendehl*, ZIS 2006, 229 (233); *Satzger*, Neue Kriminalpolitik 2007, 93 (95 f.); zur Funktion des Rechtsgüterschutzes des Strafrechts vgl. *Roxin*, AT I § 2 Rn. 7 ff. (14 ff.); *Hefendehl*, Kollektive Rechtsgüter, S. 27 ff.; zum Europäischen Strafrecht, *ders.*, ZIS 2006, 229.

kann deshalb eine *Abgrenzungsfunktion* des Strafrechts gegenüber den anderen staatlichen Regelungsbereichen abgeleitet werden. Außerdem folgt aus ihm eine *Zuordnungsfunktion*. Sämtliche Fälle, die diesem Bereich angehören, unterliegen einem gesondert ausgestalteten Verfahren, das u.a. mit besonderen Verfahrensgarantien für den Beschuldigten ausgestattet ist.[1027] Diese beiden Funktionen, die aus dem *ultima ratio*-Gedanken des Strafrechts abgeleitet werden können, sprechen gegen die Möglichkeit, den strafrechtlichen Zweck einer Regelung dem Zweck einer „normalen" Sachpolitik der EG (etwa in Form einer Schwerpunktabgrenzung im Rahmen von Art. 95 EGV) unterzuordnen.[1028] Diese Besonderheit rechtfertigt eine Sonderrolle im Rahmen der Schwerpunktabgrenzung. Es erscheint als unzulässig, das Strafrecht als Nebenziel einer (z.B. wirtschaftspolitischen) Regelung anzusehen.[1029]

Als Zwischenergebnis kann deshalb festgehalten werden, dass eine Unterordnung eines strafrechtlichen Zwecks unter eine andere Sachpolitik im Rahmen von Art. 95 EGV nicht zulässig ist. Der *ultima ratio*-Gedanke des Strafrechts hat eine *Zuweisungs*- und *Abgrenzungsfunktion*, aus der folgt, dass die strafrechtlichen Regelungen – auch in kompetenzrechtlichen Fragen – eine Sonderrolle einnehmen. Strafrechtliche (Teil-)Regelungen oder (Fern-)Ziele lassen sich – auch im Rahmen von Art. 95 EGV – nicht einer anderen (wirtschafts-)politischen Zielsetzung unterordnen.

4. Parallele zu anderen Souveränitätsvorbehalten des EG-Rechts

Gegen eine strafrechtliche Kompetenz der EG kann ferner angeführt werden, dass das Politikfeld des Strafrechts den Bereichen inhaltlich vergleichbar ist, die einer Regelung durch die EG entweder explizit (z.B. durch Souveränitätsvorbehalt [Art. 95 Abs. 2 EGV]) oder durch ungeschriebenen Souveränitätsvorbehalt entzogen sind. Es lässt sich ein Erst-Recht-Schluss aus den Bereichsausnahmen des Art. 95 Abs. 2 EGV ziehen. Auch ist der Grundsatz, dass weder das Strafrecht noch das Strafprozessrecht in die Zuständigkeit der EG fallen,[1030] dem Vorbehalt ver-

---

[1027] Vgl. *Farkas*, ZStW 120 (2008), 642; zust. BVerfG „*Lissabon*" (Rn. 358).

[1028] Gänzlich ablehnend gegenüber der Möglichkeit der Einordnung des Strafrechts in eine Zweck-Mittel-Rationalität ebenfalls BVerfG „*Lissabon*" (Rn. 358); *Sugmann-Stubbs/Jager*, KritV 2008, 57 (65, 69 f.); a.A. *Johannes*, EuR 1968, 63 (107); *Kubiciel*, NStZ 2007, 136 (137).

[1029] In diese Richtung GA *Léger* Schlussanträge „*Fluggastdaten*" (Rn. 147): „Indessen ist ein solches Ziel, Wettbewerbsverzerrungen zu verhindern, […] nur akzessorischer Natur im Verhältnis zu den beiden Hauptzielen, dem Ziel des Kampfes gegen den Terrorismus und andere schwere Strafraten sowie dem Ziel des Schutzes der personenbezogenen Daten der Fluggäste […]."; a.A. *Kahlert*, ELR 2006, 242 (244).

[1030] Zu den strittigen Bereichen des Strafrechts, siehe oben § 4 III.1.a).

gleichbar, den der EuGH in der Entscheidung Rs. *Alexander Dory* hinsichtlich des Sachgebiets der Organisation der Streitkräfte gezogen hat.[1031]

a) Originäre Strafrechtsetzung vs. Bereichsausnahmen des Art. 95 Abs. 2 EGV

Das Politikfeld des Strafrechts ist mit den drei Ausnahmen des Art. 95 Abs. 2 EGV vergleichbar. Diese beinhalten Regelungsbereiche,[1032] welche nach Auffassung der Mitgliedstaaten bei der Verabschiedung der EEA zwar thematisch vom Anwendungsbereich der Binnenmarktklausel (Art. 95 EGV) erfasst werden, die aber aus politischen Gründen nicht durch die EG geregelt werden sollten.[1033] Die Mitgliedstaaten wollten in diesen Politikfeldern keine Souveränitätsrechte an die EG abtreten. Diese Erwägungen treffen ebenfalls auf das Politikfeld des Strafrechts zu.[1034] Die Mitgliedstaaten vermieden sorgfältig jede Andeutung, dass der EG eine strafrechtliche Kompetenz zustehen könnte und erwehrten sich bis heute Regelungsvorschlägen, die originäre strafrechtliche Rechtsetzungsakte enthielten.[1035]

In den Politikbereichen des Art. 95 Abs. 2 EGV ist dem europäischen Gesetzgeber „jede substantielle Regelung“ untersagt.[1036] Legt man den Begriff „substantiell“ so aus, dass dies zwar keine umfassenden Regelungswerke betrifft, wohl aber vereinzelte Regelungen, wie dies z.B. durch die Urteile *C-176/03* und *C-440/05* für das Gebiet des Umweltstrafrechts der Fall ist,[1037] dann wäre das Strafrecht nunmehr als Politikbereich anzusehen, das jedenfalls analog Art. 95 Abs. 2 EGV zu behandeln wäre. Hält man die Rechtsprechung des EuGH in den Rs. *C-176/03* und *C-440/05* für zustimmungswürdig und für auf Art. 95 EGV übertragbar, wäre das Strafrecht als Politikfeld entsprechend Art. 95 Abs. 2 EGV einzustufen. Dies vermag nicht zu überzeugen. Es fehlt an der Voraussetzung für eine analoge Anwendung, da insoweit keine unvorhergesehene Gesetzeslücke besteht.[1038] Die in § 4

1031 EuGH vom 11.3.2003, Rs. C-186/01 „*Alexander Dory*“, Slg. 2003, I-2479 (Rn. 35 f.).

1032 Die drei Sachbereiche sind: Vorschriften über die Steuern, die Freizügigkeit und die Bestimmungen über die Rechte und Interessen der Arbeitnehmer. Der Inhalt der drei Bereiche ist weit auszulegen, d.h. jegliche Art von Steuer etc. soll hierunter fallen, vgl. hierzu *Kahl*, in: Calliess/Ruffert (Hrsg.), EUV/EGV, Art. 95 EGV Rn. 6.

1033 Hintergrund ist der drohende Verlust an Souveränität der Mitgliedstaaten in diesen Bereichen, die durch das im Rahmen von Art. 95 Abs. 1 Satz 2 EGV anwendbare Mehrheitsprinzip gefährdet wäre, vgl. *Herrnfeld*, in: Schwarze (Hrsg.), EU-Kommentar, Art. 95 EGV Rn. 16; *Kahl*, in: Calliess/Ruffert (Hrsg.), EUV/EGV, Art. 95 EGV Rn. 6; *Tietje*, in: Grabitz/Hilf (Hrsg.), EUV/EGV, Art. 95 EGV Rn. 20.

1034 Vgl. § 4 III.2., 4., 7.

1035 Hierzu § 4 I.; § 6 I.

1036 *Herrnfeld*, in: Schwarze (Hrsg.), EU-Kommentar, Art. 95 EGV Rn. 16; *Tietje*, in: Grabitz/Hilf (Hrsg.), EUV/EGV, Art. 95 EGV Rn. 21.

1037 Vgl. hierzu § 4 II.2.

1038 Eine unvorhergesehene Gesetzeslücke liegt vor, wenn ein Gesetz bestimmte Sachverhalte nach einem Prinzip regelt, hiervon aber bestimmte Sachverhalte unvorhergesehen nicht erfasst werden, vgl. *Larenz*, Methodenlehre, S. 381.

und § 6 geschilderte Entwicklung der strafrechtlichen Kompetenz der EG spricht dafür, dass es sich um eine bewusste Lücke handelt. Die Mitgliedstaaten wollten der EG keine Kompetenz zusprechen und haben dies, da das Strafrecht keine natürlich enge Verbindung zum Regelungsgebiet des Binnenmarkts aufweist, erst recht nicht im Rahmen von Art. 95 EGV beabsichtigt. Das Strafrecht galt zur Zeit der Aufnahme des Art. 100a in den E(W)G-Vertrag als nicht der EG zugewiesene Politikmaterie. Auch heute besteht (siehe § 6) lediglich eine behauptete sachliche Nähe des Strafrechts zu den zentralen Funktionen des Binnenmarkts.[1039] Alles deutet somit darauf hin, dass das Fehlen des Strafrechts in der Liste von Art. 95 Abs. 2 EGV jedenfalls ein „beredtes Schweigen" des Gesetzgebers widerspiegelt. Das Strafrecht wurde vielmehr mit der Verabschiedung des Vertrags von Maastricht insgesamt der dritten Säule (EUV) zugewiesen.[1040] Da das Strafrecht der Mitgliedstaaten aus Souveränitätsgesichtspunkten eine den drei explizit genannten Bereichsausnahmen mindestens vergleichbar sensible Sachmaterie ist,[1041] lässt sich hieraus folgern, dass die Mitgliedstaaten, wenn sie von der Erstreckung des Anwendungsbereichs auf Art. 95 EGV ausgegangen wären, den Politikbereich des Strafrechts in jedem Fall auch explizit in Art. 95 Abs. 2 verankert hätten.

b) Strafrecht als ungeschriebene Bereichsausnahme i.S.d. Rechtsprechung „Alexander Dory"?

Um die hiesige Stellungnahme abzurunden, soll ferner auf eine Argumentation verwiesen werden, welche der EuGH in seiner Entscheidung *Alexander Dory* verwendet hat. In diesem Urteil lehnte es der EuGH ab, die Gleichbehandlungsrichtlinie auf die gesamte nationale Verteidigungspolitik anzuwenden, obwohl er zugleich verneinte, dass die öffentliche Sicherheit und die Landesverteidigung Bereichsausnahmen des EG-Vertrags bilden, d.h. vollständig einer Regelung durch die EG entzogen sind.[1042] Gleiches gilt für das Strafrecht. Nach hiesiger Auffassung ist auch dieses nicht vollständig einer Regelung durch die EG entzogen.[1043] Der EuGH führte in der Rs. *Alexander Dory* aus:[1044]

> „Die Entscheidungen der Mitgliedstaaten hinsichtlich *der Organisation ihrer Streitkräfte* können zwar nicht vollständig der Anwendung des Gemeinschaftsrechts entzogen sein, insbesondere wenn es um die Wahrung des Grundsatzes der Gleichbehandlung von Männern und Frauen im Zusammenhang mit Arbeitsverhältnissen geht, vor allem beim Zugang zu militärischen Berufen. Daraus folgt jedoch nicht, dass Entscheidungen der

---

1039 Siehe oben § 6.

1040 Vgl. § 4 I., III.

1041 Vgl. hierzu nach der Rspr. *C-176/03* nur *Hefendehl*, ZIS 2006, 161 (167); nunmehr nach der Entscheidung *C-440/05* weiterhin auch *Fromm*, ZIS 2008, 168.

1042 EuGH vom 11.3.2003, Rs. C-186/01 *„Alexander Dory"*, Slg. 2003, I-2479 (Rn. 30).

1043 Zum zulässigen Umfang siehe oben § 4 III.1.a).

1044 EuGH vom 11.3.2003, Rs. *C-186/01 „Alexander Dory"*, Slg. 2003, I-2479 (Rn. 35 f.) [Hervorhebungen durch den Verfasser].

Mitgliedstaaten *hinsichtlich der militärischen Organisation, die die Verteidigung ihres Hoheitsgebiets oder ihrer unabdingbaren Interessen zum Ziel haben*, unter das Gemeinschaftsrecht fallen. (Rn 36) Es ist nämlich Sache der Mitgliedstaaten, die die geeigneten Maßnahmen zur Gewährleistung ihrer inneren und äußeren Sicherheit zu ergreifen haben, *die Entscheidungen über die Organisation ihrer Streitkräfte* zu treffen, [...]."

Diese Argumentation kann insbesondere als Interpretationshilfe für die Formulierung des EuGH herangezogen werden, dass weder Strafrecht noch das Strafprozessrecht grundsätzlich in die Zuständigkeit der EG fallen.[1045] Die Interessenlage beider Sachgebiete ist vergleichbar und eine Übertragung der Grundsätze – zumindest auf Teile des Strafrechts – denkbar.[1046]

5. Strafrechtsharmonisierung trotz fehlender Effizienzsteigerung?

Eine Harmonisierung strafrechtlicher Regelungen im Rahmen von Art. 95 EGV muss sich überdies entgegenhalten lassen, dass sie nicht die vom EuGH in den Entscheidungen *C-176/03* und *C-440/05* geforderte Voraussetzung erfüllt, dass sie eine effiziente Durchsetzung des Gemeinschaftsrechts bewirkt.[1047] Die unter § 6 erarbeiteten Ergebnisse zeigen, dass eine Harmonisierung des Strafrechts weitgehend symbolischer Natur bliebe. Spürbare Wettbewerbsverzerrungen würden hierdurch nicht beseitigt, das Gemeinschaftsrecht deshalb in seiner Folge nicht effizienter durchgesetzt.[1048] Solange das zugrunde liegende Strafzumessungsrecht nicht angeglichen wird, geht von einer Harmonisierung der materiell-rechtlichen Vorschriften keine messbare Wirkung aus. Denn selbst wenn man es für zulässig erachtete, Mindest- bzw. Höchststrafen vorzuschreiben, bewirkt dies noch nicht, dass Strafverfolgung und Strafzumessung einheitlicher als bisher erfolgen.[1049] Es müsste ferner berücksichtigt werden, dass durch eine weitergehende Harmonisierung wirtschaftliche Impulse verloren gehen können, was dem Gedanken der Effizienzsteigerung nicht entspräche.[1050]

1045 Für die Anerkennung impliziter Begrenzungen des Art. 95 EGV auch *Ehlermann*, CMLRev 1987, 361 (385).

1046 Obwohl die Interessenlage vergleichbar ist (Souveränitätsargumente der Mitgliedstaaten), könnte der EuGH eine Übertragung der Rspr. ablehnen. Er könnte dies darauf stützen, dass die Organisation der Streitkräfte einen wesentlich kleineren Anwendungsbereich hat, als die Frage des originären Einflusses des Europarechts auf das nationale Strafrecht. Es wäre auch denkbar, dass der EuGH nur Teile des Strafrechts als europarechtsfeste Bereichsausnahme einordnet, etwa bestimmte verfahrensrechtliche Fragen oder Fragen des Allgemeinen Teils.

1047 Vgl. *Herlin-Karnell*, European Public Law 13 (2007), 69 (74 ff., 77).

1048 Krit. *Herlin-Karnell*, European Public Law 13 (2007), 69 (76 ff.); *Satzger*, Neue Kriminalpolitik 2007, 93 (95 f.); *Weigend*, in: Zieschang/Hilgendorf/Laubenthal (Hrsg.), Strafrecht und Kriminalität in Europa, S. 57 (61 f.); vgl. auch *Sevenster*, CMLRev 1992, 29 (57 f.).

1049 Zust. *Ambos*, Internationales Strafrecht, § 12 Rn. 8; *Satzger*, Neue Kriminalpolitik 2007, 93 (96).

1050 Vgl. § 5 IV.1.b); zust. *Hilty*, in: ders./Geiger (Hrsg.), Impulse für eine europäische Harmonisierung des Urheberrechts, S. X; in diese Richtung auch *Stein*, EWS 2001 12

IV. Ergebnis § 7

Es lässt sich schlussfolgern, dass das Regelungsgebiet des Strafrechts sich nicht dogmatisch schlüssig in den Anwendungsbereich von Art. 95 EGV integrieren lässt. Es spricht eine Reihe von Argumenten gegen die Möglichkeit, eine Regelung auf Art. 95 EGV zu stützen, die originäre strafrechtliche Rechtsetzung als Haupt- oder Nebenziel verfolgt.[1051] Weder kommt dem Strafrecht eine individualisierbare Rolle im Hinblick auf die Regelungszusammenhänge des Binnenmarkts zu,[1052] noch findet sich ein Maßstab, mit dem sich bemessen ließe, ob eine strafrechtliche Vorschrift Wettbewerbsverzerrungen hervorruft.[1053] Es ist unzulässig, Regelungen auf Art. 95 EGV zu stützen, die strafrechtliche Zwecke nur als Unter- oder Nebenziele verfolgen, da der *ultima ratio*-Gedanke des Strafrechts es verbietet, strafrechtliche Vorschriften als einer anderen Sachpolitik untergeordnetes Politikfeld anzusehen.[1054] In einem Erst-Recht-Schluss aus den Souveränitätsvorbehalten des Art. 95 Abs. 2 EGV ergibt sich, dass eine Übertragung der Rechtsprechung auf den Bereich des Art. 95 EGV nicht zulässig ist, ohne gegen den Grundsatz zu verstoßen, dass die Mitgliedstaaten Herren der Verträge geblieben sind.[1055] Der Politikbereich des Strafrechts könnte – zumindest in wesentlichen Teilen – als ungeschriebener Souveränitätsvorbehalt bezeichnet werden.[1056] Gegen eine Kompetenz zur Harmonisierung strafrechtlicher Vorschriften spricht ferner, dass zweifelhaft ist, ob hierdurch tatsächlich das Europarecht effizienter durchgesetzt werden kann. Zur Beseitigung spürbarer Wettbewerbsverzerrungen leistet die Harmonisierung strafrechtlicher Vorschriften jedenfalls keinen messbaren Beitrag.[1057]

(15 f.) hinsichtlich des Tatbestands von Art. 95 EGV. Dieser fordert einen messbaren (Zu-) Gewinn für die Geltung der Grundfreiheiten und für die Beseitigung von Wettbewerbsverzerrungen.

[1051] Hierzu § 7 II.

[1052] Vgl. § 7 III.1.

[1053] Vgl. § 7 III.2.

[1054] Vgl. § 7 III.3.

[1055] Vgl. § 7 III.4.a).

[1056] Vgl. § 7 III.4.b).

[1057] Vgl. § 7 III.5.

Teil 3

Ergebnis der Untersuchung

1. Der EG stehen nach dem Prinzip der begrenzten Einzelermächtigung grundsätzlich nur die Kompetenzen zu, die ihr explizit zugewiesen wurden.[1] Sie hat darüber hinaus nicht die Befugnis, sich neue Kompetenzen – im Sinne einer Kompetenz-Kompetenz – selbst zuzubilligen. Der Grundsatz der begrenzten Einzelermächtigung ist mit verschiedenen Arten von Kompetenzzuweisungen vereinbar,[2] von detaillierten Zuweisungen über generalklauselartige Ermächtigungsnormen (wie z.B. Art. 95 EGV) bis hin zu ungeschriebenen Kompetenzzuweisungen wie den *implied powers*. Auch ungeschriebene, Kompetenz unterstützende Rechtsprinzipien wie der *effet utile* des Gemeinschaftsrechts verstoßen nicht gegen dieses Prinzip. Eine Sonderrolle nimmt hierbei die Flexibilitätsklausel des Art. 308 EGV ein.[3] Sie ist zugleich Ausdruck und Durchbrechung des Prinzips der begrenzten Einzelermächtigung.

2. Die Ausübung der EG-Kompetenzen wird durch das Subsidiaritäts- und das Verhältnismäßigkeitsprinzip eingeschränkt.[4] In der Praxis haben beide Grundsätze jedoch eine nur sehr begrenzte Kontrollwirkung, da weder die Kommission noch der EuGH einem festen Kontrollmaßstab folgen. Eine Kontrollwirkung, die über eine Evidenzkontrolle hinausgeht, vermögen beide Prinzipien deshalb in der Rechtswirklichkeit nicht zu erbringen.

3. Die Position des EuGH wird in Art. 220 EGV festgelegt.[5] Ein bestimmtes Rollenverständnis im Sinne des *common law-* oder *civil law*-Rechtskreises wird dem EuGH jedoch hierin nicht vorgegeben.[6] Der EuGH übt maßgeblichen Einfluss auf die Auslegung des EG-Rechts aus,[7] was nicht nach völkerrechtlichen Maßstäben geschieht, sondern im Wege der wertenden Rechtsvergleichung.[8] Seine Urteile haben das EG-Recht in zentralen Bereichen lange Zeit z.T. sehr frei weiter entwickelt.

---

1 § 2 I.1.

2 § 2 I.2.

3 § 2 I.2.c).

4 § 2 I.3.

5 § 2 II.3.

6 § 2 II.3.a).

7 § 2 II.

8 § 2 II.1.

4. Die Untersuchung hat einen allgemeingültigen Maßstab entwickelt, auf dessen Grundlage die rechtsfortbildenden Urteile des EuGH auf ihre EG-Vertragsmäßigkeit überprüft werden können.[9] Er geht davon aus, dass eine Rechtsfortbildung am jeweiligen Kodifikationsstand des Primärrechts zu messen ist. Hier wird vorgeschlagen, den Maßstab, den das Primärrecht dem EG-Gesetzgeber bei der Ausübung der Kompetenzen in Form des Subsidiaritätsprinzips vorgegeben hat, auf die Rechtsfortbildungskompetenzen des EuGH zu übertragen. Danach gelten zwei unterschiedliche Maßstäbe für die Rechtmäßigkeit einer Rechtsfortbildung durch den EuGH. Überträgt man diesen Gedanken auf die Grenzen einer zulässigen Rechtsfortbildung, erreicht man, dass die Rechtsfortbildungskompetenzen des EuGH mit den Rechtsetzungskompetenzen der EG parallel laufen. Der EuGH ist dadurch im Bereich der konkurrierenden Kompetenzen in seiner Rechtsfortbildungsbefugnis eingeschränkt; die Beschränkungen ergeben sich aus den Vorgaben des Primärrechts. Im Rahmen der konkurrierenden Kompetenzen stehen einer Rechtsfortbildung durch den EuGH deshalb insbesondere die Souveränitätsinteressen der Mitgliedstaaten entgegen. Im Bereich der absoluten EG-Kompetenzen ist der EuGH in seiner Rechtsfortbildung frei, solange er nicht gegen den Grundsatz verstößt, dass der EG keine Kompetenz-Kompetenz erteilt wurde.

5. Die Auslegungshoheit des EuGH wird von den obersten Gerichtshöfen der Mitgliedstaaten jedoch zunehmend infrage gestellt.[10] Im Bereich des EG-Sekundärrechts billigen diese sich in zunehmendem Maße eine eigenständige Rechtmäßigkeitskontrolle zu. Der Grundsatz des Vorrangs des Gemeinschaftsrechts wird hierdurch derzeit noch nicht hinterfragt. Sollte sich diese Entwicklung jedoch verstärken, kann nicht ausgeschlossen werden, dass in manchen Mitgliedstaaten der Vorrang des Gemeinschaftsrechts in Zukunft nicht mehr per se gilt.[11]

6. Ob eine EG-Regelung eine strafrechtliche Kompetenz erfordert, hängt u.a. davon ab, welche Regelungen auf EG-Rechtsebene als strafrechtlich zu qualifizieren sind. Dies hängt wiederum vom europarechtlichen Begriff des Kriminalstrafrechts ab.[12] Die Kriterien dieses Begriffs werden nicht durch den EG-Vertrag vorgegeben, sondern sind mittels wertender Rechtsvergleichung aus den mitgliedstaatlichen Strafrechtsordnungen herzuleiten. Kann der strafrechtliche Charakter auf diese Art festgelegt werden, lässt sich beurteilen, ob diese Regelung einer strafrechtlichen Kompetenzgrundlage bedarf.

7. Weiterhin von Bedeutung für die Kompetenzfrage ist, welche Folgen ein Rechtsakt für die mitgliedstaatliche Strafrechtsordnung hat. Eine EG-Regelung

---

[9] § 2 II.3.b).

[10] § 2 II.2.

[11] § 2 II.2.b).

[12] § 3 I.

kann auf das nationale Strafrecht negativ (d.h. beschränkend) oder positiv (aktiv gestaltend) einwirken. Darüber hinaus kann danach differenziert werden, ob der Impuls für eine Änderungspflicht des nationalen Strafrechts maßgeblich vom EG-Recht ausgeht (originäre Strafgesetzgebung) oder ob er darauf beruht, dass die nationale Rechtsordnung einen Sachverhalt strafrechtlich geregelt hat (akzessorisch), mit dem eine vergleichbare EG-Regelung aufgrund des *effet utile* des Gemeinschaftsrechts gleichzusetzen ist. Kompetenzrechtlich problematisch ist insbesondere der Fall der originären Einflussnahme auf die nationalen Strafrechtsordnungen, unabhängig davon, ob sie negativ oder positiv wirkt.

8. Eine Analyse des EG-Primärrechts ergibt, dass die Mitgliedstaaten stets versucht haben, den Eindruck zu vermeiden, der EG könne eine strafrechtliche Kompetenz übertragen worden sein.[13] Explizite strafrechtliche Handlungsbefugnisse haben die Mitgliedstaaten lediglich auf supranationaler Ebene eingeräumt, im Bereich der 3. Säule (PJZS).[14] Manche Stimmen in der Literatur vertreten, dass der EG aber auch im Rahmen des EG-Vertrags – neben den Bereichen der PJZS – bestimmte (implizite) strafrechtliche Kompetenzen verliehen wurden.

9. Der EuGH hat sich lange Zeit in dieser Frage bedeckt gehalten.[15] Die Frage, ob der EG eine originäre Strafrechtskompetenz zusteht, hat er in seinen frühen Urteilen stets ausgespart.[16] In der Entscheidung *Griechischer Mais* im Jahr 1989 hat er festgestellt, dass eine akzessorische strafrechtliche Kompetenz der EG aus dem EG-Vertrag folgen kann.[17] In der Entscheidung Rs. *C-176/03* wurde der EG im Jahr 2005 eine originäre Strafrechtskompetenz zugesprochen.[18] Diese hat der EuGH jedoch durch die Entscheidung Rs. *C-440/05* im Jahr 2007 auf den Bereich des Umweltstrafrechts begrenzt und darauf, dass diese Kompetenz nicht dazu berechtige, auch die strafrechtlichen Sanktionsfolgen zu harmonisieren.[19]

10. Die Argumente, die für eine originäre strafrechtliche Kompetenz der EG angeführt werden, überzeugen jedoch nicht.[20] Eine solche Kompetenz widerspricht der Tatsache, dass die Regelung strafrechtlicher Fragen von den Mitgliedstaaten ausschließlich dem Bereich der 3. Säule (PJZS) zugewiesen wurde.[21] Viele Stimmen in der Literatur sprechen der EG darüber hinaus eine Kompetenz zu, im Rah-

---

[13] § 4 I.
[14] § 4 I.3.
[15] § 4 II.
[16] § 4 II.1.a).
[17] § 4 II.1.b).
[18] § 4 II.2.a).
[19] § 4 II.2.b).
[20] § 4 III.
[21] § 4 III.2.

men der 1. Säule bestimmte strafrechtliche Vorschriften zu harmonisieren. Sie beschränken dies jedoch – maßgeblich unter Berufung auf das *nulla poena sine lege*-Prinzip – darauf, dass im Rahmen der 1. Säule lediglich eine „Strafrechtsanweisungskompetenz" bestehe.[22] Wie die Untersuchung gezeigt hat, kommt diesem Prinzip im Rahmen des EG-Vertrags aber keine kompetenzbegrenzende Funktion zu. Die h.L. leitet daraus ein formell-demokratisches Defizit her, welches die EG daran hindere, eine ihr verliehene strafrechtliche Kompetenz zum Erlass unmittelbar geltenden Strafrechts einzusetzen.[23] Dies vermag allerdings nicht zu überzeugen. Auch vom materiell-demokratischen Gesichtspunkt dieses Prinzips her lassen sich keine Gründe ableiten, die für die Beschränkung der h.L. sprechen.[24] In der Arbeit wird dargelegt, dass diesem Prinzip – neben den allgemeinen Kompetenzbeschränkungen der EG – keine eigenständige kompetenzbegrenzende Funktion zukommt.[25] Auch findet sich kein Beleg für die These, dass das Subsidiaritätsprinzip vorgebe, dass eine strafrechtliche Richtlinie deshalb einer unmittelbar geltenden strafrechtlichen Verordnung vorgehe, weil diese für die Mitgliedstaaten stets die weniger einschneidende Harmonisierungsmaßnahme darstelle.[26] Der EuGH hat noch in keinem Fall einen Rechtsakt der EG für nichtig erklärt, da er das Auswahlermessen hinsichtlich der Rechtsform für überschritten hielt. Die Arbeit folgert deshalb, dass es nur schlüssig ist, entweder der EG eine strafrechtliche Kompetenz zuzubilligen, welche auch strafrechtliche Verordnungen umfasst, oder eine entsprechende Befugnis der EG ganz abzulehnen. Für Letzteres sprechen die besseren Argumente.

11. Gegen eine strafrechtliche Kompetenz der EG spricht, dass die Mitgliedstaaten der EG bislang keine hoheitlichen Befugnisse übertragen haben, auf Fragen der nationalen Strafrechtsordnungen originär, d.h. positiv gestaltend, einzuwirken. Dem steht ein Souveränitätsvorbehalt entgegen.[27] Es überzeugt deshalb nicht, eine strafrechtliche Rechtsetzung im Rahmen des EG-Vertrags als vorrangig vor den strafrechtlichen Kompetenzen des EU-Vertrags einzustufen, da keine Kompetenz im Rahmen des EG-Vertrags besteht.[28] Die Entscheidungen Rs. *C-176/03* und *C-440/05* haben die Mitgliedstaaten nicht dazu veranlasst, hieran etwas zu ändern. Sie haben – trotz intensiver Diskussion – nicht von der *passerelle* des Art. 42 EUV Gebrauch gemacht.[29] Die Rechtsfortbildung des EuGH sieht sich deshalb zu Recht dem Einwand ausgesetzt, sie nehme in unzulässiger Weise Art. 83 Abs. 2 AEUV vorweg.[30]

22 § 4 III.3.
23 § 4 III.3.a).
24 § 4 III.3.b).
25 § 4 III.3.c).aa).
26 § 4 III.3.c)bb).
27 § 4 III.4.
28 § 4 III.5.
29 § 4 III.6.
30 § 4 III.7.

12. Gegen eine strafrechtliche Kompetenz der EG bestehen überdies rechtspolitische Bedenken. Erleichterte Mehrheitsverhältnisse würden die Organe der EU dazu verführen, strafrechtliche Regelungen fälschlicherweise als Mittel anzusehen, mit denen eine Verhaltenssteuerung am effizientesten bewirkt werden kann.[31] Für eine strafrechtliche Kompetenz der EG kann zwar angeführt werden, dass es praktikabler wäre, Sach- und strafrechtliche Sanktionsregelungen in einem EG-Rechtsakt erlassen zu können. Eine Bedeutung kommt diesem Argument jedoch bei der Frage, ob der EG tatsächlich eine Kompetenz zugeteilt wurde, nicht zu.[32]

13. Auch die Rechtsfortbildung durch den EuGH überzeugt nicht. Die Urteilsformel, auf die er in seinen Entscheidungen *C-176/03* und *C-440/05* eine strafrechtliche Kompetenz der EG stützt, lässt eine Auslegung nicht zu, welche auf der einen Seite der *ultima ratio*-Funktion des europäischen Strafrechts und der Systematik des EG-Vertrags gerecht wird, zugleich aber die zugesprochene umweltstrafrechtliche Kompetenz der EG zu tragen vermag.[33] Die hiesige Untersuchung schlägt vor, den zentralen Begriff der Urteilsformel des EuGH, dass eine Kompetenz zur Harmonisierung der nationalen strafrechtlichen Vorschriften dann bestehe, wenn dies in dem betroffenen Politikgebiet *unerlässlich* sei, eng auszulegen, um der *ultima ratio*-Funktion des Strafrechts zu entsprechen. Hiervon wären nur die Politikbereiche erfasst, in denen der EG eine ausschließliche Kompetenz zusteht. Politikbereiche, in denen der EG nur eine konkurrierende Kompetenz zusteht, wären hiervon nicht umfasst. Im Rahmen dieser Kompetenzen und Sachpolitiken steht es der EG – infolge der entgegenstehenden Souveränitätsinteressen der Mitgliedstaaten – nicht zu, bestimmte strafrechtliche Regelungen als *unerlässlich* für die Durchsetzung des Gemeinschaftsrechts einzustufen. Im Bereich der konkurrierenden Kompetenzen steht dieses Recht weiterhin den Mitgliedstaaten zu, sodass auch eine umweltstrafrechtliche Kompetenz der EG ausscheidet. In einem kurzen Exkurs wird erklärt, dass und wie die hier vorgenommene Interpretation sich auf den Tatbestand des Art. 83 Abs. 2 AEUV übertragen lässt.[34]

14. Die Untersuchung zeigt ferner, dass sich eine Strafrechtskompetenz der EG nicht schlüssig auf das *implied powers*-Prinzip stützen kann.[35] Überzeugende materiell-rechtliche Gesichtspunkte, die diese Wertung stützen, sind nicht zu finden.[36] Auch aus dem Prinzip des *effet utile* lässt sich keine originäre Strafrechtskompetenz der EG ableiten, ohne dass man gegen den Grundsatz verstößt, dass der EG

[31] § 4 III.8.
[32] § 4 III.9.
[33] § 4 III.10.
[34] § 4 III.10.b).
[35] § 4 III.11.a).
[36] § 4 III.11.b).

keine Kompetenz-Kompetenz zuerkannt wurde.[37] Aus Art. 308 EGV ist ebenfalls keine (umwelt-)strafrechtliche Kompetenz zu begründen. Zwar wäre es möglich, mittels Art. 308 EGV entsprechendes Sekundärrecht zu erlassen. Aber selbst wenn man ein Vorrangverhältnis zwischen EG-Vertrag und EU-Vertrag für gegeben hält, hätte die umweltstrafrechtliche Kompetenz hieran nicht teil. Denn eine vorrangige Kompetenz der EG setzt voraus, dass nicht lediglich eine Aufgabe im EG-Vertrag besteht, sondern eine Kompetenz bereits primärrechtlich verankert ist. Kompetenzen, die mittels Art. 308 EGV (vollständig) neu begründet werden müssen, hätten am Vorrangverhältnis nicht Teil.[38]

15. Man könnte sich letztlich noch darauf berufen, dass die faktische Autorität des Richterspruchs des EuGH ausreichend sei, um eine bestimmte Weiterung der EG-Kompetenzen zu legitimieren. Dies überzeugt jedoch ebenfalls nicht. Die Rechtsfortbildungskompetenz des EuGH ist begrenzt, wenn der EG, wie im Bereich der Umweltpolitik, nur eine konkurrierende Kompetenz verliehen wurde. Die Entscheidungen *C-176/03* und *C-440/05* überschreiten diese Grenze zulässiger Rechtsfortbildung. Sie stellen eine Rechtsfortbildung *contra legem* dar, die das EG-Recht nicht in wirksamer Weise weiterbildet.[39]

16. In Teil 2 der Arbeit wird analysiert, ob der EG neben der umweltstrafrechtlichen Kompetenz eine strafrechtliche Kompetenz im Rahmen der Ermächtigung des Art. 95 EGV zusteht. Die Kompetenznorm des Art. 95 EGV ist ein Instrument funktionaler Rechtsangleichung. Die ganz h.L. geht davon aus, dass die EG von dieser funktionalen Kompetenz – *a priori* ohne Einschränkungen – dann Gebrauch machen darf, wenn sein Tatbestand erfüllt ist.[40]

17. Die Untersuchung hat im Rahmen der Auslegung des Art. 95 EGV zum Ergebnis, dass dieser infolge des Prinzips der begrenzten Einzelermächtigung restriktiv auszulegen ist.[41] Eine entsprechende Auslegung des Art. 95 EGV hat der EuGH in seinem Urteil *Tabakwerberichtlinie I* vorgenommen. Hiernach muss eine Regelung bestimmte formelle und materielle Kriterien erfüllen.[42] Formelles Erfordernis ist ein expliziter Hinweis des zu erlassenden Rechtsakts auf das Ziel des Binnenmarkts. Der Rechtsakt muss darüber hinaus – materiell – qualifizierte Auswirkungen auf den Binnenmarkt haben: Der Binnenmarkt muss den Schwerpunkt der Regelung bilden und der Rechtsakt muss eine seiner Zielsetzungen verfolgen. Als Zielsetzungen des Art. 95 EGV legt der EuGH fest: die Beseitigung von Hemmnis-

---

37 § 4 III.12.
38 § 4 III.13.
39 § 4 III.14.
40 § 5 I.
41 § 5 II.
42 § 5 II.1., 2.

sen für eine Grundfreiheit oder (alternativ) von spürbaren Wettbewerbsverzerrungen im Binnenmarkt.[43] In späteren Entscheidungen, insbesondere der Entscheidung *Tabakwerberichtlinie II*, hat der EuGH diese Grundsätze zwar z.T. unangewendet gelassen, sie aber nicht prinzipiell infrage gestellt.

18. Art. 95 EGV ist im Zusammenhang mit dem Binnenmarktziel „Verwirklichung der Grundfreiheiten" insbesondere für die Regelung der Warenverkehrsfreiheit relevant. Regelungen im Rahmen von Art. 95 EGV sind nicht darauf beschränkt, Hemmnisse für eine Grundfreiheit zu beseitigen, sondern können auch teilweise Beschränkungen neu einführen, wenn insgesamt ein Freiheitsgewinn Folge der Neuregelung ist.[44]

19. Der Anwendungsbereich der Zielsetzung „Beseitigung spürbarer Wettbewerbsverzerrungen" ist anhand der Wettbewerbskonzeption des Binnenmarkts zu bestimmen. Dieser liegt ein Modell der unvollkommenen Konkurrenz zugrunde; nicht jedwede Beschränkung der wirtschaftlichen Freiheit durch eine mitgliedstaatliche Vorschrift ist wettbewerbsrelevant i.S.d. Art. 95 EGV.[45] Als Maßstab für die Bestimmung einer Wettbewerbsverzerrung kommt allein ein Kostenvergleich in Betracht. Es sind hierfür die Kostenunterschiede festzustellen, die sich einer bestimmten nationalen Regelung zuordnen lassen.[46] Relevant sind lediglich Produktionskostenunterschiede,[47] die durch bestimmte mitgliedstaatliche Regelungen zurechenbar verursacht werden. Außer Betracht bleibt der Maßstab der Transaktionskostenunterschiede. Diese lassen sich nicht in praktikabler Weise abgrenzen, ohne dass die Berechnung entweder zu komplex würde oder komparative Kostenvorteile erfasst würden, die gerade nicht Ausdruck von Wettbewerbsverzerrungen, sondern von funktionierendem Wettbewerb sind.[48]

20. Die *Spürbarkeit* der Wettbewerbsverzerrungen ist quantitativ-qualitativ zu bestimmen. Das quantitative Kriterium dient als objektiver Maßstab dafür, wann eine Wettbewerbsverzerrung für einen Wettbewerber spürbar ist. Eine relevante Größenordnung erreicht ein Kostenunterschied in Höhe von ca. fünf Prozent der Produktionskosten. Dieser muss darüber hinaus zu einer Verschiebung von Marktanteilen führen. Resultiert aus den Kostenunterschieden, dass die Wettbewerber aus einem Mitgliedstaat pro Jahr ca. zwei Prozent ihres relativen Marktanteils verlieren, wirken die Kostenunterschiede spürbar wettbewerbsverzerrend i.S.d. Art. 95

---

43 § 5 II.2.
44 § 5 III.
45 § 5 IV.1.a).
46 § 5 IV.1.b).
47 § 5 IV.1.b)bb).
48 § 5 IV.1.b)cc).

EGV.[49] Dieses Element bedarf einer Ergänzung durch ein qualitatives Kriterium. Es stellt sicher, dass der Anwendungsbereich des Binnenmarktziels „Wettbewerbsverzerrungen“ nicht weiter geht, als das alternative Binnenmarktziel der „Verwirklichung der Grundfreiheiten“.[50] Hierdurch fallen Phänomene aus dem Anwendungsbereich des Art. 95 EGV heraus, deren Entstehung nicht maßgeblich auf Regelungsunterschiede im Binnenmarkt zurückzuführen sind, sondern deren Auswirkungen lediglich (u.a.) den Binnenmarkt betreffen.

21. Die Frage, ob der Anwendungsbereich des Art. 95 EGV auch die Harmonisierung strafrechtlicher Regelungen erfasst, wurde von der Literatur bis zur Einführung der strafrechtlichen Kompetenz im EU-Vertrag überwiegend bejaht. Allerdings haben sich die Mitgliedstaaten stets vehement gegen jegliche originäre strafrechtliche Einflussnahme der EG gewehrt, die auf Art. 95 EGV gestützt werden sollte.[51]

22. Der Tatbestandsalternative „Beseitigung von Hemmnissen für eine Grundfreiheit“ kommt im Rahmen der wissenschaftlichen Debatte keine Bedeutung zu.[52] Dies ist darauf zurückzuführen, dass die strafrechtlichen Harmonisierungsvorhaben der EG bislang lediglich darauf ausgerichtet waren, neue Straftatbestände einzuführen oder die strafrechtlichen Sanktionsfolgen zu verschärfen. In einem solchen Fall werden durch die EG-Regelung keine Beeinträchtigungen einer Grundfreiheit beseitigt, weshalb die EG sich zur Legitimation ihres Vorhabens nicht auf die Zielsetzung der Grundfreiheiten berufen könnte. Vollständig ausgeschlossen ist es jedoch nicht, dass insbesondere eine deregulierende Harmonisierung strafrechtlicher Vorschriften sich auf die Tatbestandsalternative der Beseitigung von Hemmnissen für eine Grundfreiheit berufen könnte.[53]

23. Sollen strafrechtliche Regelungen der Mitgliedstaaten mittels Art. 95 EGV verschärfend vereinheitlicht werden, kann dies deshalb nur über das Tatbestandsmerkmal der „Beseitigung spürbarer Wettbewerbsverzerrungen im Binnenmarkt“ erfolgen. Die h.L. hat die These entwickelt, dass die Tatbestandsvoraussetzungen grundsätzlich erfüllt sind, wenn Unterschiede in den nationalen Strafrechtsordnungen bestehen.[54] Sie verweist hierfür pauschal auf die Zusammenhänge des *Delaware-Effekts* des US-amerikanischen Gesellschaftsrechts und auf das Verhaltensmodell des *homo oeconomicus*.[55]

---

49 § 5 IV.2.a).
50 § 5 IV.2.b).
51 § 6 I.
52 Zu den verschiedenen Fallkonstellationen, die man hier unterscheiden kann, vgl. § 6 II.
53 § 6 II.
54 § 6 III.1.
55 § 6 III.2.

24. Es werden deshalb kurz die Funktionszusammenhänge des *Delaware-Effekts* dargelegt. Ein dem *Delaware-Effekt* vergleichbares Phänomen hat sich im europäischen Gesellschaftsrecht entwickelt, seitdem durch mehrere Entscheidungen des EuGH ein (gesellschaftsrechtlicher) Systemwettbewerb zugelassen wurde.[56] Die Arbeit zeigt jedoch auch die Unterschiede auf, die den europäischen Prozess von dem Phänomen des US-amerikanischen Gesellschaftsrechts unterscheiden, bevor sie sich der Frage zuwendet, ob diese Zusammenhänge auf das Strafrecht übertragen werden können.

25. Die Untersuchung stellt heraus, welche Phänomene die h.L. in Bezug nimmt, wenn sie behauptet, die Zusammenhänge des *Delaware-Effekts* träten entsprechend auf, wenn die mitgliedstaatlichen Strafrechtsordnungen nicht harmonisiert seien. Die h.L. verweist zum Teil auf ein kriminologisches und zum Teil auf ein Phänomen, das Fragen der (zwischenstaatlichen) Strafrechtspolitik betrifft. Diese werden in der vorliegenden Untersuchung – um die etablierte Analogie beizubehalten – als „kriminologischer" und „strafrechtlicher" *Delaware-Effekt* bezeichnet.[57] Ferner wird das Phänomen der Sog- und Spiralwirkungen erörtert. Auch in diesem Zusammenhang vertritt die h.L. die These, dass die von diesem Effekt ausgehenden Wettbewerbsverzerrungen mittels einer Harmonisierung der mitliedstaatlichen (materiellen) Strafrechtsordnungen behoben werden können.

26. Die Arbeit hat für die These der h.L., dass sich die Funktionszusammenhänge des *Delaware-Effekts* in einem Europa ohne Binnengrenzen auch bei strafrechtlichen und kriminologischen Geltungszusammenhängen zeigten, keine Anhaltspunkte gefunden. Die h.L. geht davon aus, dass bereits abstrakte Normunterschiede in den materiellen Strafrechtsordnungen zur Verlagerung kriminalisierten Verhaltens führen. Dieses menschliche Verhalten wiederum rufe einen Systemwettbewerb unter den Mitgliedstaaten auf dem Gebiet des (materiellen) Strafrechts hervor, der die Mitgliedstaaten in eine Deregulierungsspirale *(race to the bottom)* zwinge, wenn ihr nicht mittels einer zentralistischen Harmonisierung – auf EU-Ebene – entgegengewirkt werde.[58]

27. Das Modell der h.L. geht davon aus, dass sich (kriminelle) Menschen gemäß einem modifizierten *rational choice*-Ansatz verhalten. Sie unterstellen, dass Menschen ihr (wirtschaftliches) Verhalten im Binnenmarkt ausschließlich an materiellen Anreizen ausrichten.[59] Normunterschiede in den nationalen Strafrechtsordnungen hätten materielle Anziehungskraft, die (kriminelle) Nachfragebürger dazu

[56] § 6 III.2.b).
[57] § 6 III.2.c).
[58] § 6 III.2.a)bb).
[59] § 6 III.3.

veranlasste, ihr Verhalten an den Ort zu verlagern, an dem das für sie vorteilhafteste strafrechtliche Regelungsregime existiert.[60]

28. Anschließend wird herausgearbeitet, welcher weitere Faktor die herrschende Auslegung des Art. 95 EGV determiniert. Die h.L. bestimmt das Kriterium der *Spürbarkeit* der Wettbewerbsverzerrungen in Art. 95 EGV ausschließlich qualitativ. Sie beurteilt hierbei, ob ein Mensch – ihres Verhaltensmodells – sich (typischerweise) durch einen Normunterschied in seinem wirtschaftlichen Verhalten beeinflussen lassen würde. Stellt man – wie die h.L. – zugleich darauf ab, dass Normunterschiede zwischen den mitgliedstaatlichen Strafrechtsordnungen ökonomische Anreize hervorrufen, wird der Anwendungsbereich des Tatbestandsmerkmals „spürbare Wettbewerbsverzerrungen" sehr weit.[61] Auch abstrakte Normunterschiede in den Strafrechtsordnungen können bei dieser Betrachtungsweise zu (typischem) Verhalten veranlassen, das zu spürbaren Wettbewerbsverzerrungen auf dem Binnenmarkt führt.

29. Die Argumentation der h.L. ist deshalb zirkulär. Sie misst Wettbewerbsverzerrungen mittels eines Verhaltensmodells, das menschliches Verhalten *ausschließlich* auf materielle Anreize zurückführt.[62] Gleichzeitig passt sie den Prüfungsgegenstand (Unterschiede in den mitgliedstaatlichen Strafrechtsordnungen) an diesen Maßstab an. Denn sie geht davon aus, dass Rechtsunterschiede ökonomische Anreize schaffen, welche zu entsprechendem (Verlagerungs-)Verhalten veranlassen. Infolge ihres *qualitativen* Ansatzes, mit dem die h.L. das Kriterium der Spürbarkeit (der Wettbewerbsverzerrungen) im Rahmen von Art. 95 EGV bestimmt, wird diese Argumentation zirkulär, da es ausreicht, dass ein Normunterschied möglicherweise das (typische) Verhalten eines Marktteilnehmers beeinflusst. Bei dieser Betrachtungsweise sind kaum Normunterschiede irgendeines Rechtsgebiets denkbar, die nicht zu spürbaren Wettbewerbsverzerrungen im Binnenmarkt führen.[63]

30. Diese Vorgehensweise lässt sich mit dem in § 5 der Arbeit entwickelten quantitativ-qualitativen Maßstab nicht vereinbaren.[64] Ob gewisse Normunterschiede zu spürbaren Wettbewerbsverzerrungen führen, ist hiernach nur mittels einer empirischen Untersuchung des jeweiligen Phänomens feststellbar. Eine pauschale Aussage, ob ein abstrakter Normunterschied zu spürbaren Wettbewerbsverzerrungen im Binnenmarkt führt, ist hingegen nicht möglich. Die vorliegende Arbeit wertet deshalb in den jeweiligen Fällen Sekundäranalysen aus, um beurteilen zu

60 § 6 IV.1.
61 § 6 III.4.a)b).
62 § 6 IV.4.b).
63 § 6 IV.4.b).
64 § 6 III.4.c).

können, ob in entsprechenden (typischen) Fallkonstellationen Wettbewerbsverzerrungen im Binnenmarkt entstehen.

31. Die Arbeit hat festgestellt, dass eine Übertragung der Funktionszusammenhänge des US-amerikanischen Gesellschaftsrechts auf kriminologische und strafrechtliche Funktionszusammenhänge im Binnenmarkt keine treffende Analogie ist.[65] Die theoretische und empirische Untersuchung der einzelnen Effekte führte zu folgenden Ergebnissen:

32. Eine Übertragung der Mechanismen des *Delaware-Effekts* auf kriminologische Zusammenhänge ist nicht überzeugend möglich.[66] Es ging hier um die Frage der örtlichen Verlagerung von Kriminalität als Folge von Normunterschieden. Die Untersuchung hat in einem ersten Schritt herausgearbeitet, in welchen wissenschaftlichen Diskursen vergleichbare Verlagerungseffekte diskutiert werden. Dabei wurden Bezüge zur neoklassischen Institutionenökonomie hergestellt, deren Modellannahmen der *Delaware-Effekt* nahezu idealtypisch entspricht.[67] Herausgearbeitet wird ferner, dass und wie – im Rahmen der *situational crime prevention*-Forschung – kriminologische Verlagerungseffekte untersucht werden.[68] Anschließend wird die These der h.L. anhand der Forschungsergebnisse der Institutionenökonomie und der Erkenntnisse des *situational crime prevention*-Ansatzes überprüft. Hierdurch werden methodische Defizite der These der h.L. sichtbar.[69] Außerdem zeigt sich, dass das Modell der h.L. auf Vereinfachungen beruht, die sich in der Rechtswirklichkeit der EU nicht widerspiegeln.[70] So geht aus einem Vergleich mit den Ergebnissen der kriminologischen Forschung hervor, dass die örtliche Verlagerung kriminellen Verhaltens nicht Folge abstrakter Normunterschiede in den Rechtsordnungen ist, sondern allenfalls Auswirkung von konkreten Überwachungsmaßnahmen.[71]

33. Die Verifizierung dieser theoretischen Erkenntnisse anhand einer Reihe von Fallkonstellationen, in denen nach der These der h.L. wettbewerbsverzerrende Verlagerungseffekte auftreten müssten, hat diese Annahme bestätigt. Hierfür wurde eine Vielzahl von Fallkonstellationen mittels Sekundäranalysen (Studien der Kommission, Daten der polizeilichen Kriminalstatistiken u.a.) empirisch ausgewertet. Es wurden Fälle analysiert, in denen abstrakte Normunterschiede (finanzielle) Anreize setzen, entsprechendes Verhalten örtlich zu verlagern. Die Untersuchung

---

[65] § 6 III.2.c), 3., 4., IV.1.
[66] § 6 IV.1.
[67] § 6 IV.1.a)
[68] § 6 IV.1.b).
[69] § 6 IV.1.c).
[70] § 6 IV.1.c)bb).
[71] § 6 IV.1.c)aa).

hat ergeben, dass kriminologische Verlagerungseffekte sich weder bei kriminellen Personen[72] noch bei illegalen Waren[73] oder illegalen Produktionsstätten[74] als Folge von Unterschieden in den (materiellen) Rechtsordnungen, d.h. als Folge des generalpräventiven Charakters einer Strafrechtsordnung zeigen. Zwar lassen sich z.T. (kriminelle) Verlagerungseffekte feststellen. Für den zentralen Fall der h.L., dass ein Verhalten zwar in den verschiedenen Mitgliedstaaten strafrechtlich bewehrt ist, diese Bewehrung aber unterschiedlich ausgestaltet ist, lässt sich dies jedoch nicht feststellen.[75] Verlagerungseffekte treten wohl auf, wenn bestimmte Verhaltensweisen in einem Land erlaubt und in einem anderen unter Strafandrohung verboten sind.[76] Allerdings beruhten in den untersuchten Fallkonstellationen diese Effekte nicht auf wirtschaftlichen Anreizen, die auf Unterschiede in den materiellen Strafrechtsordnungen der Vergleichsstaaten zurückzuführen sind.

34. Ferner wurde herausgearbeitet, dass – auch wenn sich (kriminelle) Verlagerungseffekte zeigen – diese jedoch keine Wettbewerbsverzerrungen im Binnenmarkt zur Folge haben. So fehlt es z.B. bei einem feststellbaren Verlagerungseffekt im Zusammenhang mit legalem/illegalem Drogenhandel im Binnenmarkt an einem relevanten legalen Markt, auf dem es zu Wettbewerbsverzerrungen kommen könnte.[77] Im Fall einer Verlagerung von Kapitalanlagen in Steueroasen (wie z.B. Liechtenstein, Österreich u.a.) bewirkt nicht die fehlende Harmonisierung der materiell-strafrechtlichen Vorschriften diesen Effekt. Er geht vielmehr primär auf steuerrechtliche Anreize zurück sowie darauf, dass internationale Rechtshilfe in Fiskalstrafsachen von diesen Staaten bislang nicht gewährt wird. Darüber hinaus fehlt es im Fall der Steueroasen an einem Anknüpfungspunkt für relevante Wettbewerbsverzerrungen im Binnenmarkt. Wie die Untersuchung zeigt, fiele die Anlage von Geld, dessen Existenz einem ausländischen Finanzamt verschwiegen wird, aus einem anderen Grund aus dem Anwendungsbereich des Art. 95 EGV heraus, da die Erwägungen der *Keck*-Rechtsprechung des EuGH hierauf zu übertragen wären.[78]

35. Auch der zweite Effekt, der nach der These der h.L. zu Wettbewerbsverzerrungen im Binnenmarkt führt – der strafrechtliche *Delaware-Effekt* –, konnte hier nicht nachgewiesen werden. Weder ließ sich feststellen, dass dem Strafrecht im allgemeinen Wettbewerb der Staaten eine im Einzelnen zu benennende Rolle zukommt, noch, dass ein eigenständiger Wettbewerb der (Strafrechts-)Systeme zwischen den EU-Mitgliedstaaten stattfindet.[79]

---

[72] § 6 IV.2.–4.

[73] § 6 IV.5.

[74] § 6 IV.6.

[75] § 6 IV.3.c).

[76] § 6 IV.4.

[77] § 6 IV.4.b)aa).

[78] § 6 IV.4.b)bb), cc).

[79] § 6 V.

36. Außerdem wurde untersucht, ob Anreize für die staatlichen Entscheidungsträger bestehen, mit anderen Staaten in einen strafrechtlichen Systemwettbewerb einzutreten.[80] Die These der h.L. geht davon aus, dass in einer immer stärker harmonisierten EU bereits die generalpräventive Wirkung der einzelnen Strafrechtsordnungen und -vorschriften Einfluss auf den Wettbewerb im Binnenmarkt ausübe. Und sie folgert hieraus, dass dies die Mitgliedstaaten in eine Deregulierungsspirale zwinge, der nur durch eine Harmonisierung der nationalen Strafrechtsordnungen entgegnet werden könne.

37. Als Ergebnis stellt sich heraus, dass ein solcher Unterbietungswettbewerb der Staaten weder aktuell noch in absehbarer Zukunft droht. Auch hier beruhen die methodischen Grundlagen der These der h.L. auf einer unzutreffenden Analogie.[81] Der Verweis auf den *Delaware-Effekt* in diesem Zusammenhang geht davon aus, dass den EU-Mitgliedstaaten ein neoklassisch-wohlfahrtsökonomisches Staatsverständnis zugrunde liegt und im Binnenmarkt das Prinzip der vollkommenen Konkurrenz herrscht. Beides ist nicht der Fall.[82]

38. Die empirische Überprüfung dieser Annahmen hat ergeben, dass weder der generalpräventiven Wirkung der Strafrechtsordnungen eine messbare Rolle im Wettbewerb der Staaten zukommt noch für die demokratisch legitimierten Politiker der EU Anreize bestehen, eine (Strafrechts-)Politik zu betreiben, die den Funktionszusammenhängen des *Delaware-Effekts* entspricht.

39. Die Arbeit hat zu diesem Zweck mehrere ordnungsökonomische Studien analysiert, welche die Faktoren einzeln benennen, die im allgemeinen Wettbewerb der Staaten eine Rolle spielen. Alle maßen dem generalpräventiven Charakter der Strafrechtsordnung eines Staates keine messbare Relevanz im Wettbewerb der Staaten bei.[83] Bestätigt wird diese These durch einen aktuellen Fall, der im Anschluss an diese Sekundäranalysen beschrieben wird. Eine Untersuchung der wirtschaftlichen Folgen der nahezu vollständigen Deregulierung der Strafbewehrung der italienischen Buchführungsregeln im Jahr 2003 ergibt, dass diese Änderung/Deregulierung keine feststellbaren Auswirkungen auf die Wettbewerbsfähigkeit Italiens hat.[84]

40. Auch die Handlungsmaxime, welche die staatlichen Akteure dazu verleite, eine Politik zu betreiben, die zu einem strafrechtlichen *Delaware-Effekt* führt, beruht auf einer unzutreffenden Analogie der h.L. Die hiesige Untersuchung legt dar,

---

[80] § 6 V.1.

[81] § 6 V.2.

[82] § 6 V.2.a)bb).

[83] § 6 V.2.b)aa).

[84] § 6 V.2.b)bb).

dass für politische Akteure weder fiskal- noch rechtspolitische Vorteile hieraus folgen, eine Deregulierungspolitik auf dem Gebiet des strafrechtlichen Rechtsgüterschutzes zu betreiben.[85] Eine solche Strafrechtspolitik ist für einen Mitgliedstaat fiskalpolitisch uninteressant, da mit ihr eine steigende Belastung der öffentlichen Haushalte verbunden wäre.[86] Auch rechtspolitische Anreize für eine solche Strafrechtspolitik bestehen nicht. Es wurde herausgearbeitet, dass den demokratisch legitimierten Politikern auf dem Rechtsgebiet des Strafrechts ein ex- wie intensiver Kurs durch die Stimmung in der Bevölkerung aufgedrängt wird, d.h. dass global betrachtet sowohl das Sanktionsniveau der Strafen steigt als auch der Umfang der Strafcodices zunimmt. Das Strafrecht gilt in der Bevölkerung und derzeit bei Politikern verstärkt als Mittel, um unerwünschtem Verhalten entgegensteuern zu können. Die Untersuchung begründet diese Entwicklung, indem sie das Rechtsgebiet des Strafrechts als Politikbereich einordnet, in dem Staatsversagen i.S.d. *public choice*-Theorie herrscht.[87]

41. Die Arbeit weist auf ein weiteres Manko hin, das dagegen spricht, die Zusammenhänge des *Delaware-Effekts* auf strafrechtspolitische Zusammenhänge zu übertragen. Es wird aufgezeigt, dass die strafrechtliche Verantwortlichkeit anderen Prinzipien folgt, als die Gründungstheorie des Gesellschaftsrechts, die Grundlage des *Delaware-Effekts* ist. Insbesondere das Territorialitäts- und Personalitätsprinzip verhindern im Binnenmarkt weitgehend, dass eine örtliche Verlagerung der kriminellen Aktivität zur Folge hat, dass Straftäter durch eine Änderung des Aufenthaltsorts die strafrechtliche Verantwortlichkeit nach freiem Ermessen selbst bestimmen können.[88]

42. Eine Deregulierungsspirale im Politikbereich des Strafrechts lässt sich nicht feststellen. Die Arbeit unterteilt die Entwicklung im Politikbereich des Strafrechts in zwei Teile.[89] Auf der einen Seite steht der strafrechtliche Rechtsgüterschutz (Schutz *durch* Strafrecht). In diesem Bereich zeigt sich, dass sich die Strafrechtsordnungen ausdehnen und ihre Sanktionsdrohungen verschärft werden *(race to the top)*. Auf der anderen Seite steht der Bereich, in dem durch die Strafrechtsordnungen Schutzrechte vor dem staatlichen Strafverfolgungsanspruch gewährt werden (Schutz *vor* Strafrecht). Lediglich in letzterem Bereich lässt sich die behauptete Folge der h.L., eine Deregulierung *(race to the bottom)*, nachweisen. Diese geht jedoch nicht auf einen Deregulierungswettbewerb der Staaten zurück, sondern beruht auf dem Gegenteil, dem kartellartigen Zusammenwirken der Mitgliedstaaten, das eine effektive Strafverfolgung sicher stellen soll.

---

[85] § 6 V.2.b).
[86] § 6 V.2.c)aa).
[87] § 6 V.2.c)bb).
[88] § 6 V.3.a)aa).
[89] § 6 V.3.a)bb).

43. Die Untersuchung wendet sich weiterhin gegen die Behauptung, dass von strafrechtlichen Normunterschieden ökonomische Anreize zur Verlagerung kriminellen Verhaltens im Binnenmarkt ausgehen. Hierfür untersucht sie einige repräsentative qualitative Veränderungen der Strafrechtsordnungen der EU-Mitgliedstaaten und stellt fest, dass die ökonomischen Anreize für kriminelles Verhalten in den letzten Jahren kontinuierlich abgenommen haben. Es wird gezeigt, dass die These der h.L. auf einem statischen Sanktionsmodell beruht. In diesem werden Strafen nach einem feststehenden Satz verhängt, der auch bei Wiederholungstätern Anwendung findet.[90] Die Mitgliedstaaten haben seit den 1970er Jahren ihre Sanktionssysteme jedoch verstärkt danach ausgerichtet, die wirtschaftlichen Anreize kriminellen Verhaltens zu verringern. Sie haben u.a. ihre Sanktionsmodelle auf das Tagessatzmodell umgestellt. Ferner werden die individuellen Tatgewinne beim Strafausspruch mitberücksichtigt und Wiederholungstäter grundsätzlich schärfer bestraft als Ersttäter.[91] Darüber hinaus haben die Mitgliedstaaten auf Initiative der EG neue Sanktionsinstrumente wie die Gewinnabschöpfung oder den Tatbestand der Geldwäsche eingeführt, um die ökonomischen Anreize für fortgesetztes kriminelles Verhalten zu verringern.[92] Die Untersuchung zeigt anhand des Siemens-Korruptionsskandals auf, dass die Annahme der h.L., dass kriminelle *homines oeconomici* die später zu erwartende Strafe einer jahrelangen planmäßigen internationalen illegalen Tätigkeit annähernd realistisch *ex ante* berechnen könnten, aufgrund der politischen Entwicklung, die nach wie vor anhält, keine realistische Annahme ist.

44. Danach behandelt die Arbeit eine dritte Fallgruppe, in der die h.L. eine strafrechtliche Kompetenz der EG unter dem Gesichtspunkt „Beseitigung spürbarer Wettbewerbsverzerrungen auf dem Binnenmarkt“ annimmt. Hierzu bezieht sie sich auf die Sog- und Spiralwirkungen kriminellen Verhaltens.[93] Diese Sogwirkungen lassen sich im Rahmen des kriminologischen und strafrechtspolitischen Phänomens denken. Es lässt sich jedoch nicht feststellen, dass die Anwendung von Strafrecht durch einen Systemwettbewerb in angrenzenden Rechtsgebieten in Mitleidenschaft gezogen wird.[94] Auch stellt die Arbeit klar, dass sich Sogwirkungen als kriminologisches Phänomen außerhalb des Kartellrechts nicht feststellen lassen.[95] In diesen Fällen erscheint eine Rechtsharmonisierung jedoch als ungeeignet, diese Sogwirkungen zu beseitigen.[96] Auch insoweit besteht deshalb keine Kompetenz der EG unter Berufung auf Art. 95 EGV strafrechtliche Vorschriften der Mitgliedstaaten harmonisieren zu können.

---

[90] § 6 V.3.b).

[91] § 6 V.3.b)aa).

[92] § 6 V.3.b)bb).

[93] § 6 VI.

[94] § 6 VI.1.

[95] § 6 VI.2.

[96] § 6 VI.2.c).

45. Die Untersuchung schließt mit einer eigenen Stellungnahme. Hierfür werden eingangs die EuGH-Entscheidungen *Fluggastdaten* und *Vorratsdatenspeicherung* dargestellt. Es wird herausgearbeitet, dass sich der EuGH in ihnen mit der Frage befasst, ob Regelungen, die lediglich ein strafrechtliches (Neben-)Ziel verfolgen, mittels Art. 95 EGV verabschiedet werden dürfen,[97] und wie sich diese Entscheidungen in die Systematik des Art. 95 EGV einpassen lassen.

46. Anschließend wird gezeigt, dass sich das Regelungsgebiet des Strafrechts nicht auf dogmatisch schlüssige Art in den Anwendungsbereich von Art. 95 EGV integrieren lässt und deshalb auch insoweit eine originäre Strafrechtskompetenz der EG ausscheiden muss.

47. Diese Schlussfolgerung wird auf eine Reihe von Argumenten gestützt,[98] u.a. durch den Verweis darauf, dass dem Strafrecht weder eine individualisierbare Rolle im Hinblick auf die Regelungszusammenhänge des Binnenmarkts zukommt,[99] noch, dass ein Maßstab zur Verfügung steht, mit dem sich bemessen ließe, ob eine strafrechtliche Vorschrift Wettbewerbsverzerrungen im Binnenmarkt hervorruft.[100] Aus dem *ultima ratio*-Gedanken des Strafrechts wird abgeleitet, dass es darüber hinaus unzulässig ist, strafrechtliche Zwecke als Unter- oder Nebenziel einer Binnenmarktregelung zu verfolgen. Es wird dargelegt, dass der *ultima ratio*-Gedanke des Strafrechts es verbietet, den Erlass einer strafrechtlichen Vorschrift auf eine nichtstrafrechtliche Sachpolitikkompetenz des EG-Rechts zu stützen.[101] Ferner spricht ein Erst-Recht-Schluss aus den Souveränitätsvorbehalten des Art. 95 Abs. 2 EGV dagegen, die tragenden Entscheidungsgründe der Urteile des EuGH Rs. *C-176/03* und *C-440/05* auf den Bereich des Art. 95 EGV zu übertragen.[102] Diese These stützt weiterhin, dass der Politikbereich des Strafrechts als eine Ausprägung der Figur des ungeschriebenen Souveränitätsvorbehalts gesehen werden könnte, die der EuGH u.a. in der Entscheidung „*Alexander Dory*" anerkannt hat.[103] Überdies ist festzuhalten, dass eine strafrechtliche Harmonisierungskompetenz dem Ziel der Rechtsfortbildung durch den EuGH in den Rs. *C-176/03* und *C-440/05* – dem Europarecht zur effizienteren Durchsetzung zu verhelfen – bei einer Harmonisierung im Rahmen von Art. 95 EGV nicht eintreten würde. Denn spürbare Wettbewerbsverzerrungen auf dem Binnenmarkt würden durch eine Harmonisierung der materiellen Strafrechtsordnungen der Mitgliedstaaten nicht beseitigt.[104]

---

97 § 7 I.
98 § 7 II.
99 § 7 III.1.
100 § 7 III.2.
101 § 7 III.3.
102 § 7 III.4.a).
103 § 7 III.4.b).
104 § 7 III.5.

48. Die Untersuchung hat deshalb zum Ergebnis, dass der EG nach derzeitiger Rechtslage keine originäre strafrechtliche Kompetenz zusteht. Weder lässt sich eine solche auf eine Rechtsfortbildung des EuGH stützen, noch überzeugt es, eine strafrechtliche Kompetenz auf die funktionale Kompetenznorm des Art. 95 EGV zurückzuführen.

Anhang

Verzeichnis (chronologisch) der abgekürzt zitierten Gerichtsentscheidungen

I. EuGH

- EuGH vom 29.11.1956, Rs. 8/55, „Fédération Charbonnière de Belgique gegen Hohe Behörde der Europäischen Gemeinschaft", Slg. 1956, 297; zit.: „*Fédéchar*".
- EuGH vom 5.2.1963, Rs. 26/62 „NV Algemene Transport- en Expeditie Onderneming van Gend & Loos gegen Niederländische Finanzverwaltung", Slg. 1963, S. 3, zit.: „*van Gend & Loos*".
- EuGH vom 15.7.1964, Rs. C-6/64 „Costa/E.N.E.L." Slg. 1964, S. 1251; zit.: „*Costa / E.N.E.L.*".
- EuGH vom 3.7.1974, Rs. 9/74 „Casagrande/Landeshauptstadt München", Slg. 1974, S. 773; zit.: „*Casagrande / Landeshauptstadt München*".
- EuGH vom 2.2.1977, Rs. 50/76 „Amsterdam Bulb/Produktschap voor Siergewassen", Slg. 1977, S. 139; Schlussanträge GA *Capotorti* vom 15.12.1976; zit.: „*Amsterdam Bulb*".
- EuGH vom 14.7.1977 „Concetta Sagulo, Gennaro Brenca und Addelmadjid Bakhouche", Rs. 8/77, Slg. 1977, S. 1495; zit.: „*Sagulo*".
- EuGH vom 11.11.1981, Rs. 203/80 „Strafverfahren gegen Guerrino Casati", Slg. 1981, S. 2585 ff.; zit.: „*Casati*".
- EuGH vom 9.7.1987, Rs. C-281, 283 bis 285 und 287/85 „Deutschland u.a./ Kommission", Slg. 1987, S. 3203; zit.: „*Deutschland, u.a. / Kommission*".
- EuGH vom 25.2.1988, Rs. C-299/86 „Strafverfahren gegen Rainer Drexl", Slg. 1988, S. 1213; zit.: „*Drexl*".
- EuGH vom 2.2.1989, Rs. C-186/87 „Ian William Cowan gegen Trésor Public", Slg. 1989, S. 185; zit.: „*Cowan*".
- EuGH vom 21.9.1989, Rs. 68/88 „Kommission/Griechenland", Slg. 1989, S. 2965; zit.: „*Griechischer Mais*".
- EuGH vom 13.7.1990, Rs. C-2/88 „Zwartveld", Slg. 1990, I-3365; zit.: „*Zwartveld*".
- EuGH vom 11.6.1991, Rs. C-300/89 „Kommission/Rat", Slg. 1991, I-2867; zit.: „*Titandioxid*".
- EuGH vom 27.10.1992, Rs. C-240/90 „Deutschland/Kommission", Slg. 1992, I-5383; zit. „*C-240/90*".
- EuGH vom 19.3.1993, Rs. C-157/92 „Pretore von Genua gegen Giorgio Domingo Banchero", Slg. 1992, I-1085; zit.: „*Banchero*".

- EuGH vom 24.11.1993, verb. Rs. 267 u. 268/91 „Strafverfahren gegen Bernard Keck und Daniel Mithouard“, Slg. 1993, I-6097; zit.: „*Keck u. Mithouard*“ oder „*Keck*“.
- EuGH vom 15.11.1994, Gutachten 1/94 „TRIPs Kompetenz“, Slg. 1994, I-5267; zit.: „*TRIPs Kompetenz*“.
- EuGH vom 13.7.1995, Rs. C-350/92 „Spanien/Rat“, Slg. 1995, I-1985; zit.: „*Spanien / Rat*“.
- EuGH vom 12.11.1996, Rs. C-84/94 „Großbritannien/Rat“, Slg. 1996, I-5755; zit.: „*Großbritannien / Rat*“.
- EuGH vom 16.6.1998, Rs. C-226/97 „Lemmens“, Slg. 1998, I-3711; zit.: „*Lemmens*“.
- EuGH vom 19.1.1999, Rs. C-348/96 „Strafverfahren gegen Donatella Calfa“, Slg. 1999, I-11; zit.: „*Donatella Calfa*“.
- EuGH vom 5.10.2000, Rs. C-376/98 „Deutschland/Kommission“, Slg. 2000, I-8419; zit.: „*Tabakwerberichtlinie I*“.
- EuGH vom 10.12.2002 Rs. C-491/01 „The Queen gegen Secretary of State for Health, ex parte British American Tobacco (Investments) Ltd und Imperial Tobacco Ltd.“, Slg. 2002, I-11453; Schlussanträge von GA *Geelhoed* vom 10.9.2002; zit.: „*British American Tobacco*“.
- EuGH vom 12.7.2005, verb. Rs. C-154/04, C-155/04 „The Queen, auf Antrag von Alliance for Natural Health und Nutri-Link Ltd gegen Secretary of State for Health (C-154/04) und The Queen, auf Antrag von National Association of Health Stores und Health Food Manufacturers Ltd gegen Secretary of State for Health und National Assembly for Wales (C-155/04)“, Slg. 2005, I-6451; zit.: „*Nahrungsergänzungsmittel*“.
- EuGH vom 13.9.2005, Rs. C-176/03 „Kommission/Rat“, Slg. 2005, I-7879 ff.; Schlussanträge GA *Colomer* vom 26.5.2005; zit.: „*C-176/03*“.
- EuGH vom 6.12.2005, Rs. C-66/04 „Vereinigtes Königreich Großbritannien u. Nordirland/Europäisches Parlament und Rat“, Slg. 2005, I-10553; zit.: „*Raucharomen*“.
- EuGH vom 2.5.2006, Rs. C-436/03 „European Cooperative Society“, Slg. 2006, I-3733; zit.: „*European Cooperative Society*“.
- EuGH vom 2.5.2006, Rs. C-217/04 „ENISA“ Slg. 2006, I-3771; zit.: „*ENISA*“.
- EuGH vom 30.5.2006, verb. Rs. C-317/04 u. C-318/04 „Europäisches Parlament gegen Rat der Europäischen Union (C-317/04) und Kommission der Europäischen Gemeinschaften (C-318/04)“, Slg. 2006, I-4722; Schlussanträge GA *Léger* vom 22.11.2005; zit.: „*Fluggastdaten*“.
- EuGH vom 12.12.2006, Rs. C-380/03 „Deutschland/Kommission“, Slg. 2006, I-11573; zit.: „*Tabakwerberichtlinie II*“.
- EuGH vom 6.3.2007, Rs. C-338/04, C-359/04 u. C-360/04 „Strafverfahren gegen Massimiliano Placanica (C-338/04), Christian Palazzese (C-359/04) und Angelo Sorricchio (C-360/04)“, Slg. 2007, I-1891; zit.: „*Placanica*“.
- EuGH vom 23.10.2007, Rs. C-440/05 „Kommission/Rat“, Slg. 2007, I-9097; Schlussanträge GA *Mazák* vom 28.6.2007; zit.: „*C-440/05*“.
- GA *Bot* Schlussanträge vom 13.10.2008, Rs. C-301/06 „Irland/Rat“, noch nicht in der amtlichen Sammlung veröffentlicht; zit.: „*Vorratsdatenspeicherung*“.

II. BVerfG

- BVerfGE vom 12.10.1993, 2 BvR 2134, 2159/92, BVerfGE 89, 155 (194); zit.: „*Maastricht*“.
- BVerfGE vom 30.6.2009, 2 BvE 2/08, 2 BvE 5/08, 2 BvR 1010/08, 2 BvR 1022/08, 2 BvR 1259/08, 2 BvR 182/09, noch nicht in der amtlichen Entscheidungssammlung veröffentlicht, zitiert nach juris; zit.: „*Lissabon*“.

Literaturverzeichnis

Achenbach, Hans, Die wirtschaftsstrafrechtliche Reformbewegung – ein Rückblick. In: Ulrich Sieber u.a. (Hrsg.), Strafrecht und Wirtschaftsstrafrecht – Dogmatik, Rechtsvergleich, Rechtstatsachen. Festschrift für Klaus Tiedemann zum 70. Geburtstag. Köln, München 2008, S. 47.

Adams, Michael/Shavell, Steven, Zur Strafbarkeit des Versuchs. GA 1990, 337.

Albin, Silke, Das Subsidiaritätsprinzip in der EU – Anspruch und Rechtswirklichkeit. NVwZ 2006, 629.

Albrecht, Hans-Jörg, Strafzumessung und Vollstreckung bei Geldstrafen – unter Berücksichtigung des Tagessatzsystems; die Geldstrafe im System strafrechtlicher Sanktionen. Berlin 1980.

Albrecht, Peter-Alexis, Europäischer Strafrechtsraum: Ein Albtraum. ZRP 2004, 1.

– Eine unabhängige Judikative als Gegengewicht zur Erosion europäischer Strafrechtsprinzipien? KritV 2008, 39.

Ambos, Kai, Internationales Strafrecht: Strafanwendungsrecht, Völkerstrafrecht, Europäisches Strafrecht. München 2006.

Ambrosius, Gerold, Regulativer Wettbewerb und koordinative Standardisierung zwischen Staaten. Theoretische Annahmen und historische Beispiele. Stuttgart 2005.

Appel, Ivo, Kompetenzen der Europäischen Gemeinschaft zur Überwachung uns sanktionsrechtlichen Ausgestaltung des Lebensmittelrechts. In: Dannecker, Gerhard (Hrsg.), Lebensmittelstrafrecht und Verwaltungssanktionen in der Europäischen Union. Köln 1994, S. 165.

Argyropoulos, Christophoros D., Legitimationsprobleme prozessualer Regelungen des Corpus Juris am Beispiel griechischer Verfassungsgrundsätze. KritV 1999, 201.

Armour, John, Who Should Make Corporate Law? EC Legislation versus Regulatory Competition. Current Legal Problems 58 (2005), 369.

Arnim, Hans-Herbert von, Wohin treibt Europa? NJW 2007, 2531.

Barav, Ami, The exception of illegality in community law: a critical analysis. CMLRev 1974, 366.

Barber, Tony, Berlusconi's burden: Italy's economy languishes and reforms have failed. Financial Times vom 25.5.2004, 8.

Barents, René, The Internal Market unlimited: Some observations on the legal basis of community legislation. CMLRev 1993, 85.

Bartelt, Sandra/Zeitler, Helge-Elisabeth, „Intelligente Sanktionen“ zur Terrorismusbekämpfung in der EU. EuZW 2003, 712.

Basedow, Jürgen, Das Sozialmodell von Lissabon: Solidarität statt Wettbewerb? EuZW 2008, 225.

Baumann, Wolfgang, Ökonomie und Recht – Ökonomische Effizienzjurisprudenz. RNotZ 2007, 297.

Bebchuk, Lucian-Arye/Hamdani, Assaf, Vigorious Race or Leisurely Walk: Reconsidering Competition over Corporate Charters. Yale Law Journal 112 (2002), 553.

Beck, Sigfried, Verwertungsfragen im Verhältnis von Haupt- und Sekundärinsolvenzverfahren nach der EuInsVO. NZI 2006, 609.

Becker, Gary, Crime and Punishment: An Economic Approach. In: Becker, Gary S./ Landes, William S. (Hrsg.), Essays in the economics of crime and punishment. New York 1974, S. 1.

Behrens, Peter, Die ökonomischen Grundlagen des Rechts – Politische Ökonomie als rationale Jurisprudenz. Tübingen 1986.

Bellescize, Ramu de, La souveraineté limitée des Etats en matière pénale. Recueil Dalloz 2005 n° 39, S. 2697.

Berg, Werner/Karpenstein, Rolf, Änderungen der rechtlichen Grundlagen der EU durch den Vertrag von Amsterdam. EWS 1998, 77.

Bernardi, Alessandro, Opportunité de l'harmonisation. In: Delmas-Marty, Mireille/Giudicelli-Delage, Geneviève/Lambert-Abdelgawad, Elisabeth (Hrsg.), L'harmonisation des sanctions pénales en Europe. Paris 2003, S. 452.

Bertenrath, Roman/Fuest, Clemens/Kervian, Dominique/Welter, Patrick, Wirtschaftliche Freiheit in den deutschen Bundesländern 2007, http://medienbibliothek.fnst.de/uploads/medienbibliothek/LR-WirtFreiheit2007.pdf

Bicker, Eike Thomas, Gläubigerschutz in der grenzübergreifenden Konzerngesellschaft – Eine international-privatrechtliche Untersuchung am Beispiel der abhängigen englischen Kapitalgesellschaft mit Verwaltungssitz in Deutschland. Berlin 2007.

Bieber, Roland, Die Abkommen von Schengen über den Abbau der Grenzkontrollen. NJW 1994, 294.

Bieling, Hans-Jürgen/Steinhilber, Jochen (Hrsg.), Die Konfiguration Europas: Dimensionen einer kritischen Integrationstheorie. Münster 2000.

Biervert, Bernd, Der Missbrauch von Handlungsformen im Gemeinschaftsrecht. Eine Untersuchung des gemeinschaftsrechtlichen Handlungsformensystems unter Einbeziehung der Rechtsordnungen Deutschlands, Frankeichs und Englands. Baden-Baden 1999.

Bischoff, Jan Asmus, Besprechung des Gutachtens 1/03 des EuGH vom 7.2.2006. EuZW 2006, 295.

Blanke, Hermann-Josef, Normativer Gehalt und Justitiabilität des Subsidiaritätsprinzips nach Art. 3 b EGV. In: Hrbek, Rudolf/Blanke, Hermann-Josef (Hrsg.), Das Subsidiaritätsprinzip in der Europäischen Union – Bedeutung und Wirkung für ausgewählte Politikbereiche. Baden-Baden 1995, S. 95.

Bleckmann, Albert, Zu den Auslegungsmethoden des Europäischen Gerichtshofs. NJW 1982, 1177.

Bock, Yves, Rechtsangleichung und Regulierung im Binnenmarkt. Zum Umfang der allgemeinen Binnenmarktkompetenz. Baden-Baden 2004.

Boeck, Ilka, Die Abgrenzung der Rechtssetzungskompetenzen von Gemeinschaft und Mitgliedstaaten in der Europäischen Union. Baden-Baden 2000.

Bogdandy, Armin von, Rechtsfortbildung mit Art. 5 EG-Vertrag. In: Randelholzer, Albrecht u.a. (Hrsg.), Gedächtnisschrift für Eberhard Grabitz. München 1995, S. 17.

Bogdandy, Armin von/Bast, Jürgen, Die vertikale Kompetenzordnung der Europäischen Union. Rechtsdogmatischer Bestand und verfassungspolitische Reformperspektiven. EuGRZ 2001, 441.

Böge, Ulf, Leniency programs and the private enforcement of European competition law. In: Basedow, Jürgen (Hrsg.), Private Enforcement of EC Competition Law. Alphen aan den Rijn 2007, S. 217.

Böhm, Klaus Michael, Die Kozlowski-Entscheidung des EuGH und ihre Auswirkungen auf das deutsche Auslieferungsrecht – Kein „Strafvollstreckungstourismus" innerhalb Europas. NJW 2008, 3183.

Bono, Ricardo-Gosalbo, The development of general principles of law at national and community level: achieving a balance. In: Schulze, Reiner/Seif, Ulrike (Hrsg.), Richterrecht und Rechtsfortbildung in der Europäischen Rechtsgemeinschaft. Tübingen 2003, S. 99.

Borchardt, Klaus-Dieter, Richterrecht durch den Gerichtshof der Europäischen Gemeinschaften. In: Randelholzer, Albrecht u.a. (Hrsg.), Gedächtnisschrift für Eberhard Grabitz. München 1995, S. 29.

– Die rechtlichen Grundlagen der Europäischen Union. 3. Aufl. Heidelberg 2006 (zit. Europäische Union).

Boscarelli, Marco, Reflexions sur l'influence du droit communautaire sur le droit penal des etats-membres. In: Università di Parma (Hrsg.), Droit communautaire et droit penal – coloque du 25 octobre 1979. Mailand, Brüssel 1981.

Böse, Martin, Strafen und Sanktionen im Europäischen Gemeinschaftsrecht. Köln u.a. 1996.

– Die Zuständigkeit der Europäischen Gemeinschaft für das Strafrecht. Zugleich Besprechung von EuGH, Urteil vom 13.9.2005. GA 2006, 211.

– Der Grundsatz der Verfügbarkeit von Informationen in der strafrechtlichen Zusammenarbeit der Europäischen Union. Göttingen 2007.

Bosshard, Georg/Fischer, Susanne/Faisst, Karin, Behandlungsabbruch und Behandlungsverzicht in sechs europäischen Ländern. Resultate der EURELD/MELS-Studie. Primary Care 2005 (Nr. 39), 799.

Bouveresse, Aude, Bases juridiques autorisant la création d'organismes dotés d'une personnalité juridique propre. Europe 2006 (Juillet), Comm. n° 203 S. 9.

– Compétences communautaires en matière pénale. Europe 2007 (Décembre), Comm. n° 326, S. 16.

Braum, Stefan, Das „Corpus Juris" – Legitimität, Erforderlichkeit und Machbarkeit. JZ 2000, 493.

– Europäische Strafgesetzlichkeit. Frankfurt a.M. 2003.

– Europäische Strafgesetzgebung: Demokratische Strafgesetzlichkeit oder administrative Opportunität? – Besprechung des Urteils des EuGH vom 13. September 2005, Rs. C-176/03. wistra 2006, 121.

– Europäischer Datenschutz und europäisches Strafrecht. KritV 2008, 82.

Breier, Siegfried, Das Schicksal der Titandioxid-Richtlinie. EuZW 1993, 315.

Breulmann, Günter, Normung und Rechtsangleichung in der Europäischen Wirtschaftsgemeinschaft. Berlin 1993.

Brömmelmeyer, Christoph, Der Binnenmarkt als Leitstern der Richtlinie über unlautere Geschäftspraktiken. GRUR 2007, 295.

Broussy, Emmanuelle/Donnat, Francis/Lambert, Christian, Chronique de jurisprudence communautaire. Compétence communautaire et sanctions pénales. L'actualité juridique-droit administratif 2007, 2251.

Brunner, Manfred, Das Subsidiaritätsprinzip als europäisches Prinzip. In: Merten, Detlef (Hrsg.), Die Subsidiarität Europas. 2. Aufl. Berlin 1994, S. 9.

Bruns, Wilhelm, Der strafrechtliche Schutz der europäischen Marktordnung für die Landwirtschaft. Berlin 1980.

Buck, Petra, Die EG-Rechtsvereinheitlichung auf dem Gebiet des geistigen Eigentums – eine kritische Bestandsaufnahme. EWS 1991, 329.

Bungenberg, Marc, Art. 235 EGV nach Maastricht. Baden-Baden 1999.

– Dynamische Integration, Art. 308 EGV und die Forderung nach dem Kompetenzkatalog. EuR 2000, 879.

Busse, Matthias, Transaktionskosten und Wettbewerbspolitik. WUW 2002, 112.

Buxbaum, Hannah L., Private Enforcement of Competition Law in the United States – of optimal deterrence and social costs. In: Basedow, Jürgen (Hrsg.), Private Enforcement of EC Competition Law. Alphen aan den Rijn 2007, S. 41.

Calliess, Christian, Nach dem „Tabakwerbung-Urteil" des EuGH: Binnenmarkt und gemeinschaftsrechtliche Kompetenzverfassung in neuem Licht. Jura 2001, 311.

– Grundlagen, Grenzen und Perspektiven europäischen Richterrechts. NJW 2005, 929.

– Auf dem Weg zu einem einheitlichen europäischen Strafrecht? – Kompetenzgrundlagen und Kompetenzgrenzen einer dynamischen Entwicklung. ZEuS 2008, 3.

Calliess, Christian/Ruffert, Matthias, Kommentar zu EU-Vertrag und EG-Vertrag. 3. Aufl. München 2007 (zit. *Bearbeiter*, in: Calliess/Ruffert [Hrsg.], EUV/EGV, Art. Rn.).

Cappel, Alexander, Der Straftatbestand der Untreue (§ 266 StGB) in europäischer Perspektive: Ein Fall europäischer Entkriminalisierung? KritV 2008, 94.

Carl, Dieter, Kampf gegen die Geldwäsche – Gesetzliche Maßnahmen der EG und der Bundesrepublik. wistra 1991, 288.

Cary, William, L., Federalism and corporate law: reflections upon Delaware. Yale Law Journal 83 (1974), 663.

Castronovo, Carlo, Private Law Remedies for Antitrust Violations – a point of view from Italy. In: Basedow, Jürgen (Hrsg.), Private Enforcement of EC Competition Law. Alphen aan den Rijn 2007, S. 107.

Cesoni, Maria-Luisa, Compétence pénale: La Cour de justice des Communautés européennes périme-t-elle le principe de légalité? Journal des tribunaux 2006, 365.

Chaltiel, Florence, Une nouvelle avancée de l'idée de souveraineté européenne: La souveraineté pénale en devenir. Revue du Marché commun et de l'Union européenne, n° 494 (2006), 24.

Clarke, Ronald-V., Introduction. In: Clarke, Ronald-V. (Hrsg.), Situational Crime Prevention – Successful Case Studies. 2nd edition. New York 1997, S. 1 ff.

Comte, Françoise, Droit pénal de l'environnement et compétence communautaire. Revue du droit de l'Union européenne 2002, 775.

– Communication de la Commission au Parlement européen et au Conseil sur les conséquences de l'arrêt de la Cour du 13-9-2005 relatif aux „sanctions pénales". Revue du droit de l'Union européenne 2006, 131.

Constantinesco, Vlad/Simon, Denys, Chronique de jurisprudence de la Cour de justice des Communautés européennes. I.- Institutions et ordre juridique communautaire. Journal du droit international 1988, 493.

Cornils, Karin/Heine, Günter (Hrsg.), Umweltstrafrecht in den nordischen Ländern. Freiburg 1994.

Crosby, Scott, The new Tobacco Control Directive: an illiberal and illegal disdain for the law. E.L.Rev. 2002, 177.

– European Criminal Law: Some introductory reflections. Journal of European Criminal Law 2006, 11.

Cullis, John/Jones, Philipp, Public Finance and Public Choice. 2nd edition. Oxford 2007.

Daines, Robert, Does Delaware law improve firm value? Journal of Financial Economics 62 (2001), 525.

Dannecker, Gerhard, Strafrecht in der Europäischen Gemeinschaft. In: Eser, Albin/Huber, Barbara (Hrsg.), Strafrechtsentwicklung in Europa Bd. 4.3. Freiburg 1995.

– Strafrecht in der Europäischen Gemeinschaft. JZ 1996, 869.

– Die Entwicklung des Strafrechts unter dem Einfluss des Gemeinschaftsrechts. Jura 1998, 79.

– Der Allgemeine Teil eines europäischen Strafrechts als Herausforderung für die Strafrechtswissenschaft. In: Weigend, Thomas/Küpper, Georg (Hrsg.), Festschrift für Hans Joachim Hirsch zum 70. Geburtstag am 11. April 1999. Berlin, New York 1999, S. 141.

– Das materielle Strafrecht im Spannungsfeld des Rechts der Europäischen Union. Jura 2006, 95 (Teil 1), 173 (Teil 2).

Danwitz, Klaus-Stephan von, Examens-Repetitorium Kriminologie. Heidelberg 2004.

Danwitz, Thomas von, Verwaltungsrechtliches System und europäische Integration. Tübingen 1996.

Dänzer-Vanotti, Wolfgang, Der Europäische Gerichtshof zwischen Rechtsprechung und Rechtssetzung. In: Due, Ole/Lutter, Marcus u.a. (Hrsg.), Festschrift für Ulrich Everling. Baden-Baden 1995, S. 205.

Daumann, Frank/Oberender, Peter, Der Arzneimittelmarkt im Spannungsverhältnis seiner institutionellen Umgebung. In: Delhaes, Karl von/Fehl, Ulrich (Hrsg.), Dimensionen des Wettbewerbs. Stuttgart 1997, S. 237.

Dauses, Manfred A., Die rechtliche Dimension des Binnenmarktes. EuZW 1990, 8.

– (Hrsg.), Handbuch des EU-Wirtschaftsrechts. München, Loseblattsammlung: Stand April 2008 (zit. *Bearbeiter*, in: Dauses [Hrsg.], HdB EU-WirtschaftsR).

Dawes, Anthony/Lynskey, Orla, The Ever-longer Arm of EC-Law: The Extension of Community Competence into the Field of Criminal Law. CMLRev 2008, 131.

Delmas-Marty, Mireille (Hrsg.), Quelle politique pénale pour l'Europe – travaux du colloque international, Fondation Royaumont, 23 et 24 octobre 1992. Paris 1993.

Deutscher, Jörg, Die Kompetenz der Europäischen Gemeinschaften zur originären Strafgesetzgebung. Frankfurt a. M. u.a. 2000.

Dieblich, Franz, Der strafrechtliche Schutz der Rechtsgüter der Europäischen Gemeinschaften. Köln 1985.

Diehm, Dirk, Die „safe harbor"-Verordnung und das Urteil des EuGH zum Rahmenbeschluss über den Schutz der Umwelt durch das Strafrecht. wistra 2006, 366.

Dittert, Daniel, Die ausschließlichen Kompetenzen der Europäischen Gemeinschaft im System des EG-Vertrags. Frankfurt a.M. u.a. 2001.

Dreier, Horst, Grundgesetz, Band 3 (Art. 83 bis 146 GG). Tübingen 2000 (zit. *Bearbeiter*, in: Dreier [Hrsg.], GG).

Dreier, Thomas, Kompensation und Prävention – Rechtsfolgen unerlaubter Handlung im Bürgerlichen, Immaterialgüter- und Wettbewerbsrecht. Tübingen 2002 (zit. Kompensation und Prävention).

– Ausgleich, Abschreckung und andere Rechtsfolgen von Urheberrechtsverletzungen. Erste Gedanken zur Richtlinie über die Maßnahmen und Verfahren zum Schutz der Rechte an geistigem Eigentum. GRUR-Int 2004, 706.

Ebert, Ina, Pönale Elemente im deutschen Privatrecht. Von der Renaissance der Privatstrafe im deutschen Recht. Tübingen 2004.

Edward, David, Richterrecht in community law. In: Schulze, Reiner/Seif, Ulrike (Hrsg.), Richterrecht und Rechtsfortbildung in der Europäischen Gemeinschaft. Tübingen 2003, S. 75.

Ehlermann, Claus Dieter, The internal market following the Single European Act. CMLRev 1987, 361.

Ehlers, Dirk/Eggert, Anke, Zur Zulässigkeit einer zeitlich begrenzten weiteren Anwendung gemeinschaftsrechtswidrigen nationalen Rechts. JZ 2008, 585.

Ehrlich, Isaac, Participation in Illegitimate Activities: An Economic Analysis. In: Becker, Gary S./Landes, William M. (Hrsg.), Essays in the economics of crime and punishment. New York 1974.

Ehrmann, Harald, Kostenrechnung. München u.a. 1992.

Eibach, Gerhard, Das Recht der Europäischen Gemeinschaften als Prüfungsgegenstand des Bundesverfassungsgerichts. Berlin 1986.

Eidemüller, Horst, Effizienz als Rechtsprinzip. Möglichkeiten und Grenzen der ökonomischen Analyse des Rechts. 2. Aufl. Tübingen 1998.

Eifler, Stefanie/Brandt, Daniela, Videoüberwachung in Deutschland. Theorie und Praxis situationsbezogener Kriminalprävention. MschrKrim 2005, 157.

Eimermann, Dieter, OECD-Arbeiten zum schädlichen Steuerwettbewerb – ein Zwischenstand. IStR 2001, 81.

Eisele, Jörg, Einflussnahme auf nationales Strafrecht durch Richtliniengebung der Europäischen Gemeinschaft, JZ 2001, 1157.

– Urteilsanmerkung zu EuGH vom 23.10.2007, Rs. C-440/05. JZ 2008, 251.

Eisenberg, Ulrich, Kriminologie. 6. Aufl. München 2005.

Emiliou, Nicolas, Implied powers and the legal basis of Community measures. European Law Review 1993, 138.

Entorf, Horst, Ökonomische Theorie der Kriminalität. In: Ott, Claus/Schäfer, Hans-Bernd (Hrsg.), Die Präventivwirkung zivil- und strafrechtlicher Sanktionen. Beiträge zum VI. Travemünder Symposium zur ökonomischen Analyse des Rechts vom 25.–28. März 1998, S. 1.

Epiney, Astrid, Gemeinschaftsrechtlicher Umweltschutz und Verwirklichung des Binnenmarktes – „Harmonisierung" auch der Rechtsgrundlagen? JZ 1992, 564.

– Umweltrecht in der Europäischen Union – Primärrechtliche Grundlagen; Gemeinschaftliches Sekundärrecht. 2. Aufl. Köln u.a. 2005 (zit. Umweltrecht).

Erlei, Mathias/Leschke, Martin/Sauerland, Dirk, Neue Institutionenökonomik. 2. Aufl. Stuttgart 2007.

Eser, Albin, Common Goals and Different Ways in International Criminal Law – Reflections from a European Perspective. Harvard International Law Journal 31 (1990), 117.

Eser, Albin/Huber, Barbara (Hrsg.), Strafrechtsentwicklung in Europa 4.1. Landesberichte 1989/1992 über Gesetzgebung, Rechtsprechung und Literatur. Freiburg 1993 (zit. *Verfasser*, in: Eser/Huber [Hrsg.], Strafrechtsentwicklung in Europa).

Eser, Albin/Heine, Günter (Hrsg.), Umweltstrafrecht in England, Kanada und den USA. Freiburg 1994.

Eucken, Walter, Grundsätze der Wirtschaftspolitik. 6. Aufl. Tübingen 1990.

Europol, Annual Report, 2006, download unter: http://www.europol.europa.eu/publications/Annual_Reports/EuropolAnnualReport2006.pdf [letzter Zugriff: 26.1.2009].

Everling, Ulrich, Zur Funktion der Rechtsangleichung in der Europäischen Gemeinschaft. Vom Abbau der Verzerrungen zur Schaffung des Binnenmarktes. In: Capotorti, Francesco u.a. (Hrsg.), Liber Amicorum Pierre Pescatore. Baden-Baden 1987, S. 227.

– Probleme der Rechtsangleichung zur Verwirklichung des europäischen Binnenmarktes. In: Baur, Jürgen-Fritz u.a. (Hrsg.), Festschrift für Ernst Steindorff zum siebzigsten Geburtstag am 13. März 1990. Berlin u.a. 1990, S. 1155.

– Abgrenzung der Rechtsangleichung zur Verwirklichung des Binnenmarktes nach Art. 100a EWGV durch den Gerichtshof. EuR 1991, 179.

– Richterrechtliche Rechtsfortbildung in der Europäischen Gemeinschaft. JZ 2000, 217.

– Quis custodiet custodes ipsos? – Zur Diskussion über die Kompetenzordnung der Europäischen Union und ein europäisches Kompetenzgericht. EuZW 2002, 357.

Faßbender, Kurt, Rechtsstaatlichkeit ade? – Der EuGH hält die Richtlinie über Nahrungsergänzungsmittel trotz schwerster Bedenken des Generalanwalts für gültig. EuZW 2005, 682.

Farkas, Ákos, Grundzüge des neuen ungarischen Strafverfahrensrechts – insbesondere die Rechte des Beschuldigten und des Verteidigers. ZStW 120 (2008), 642.

Fezer, Karl-Heinz, Aspekte einer Rechtskritik an der economic analysis of law und am property rights approach. JZ 1986, 817.

Flore, Daniel, Introduction – Un droit pénal européen: Hasard ou nécessité. In: Flore, Daniel (Hrsg.), Actualités de Droit Pénal. Brüssel 2002, S. 5.

Fromm, Ingo Erasmus, Der strafrechtliche Schutz der Finanzinteressen der EG – die Frage der Einführung einer supranationalen Strafrechtskompetenz durch Artikel 280 IV EGV. Berlin u.a. 2004 (zit. Der strafrechtliche Schutz).

– Die Frage der Zulässigkeit der Einführung strafrechtlicher Verordnungen des Rates der EG zum Schutz der Finanzinteressen der Europäischen Gemeinschaft. eucrim 2006, 104.

– Die Frage der Einführung einer partiellen strafrechtlichen Anweisungskompetenz des Rates der EG zum Schutz der Finanzinteressen der Europäischen Gemeinschaft unter besonderer Berücksichtigung der Unberührtheitsklausel in Art. 280 Abs. 4 S. 2 EG-Vertrag. ZIS 2007, 26.

– Urteilsanmerkung zum Urteil des EuGH vom 23.10.2007, Rs. C-440/05. ZIS 2008, 168.

Gabel, Detlev/Arhold, Christoph, Fluggastdaten (PNR): Der Beschluss des Rates über den Abschluss des Abkommens zwischen der EG und den USA über die Verarbeitung und Übermittlung personenbezogener Daten im Luftverkehr sowie die Angemessenheitsentscheidung der Kommission sind nichtig. EWS 2006, 363.

Gaede, Karsten/Mühlbauer, Tilo, Wirtschaftsstrafrecht zwischen europäischem Primärrecht, Verfassungsrecht und der richtlinienkonformen Auslegung am Beispiel des scalping. wistra 2005, 9.

Gautier, Marie, Etendue de la compétence de la Communauté pour exiger des Etats membres qu'ils instituent des sanctions pénales. La Semaine Juridique – édition générale 2007 (II 10207), 36.

Geiger, Hansjörg, Polizeiliche und justitielle Zusammenarbeit in Strafsachen in der Europäischen Union – Kann Art 42 EUV einen Lösungsweg aus der Krise der Europäischen Verfassung bieten? In: Müller, Gerda u.a. (Hrsg.), Festschrift für Günter Hirsch zum 65. Geburtstag. München 2008, S. 75.

Gerhard, Jürgen/Hölscher, Michael, Kulturelle Unterschiede in der Europäischen Union. Ein Vergleich zwischen Mitgliedsländern, Beitrittskandidaten und der Türkei. 2. Aufl. Wiesbaden 2006.

Gerken, Lüder, Der Wettbewerb der Staaten. Tübingen 1999.

Gilmore, Gráinne/Rijpam, Jorrit, Entscheidungsbesprechung zu EuGH verb. Rs. C-317/04, 318/04 „Fluggastdaten". CMLRev 2007, 1081.

Gleß, Sabine, Europol. NStZ 2001, 623.

Goll, Ullrich/Kenntner, Markus, Brauchen wir ein Europäisches Kompetenzgericht? – Vorschläge zur Sicherung der mitgliedstaatlichen Zuständigkeiten. EuZW 2002, 101.

Göpfert, Wolfgang-W., Die Strafbarkeit von Markenverletzungen. Karlsruhe 2006.

Göppinger, Hans/Bock, Michael (Hrsg.), Kriminologie. 6. Aufl. München 2008 (zit. *Bearbeiter*, in: Göppinger/Bock [Hrsg.], § Rn.).

Görlitz, Niklas, Tabakwerbung und Europa: Im zweiten Anlauf endlich am Ziel? ZUM 2002, 97.

– EU-Binnenmarktkompetenzen und Tabakwerbeverbote – Kompetenzrechtliche Anmerkungen zur neuen Richtlinie über Werbung und Sponsoring zu Gunsten von Tabakerzeugnissen. EuZW 2003, 485.

Grabitz, Eberhard/Hilf, Meinhard, Das Recht der Europäischen Union. München, Loseblattsammlung, Stand: 10/1999 (Altband) und 11/2008, München (zit. *Bearbeiter*, in: Grabitz/Hilf [Hrsg.], EUV/EGV, Art. Rn.).

Gras, Marianne, Kriminalprävention durch Videoüberwachung. Baden-Baden 2003.

Greenfield, Kent, Democracy and the Dominance of Delaware in Corporate Law. Law and Contemporary Problems 67 (2004), 101.

Greeve, Gina, Verstärkte Rückgewinnungshilfe und Vermögensabschöpfung seit dem 1.1.2007. NJW 2007, 14.

Griese, Antonia, Die Finanzierung der Europäischen Union. EuR 1998, 462.

Groeben, Hans von der, Die Aufgaben der Wettbewerbspolitik im Gemeinsamen Markt und in der Atlantischen Partnerschaft. WuW 1964, 1001.

Groeben, Hans von der/Schwarze, Jürgen, Kommentar zum Vertrag über die Europäische Union und zur Gründung der Europäischen Gemeinschaft. 6. Aufl. Baden-Baden 2003 (zit. *Bearbeiter*, in: von der Groeben/Schwarze [Hrsg.], EUV/EGV, Art. Rn.).

Gröblinghoff, Stefan, Die Verpflichtung des deutschen Strafgesetzgebers zum Schutz der Interessen der Europäischen Gemeinschaften. Heidelberg 1996.

Gruev, Lazar, Grundzüge der Bulgarischen Strafprozessordnung von 2005. ZStW 120 (2008), 153.

GRUR, Stellungnahme zum Grünbuch über Produktpiraterie. GRUR 1999, 318.

Günther, Daniel, GmbH und U.S.-amerikanische Limited Liability Company. Eine rechtsvergleichende Untersuchung privater Gesellschaftsformen nach deutschem und U.S.-amerikanischem Recht unter besonderer Berücksichtigung des Rechts von Delaware, Kalifornien und New York. Hamburg 2007.

Gundel, Jörg, Die zweite Fassung der Tabakwerberichtlinie vor dem EuGH: Weitere Klärung der Binnenmarkt-Harmonisierungskompetenz der Gemeinschaft – Anmerkung zu EuGH Rs. 380/03 – Deutschland/Parlament und Rat. EuR 2007, 251.

– Die Tabakprodukt-Richtlinie vor dem EuGH: Zur Zulässigkeit der Nutzung doppelter Rechtsgrundlagen im Rechtssetzungsverfahren der Gemeinschaft. EuR 2003, 100.

Gwartney, James/Lawson, Robert/Hall Joshua (Hrsg.), Economic Freedom of the World: 2008 Annual Report. Washington, D.C., 2008.

Haas, Ulrich/Oechsler, Jürgen, Missbrauch, Cash-Pool und gutgläubiger Erwerb nach dem MoMiG. NZG 2006, 806.

Hackner, Thomas, Der Europäische Haftbefehl in der Praxis der Staatsanwaltschaften und Gerichte. NStZ 2005, 311.

Häde, Ulrich, Geldwäsche – Neue Richtlinien. EuZW 1991, 553.

Häde, Ulrich/Puttler, Adelheid, Zur Abgrenzung von Art. 235 EGV zur Vertragsänderung. EuZW 1997, 13.

Haguenau-Moizard, Catherine, Vers une harmonisation communautaire du droit pénal? Revue trimestrielle de droit européen 2006, 377.

Hallhuber, Harald, Das Ende der Sitztheorie als Kompetenztheorie – Das Urteil des Europäischen Gerichtshofs in der Rechtssache C-208/00 (Überseering). ZEuP 2003, 418.

Haltern, Ulrich, Verschiebungen im Europäischen Rechtsschutzsystem. VerwArch 2005, 311.

Hansmann, Uwe, Schaffung der Europ. Agentur für Netz- und Informationssicherheit. DVBl 2006, 838.

Haris, John R., On the Economics of Law and Order. The Journal of Political Economy 18 (1970), 165.

Härtel, Kurt, Die Luxemburger Konferenz und ihre Ergebnisse. GRUR-Int 1976, 188.

Hatje, Armin, Grenzen der Flexibilität einer erweiterten Europäischen Union. EuR 2005, 148.

Heck, Daniel, Rechtsschutz gegen durch EG-Richtlinien determiniertes Gesetzesrecht. NVwZ 2008, 523.

Hecker, Bernd, Europäisches Strafrecht. 2. Aufl. Berlin 2007.

Hecker, Bernd/Heine, Günter, Schlussteil – Zusammenfassung und Perspektiven. In: Hecker, Bernd/Bundeskriminalamt (Hrsg.), Abfallwirtschaftskriminalität – im Zusammenhang mit der EU-Osterweiterung. Köln 2008, S. 301.

Hedtmann, Oliver, Unregelmäßigkeiten und Betrug im europäischen Agrarsektor – Maßnahmen zum Schutz der finanziellen Interessen der Europäischen Union. EuR 2002, 122.

Hefendehl, Roland, Observationen im Spannungsfeld von Prävention und Repression – Oder was von CCTV und längerfristigen Observationen zu halten ist. StV 2000, 270.

– Kollektive Rechtsgüter im Strafrecht. Köln u.a. 2002.

– Europäischer Umweltschutz: Demokratiespritze für Europa oder Brüsseler Putsch? ZIS 2006, 161.

– Europäisches Strafrecht: bis wohin und nicht weiter? ZIS 2006, 229.

– Außerstrafrechtliche und strafrechtliche Instrumentarien zur Eindämmung der Wirtschaftskriminalität. ZStW 119 (2007), 816.

Heger, Martin, Urteilsanmerkung zu EuGH C-176/03. JZ 2006, 310.

Hein, Lars, Zuständigkeitskonflikte im internationalen Strafrecht – Ein europäisches Lösungsmodell. Berlin 2002.

Heine, Günter (Hrsg.), Umweltstrafrecht in osteuropäischen Ländern. Freiburg 1995.

– (Hrsg.), Umweltstrafrecht in mittel- und südeuropäischen Ländern. Freiburg 1997.

Heitzer, Anne, Punitive Sanktionen im Europäischen Gemeinschaftsrecht. Heidelberg 1997.

Hellriegel, Christoph, Schutzklauseln und Übergangsfristen im Vertrag über den EU-Beitritt von Bulgarien und Rumänien. In: Wissenschaftliche Dienste des Deutschen Bundestages, Europa-Thema Nr. 45/06 vom 21.9.2006.

– Von den Verträgen der Sechs zur Union der 27 – Die Erweiterungen der Europäischen Gemeinschaften. In: Wissenschaftliche Dienste des Deutschen Bundestages, Europa-Thema Nr. 12/07 vom 14.3.2007.

Hempel, Leon, Zur Evaluation von Videoüberwachung – Methoden, Standards und Beispiele aus der Bewertungspraxis. In: Zurawski, Nils (Hrsg.), Surveillance Studies – Perspektiven eines Forschungsfeldes. Opladen, Farmington Hills 2007, S. 117

Henning-Bodewig, Frauke, Das Europäische Wettbewerbsrecht: Eine Zwischenbilanz. GRUR-Int 2002, 389.

Henninger, Kathrin, Verlagerungseffekte der Lkw-Autobahnmaut – Eine Verkehrssimulation am Beispiel Bayerns. Internationales Verkehrswesen 2006, 339.

Herczeg, Jirí, Der Allgemeine Teil des tschechischen StGB-Entwurfs. ZStW 120 (2008), 461.

Herlin-Karnell, Ester, Commission v. Council: Some Reflections on Criminal Law in the First Pillar. European Public Law 13 (2007), 69.

Herr, Gunther, Grenzen der Rechtsangleichung von Art. 95 EG – Zugleich eine Anmerkung zu den Urteilen des EuGH vom 14.12.2004 (Arnold André und Swedish Match). EuZW 2005, 171.

Hervey, Tamara, K., Up in smoke? Community (anti-)tobacco law and policy. E.L.Rev. 2001, 101.

Herzog, Felix/Mülhausen, Dieter, Geldwäschebekämpfung und Gewinnabschöpfung – Handbuch der straf- und wirtschaftsrechtlichen Regelungen. München 2006 (zit. *Bearbeiter*, in: Herzog/Mühlhausen, GwHdB § Rn.).

Hillion, Christophe, Tobacco Products in the Internal Market. The Cambridge Law Journal 2004, 297.

Hilz, Wolfram, Subsidiaritätsprinzip und EU-Gemeinschaftsordnung – Anspruch und Wirklichkeit am Beispiel des Maastricht-Prozesses. Opladen 1998.

Hilty, Reto-M./Geiger, Christophe (Hrsg.), Impulse für eine europäische Harmonisierung des Urheberrechts – Urheberrecht im deutsch-französischen Dialog; Perspectives d'harmonisation du droit d'auteur en Europe – Rencontres franco-allemandes. Berlin u.a. 2007 (zit. *Verfasser*, in: Hilty/Geiger [Hrsg.], Impulse für eine europäische Harmonisierung des Urheberrechts).

Hilty, Reto-M./Kur, Anette/Peukert, Alexander, Stellungnahme des Max-Planck-Instituts für Geistiges Eigentum, Wettbewerbs- und Steuerrecht zum Vorschlag für eine Richtlinie des Europäischen Parlaments und des Rates über strafrechtliche Maßnahmen zur Durchsetzung der Rechte des geistigen Eigentums, KOM (2006) 168 endg. GRUR-Int 2006, 722.

Hirsch, Günter, Europäischer Gerichtshof und Bundesverfassungsgericht – Kooperation oder Konfrontation? NJW 1996, 2459.

– Der EuGH im Spannungsverhältnis zwischen Gemeinschaftsrecht und nationalem Recht. NJW 2000, 1817.

Hirst, Michael, Jurisdiction and the Ambit of Criminal Law. Oxford 2003.

Hitzel-Cassagnes, Tanja, Die „Verfassungskrise" der Europäischen Union: viel Lärm um nichts? KJ 41 (2008), 134.

Höhler, Sebastian/Lafuente, Veronika, Neues zum Rechtsgrundlagenstreit im Umwelteuroparecht – Doppelabstützungen mit artikelweiser Zuordnung als Lösung? ZUR 2007, 71.

Hrbek, Rudolf (Hrsg.), Das Subsidiaritätsprinzip in der Europäischen Union – Bedeutung und Wirkung für ausgewählte Politikbereiche. Beitrag für eine Tagung des Arbeitskreises Europäische Integration e.V. mit dem Staatsministerium Baden-Württemberg, 13.–15. Oktober 1994 in Tübingen. Baden-Baden 1995.

Huber, Barbara (Hrsg.), Das Corpus Juris als Grundlage eines Europäischen Strafrechts. Europäisches Kolloquium, Trier, 4.–6. März 1999. Freiburg 2000.

Hugger, Heiner, Strafrechtliche Anweisungen der Europäischen Gemeinschaft. Baden-Baden 2000.

Hummer, Waldemar, Subsidiarität und Föderalismus als Strukturprinzipien der Europäischen Gemeinschaften. ZfRV 1992, 81.

Hummer, Waldemar/Obwexer, Walter, Vom „Gesetzesstaat zum Richterstaat" und wieder retour? EuZW 1997, 295.

Ibbetson, David- J., Case Law and Doctrine. In: Schulze, Reiner/Seif, Ulrike (Hrsg.) Richterrecht und Rechtsfortbildung in der EG. Tübingen 2003, S. 27.

Iber, Andrea, ECJ Judgment on the New Tobacco Directive – European Court of Justice, December 2002, C-491/01. Legal Issues of Economic Integration 2003, 167.

Idot, Laurence, Private Enforcement of Competition Law – Recommendations Flowing from the French Experience. In: Basedow, Jürgen (Hrsg.), Private Enforcement of EC Competition Law. Alphen aan den Rijn 2007, S. 85.

Iglesias, Gil-Carlos, Die Bedeutung der Rechtsprechung des Europäischen Gerichtshofs für die Errichtung des Binnenmarktes. In: Schwarze, Jürgen (Hrsg.), Unverfälschter Wettbewerb für Arzneimittel im europäischen Binnenmarkt. Pharmazeutische Produkte im Widerstreit von freiem Warenverkehr und nationalen Preiskontrollen. Baden-Baden 1998.

Ipsen, Hans-Peter, Europäisches Gemeinschaftsrecht. Tübingen 1972.

– Vier Glossen zur Einheitlichen Europäischen Akte. In: Jekewitz, Jürgen u.a. (Hrsg.), Des Menschen Recht zwischen Freiheit und Verantwortung. Festschrift für Karl Josef Partsch zum 75. Geburtstag. Berlin 1989.

Jacqué, Jean-Paul, La question de la base juridique dans le cadre de la justice et des affaires intérieures. In: de Kerchove, Gilles/Weyembergh, Anne (Hrsg.), L'espace pénal européen, enjeux et perspectives. Brüssel 2002, S. 249.

Jahn, Joachim, Europarichter überziehen ihre Kompetenzen. NJW 2008, 1788.

Jakobs, Günther, Strafrecht Allgemeiner Teil – Die Grundlagen und die Zurechnungslehre. 2. Aufl. Berlin, New York 1991.

Jescheck, Hans-Heinrich/Grebing, Gerhard (Hrsg.), Die Geldstrafe im deutschen und ausländischen Recht. Baden-Baden 1978.

Jescheck, Hans-Heinrich/Weigend, Thomas, Lehrbuch des Strafrechts. Allgemeiner Teil. 5. Aufl. Berlin 1996.

Joerges, Christian/Rödl, Florian, Das soziale Defizit des Europäischen Integrationsprojekts. KJ 41 (2008), 149.

Johannes, Hartmut, Das Strafrecht im Bereich der Europäischen Gemeinschaften. EuR 1968, 63.

– Zur Angleichung des Straf- und Strafprozessrechtes in der Europäischen Wirtschaftsgemeinschaft. ZStW 83 (1971), 531.

Jour-Schröder, Alexandra/Konow, Christian, Die Passerelle des Art. 42 EU-Vertrag – Macht sie die Regeln des Verfassungsentwurfs für einen europäischen Raum der Freiheit, der Sicherheit und des Rechts obsolet? EuZW 2006, 550.

Jung, Heike, Konturen und Perspektiven des europäischen Strafrechts. JuS 2000, 417.

Kahlert, Henning, Europäische Flugpassagierdaten in amerikanischen Händen – (k)ein rein kompetenzrechtliches Problem. ELR 2006, 242.

Kaiafa-Gbandi, Maria, Das Corpus Juris und die Typisierung des Strafphänomens im Bereich der Europäischen Union. KritV 1999, 162.

– Aktuelle Strafrechtsentwicklungen in der EU und rechtsstaatliche Defizite. ZIS 2006, 521.

– Towards a new approach of organised crime in the EU – New challenges for human rights. ZIS 2007, 537.

Kaiser, Günther, Kriminologie. Ein Lehrbuch. 3. Aufl. Heidelberg 1996.

Karstedt, Susanne/Oberwittler, Dietrich (Hrsg.), Neue Perspektiven der Kriminalsoziologie. In: Soziologie der Kriminalität, Oberwittler/Karstedt (Hrsg.), Kölner Zeitschrift für Soziologie und Sozialpsychologie, Sonderheft 43/2003. Wiesbaden 2003.

Kaufmann, Noogie, Kampf den Plagiaten. Rechteinhaber rüsten auf. MMR 2005, 645.

Kenntner, Markus, Das Subsidiaritätsprinzip des Amsterdamer Vertrags – Anmerkungen zum Begrenzungscharakter des gemeinschaftlichen Subsidiaritätsprinzips. NJW 1999, 2871.

Kerber, Wolfgang, Die EU-Beihilfenkontrolle als Wettbewerbsordnung. In: Cassel, Dieter (Hrsg.), Europäische Integration als ordnungspolitische Gestaltungsaufgabe. Probleme der Vertiefung und Erweiterung der Europäischen Union. Berlin 1997, S. 37.

Kewenig, Wilhelm A., Niederlassungsfreiheit, Freiheit des Dienstleistungsverkehrs und Inländerdiskriminierung. JZ 1990, 20.

Kieninger, Eva-Maria, Wettbewerb der Privatrechtsordnungen im Europäischen Binnenmarkt. Tübingen 2002.

Kilias, Martin/Aebi, Marcello Fernando/Aromaa, Kuako u.a. (Hrsg.), European Sourcebook of Crime and Criminal Justice, Statistics – 2006, download unter: http://www.europeansourcebook.org/esb3_Full.pdf [letzter Zugriff: 26.1.2009].

Kilchling, Michael, Die Praxis der Gewinnabschöpfung in Europa. Freiburg 2001.

Kinzig, Jörg, Die rechtliche Bewältigung von Erscheinungsformen organisierter Kriminalität. Berlin 2004.

Kirchhof, Paul, Die Gewaltbalance zwischen staatlichen und europäischen Organen. JZ 1998, 965.

Kirchner, Christian, Patentrecht und Recht der Wettbewerbsbeschränkung. In: Ott, Claus u.a. (Hrsg.), Ökonomische Analyse der rechtlichen Organisation von Innovationen. Tübingen 1994, S. 157.

Kirstein, Roland, Ökonomische Analyse des Rechts. In: Minthe, Eric (Hrsg.), Neues in der Kriminalpolitik. Konzepte, Modelle, Evaluation. Wiesbaden 2003, S. 49.

– Ökonomik der Kriminalität, German Working Paper in Law and Economics, Vol. 2005 (Paper 15), http://www.bepress.com/cgi/viewcontent.cgi?article=1128&context=gwp [letzter Zugriff: 26.1.2009].

Klausner, M., Corporations, corporate law and networks of contracts. Virginia Law Review 81 (1995), 757.

Koch, Michael, Mittelbare Gemeinschaftsverwaltung in der Praxis. EuZW 2005, 455.

Koenig, Christian/Kühling, Jürgen, Der Streit um die neue Tabakproduktrichtlinie. Ist der Gemeinschaftsgesetzgeber bei seinem Kampf gegen den Tabakkonsum einmal mehr im Konflikt mit den Gemeinschaftsgrundrechten und Kompetenzbestimmungen? EWS 2002, S. 12.

Kölbel, Ralf, Zur Verwertbarkeit privat-deliktisch beschaffter Bankdaten – Ein Kommentar zur causa „Kieber“. NStZ 2008, 241.

Körner, Marita, Zur Aufgabe des Haftungsrechts – Bedeutungsgewinn präventiver und punitiver Elemente. NJW 2000, 241

Kotzur, Markus, Die Soziale Marktwirtschaft nach dem Reformvertrag. In: Pernice, Ingolf (Hrsg.), Der Vertrag von Lissabon: Reform der EU ohne Verfassung? Kolloquium zum 10. Geburtstag des WHI. Baden-Baden 2008, S. 197.

Kruize, Peter, Choices of Commercial Robbers. A Comparative Study of Commercial Robbers in Denmark and The Netherlands. Kopenhagen 2001.

Kubiciel, Michael, Grund und Grenzen strafrechtlicher Anweisungskompetenz der Europäischen Gemeinschaft. NStZ 2007, 136.

Kunz, Harald-J., Die Ökonomik individueller und organisierter Kriminalität. Köln u.a. 1976.

Lachmayer, Konrad/Bauer, Lukas, Praxishandwörterbuch Europarecht. Wien, New York 2008 (zit. *Bearbeiter*, in: Lachmayer/Bauer, Praxishandwörterbuch Europarecht).

Larenz, Karl, Methodenlehre der Rechtswissenschaft. 6. Aufl. Berlin u.a. 1991.

Lathi, Raimo, Das Wirtschaftsstrafrecht in der Gesamtreform des Strafrechts – Erfahrungen mit den finnischen Strafgesetzreformen 1972–2003. In: Sieber, Ulrich u.a. (Hrsg.), Strafrecht und Wirtschaftsstrafrecht – Dogmatik, Rechtsvergleich, Rechtstatsachen. Festschrift für Klaus Tiedemann zum 70. Geburtstag. Köln, München 2008, S. 61.

Lawlor, Daniel-G., Die Anwendbarkeit englischen Gesellschaftsrechts bei Insolvenz einer englischen Limited in Deutschland. NZI 2005, 432.

Leipold, Helmut, Kulturvergleichende Institutionenökonomik. Studien zur kulturellen, institutionellen und wirtschaftlichen Entwicklung. Stuttgart 2006.

Leisner, Walter-Georg, Die subjektiv-historische Auslegung des Gemeinschaftsrechts. Der „Wille des Gesetzgebers" in der Judikatur des EuGH. EuR 2007, 689.

Lenz, Carl-Otto/Borchardt, Klaus-Dieter, EU- und EG-Vertrag – Kommentar zu dem Vertrag über die Europäische Union und zu dem Vertrag zur Gründung der Europäischen Gemeinschaft. 4. Aufl. Köln u.a. 2006 (zit. *Bearbeiter*, in: Lenz/Borchardt [Hrsg.], EVV).

Leonardi, Marcello, Berlusconi's immunity proposals will create an 'untouchable' class in Italy. Financial Times vom 12.7.2008, http://www.ft.com/cms/s/0/5efdb8e8-4fb5-11dd-b050-000077b07658.html?nclick_check=1 [letzter Zugriff: 26.1.2009].

Leutheusser-Schnarrenberger, Sabine, Vorratsdatenspeicherung – Ein vorprogrammierter Verfassungskonflikt. ZRP 2007, 9.

Lieck, Stefan, Der Parallelhandel mit Arzneimitteln: innerhalb der Europäischen Union unter arzneimittel-, marken- und patentrechtlichen Aspekten. Köln, München 2008.

Lindner, Josef-Franz, Anmerkung zum Urteil des EuGH vom 12. Dezember 2006 (Tabakwerbeverbot). BayVwBl 2007, 304.

Löhr, Tillman, Berlusconi vor Gericht. FoR 2003, 101.

Lüderssen, Klaus, Ökonomische Analyse des Strafrechts und Alternativen zum Strafrecht. In: Ott, Claus/Schäfer, Hans-Bernd (Hrsg.), Die Präventivwirkung zivil- und strafrechtlicher Sanktionen. Beiträge zum VI. Travemünder Symposium zur ökonomischen Analyse des Rechts vom 25.–28. März 1998. Tübingen 1999, S. 25.

Ludwigs, Markus, Art. 95 EG als allgemeine Kompetenz zur Regelung des Binnenmarktes oder als „begrenzte Einzelermächtigung“? EuZW 2006, 417.

– Case C-380/03, Federal Republic of Germany v. European Parliament and Council of the European Union (Tobacco Advertising II). Judgment of the Court (Grand Chamber) of 12 December 2006, [2006] ECR I-11573. CMLRev 2007, 1159.

Lundmark, Thomas, “Soft” stare decisis: the common law doctrine retooled for Europe. In: Schulze, Reiner/Seif, Ulrike (Hrsg.), Richterrecht und Rechtsfortbildung in der Europäischen Rechtsgemeinschaft. Tübingen 2003, S. 161.

Maduro, Miguel-Poiares, Der Kontrapunkt im Dienste eines europäischen Verfassungspluralismus. EuR 2007, 3.

Maierhöfer, Christian, Anmerkung zu EuGH vom 12.12.2006, Rs. 380/03, Slg. 2006, I-11573 „Deutschland / Kommission u. Rat“. JZ 2007, 463.

Manacorda, Stefano, Die „Neutralisierung“ staatlicher Strafnormen durch das Recht der Europäischen Gemeinschaften: ein theoretisches Bild aus italienischer Sicht. In: Sieber, Ulrich u.a. (Hrsg.), Strafrecht und Wirtschaftsstrafrecht – Dogmatik, Rechtsvergleich, Rechtstatsachen. Festschrift für Klaus Tiedemann zum 70. Geburtstag. Köln, München 2008, S. 1385.

Marciali, Sébastien, Les ambiguités de la compétence pénale de la Communauté européenne (à propos de l’arrêt CJCE du 23 octobre 2007, Commission/Conseil, aff. C-440/05). Revue du droit public et de la science politique en France et à l’étranger 2008, 1231.

Mariatte, Flavien, La sécurité intérieure des Etats-Unis … ne relève pas les compétences externes des Communautés. Europe 2006, Etude n°8, S. 4.

Maurach, Reinhart/Gössel, Karl-Heinz/Zipf, Heinz, Strafrecht Allgemeiner Teil, Teilband 2: Erscheinungsformen des Verbrechens und Rechtsfolgen der Tat. 8. Aufl. Heidelberg 2004 (zit. *Maurach/Gössel/Zipf*, AT II § Rn.).

Mayer, Franz-C., Kompetenzüberschreitung und Letztentscheidung: das Maastricht-Urteil des Bundesverfassungsgerichts und die Letztentscheidung über Ultra-vires-Akte in Mehrebenensystemen; eine rechtsvergleichende Betrachtung von Konflikten zwischen Gerichten am Beispiel der EU und der USA. München 2000.

– Das Bundesverfassungsgericht und die Verpflichtung zur Vorlage an den Europäischen Gerichtshof – zugleich Anmerkung zum Beschluss vom 22. November 2001 - 2 BvB 1-3/01 (NPD-Verbot) -. EuR 2002, 239.

– The European Constitution and the Courts – Adjudicating European constitutional law in a multilevel system. Jean Monnet Working Paper 9/03.

Mazzola, Ugo, The Formation of the Prices of Public Goods. In: Musgrave, Richard-A./ Peacock, Alan (Hrsg.), Classics in the Theory of Public Finance. London 1958, S. 37.

Meier, Bernd-Dieter, Kriminalität in einem Europa ohne Grenzen. In: Zieschang, Frank/Hilgendorf, Eric/Laubenthal, Klaus (Hrsg.), Strafrecht und Kriminalität in Europa. Baden-Baden 2003, S. 129.

Merk, Beate, Freierstrafbarkeit – ein politisches Dauerthema? ZRP 2006, 250.

Merle, Roger/Vitu, André, Traité de droit criminel. Problèmes généraux de la science criminelle, droit pénal général. 7. Aufl. Paris 1997.

Merten, Detlef, Subsidiarität als Verfassungsprinzip. In: Merten, Detlef (Hrsg.), Die Subsidiarität Europas. 2. Aufl. Berlin 1994, S. 77.

Merton, Robert K., Sozialstruktur und Anomie. In: Sack, Fritz/König, René (Hrsg.), Kriminalsoziologie. Frankfurt a.M. 1986, S. 283.

Mesenberg, H., Zur Frage des Abbaus von Wettbewerbsverfälschungen und -verzerrungen in den WEG Staaten. BB 1961, 141.

Mestmäcker, Joachim, Europäisches Wettbewerbsrecht. 1. Aufl. München 1974.

Meyer, Frank, Der Grundsatz der Verfügbarkeit. NStZ 2008, 188.

Meyer, Jürgen (Hrsg.), Betäubungsmittelstrafrecht in Westeuropa. Eine rechtsvergleichende Untersuchung im Auftrag des Bundeskriminalamts. Freiburg 1987.

– (Hrsg.), Gewinnabschöpfung bei Betäubungsmitteln in Westeuropa: rechtsvergleichende und kriminologische Untersuchung. Wiesbaden 1989.

Meyer-Pritzl, Rudolf, Der Urteilsspruch in der europäischen Rechtsgeschichte. In: Schulze, Reiner/Seif, Ulrike (Hrsg.), Richterrecht und Rechtsfortbildung in der Europäischen Gemeinschaft. Tübingen 2003, S. 41.

Michaels, Adrian, Not fast enough: Why investing in Italy is 'like driving with the brake on'. Financial Times vom 22.1.2008, http://www.ft.com/cms/s/0/f540075a-c920-11dc-9807-000077b07658.html

Moal-Nuyts, Carole, L'affaire des sanctions pénales en matière d'environnement: le choc des piliers. Revue de droit international et de droit comparé 2006, 249.

Moestl, Michaela, EU-Kompetenzabgrenzung zwischen Gemeinschafts- und Unionspolitiken – dargestellt am Beispiel der Ausfuhrkontrolle von Gütern mit doppeltem Verwendungszweck (Dual-use-Gütern). Baden-Baden 2004.

Moll, Dietmar, Europäisches Strafrecht durch nationale Blankettstrafgesetzgebung? Eine Untersuchung zur strafrechtskonstituierenden Wirkung des EG-Rechts unter besonderer Berücksichtigung der allgemeinen verfassungsrechtlichen Anforderungen an Blankettverweisungen. Göttingen 1998.

Monpion, Anne, Arrêt CJCE, Commission contre Conseil du 23 octobre 2007: les limites de la compétence pénale de la Communauté. Revue du marché commun et de l'Union européenne 2008, 130.

Morgenstern, Christine, Strafvollstreckung im Heimatstaat – der geplante EU-Rahmenbeschluss zur transnationalen Vollstreckung von Freiheitsstrafen. ZIS 2008, 76.

Möstl, Markus, Grenzen der Rechtsangleichung im europäischen Binnenmarkt – Kompetenzielle, grundfreiheitliche und grundrechtliche Schranken des Gemeinschaftsgesetzgebers. EuR 2002, 318.

Mueller, Dennic-C., Public Choice III. 7. Aufl. Cambridge u.a. 2007.

– Constitutional political economy in the European Union. Public Choice 124 (2005), 57.

Müller, Henning-Ernst, Zur Kriminologie der Videoüberwachung. MschrKrim 2002, 33.

Müller, Markus, Systemwettbewerb, Harmonisierung und Wettbewerbsverzerrung. Europa zwischen einem Wettbewerb der Gesetzgeber und vollständiger Harmonisierung. Baden-Baden 2000.

Müller-Graff, Peter-Christian, Binnenmarktziel und Rechtsordnung: Binnenmarktrecht. Bergisch-Gladbach 1989.

– Die Rechtsangleichung zur Verwirklichung des Binnenmarktes. EuR 1989, 107.

Münchner Kommentar zum StGB, *Joecks, Wolfgang* u.a. (Hrsg.), Band 5: Nebenstrafrecht I. München 2007 (zit. *Bearbeiter*, in: MünchKommStGB § Rn.).

Musil, Andreas, Umfang und Grenzen europäischer Rechtssetzungsbefugnisse im Bereich des Strafrechts nach dem Vertrag von Amsterdam. NStZ 2000, 68.

Nagy, Ferenc, Die Abschaffung traditioneller und die Einführung neuer Sanktionen in Bulgarien. In: Eser, Albin/Arnold, Jörg/Trappe, Julie (Hrsg.), Strafrechtsentwicklung in Osteuropa. Zwischen Bewältigung und neuen Herausforderungen. Internationales Symposium vom 26.–29. Juni auf Schloss Ringberg. Berlin 2005, S. 250.

Nalewajko, Pawel, Der Europäische Haftbefehl: aktuelle Entwicklungen in Polen. ZIS 2007, 113.

Nicolaysen, Gert, Zur Theorie von den implied powers in den EG. EuR 1966, 129.

– Europarecht II. Das Wirtschaftsrecht des Binnenmarktes. Baden-Baden 1996 (zit. Wirtschaftsrecht).

Niemöller, Martin, Zur Geltung des inländischen Strafrechts für Auslandstaten Deutscher. NStZ 1993, 171.

Nestler, Cornelius, Europäische Verteidigung bei transnationalen Strafverfahren. In: Schünemann, Bernd (Hrsg.), Ein Gesamtkonzept für die Europäische Strafrechtspflege. Köln u.a., S. 2006, S. 166.

Nettesheim, Martin, Die Kompetenzordnung im Vertrag über eine Verfassung für Europa. EuR 2004, 511.

– Normenhierarchien im EU-Recht. EuR 2006, 737.

North, Douglas-C., Institutionen, institutioneller Wandel und Wirtschaftsleistung. Tübingen 1992.

North, Douglas-C./Thomas, Robert Paul, The rise of the western world. A new economic history. Cambridge 1976.

Nuni, Alfredo, Exchange of information and intelligence among law enforcement authorities. A European Union perspective. Revue internationale de droit pénal 2007, 143.

Nuotio, Kimmo, Reasons for maintaining the diversity. In: Delmas-Marty, Mireille/Giudicelli-Delage/Lambert-Abdelgawad (Hrsg.), L'harmonisation des sanctions pénales en Europe. Paris 2003, S. 465.

Oates, W.E./Schwab, R.M., The Allocative and Distributive Implications of Local Fiscal Competition. In: Kenyon, D.A./Kincaid, J. (Hrsg.), Competition among States and Local Government: Efficiency and Equity in American Federalism. Washington, D.C., 1991, S. 127.

Oberdorff, Henri, Le Conseil Constitutionnel et l'ordre juridique communautaire: coopération et contrôle. Revue du droit public 2004, 869.

Oberender, Peter, Wettbewerb und geistiges Eigentum. Berlin 2007.

Oder, Bertil-Emrah, Der spezifische Gegenstand des geistigen Eigentums im Europäischen Gemeinschaftsrecht. Köln 2000.

OECD, The Economic Impact of Counterfeiting. Paris 1998.

– The Economic Impact of Counterfeiting and Piracy, executive summary, DSTI/IND(2007)9/PART4/REV1. Paris 2007.

Oehler, Dietrich, Internationales Strafrecht. 2. Aufl. Köln u.a. 1983.

Ohler, Christoph, Rechtmäßige Errichtung der Gemeinschaftsagentur ENISA. EuZW 2006, 372.

– Zur Abgrenzung der Gesetzgebungsbefugnisse von Rat und Parlament gegenüber den Durchführungsbefugnissen der Kommission. JZ 2006, 359.

Olson, Mancur, Die Logik des kollektiven Handelns. 3. Aufl. Tübingen 1992.

Oppenheimer, Andrew, The relationship between European community law and national law: the cases; Band 1 (1994), Band 2 (2003). Cambridge (zit. The relationship (I, II)).

Ortmann, Rüdiger, Abweichendes Verhalten und Anomie. Entwicklung und Veränderung abweichenden Verhaltens im Kontext der Anomietheorien von Durkheim und Merton. Freiburg 2000.

Otto, Harro, Der Corpus Juris der strafrechtlichen Regelungen zum Schutz der finanziellen Interessen der Europäischen Union. Jura 2000, 98.

Otto, Hans-Jochen, Generalprävention und externe Verhaltenskontrolle – Wandel vom soziologischen zum ökonomischen Paradigma in der nordamerikanischen Kriminologie? Freiburg 1982.

Paoli, Letizia, „Die unsichtbare Hand des Marktes" – Illegaler Drogenhandel in Deutschland, Italien und Russland. In: Oberwittler, Dietrich/Karstedt, Susanne (Hrsg.), Soziologie der Kriminalität. Wiesbaden 2004, S. 356.

Pache, Eckhard, Der Schutz der finanziellen Interessen der Europäischen Gemeinschaften. Berlin 1993 (zit. Finanzielle Interessen der EG).

– Sanktionskompetenz der Europäischen Wirtschaftsgemeinschaft – Das EuGH-Urteil vom 27.10.1992 in der Rs. C-240/90. EuR 1993, 174.

Papastamkos, Georgios/Schwab, Andreas, Der Vertrag von Lissabon – Stärkung der parlamentarischen Dimension der EU. EuZW 2008, 161.

Papier, Hans-Jürgen, Das Subsidiaritätsprinzip als Bremse des schleichenden Zentralismus in Europa? Ringvorlesung im Rahmen des studium generale an der Universität Tübingen. Tübingen, 28. November 2006; schriftliche Ausfertigung erhältlich unter: [letzter Zugriff: 26.1.2009] http://uni-tuebingen.de/uni/wwa/download/Ringvorlesung/Prof_Papier_das_subsidiaritaetsprinzip.pdf

Park, Tido, Kapitalmarktstrafrecht und Anlegerschutz. NStZ 2007, 369.

Paulus, Christoph, Der EuGH und das moderne Insolvenzrecht. NZG 2006, 609.

Pernice, Ingolf, Die dritte Gewalt im europäischen Verfassungsverbund. EuR 1996, 27.

– Der Vertrag von Lissabon – Ende des Verfassungsprozesses der EU? EuZW 2008, 65.

– Einführung. In: Pernice, Ingolf (Hrsg.), Der Vertrag von Lissabon: Reform der EU ohne Verfassung? Kolloquium zum 10. Geburtstag des WHI. Baden-Baden 2008, S. 11.

Pescatore, Pierre, Some Critical Remarks on the "Single European Act". CMLRev 1987, 1.

Pethig, Rüdiger/Rauscher, Michael (Hrsg.), Challenges to the World. Festschrift für Horst Siebert. Berlin u.a. 2003.

Petite, Michel, Du droit pénal communautaire: l'arrêt de principe du 13 Septembre 2005 de la Cour de justice dans l'affaire C-176/03. Gazette du Palais 2006, 864.

Philip, Christian, Quelle compétence pénale pour l'Union européenne. Gazette du Palais 2006, 868.

Pies, Ingo, Wettbewerb und Demokratie. Zur Problemstellung einer institutionenökonomischen Ordnungstheorie. In: Delhaes, Karl von/Fehl, Ulrich (Hrsg.), Dimensionen des Wettbewerbs. Schriften zu Ordnungsfragen der Wirtschaft. Stuttgart 1997, S. 357.

Piliavin, Irving/Gartner, Rosemarie/Thornton, Graig/Matsueda, Ross L, Crime, deterrence, and rational choice. American Sociological Review 51 (1986), 101.

Pohl, Tobias, Verfassungsvertrag durch Richterspruch – Die Entscheidung des EuGH zu Kompetenzen der Gemeinschaft im Umweltrecht. ZIS 2006, 213.

Polley, Romina/Seeliger, Daniela, Die neue Mitteilung der Europäischen Kommission über den Erlass und die Ermäßigung von Geldbußen in EG-Kartellsachen. EuZW 2002, 397.

Postel, Dirk, Glücksspiel im europäischen Binnenmarkt nach „Gambelli" und „Placanica" und vor „Winner Wetten". EuR 2007, 317.

Pradel, Jean/Corstens, Geerd, Droit pénal européen. 2. Aufl. Paris 2002.

Prieto, Javier Valls, Die juristische Natur der Sanktion der Europäischen Union. ZStW 120 (2008), 403.

Puschke, Jens, Die kumulative Anordnung von Informationsbeschaffungsmaßnahmen im Rahmen der Strafverfolgung. Eine Untersuchung unter rechtlichen, rechtstatsächlichen und kriminologischen Aspekten. Berlin 2006.

Puttler, Adelheid, Sind Mitgliedstaaten noch „Herren" der EU? – Stellung und Einfluss der Mitgliedstaaten nach dem Entwurf des Verfassungsvertrags der Regierungskonferenz. EuR 2004, 669.

Rabe, Hans Jürgen, Das Verordnungsrecht der Europäischen Wirtschaftsgemeinschaft. Hamburg 1963.

Randazzo, Vincenzo, Case C-217/04, United Kingdom v. European Parliament and Council of the European Union, judgment of the Grand Chamber of 2 May 2006. CMLRev 2007, 155.

Rauber, Markus, Das Tabakwerbeverbotsurteil des EuGH. ZEuS 2007, 151.

Reich, Norbert, Binnenmarkt als Rechtsbegriff. EuZW 1991, 203.

Reichardt, Sascha, Internationale Zuständigkeit im Gerichtsstand der unerlaubten Handlung bei Verletzung europäischer Patente. Frankfurt 2006.

Reimer, Franz, Ziele und Zuständigkeiten – Die Funktion der Unionszielbestimmungen. EuR 2003, 992.

Regul, Rudolf, Globale Wettbewerbsverzerrungen und ihre Auswirkungen auf den Gemeinsamen Markt. Brüssel 1971.

Remmert, Barbara, Die Gründung von Einrichtungen der mittelbaren Gemeinschaftsverwaltung. EuR 2003, 134.

Resmini, Laura, The determinants of foreign direct investment in the CEEC's – new evidence from sectoral patterns. Economics of Transition 8 (2000), 665.

Reuter, Peter, Disorganised Crime. The Economics of the Visible Hand. Cambridge 1983.

– The Organisation of Illegal Markets: An Economic Analysis. Washington 1985.

Richter, Hans, „Scheinauslandsgesellschaften" in der deutschen Strafverfolgungspraxis. In: Sieber, Ulrich u.a. (Hrsg.), Strafrecht und Wirtschaftsstrafrecht – Dogmatik, Rechtsvergleich, Rechtstatsachen. Festschrift für Klaus Tiedemann zum 70. Geburtstag. Köln, München 2008, S. 1023.

Richter, Thorsten, Die EU-Verfassung ist tot, es lebe der Reformvertrag! Übersicht über Zeitplan, Streichungen, Ergänzungen und Übernahmen aus dem Verfassungsentwurf. EuZW 2007, 631.

Rijpma, Jorrit, Urteilsanmerkung C-317/04 und C-318/04. CMLRev 2007, 1081.

Ring, Gerhard/Osen-Ring, Line, Souveränitätsübertragung nach dänischem Verfassungsrecht. EuZW 1998, 589.

Ritzer, Christoph/Ruttloff, Marc, Die Kontrolle des Subsidiaritätsprinzips: Geltende Rechtslage und Reformperspektiven. EuR 2006, 116.

Rosenau, Henning, Zur Europäisierung im Strafrecht – Vom Schutz finanzieller Interessen der EG zu einem gemeineuropäischen Strafgesetzbuch? ZIS 2008, 9.

Ross, Malcolm, Effectiveness in the European legal order(s): beyond supremacy to constitutional proportionality. E.L.Rev. 2006, 476.

Roth, Wulf-Henning, Private Enforcement of European Competition Law – Recommendations flowing from the German experience. In: Basedow, Jürgen (Hrsg.), Private Enforcement of EC Competition Law. Alphen aan den Rijn 2007, S. 61.

– Möglichkeiten und Grenzen eines einheitlichen Binnenmarktes für Arzneimittel. EuR 2007, 9.

Roxin, Claus, Strafrecht Allgemeiner Teil II – Besondere Erscheinungsformen der Straftat. München 2003 (zit. AT-II).

– Strafrecht AT I – Grundlagen, Der Aufbau der Verbrechenslehre. 4. Aufl. München 2006 (zit. AT-I).

Ruffert, Matthias, Schlüsselfragen der Europäischen Verfassung der Zukunft. Grundrechte – Institutionen – Kompetenzen – Ratifizierung. EuR 2004, 165.

Ruyt, Jean de, L'Acte Unique Européen. 2. Aufl. Brüssel 1989.

Sacco, Rodolfo, Concepts juridiques et création du droit communautaire par le juge. In: Schulze, Reiner/Seif, Ulrike (Hrsg.), Richterrecht und Rechtsfortbildung in der Europäischen Rechtsgemeinschaft. Tübingen 2003, S. 81.

Sachs, Michael, Grundgesetz. Kommentar. 4. Aufl. München 2007 (zit. *Bearbeiter*, in: Sachs, GG-Kommentar).

Satzger, Helmut, Die Europäisierung des Strafrechts. Eine Untersuchung zum Einfluss des Europäischen Gemeinschaftsrechts auf das deutsche Strafrecht. Köln 2001 (zit. Europäisierung).

– The future of European criminal law between harmonization, mutual recognition and alternative solutions. Journal of European Criminal Law 2006, 27.

– Das europarechtliche Verhältnismäßigkeitsprinzip als Maßstab für eine europäische Kriminalpolitik. Neue Kriminalpolitik 2007, 93.

– Internationales und Europäisches Strafrecht. 2. Aufl. Baden-Baden 2008 (zit. Europäisches Strafrecht).

– Das Strafrecht als Gegenstand der europäischen Gesetzgebungstätigkeit. KritV 2008, 17.

Saurer, Johannes, Die Ausweitung sicherheitsrechtlicher Regelungsansprüche im Kontext der Terrorismusbekämpfung. NVwZ 2005, 275.

Sax, Emil, Die Wertungstheorie der Steuer. Zeitschrift für Volkswirtschaft und Sozialpolitik 1924, 191.

Schaar, Peter, EuGH-Entscheidung zur Fluggastdatenübermittlung – Grund zur Begeisterung? MMR 2006, 425.

Schachtschneider, Karl-Albrecht/Emmerich-Fritsche, Angelika/Beyer, Thomas C.W., Der Vertrag über die Europäische Union und das Grundgesetz. JZ 1993, 751.

Scherer, F.M./Weißburst, Sandy, Economic Effects of Strengthening Pharmaceutical Patent Protection in Italy. IIC 1995, 1009.

Schier, Alexander/Lehmann, Matthias, Anmerkung zu EuGH vom 12.12.2006, C-380/03 – Tabakwerbeverbot. Zeitschrift für Gemeinschaftsprivatrecht 2007, 68.

Schily, Otto, Eröffnungsansprache zur BKA-Herbsttagung 2002. In: Bundeskriminalamt (Hrsg.), Wirtschaftskriminalität und Korruption – Vorträge anlässlich der Herbsttagung des Bundeskriminalamts vom 19. bis 21. November 2002. München 2003.

Schlösser, Jürgen P., Die Sperrwirkung sekundären Gemeinschaftsrechts: mitgliedstaatliche Spielräume im „harmonisierten" Umweltrecht. Baden-Baden 2002.

Schmidtchen, Dieter, Kommentar zu Horst Entorf: Ökonomische Theorie der Kriminalität. In: Ott, Claus/Schäfer, Hans-Bernd (Hrsg.), Die Präventivwirkung zivil- und strafrechtlicher Sanktionen. Beiträge zum VI. Travemünder Symposium zur ökonomischen Analyse des Rechts vom 25.–28. März 1998. Tübingen 1999, S. 22.

Schmitts, Uwe, Die Rechtsprechung zum Recht der Internationalen Rechtshilfe in Strafsachen seit dem Jahr 2000. NStZ-RR 2005, 161.

Schneider, Egon/Schnapp, Friedrich E., Logik für Juristen. Die Grundlage der Denklehre und der Rechtsanwendung. 6. Aufl. München 2006.

Schneider, Friedrich, Arbeit im Schatten: Einige theoretische und empirische Überlegungen über die Schattenwirtschaft. Perspektiven der Wirtschaftspolitik 2 (2001), 425.

Schnell, Rainer/Hill, Paul. B/Esser, Elke, Methoden der empirischen Sozialforschung. 7. Aufl. München, Wien 2005.

Scholten, Hans-Joseph, Niederlande. In: Meyer, Jürgen (Hrsg.), Betäubungsmittelstrafrecht in Westeuropa. Eine rechtsvergleichende Untersuchung im Auftrag des Bundeskriminalamts. Freiburg 1987, S. 445.

Scholz, Rupert, Europäische Union und Bundesstaat. NVwZ 1993, 817.

– Zum Verhältnis von europäischem Gemeinschaftsrecht und nationalem Verwaltungsverfahrensrecht. DÖV 1998, 261.

Schönke, Adolf/Schröder, Horst, Strafgesetzbuch. 27. Aufl. München 2006 (zit. Schönke/Schröder/*Bearbeiter*, § Rn.).

Schröder, Christian, Europäische Richtlinien und deutsches Strafrecht. Eine Untersuchung über den Einfluss europäischer Richtlinien gemäß Art. 249 Abs. 3 EGV auf das deutsche Strafrecht. Berlin u.a. 2002.

Schubert, Thure, Der Gemeinsame Markt als Rechtsbegriff. Die allgemeine Wirtschaftsfreiheit des EG-Vertrages. München 1999.

Schulze, Reiner/Seif, Ulrike, Einführung. In: Schulze, Reiner/Seif, Ulrike (Hrsg.), Richterrecht und Rechtsfortbildung in der Europäischen Rechtsgemeinschaft. Tübingen 2003, S. 1.

Schünemann, Bernd, Ein Gespenst geht um in Europa – Brüsseler „Strafrechtspflege" intra muros. GA 2002, 501.

– Alternativentwurf Europäische Strafverfolgung. Köln u.a. 2004.

– Ein Gesamtkonzept für die Europäische Strafrechtspflege. Köln u.a. 2006.

– Europäischer Sicherheitsstaat = europäischer Polizeistaat. ZIS 2007, 528.

– Europas verschmitzte Usurpierung einer furchtbaren Gewalt. ZIS 2007, 535.

– Die Zukunft des Strafverfahrens – Abschied vom Rechtsstaat? ZStW 119 (2007), 945.

– Ewigkeitsgarantien im Europäischen Strafrecht – Ein Appell an die deutsche Volksvertretung. KritV 2008, 6.

– Die Liechtensteiner Steueraffäre als Menetekel des Rechtsstaats. NStZ 2008, 305.

Schünemann, Bernd/Suárez González, Carlos (Hrsg.), Bausteine des europäischen Wirtschaftsstrafrechts. Madrid-Symposium für Klaus Tiedemann. Köln u.a. 1994 (zit. *Verfasser*, in: Madrid-Symposium).

Schwan, Hartmut Heinrich, Die deutschen Bundesländer im Entscheidungssystem der Europäischen Gemeinschaften. Berlin 1982.

Schwartz, Ivo E., Rechtsangleichung und Rechtswettbewerb im Binnenmarkt – Zum europäischen Modell. EuR 2007, 194.

Schwarze, Jürgen, Die überstaatliche Bedingtheit des Staates. Bemerkungen zu Grundpositionen Werner von Simsons auf dem Gebiete des Europarechts. In: Häberle, P./ Schwarze, Jürgen/Vizthum, Wolfgang Graf (Hrsg.), Europarecht Beiheft 1/1993, S. 39.

– (Hrsg.), EU-Kommentar. Baden-Baden 2000 (zit. *Bearbeiter*, in: Schwarze [Hrsg.], EU-Kommentar, Art. Rn.).

– Grenzen der Harmonisierungskompetenz der EG im Presserecht. ZUM 2002, 89.

– Rechtsstaatliche Grenzen der gesetzlichen und richterlichen Qualifikation von Verwaltungssanktionen im Europäischen Gemeinschaftsrecht. EuZW 2003, 261.

– Europäisches Wirtschaftsrecht. Grundlagen, Gestaltungsformen, Grenzen. Baden-Baden 2007 (zit. Europäisches Wirtschaftsrecht).

– Grenzen des Richterrechts in der europäischen Rechtsordnung. Anmerkungen zu dem zweiten Tabakwerbeurteil des EuGH vom 12.12.2006. In: Müller, Gerda u.a. (Hrsg.), Festschrift für Günter Hirsch zum 65. Geburtstag. München 2008, S. 165.

Schweitzer, Michael/Hummer, Waldemar, Europarecht. 6. Aufl. Neuwied u.a. 2003.

Schweitzer, Michael/Schroeder, Werner/Bock, Yves, EG-Binnenmarkt und Gesundheitsschutz – Am Beispiel der neuen Tabakrichtlinie der Europäischen Gemeinschaft. Heidelberg 2002.

Schwind, Hans-Dieter, Kriminologie. Eine praxisorientierte Einführung mit Beispielen. 18. Aufl. Heidelberg 2008.

Sedemund, Joachim/Montag, Frank, Europäisches Gemeinschaftsrecht. NJW 1987, 546.

Seidel, Martin, Präventive Rechtsangleichung im Bereich des Gemeinsamen Marktes. EuR 2006, 26.

Selle, Dirk von, Gerechte Geldstrafe. Eine Konkretisierung des Grundsatzes der Opfergerechtigkeit. Berlin 1997.

Selmayr, Martin/Kamann, Hans-Georg/Ahlers, Sabine, Die Binnenmarktkompetenz der Europäischen Gemeinschaft – Lehren aus dem Tabakurteil des EuGH für die künftige Kompetenzordnung der EU-Verfassung. EWS 2003, 49.

Sevenster, Hanna G., Criminal Law and EC Law. CMLRev 1992, 29.

Sieber, Ulrich, Europäische Einigung und Europäisches Strafrecht. ZStW 103 (1991), 957.

– Entwicklungsstand und Perspektiven des europäischen Wirtschafsstrafrechts, Bausteine des europäischen Wirtschaftsstrafrechts. In: Schünemann, Bern/Suárez González, Carlos (Hrsg.), Madrid-Symposium für Klaus Tiedemann. Köln u.a. 1994 (zit. Madrid Symposium).

– Bekämpfung des EG-Betrugs und Perspektiven der europäischen Amts- und Rechtshilfe – Ergebnisse und rechtspolitische Vorschläge anlässlich einer Tagung zur Bekämpfung von Wirtschaftsstraftaten gegen die Europäische Gemeinschaft. ZRP 2000, 186.

Sieber, Ulrich, Strafrechtsvergleichung im Wandel. Aufgaben, Methoden und Theorieansätze der vergleichenden Strafrechtswissenschaft in: Sieber, Ulrich/Albrecht, Hans-Jörg (Hrsg.), Strafrecht und Kriminologie unter einem Dach. Kolloquium zum 90. Geburtstag von Prof. Dr. Dr. h.c. mult Hans-Heinrich Jescheck. Berlin 2006, S. 78.

– Grenzen des Strafrechts – Grundlagen und Herausforderungen des neuen strafrechtlichen Forschungsprogramms am Max-Planck-Institut für ausländisches und internationales Strafrecht. ZStW 119 (2007), 1.

– Ermittlungen in Sachen Liechtenstein – Fragen und erste Antworten. NJW 2008, 881.

Sieber, Ulrich/Bögel, Marion, Logistik der Organisierten Kriminalität – Wirtschaftswissenschaftlicher Forschungsansatz und Pilotstudie zur internationalen Kfz-Verschiebung, zur Ausbeutung von Prostitution, zum Menschenhandel und zum illegalen Glücksspiel. BKA Forschungsreihe, Band 28. Wiesbaden 1993.

Simitis, Spiron, Übermittlung der Daten von Flugpassagieren in die USA: Dispens vom Datenschutz? NJW 2006, 2011.

Simon, Denys, Urteilsanmerkung zum Urteil des EuGH Rs. 376/98. Europe 2000 (Décembre), Comm. n.°372, 10.

– Urteilsanmerkung zum Urteil des EuGH Rs. 176/03. Europe 2006 (Novembre), Comm. n° 369, 11.

– L'assemblée nationale et la compétence communautaire en matière pénale: le temps des paradoxes. Juris Classeur – Europe 2006, Repere 5, Mai, 1.

– Urteilsanmerkung zum Urteil des EuGH Rs. C-440/05. Europe 2007 (Décembre), Comm. n° 326, 16.

Sinn, Hans-Werner, Der neue Systemwettbewerb. Perspektiven der Wirtschaftspolitik 4 (2002), 391.

Smith, Sir John/Hogan, Brian, Criminal Law. 8. Aufl. London u.a. 1996.

Soltész, Ulrich/Steinle, Christian/Bielesz, Holger, Rekordgeldbußen versus Bestimmtheitsgebot – Die Kartellverordnung auf dem Prüfstein höherrangigen Gemeinschaftsrechts. EuZW 2003, 202.

Spannowsky, Willy, Wettbewerbsverzerrende Defizite des gemeinschaftsrechtlichen Sanktions- und Vollstreckungssystems. JZ 1994, 326.

Spinellis, Dionysios, Court of European Communities – Judgement of 13 September 2005 (Case C-176/03, Commission v. Council). EuConst 2006, 293.

Stando-Kawecka, Barbara, Strafrecht und Kriminalpolitik in Polen. In: Eser, Albin/Arnold, Jörg/Trappe, Julie (Hrsg.), Strafrechtsentwicklung in Osteuropa. Zwischen Bewältigung und neuen Herausforderungen. Internationales Symposium vom 26.–29. Juni auf Schloss Ringberg. Berlin 2005, S. 318.

Steegmann, Matthias, Die aktuelle rechtliche Situation zur Umsetzung des Glücksspielstaatsvertrages. ZfWG 2008, 26.

Stellpflug, Martin-H., Die Umsetzung der EG-Richtlinie 91/308/EWG zur Bekämpfung der Geldwäsche in Großbritannien. wistra 1994, 257.

Stein, Torsten, Subsidiarität als Rechtsprinzip? In: Merten, Detlef (Hrsg.), Die Subsidiarität Europas. 2. Aufl. Berlin 1994, S. 23.

Stein, Torsten, Die Querschnittsklausel zwischen Maastricht und Karlsruhe. In: Due, Ole/Lutter, Marcus/Schwarze, Jürgen (Hrsg.), Festschrift für Ulrich Everling. Baden-Baden 1995, S. 1439.

– Die Grundfreiheiten müssen Freiheiten bleiben! – Nochmals zu Tabakwerbeverbot und Gemeinschaftskompetenz. EuZW 2000, 337.

– Keine Europäische „Verbots"-Gemeinschaft: das Urteil des EuGH über die Tabakwerbeverbot-Richtlinie. EWS 2001, 12.

– Anmerkung zum Urteil des EuGH vom 12.12.2006, Rs. C-380/03, Slg. 2006, I-11573. EuZW 2007, 54.

– Zum „Glück" haben wir den EuGH. In: Müller, Gerda u.a. (Hrsg.), Festschrift für Günter Hirsch zum 65. Geburtstag. München 2008, S. 185.

Steindorf, Ernst, Gemeinsamer Markt und Binnenmarkt. ZHR 150 (1986) 687.

Stiebig, Volker, Strafrechtssetzungskompetenz der Europäischen Gemeinschaft und Europäisches Strafrecht: Skylla und Charybdis einer europäischen Odysee? EuR 2005, 466.

Stoll, Thiery, L'Etat du droit communautaire. In: Société de législation comparée (Hrsg.), L'efficacité des mesures de lutte contre la contrefaçon: Etude comparée, colloque du 9 septembre 2005. Paris 2006.

Stolle, Peer/Hefendehl, Roland, Gefährliche Orte oder gefährliche Kameras? – Die Videoüberwachung im öffentlichen Raum. KrimJ 2002, 257.

Streinz, Rudolf, Europarecht. 7. Aufl. Heidelberg 2005.

– Vertrag über die Europäische Union und Vertrag zur Gründung der Europäischen Gemeinschaft. München 2003 (zit. *Bearbeiter*, in: Streinz [Hrsg.], EUV/EGV, Art. Rn.).

– Der Vertrag von Amsterdam – Einführung in die Reform des Unionsvertrages von Maastricht und erste Bewertung der Ergebnisse. EuZW 1998, 137.

Streit, Manfred E., Theorie der Wirtschaftspolitik. 6. Aufl. Stuttgart 2005.

Streit, Manfred E./Kiwit, Daniel, Zur Theorie des Systemwettbewerbs. In: Streit, Manfred E./ Wohlgemuth, Michael (Hrsg.), Systemwettbewerb als Herausforderung an Politik und Theorie. Baden-Baden 1999, S. 13.

Strohmayr, Sebastian, Kompetenzkollisionen zwischen europäischem und nationalem Recht. Baden-Baden 2006.

Strutz, Beate, EG-Werbeverbot für Tabakerzeugnisse auf dem gemeinschaftsrechtlichen Prüfstand. Osnabrück 2004, Onlinepublikation: http://elib.ub.uni-osnabrueck.de/publications/diss/E-Diss374_thesis.pdf [letzter Zugriff: 26.1.2009]

Subramanian, Guhan, The disappearing Delaware Effect. The Journal of Law, Economics & Organisation 20 (2004), 32.

Sugmann-Stubbs, Katja/Jager, Matjaz, Europäisches Strafrecht als Instrument europäischer Integration. KritV 2008, 57.

Sullivan, Daniel-P./Conlon, Donald-E., Crisis and Transition in Corporate Governance Paradigms: The Role of the Chancery Court of Delaware. Law & Society Review 4 (1997), 713.

Sullivan, Daniel-P./Conlon, Donald-E., Examining the Actions of Organizations in Conflict: Evidence from the Delaware Court of Chancery. The Academy of Management Journal 42 (1999), 319.

Sutherland, Edwin H., White-Collar Criminality. American Sociological Review 5 (1940), 1.

Szczekalla, Peter, Übermittlung von Fluggastdaten an die USA. DVBl 2006, 896.

Szwarc, Andrezj, Eurodefensor – Unterstützung der Verteidigung. In: Schünemann, Bernd (Hrsg.), Ein Gesamtkonzept für die Europäische Strafrechtspflege. Köln u.a. 2006, S. 181.

Tamm, Marina, Das Grünbuch der Kommission zum Verbraucheracquis und das Modell der Vollharmonisierung – eine kritische Analyse. EuZW 2007, 756.

ter Steeg, Marcus, Eine neue Kompetenzordnung für die EU – Die Reformüberlegungen des Konvents zur Zukunft Europas. EuZW 2003, 325.

Tiebout, Ch.M., A pure theory of local expenditures. The Journal of Political Economy 64 (1956), 416.

Tiedemann, Klaus, Wirtschaftskriminalität als Problem der Gesetzgebung. In: Tiedemann, Klaus (Hrsg.), Verbrechen in der Wirtschaft. 2. Aufl. Karlsruhe 1972, S. 9.

– Kartellrechtsverstöße und Strafrecht. Köln 1976.

– Wirtschaftsstrafrecht und Wirtschaftskriminalität 1, Allgemeiner Teil. Reinbek 1976 (zit. Wirtschaftsstrafrecht und Wirtschaftskriminalität).

– Der Allgemeine Teil des europäischen supranationalen Strafrechts. In: Vogler, Theo (Hrsg.), Festschrift für Hans-Heinrich Jescheck zum 70. Geburtstag, Zweiter Halbband. Berlin 1985, S. 1411.

– Strafrechtlicher Schutz für die Finanzkraft der Gemeinschaft – Urteilsanmerkung zum Urteil EuGH vom 21.9.1989 – Rs. 68/88 (Kommission / Griechenland). EuZW 1990, 100.

– Der Strafschutz der Finanzinteressen der Europäischen Gemeinschaft. NJW 1990, 2226.

– Europäisches Gemeinschaftsrecht und Strafrecht. NJW 1993, 23.

– Urteilsanmerkung zu EuGH, Urteil vom 27.10.1992 – Rs. C-240/90 (Bundesrepublik Deutschland / Kommission), Zuständigkeit des Rats und der Kommission bei Erlass von Sanktionen. NJW 1993, 49.

– Der Allgemeine Teil des Strafrechts im Lichte der europäischen Rechtsvergleichung. In: Eser, Albin (Hrsg.), Festschrift für Theodor Lenckner zum 70. Geburtstag. München 1998, S. 411.

– Re-Europäisierung des Strafrechts versus Nationalismus der (deutschen) Strafrechtslehre. GA 1998, 107.

– (Hrsg.), Wirtschaftsstrafrecht in der Europäischen Union – Freiburg Symposium. Köln u.a. 2002, S. 3 (zit. *Verfasser*, in: Freiburg-Symposium).

– Wirtschaftsstrafrecht – Einführung und Allgemeiner Teil. 2. Aufl. Köln u.a. 2007 (zit. Wirtschaftsstrafrecht AT).

Tobler, Christa, Urteilsanmerkung, Case C-176/03, Commission v. Council, judgement of the Grand Chamber of 13 September 2005. CMLRev 2006, 835.

Torgler, Benno/Schneider, Friedrich, The Impact of Tax Morale and Institutional Quality on the Shadow Economy, CREMA working papers 2007 – 1. Center for Research in Economics, Management and the Arts (CREMA) Basel 2007, download unter: http://www.crema-research.ch/papers/2007-01.pdf [letzter Zugriff: 26.1.2009].

Torre, Castillo de la, Urteilsbesprechung: Tribunal Constitucional (Spanish Constitutional Court), Opinion 1/2004 of 13 December 2004, on the Treaty establishing a Constitution for Europe. CMLRev 2005, 1169.

Trüe, Christiane, Das System der Rechtssetzungskompetenzen der Europäischen Gemeinschaft und der Europäischen Union. Baden-Baden 2002.

UNCTAD, Wold Investment Report 2006 – FDI from Developing and Transition Economies: Implications for Development, download unter: http://www.unctad.org/en/docs/wir2006_en.pdf [letzter Zugriff: 26.1.2009].

Vedder, Christop/Heintschel von Heinegg, Wolff, Europäischer Verfassungsvertrag. Baden-Baden 2007 (zit. *Bearbeiter*, in: Vedder/Heintschel von Heinegg [Hrsg.], EVV).

Vervaele, John A.E., Fraud against the Community – The need for European fraud legislation. Deventer, Boston 1992.

– The European Community and Harmonization of the Criminal Law Enforcement of Community Policy: Ignoti nulla cupido? In: Sieber, Ulrich u.a. (Hrsg.), Strafrecht und Wirtschaftsstrafrecht – Dogmatik, Rechtsvergleich, Rechtstatsachen. Festschrift für Klaus Tiedemann zum 70. Geburtstag. Köln, München 2008, S. 1353.

Vogel, Joachim, Die Kompetenzen der EG zur Einführung supranationaler Sanktionen. In: Dannecker, Gerhard (Hrsg.), Die Bekämpfung des Subventionsbetrugs im EG-Bereich. Köln 1993, S. 170.

– Harmonisierung des Strafrechts in der Europäischen Union. GA 2003, 314.

– Stand und Tendenzen der Harmonisierung des materiellen Strafrechts in der Europäischen Union. In: Zieschang, Frank/Hilgendorf, Eric/Laubenthal, Klaus (Hrsg.), Strafrecht und Kriminalität in Europa. Baden-Baden 2003, S. 29.

Voigt, Stefan, Iudex Calculat: The ECJ's Quest for Power. In: Holler, Manfred J./Kliemt, Hartmut/Schmidtchen, Dieter/Streit Manfred E. (Hrsg.), European Governance. Tübingen 2003, S. 77.

Wabnitz, Heinz-Bernd/Janovsky, Thomas, Handbuch des Wirtschafts- und Steuerstrafrechts. 3. Aufl. München 2007 (zit. *Bearbeiter*, in: Wabnitz/Janvosky, HdB Wirtschaftsstrafrecht, Kapitel Rn.).

Wägenbaur, Bertrand, Binnenmarkt und Gesundheitsschutz – eine schwierige Kohabitation. EuZW 2000, 549.

– Tabak, Ende der Diskussion oder Diskussion ohne Ende? EuZW 2003, 107.

Wahl, Thomas/Schultz, Sarah, The Enlargement of the Schengen Area. eucrim 2007, 66.

Walter, Tonio, Inwieweit erlaubt die Europäische Verfassung ein europäisches Strafgesetz? ZStW 118 (2006), 912.

Wasilew, Valentin, Subsidiarität – Testlauf für nationale Parlamente. In: Wissenschaftliche Dienste des Deutschen Bundestages, Abteilung Europa Dokumnet Nr. 13/2007 vom 13.3.2007.

Weber, Albrecht, Vom Verfassungsvertrag zum Vertrag von Lissabon. EuZW 2008, 7.

Wechsler, Andreas, Volksrepublik China – Verabschiedung einer umfassenden Kodifizierung des Sachenrechts durch den Nationalen Volkskongress. GRUR-Int 2007, 459.

Wegener, Bernhard W./Greenawalt, Tim, (Umwelt-)Strafrecht in europäischer Kompetenz! – zugleich eine Anmerkung zu EuGH, Urteil vom 13. September 2005, Rs. C-176/03 (Kommission/Rat). ZUR 2005, 585.

Wehr, Klaus/Maier, Rolf-Dieter, Regionale Tendenzanalyse von Betäubungsmittel-Untersuchungen zwischen 1980 und 1986. Zeitschrift für Rechtsmedizin (1989), 509.

Weigend, Thomas, Strafrecht durch internationale Vereinbarungen – Verlust an nationaler Strafrechtskultur. ZStW 105 (1993), 774.

– Grundsätze und Probleme des deutschen Auslieferungsrechts. JuS 2000, 105.

– Spricht Europa mit zwei Zungen? StV 2001, 63.

– Mindestanforderungen an ein europaweit geltendes harmonisiertes Strafrecht. In: Zieschang, Frank/Hilgendorf, Eric/Laubenthal, Klaus (Hrsg.), Strafrecht und Kriminalität in Europa. Baden-Baden 2003, S. 57.

– Der Entwurf einer Europäischen Verfassung und das Strafrecht. ZStW 116 (2004), 276.

Weiß, Holger, EC Competence for Environmental Criminal Law – An Analysis of the Judgement of the ECJ of 13.9.2005 in Case C-176/03, Commission v. Council. ZEuS 2006, 381.

Weitbrecht, Andreas, Europäisches Kartellrecht 2000/2001. EuZW 2002, 581

Wernicke, Stephan, Der Vertrag von Lissabon und das Wettbewerbsprinzip – Status quo ante, Neugewichtung oder Unwucht? In: Pernice, Ingolf. (Hrsg.), Der Vertrag von Lissabon: Reform der EU ohne Verfassung? Kolloquium zum 10. Geburtstag des WHI. Baden-Baden 2008, S. 190.

Wessels, Johannes/Beulke, Werner, Strafrecht Allgemeiner Teil – Die Straftat und ihr Aufbau. 38. Aufl. Heidelberg 2008 (zit. Wessels/Beulke, § Rn.).

Westermann, Harry-Peter, Auf dem Weg zum Wettbewerb der Gesellschaftsordnungen: die Kapitalbindungen im Recht der GmbH. ZIP 2005, 1849.

Westhoff, André-O., Die Verbreitung der *limited* mit Sitz in Deutschland. GmbHR 2006, 525.

Westphal, Dietrich, Übermittlung europäischer Fluggastdaten. EuZW 2006, 406.

Weyembergh, Anne, L'harmonisation des législations: condition de l'espace pénal européen et révélateur de ses tensions. Brüssel 2004.

– Aproximation of Criminal Laws, The Constitutional Treaty and The Hague Programme. CMLRev 2005, 1567.

– Comment évaluer le droit pénal européen. Brüssel 2006.

Weyer, Hartmut, Gemeinschaftsrechtliche Überprüfbarkeit mitgliedstaatlicher Regelungen der Verkaufsmodalitäten. EuZW 2004, 455.

White, Simone, Harmonisation of criminal law under the first pillar. E.L.Rev. 2006, 81.

Wieser, Friedrich von, Theorie der gesellschaftlichen Wirtschaft. In: Grundriß der Sozialökonomik, I. Abteilung, II. Teil. Tübingen 1924, S. 291.

Winkler, Rolf, Die Rechtsnatur der Geldbuße im Wettbewerbsrecht der Europäischen Wirtschaftsgemeinschaft. Tübingen, 1971.

Wohltmann, Hans-Werner, Grundzüge der makroökonomischen Theorie: Totalanalyse geschlossener und offener Volkswirtschaften. 4. Aufl. München u.a. 2005.

Wolf, Sebastian, Anforderungen an eine demokratische Europäische Union. ZRP 2008, 27.

Wolfgang, Hans-Michael/Ulrich, Stephan, Schutz der finanziellen Interessen der Europäischen Gemeinschaften. EUR 1998, 616.

Wuermeling, Joachim, Kalamität Kompetenz: Zur Abgrenzung der Zuständigkeiten in dem Verfassungsentwurf des EU-Konvents. EuR 2004, 216.

– Die Tragische: Zum weiteren Schicksal der EU-Verfassung. ZRP 2005, 149.

– Urteilsanmerkung EuGH vom 13.9.2005 Rs. C-176/03. BayVwBl 2006, 368.

Zarka, Jean-Claude, La Communauté peut exiger des pays membres d'assurer la protection de l'environnement par des sanctions pénales. La Semaine juridique – édition générale 2005, II 10168, S. 2224.

– Urteilsanmerkung zum Urteil Rs. C-176/03 „Kommission/Rat". La Semaine Juridique – édition générale 2007 II 10168, S. 2224.

Zeller, Jörg, Dogmatische und empirische Untersuchungen zur Einstellungspraxis der Staatsanwaltschaften im Betäubungsmittelstrafrecht. Berlin 2007.

Zieschang, Frank, Chancen und Risiken der Europäisierung des Strafrechts. ZStW 113 (2001), 255.

Zirpins, Walter/Terstegen, Otto, Wirtschaftskriminalität. Erscheinungsformen und ihre Bekämpfung. Lübeck 1963.

Zuleeg, Manfred, Vorbehaltene Kompetenzen der Mitgliedstaaten der Europäischen Gemeinschaft auf dem Gebiete des Umweltschutzes. NVwZ 1987, 280.

– Der Beitrag des Strafrechts zur europäischen Integration. JZ 1992, 761.

– Die Rolle der rechtsprechenden Gewalt in der europäischen Integration. JZ 1994, 1.

Zweigert, Konrad, Das große Werk Ipsens über Europäisches Gemeinschaftsrecht. EuR 1972, 308.

Schriftenreihe des Max-Planck-Instituts für ausländisches und internationales Strafrecht

Die zentralen Veröffentlichungen des Max-Planck-Instituts für ausländisches und internationales Strafrecht werden in Zusammenarbeit mit dem Verlag Duncker & Humblot in den folgenden vier Unterreihen der „Schriftenreihe des Max-Planck-Instituts für ausländisches und internationales Strafrecht“ vertrieben:

- „Strafrechtliche Forschungsberichte“,
- „Kriminologische Forschungsberichte“,
- „Interdisziplinäre Forschungen aus Strafrecht und Kriminologie“ sowie
- „Sammlung ausländischer Strafgesetzbücher in deutscher Übersetzung“.

Diese Publikationen können direkt über das Max-Planck-Institut unter <www.mpicc.de> oder über den Verlag Duncker & Humblot unter <www.duncker-humblot.de> erworben werden.

Darüber hinaus erscheinen im Hausverlag des Max-Planck-Instituts in der Unterreihe „research in brief“ zusammenfassende Kurzbeschreibungen von Forschungsergebnissen und in der Unterreihe „Arbeitsberichte“ Veröffentlichungen vorläufiger Forschungsergebnisse. Diese Veröffentlichungen können über das Max-Planck-Institut bezogen werden.

Detaillierte Informationen zu den einzelnen Publikationen des Max-Planck-Instituts für ausländisches und internationales Strafrecht sind unter <www.mpicc.de> abrufbar.

The main research activities of the Max Planck Institute for Foreign and International Criminal Law are published in the following four subseries of the “Schriftenreihe des Max-Planck-Instituts für ausländisches und internationales Strafrecht” (Research Series of the Max Planck Institute for Foreign and International Criminal Law), which are distributed in cooperation with the publisher Duncker & Humblot:

- “Strafrechtliche Forschungsberichte” (Reports on Research in Criminal Law),
- “Kriminologische Forschungsberichte” (Reports on Research in Criminology),
- “Interdisziplinäre Forschungen aus Strafrecht und Kriminologie” (Reports on Interdisciplinary Research in Criminal Law and Criminology), and
- “Sammlung ausländischer Strafgesetzbücher in deutscher Übersetzung” (Collection of Foreign Criminal Laws in German Translation).

These publications can be ordered from the Max Planck Institute at <www.mpicc.de> or from Duncker & Humblot at <www.duncker-humblot.de>.

Two additional subseries are published directly by the Max Planck Institute for Foreign and International Criminal Law: “research in brief” contains short reports on results of research activities, and “Arbeitsberichte” (working materials) present preliminary results of research projects. These publications are available at the Max Planck Institute.

Detailed information on all publications of the Max Planck Institute for Foreign and International Criminal Law can be found at <www.mpicc.de>.

Max-Planck-Institut für ausländisches
und internationales Strafrecht

Auswahl aus dem strafrechtlichen Veröffentlichungsprogramm:

S 114.1 *Ulrich Sieber/Karin Cornils* (Hrsg.)
Nationales Strafrecht in rechtsvergleichender Darstellung
Allgemeiner Teil, Teilband 1: Grundlagen
2009 • 790 Seiten • ISBN 978-3-86113-849-5 € 55,00

S 114.2 *Ulrich Sieber/Karin Cornils* (Hrsg.)
Nationales Strafrecht in rechtsvergleichender Darstellung
Allgemeiner Teil, Teilband 2: Gesetzlichkeitsprinzip – Internationaler Geltungsbereich – Begriff und Systematisierung der Straftat
2008 • 470 Seiten • ISBN 978-3-86113-860-0 € 41,00

S 114.3 *Ulrich Sieber/Karin Cornils* (Hrsg.)
Nationales Strafrecht in rechtsvergleichender Darstellung
Allgemeiner Teil, Teilband 3: Objektive Tatseite – Subjektive Tatseite – Strafbares Verhalten vor der Tatvollendung
2008 • 490 Seiten • ISBN 978-3-86113-859-4 € 41,00

S 116 *Matthias Hörster*
Die strict liability des englischen Strafrechts
Zugleich eine Gegenüberstellung mit dem deutschen Straf- und Ordnungswidrigkeitenrecht
2009 • 249 Seiten • ISBN 978-3-86113-855-6 € 31,00

S 117 *Phillip W. Brunst*
Anonymität im Internet – rechtliche und tatsächliche Rahmenbedingungen
Zum Spannungsfeld zwischen einem Recht auf Anonymität bei der elektronischen Kommunikation und den Möglichkeiten zur Identifizierung und Strafverfolgung
2009 • 619 Seiten • ISBN 978-3-86113-854-9 € 50,00

S 118 *Julia Macke*
UN-Sicherheitsrat und Strafrecht
Legitimation und Grenzen einer internationalen Strafgesetzgebung
2010 • 437 Seiten • ISBN 978-3-86113-848-8 € 41,00

S 119 *Susanne Forster*
Freiheitsbeschränkungen für mutmaßliche Terroristen
Eine Analyse der Terrorismusgesetzgebung des Vereinigten Königreichs
2010 • 341 Seiten • ISBN 978-3-86113-847-1 € 31,00

Auswahl aus dem kriminologischen Veröffentlichungsprogramm:

K 140 *Dirk Pehl*
Die Implementation der Rasterfahndung
Berlin 2008 • 308 Seiten • ISBN 978-3-86113-092-5 € 35,00

K 142 *Constantin Rehaag*
Prinzipien von Täterschaft und Teilnahme in europäischer Rechtstradition
Berlin 2009 • 518 Seiten • ISBN 978-3-86113-094-9 € 35,00

K 143 *Benjamin Kurzberg*
Jugendstrafe aufgrund schwerer Kriminalität
Berlin 2009 • 278 Seiten • ISBN 978-3-86113-095-6 € 31,00

K 144 *Telemach Serassis/Harald Kania/Hans-Jörg Albrecht* (eds.)
Images of Crime III
Berlin 2009 • 218 Seiten • ISBN 987-3-86113-096-6 € 31,00

K 145 *Juliane Laule*
Berücksichtigung von Angehörigen bei der Auswahl und Vollstreckung von Sanktionen
Berlin 2009 • 282 Seiten • ISBN 978-3-86113-097-0 € 31,00

K 146 *Yen-Ching Chao*
Einwirkungen der Grundrechte auf die Beweisverbote im Strafprozessrecht
Im Hinblick auf die Situation in Taiwan und in der VR China
Berlin 2009 • 272 Seiten • ISBN 978-3-86113-098-7 € 31,00

K 147 *Wen Fan*
Kriminelle Karrieren
Berlin 2009 • 359 Seiten • ISBN 978-3-86113-099-4 € 31,00

K 148 *Figen Özsöz*
Rechtsextremistische Gewalttäter im Jugendstrafvollzug
Berlin 2009 • 292 Seiten • ISBN 978-3-86113-100-7 € 35,00

K 149 *Anne Wildfang*
Terrorismus
Berlin 2010 • 314 Seiten • ISBN 978-3-86113-101-4 € 31,00

K 151 *Carolin Quenzer*
Jugendliche und heranwachsende Sexualstraftäter
Berlin 2010 • 292 Seiten • ISBN 978-3-86113-103-8 € 35,00